DICTIONNAIRE

DE

LA CHANSON FRANÇAISE

LES DICTIONNAIRES

DE L'HOMME DU XXᵉ SIÈCLE

FRANCE VERNILLAT
JACQUES CHARPENTREAU

DICTIONNAIRE

DE LA CHANSON FRANÇAISE

JE SÈME À TOUT VENT

LIBRAIRIE
LAROUSSE
17, RUE DU MONTPARNASSE
PARIS VI

Petite histoire de la chanson française

La chanson révèle l'âme d'un peuple. C'est un art original qui naît de l'alliance des mots et des notes, du verbe et de la musique : un texte et une mélodie. Fondu au creuset de la chanson, l'alliage des mots et de la musique, quand il est de bonne qualité, peut survivre aux atteintes du temps.

Troubadours et trouvères.

Si nous avons conservé les textes d'œuvres probablement chantées dès la naissance de la langue française au IXᵉ s., les premières chansons profanes qui nous sont parvenues avec une notation musicale (parfois, même, un simple fragment de notation) ont été créées par les troubadours. Issues de la lyrique latine et des *versus* de saint Martial de Limoges, on retrouve dans ces premières chansons des fragments de formules mélodiques empruntées aux tropes de la liturgie martialienne. Chansons savantes, d'un déchiffrage difficile, sur lequel les musicologues ne sont pas toujours d'accord. Avant 1270, aucune chanson n'est notée rythmiquement ; entre 1898 et 1907, Aubry et Ludwig semblèrent avoir résolu le problème de la transcription rythmique, « dont le bien-fondé, comme l'écrit Jacques Chailley, apparaît aujourd'hui moins solide qu'on ne le pensait ».

Et pourtant, les chansons de troubadours, complétées par celles de leurs imitateurs directs, les trouvères, contiennent en germe toutes les formes de la chanson française : de la romance à la chanson à danser, en passant par la gaudriole épicée, la chanson bachique, la chanson galante, voire érotique, la complainte, etc., premières manifestations d'un art essentiellement français.

Avec les trouvères, la chanson s'allie à la danse, vieille rivale en antériorité des manifestations musicales primitives. Alliance de longue durée puisqu'elle existe encore. Grâce à la danse — phénomène populaire — la chanson descend du piédestal aristocratique que lui avaient fabriqué les troubadours. L'époque est d'ailleurs marquée par le déclin de la féodalité et le développement de la bourgeoisie. Les bourgeoises dansent au son des instruments :

> Li jongleours vont viëlant
> Et les borgeoises karolant.

> (*Roman des Sept Sages*, XIIᵉ s.)

Mais que jouent ces instruments, sinon des chansons en vogue ? C'est ce qui se produit encore de nos jours. Saluons au passage la naissance de l'opéra-comique, avec la mise à la scène d'une « pastourelle » par Adam de la Halle.

L'âge d'or de la chanson.

Mais voici que, pour un siècle, la chanson française va briller d'un éclat incomparable, depuis l'*Ars nova* et Guillaume de Machaut jusqu'aux poly-phonistes et Josquin Des Prés, alliant les recherches subtiles d'écriture au senti-ment populaire.

« Des recueils entiers lui sont consacrés : plus de 35 entre 1400 et 1450, plus d'une vingtaine entre 1450 et 1480, plus d'une soixantaine entre 1480 et 1520... [La chanson] est appréciée de tous ; elle résonne dans les palais, mais elle est aussi fredonnée ès carrefours », écrit Geneviève Thibaut, qui nous rappelle aussi que Charles d'Orléans s'était fait confectionner une robe brodée de 960 perles, dont 568 cousues sur les manches, reproduisaient le texte et la musique d'une chanson : *Madame, je suis plus joyeux*. En même temps se développe ce que Jean Molinet, dans son *Art de rhétorique*, dénomme la « chanson rurale ». Non pas qu'elle soit folklorique, mais parce qu'elle est rigoureusement anonyme, de forme libre ; prenant parfois des licences avec la prosodie, elle nous restitue un langage populaire aux locutions argotiques : le manuscrit de Bayeux en est le meilleur exemple. Il contient de joyeuses chansons à boire, mélangées à d'autres, inspirées par les graves événements politiques qui déchiraient alors la France. C'est à partir de ce moment que la chanson politique (dont les troubadours nous avaient laissé quelques exemples) se développe en France et prend, jusqu'au début du XXe s., une importance considérable.

Débuts de l'édition musicale.

L'invention de l'imprimerie facilite la diffusion de la chanson. En 1501 paraît à Venise le premier recueil de chansons en langue française, édité par Ottaviano Petrucci : L'*Harmonice Musices Odhecaton*. En 1528, Pierre Attaingnant commence à publier une collection de recueils de chansons polyphoniques dites « parisiennes » (35 au total), œuvre qui sera continuée par sa veuve jusqu'en 1557. A sa suite, Nicolas Du Chemin à Paris et Jacques Moderne à Lyon publient des recueils de chansons. Mais, à partir de 1551, Adrian Le Roy, associé à son cousin Robert Ballard, obtient le monopole de l'édition musicale, qui durera pendant plus de deux siècles : jusqu'en 1788. Grâce à ce monopole, nous conservons, avec les recueils édités régulièrement, un panorama continu de la production chansonnière française. Cependant, quelques éditeurs (Chardavoine, Mangeant) arrivent à publier des chansons populaires dites « en forme de voix-de-ville », et de nombreux recueils sont édités sans musique, avec

La chanson sentimentale, gravure d'André Jacquemin. Phot. Jean Marty.

seulement une indication de timbre. Cette pratique se continuera jusqu'à l'apparition du petit format.

Les chansons-pamphlets étaient éditées sous la forme de placards, et, dès la fin du XVIᵉ s., on trouve des « canards » ornés d'images descriptives et publiant des chansons et des complaintes.

Des salons au théâtre.

Ainsi diffusée, la chanson continue son chemin. L'Académie de poésie et de musique, fondée par Baïf et Courville, inspirée par Ronsard, inaugure une collaboration étroite du poète et du musicien; et l'air de cour, accompagné au luth, marie une poésie galante à une musique aimable et conquiert les suffrages des salons. C'est la belle période de la musique d'intimité, dont les peintres de l'époque nous ont laissé tant d'illustrations. Mais la chanson ne se laisse pas si facilement enfermer dans un salon, si douillet ou si bleu qu'il soit. Elle s'en évade et s'installe sur le Pont-Neuf, où grouille une foule haute en couleur de poètes, faiseurs de libelles, chansonniers de toute sorte. Bientôt, des tremplins du Pont-Neuf, la chanson se hausse jusqu'à la scène. Sans doute, Gaultier-Garguille avait, dès 1615, agrémenté de tours de chant les comédies représentées à l'Hôtel de Bourgogne, mais le théâtre des Foires crée un nouveau genre : la comédie à couplets, qui aboutira au vaudeville. Fort peu de ces comédies ont une musique originale, et même quand des compositeurs (Duny, La Ruette, Rameau, Jacques Aubert, etc.) écrivent la musique de certains airs, l'auteur emploie les timbres de chansons en vogue, de quelque provenance qu'elles soient, pour servir de supports à la majorité des couplets, créant un chaînon entre le répertoire des salons (voire de l'opéra) et les chansons de carrefours.

En 1731, la création du Caveau donne à la chanson littéraire une impulsion nouvelle et durable. Les sociétés chantantes se multiplieront en France jusqu'à la fin du XIXe s., allant des goguettes pour aboutir aux Hydropathes, au Chat-Noir et aux soirées de la Plume.

Mais le répertoire des Caveaux est essentiellement épicurien. Les âmes sensibles, qui s'étaient délectées au XVIIe s. avec les « brunettes », ensuite avec les « bergerettes », découvrent la romance, qui prend, sous l'Empire et la Restauration, une importance considérable.

La chanson sous la Révolution.

Sous la Révolution, la chanson politique est à l'ordre du jour. Les dîners de chansonniers subissent une éclipse. A leur place, certaines sections patriotiques se transforment en sociétés chantantes. Danton tonne contre cette transformation des sections en « tréteaux » (1794), mais on n'en chante pas moins, et partout : Ladré fonctionne au Pont-Neuf, tandis qu'Ange Pitou lui répond depuis la place Saint-Germain-l'Auxerrois. Dans les salles de théâtre, les spectateurs entonnent chacun les hymnes ou les chansons qui reflètent leurs convictions personnelles, ce qui dégénère souvent en pugilats. On chante jusque dans les prisons, et, même au point culminant de la Terreur, les romances continuent à déverser leurs flots lénifiants.

Découverte du folklore.

La tourmente passée, les sociétés chantantes se reconstituent et se multiplient. Le XIXᵉ s. transforme Béranger en idole, et les ouvriers-poètes qui fréquentent les goguettes préparent la République de 1848.

Pendant ce temps, des écrivains romantiques font découvrir aux Français la richesse de leur folklore. Devant l'engouement, le ministre de l'Instruction publique, Fortoul, prescrit en 1852 une enquête officielle sur les poésies populaires de la France. Enquête bien imparfaite, comme le sera plus tard le volume édité par l'Imprimerie nationale (1953) sous le titre *la Chanson du pays*, et qu'il serait bon de reprendre sur des bases plus solides.

Du caf' conc' au music-hall.

Le second Empire ayant fermé les lieux de réunions des chansonniers, les amateurs de chansons se ruent au café-concert, qui prend alors un essor vertigineux, fabriquant des vedettes, orientant l'opinion publique et consommant un nombre incalculable de chansons. Bientôt, un établissement nouveau, le music-hall, renouvelle le spectacle de variétés, unissant le tour de chant et des attractions empruntées au cirque ; il supplante peu à peu le caf' conc'. Pendant et après la Belle Epoque, ses « vedettes » interprètent des répertoires d'une grande diversité.

Dans les années 1930, la chanson française subit de profondes transformations : d'une part en recevant et en assimilant l'influence du jazz américain avec Mireille, J. Nohain, J. Tranchant, C. Trenet, etc. ; d'autre part en commençant à utiliser les découvertes techniques qui vont changer radicalement ses modes de diffusion : cinéma parlant, disques, radio et, surtout après 1950, télévision. Fortement concurrencés, bien des music-halls disparaissent. Mais ceux qui demeurent ont conservé tout leur prestige, avec d'autres formes de tours de chant : cabarets, tournées, récitals.

Renaissance de la chanson littéraire.

La chanson littéraire avait subi une éclipse momentanée depuis la fermeture des sociétés chantantes. Elle renaît dès 1878 au club des Hydropathes grâce à Emile Goudeau, se transporte au Chat-Noir, où naîtra ensuite ce que l'on appelle « l'esprit montmartrois », c'est-à-dire la renaissance de l'esprit satirique français (dont la tradition est toujours maintenue par les chansonniers), tandis que Bruant crée la chanson naturaliste.

Entre les deux guerres mondiales, reprenant une tradition encore plus ancienne, des interprètes font parfois appel à des textes poétiques transformés en chansons (Marie Dubas, M. Oswald, A. Capri). Mais c'est surtout après 1945 que la chanson littéraire s'impose à nouveau et, suivant l'exemple de C. Trenet, de nouveaux venus, G. Brassens, L. Ferré, J. Ferrat, etc., transforment en chansons, souvent avec bonheur, des textes écrits primitivement pour le livre. En même temps, des auteurs-compositeurs, échappant aux pièges de la facilité, introduisent dans la chanson des exigences plus vives de qualité littéraire et musicale, sans négliger l'humour à la suite de Prévert et Kosma. Le style « rive gauche », né dans les caves de Saint-Germain-des-Prés, puis passé dans les cabarets de chansons, apporte sa richesse à la chanson contemporaine.

Nouveaux moyens de diffusion.

Le développement prodigieux des moyens de masse crée des conditions nouvelles pour la diffusion de la chanson contemporaine. Immédiatement connue et portée dans toutes les classes sociales et à travers tout le pays, la chanson bénéficie d'une audience considérable surtout auprès des jeunes. Objet de consommation, elle est de plus en plus soumise aux impératifs du commerce et de l'industrie. Radio, disques, télévision sont devenus pratiquement les seuls modes de rencontre avec le grand public. La chanson française subit en outre, de plus en plus fortement, des influences étrangères, surtout anglo-saxonnes.

Tributaire de modes successives, la chanson connaît des phénomènes d'engouement qui, sans être nouveaux, ont une ampleur et une rapidité jamais connues jusqu'ici : ainsi le phénomène du « yéyé » et des « idoles », qui a des prolongements extérieurs à la chanson, suscite une presse, des films et des supports publicitaires. A la lente diffusion des pèlerins, des soldats, des colporteurs, des compagnons du Tour de France a succédé un système quasi instantané qui véhicule le meilleur et le pire en proportions souvent inégales.

Permanence et vitalité de la chanson française.

Il n'est pas un autre art qui ait conservé une audience populaire aussi large et aussi permanente, qui ait su présenter une telle diversité de genres. Malgré les conditions nouvelles de la diffusion, la chanson contemporaine est l'héritière de cette longue tradition. Elle a conservé jusqu'ici son originalité malgré les influences étrangères, dont certaines ont été assimilées harmonieusement. Elle le doit pour une bonne part à des auteurs-compositeurs qui sont souvent aussi leurs propres interprètes et dont beaucoup évoquent irrésistiblement les troubadours du début de la chanson française. Leur prestige est grand. On les admire, on les imite. Ils incitent des jeunes à composer ; ils donnent à tous des chansons pour fredonner les joies et les peines de la vie quotidienne. Grâce à eux, la chanson contemporaine est souvent d'une haute qualité. Grâce à eux, la chanson française continue.

France VERNILLAT
Jacques CHARPENTREAU

AVERTISSEMENT

On a toujours beaucoup écrit de chansons en France. Quelques coupes historiques peuvent donner une idée de l'énorme production chansonnière : on connaît les œuvres de 400 troubadours qui nous ont laissé plus de 2 650 chansons ; on a recensé 6 000 « mazarinades » ; on a déposé 30 000 chansons nouvelles à la Société des auteurs en 1966.

Il a bien fallu faire un choix, toujours difficile et douloureux. Nous avons essayé de régler le nôtre sur la combinaison des critères suivants : assurer la plus large place aux créateurs (auteurs, compositeurs) ; s'attacher aux interprètes qui, ayant su créer un « style », ont marqué l'histoire de la chanson ; tenir compte de la durée d'une carrière et du succès auprès du public ; retenir avant tout les artistes dont la chanson a constitué l'activité principale. L'objectivité n'a certes pas éliminé nos goûts personnels : la chanson est un art.

Ce dictionnaire ne peut donc prétendre être exhaustif. Certaines omissions ne tiennent qu'aux dimensions de cet ouvrage. On y reconnaîtra cependant — nous l'espérons — la vitalité de la chanson française.

Les auteurs

N. B. — Lorsqu'une chanson a été écrite en collaboration, les noms des auteurs et des compositeurs sont liés par un trait d'union. Exemple : l'*Orange* (P. Delanoë-G. Bécaud). Devant un nom seul, ce trait d'union signifie que l'auteur (ou le compositeur) a écrit la chanson en collaboration avec le compositeur (ou l'auteur) auquel est consacré l'article. Les astérisques in-texte renvoient à un mot-souche.

ABADIE (Louis Jean), compositeur (1814?-1859?). Ses chansons et ses romances obtinrent, dans les années qui suivirent 1848, de grands succès populaires : *les Feuilles mortes, la Fille à Jérôme, les Plus Beaux Yeux de Castille, l'Amoureux de Pontoise, D'où viens-tu beau nuage?* Malgré la vogue de ses productions, Abadie tomba dans la misère et mourut à l'hôpital.

ABC, music-hall* parisien. Le Plaza, salle de cinéma offrant des attractions (1928), devient le Pavillon, music-hall permanent, puis l'ABC en 1934, « théâtre du rire et de la chanson » (11, bd Poissonnière). Malgré la crise générale du music-hall à cette époque, Mitty Goldin en fait un établissement réputé, où passent notamment F. Adison*, Lucienne Boyer*, Réda Caire, A. Capri*, Charles et Johnny*, les Comedian Harmonists, Damia*, M. Dubas*, Fréhel*, Lys Gauty*, Georgius*, Gilles et Julien*, Y. Guilbert*, Annette Lajon, J. Lumière*, Mireille*, Mistinguett*, M. Oswald*, E. Piaff*, Pills et Tabet*, T. Rossi*, J. Sablon*, S. Solidor*, J. Tranchant*, etc., de nombreux chansonniers comme P. Dac*, Dorin*, Jamblan*, Marsac*, Noël-Noël*, Saint-Granier*, etc., le « danseur frénétique Jackie Smith » et bien d'autres attractions. C. Trenet y fait ses débuts en 1938. Pendant la guerre, sous une autre direction, l'ABC continue avec, notamment, Marie Bizet, M. Bordas*, A. Claveau*, A. Dassary, Josette Daydé (« chanteuse swing »), L. Delyle, P. Hiégel, L. Marjane, E. Piaf, S. Solidor, T. Rossi, C. Trenet, etc. Y. Montand*, encore inconnu, y passe en février 1944, ainsi que les Compagnons de la musique (mai 1944), qui vont devenir les Compagnons de la chanson*. G. Ulmer* y débute le même mois.

Après la Libération, on peut y entendre à nouveau Trenet, les Compagnons (1945), Renée Lebas*, Line Renaud* (1950), etc. Léon Ledoux, d'abord associé à M. Goldin (1949), le dirige seul à partir de 1955. L'ABC présente aussi des opérettes (*la P'tite Lili,* de M. Achard et M. Monnot*, avec E. Piaf et Eddie Constantine, 1951). Il est transformé en cinéma en 1965.

Académie de poésie et de musique. Vers 1567, le poète Jean-Antoine de Baïf et le musicien Thibaut de Courville fondèrent une Académie de poésie et de musique, patronnée par le roi Charles IX. Celui-ci passa outre au refus du parlement de Paris d'enregistrer les lettres patentes de fondation. Le prétexte invoqué par le parlement était que cette Académie pourrait « corrompre et amollir la jeunesse ». En 1571, l'Académie devint officielle et se réunit chaque dimanche dans la maison de Baïf, faubourg Saint-Victor, les séances solennelles ayant lieu au collège de Boncourt.

Ses buts étaient nombreux : Baïf réussit à y faire triompher sa conception du vers français mesuré par longues et par brèves, associé à une musique suivant de près cette mesure. L'Académie tendait aussi à former une « école pour servir de pépinière d'où se tireront un jour poètes et musiciens par bon art instruits et dressés ». Les membres de cette Académie recevaient un salaire, des concerts avaient lieu et les œuvre de ses membres étaient publiées par Le Roy* et Ballard. Le résultat pratique fut que, pour la première fois, des poètes et des musiciens collaborèrent intimement et donnèrent à la chanson française l'unité de style qui a fait sa renommée et qu'elle n'a jamais perdu malgré des éclipses passagères.

A la mort de Charles IX (1574), l'Académie se transporte au Louvre, et prend le nom d'Académie du Palais. Elle passe sous la direction de Guy du Faur de Pibrac, mais les événements politiques et le fait qu'Henri III était beaucoup moins passionné que son frère de poésie et de musique firent s'égarer l'Académie du Palais dans des dissertations philosophiques. Cependant, l'Académie continua à fonctionner puisque Le Roy et Ballard publient en 1576 des chansons mesurées de Baïf, mises en musique par Jacques Mauduit, que, la même année, l'Italien Caietain* corrige, sous la direction de Beaulieu et de Courville, des chansons qu'il avait composées, et que, enfin, les œuvres de Cl. Le Jeune*, disciple fervent de la doctrine mesurée, seront publiées au début du XVIIᵉ s.

ADAM de la Halle, dit **Adam le Bossu** ou **Adam d'Arras,** trouvère (Arras v. 1240- † sans doute à Naples v. 1287). Après des études musicales à Paris, il entra au service de Robert d'Artois et suivit ce prince à Naples, où il fit représenter le *Jeu de Robin et Marion* (1282), qui met en scène deux thèmes traditionnels des chansons de trouvères : la pastourelle* et la bergerette*. Adam de la Halle a été le premier à composer des chansons polyphoniques en langue vulgaire.

ADAMO (Salvatore), auteur, compositeur, interprète (Comiso, Sicile, 1943). Il a quatre ans quand sa famille s'installe à Jemappes (Belgique) pour travailler dans les mines. Adolescent, il chante ses premières œuvres dans des « crochets* » locaux (*En blue-jean et blouson de cuir*). A dix-sept ans, il est vainqueur du Grand Prix du crochet radiophonique et devient une vedette dans les pays du Benelux, puis en France (Olympia*, 1965), où sa chanson *Vous permettez, Monsieur?* obtient un succès considérable. Le journal de jeunes *Nous les garçons et les filles* constate : « Pauvres Belges... On leur avait déjà pris Brel ! » Mais la Belgique ne l'oublie pas, et lui non plus. Il est fait « citoyen d'honneur » de la ville de Jemappes l'année où il devient une vedette de renommée internationale (1966).

D'une voix rauque, cassée, insolite, il chante la vie quotidienne des jeunes, leurs rêves, en un romantisme simple et timide (*les Filles du bord de mer, Mes mains sur tes hanches, la Nuit*), sur des rythmes sans outrances (*Vous permettez, Monsieur?* est un tango), avec, parfois, une note d'humour souriante (*A vot' bon cœur*).

ADISON (Albert **Lapeyrère,** dit **Fred**), compositeur, chef d'orchestre (Bordeaux 1918). Il fait des études musicales, s'intéresse au jazz et crée un orchestre dont les musiciens jouent, chantent, donnent un spectacle (première représentation salle Pleyel, Paris, 1935). « Fred Adison et son orchestre » obtiennent le premier prix du Disque (*Avec les pompiers,* Himmel, arrang. F. Adison, la plus grande vente des disques 78 tours). L'orchestre fait connaître de nombreuses chansons : *En cueillant la noisette* (Paddy - Porrêt-Sedour - B. Maubon, arrang. Wraskoff), *le Petit Train départemental* (Pingault*- Richepin), *Voulez-vous danser, Madame?* (Tranchant*), dans un style où le jazz pour la danse voisine avec la bonne humeur populaire : *Tout est au duc* (- C. Trenet*), *On va se faire sonner les cloches* (- R. Legrand*). En 1952, F. Adison est chef d'orchestre du cirque Pinder-O. R. T. F. Il est aussi entrepreneur de spectacles de variétés, directeur de cabarets.

air à boire. V. *bachique (chanson).*

air de cour. Ce terme apparaît pour la première fois dans le titre d'un recueil publié en 1571 par A. Le Roy*. Il s'applique à des chansons à une ou plusieurs parties, ou à des transcriptions de chansons polyphoniques* pour voix seule, généralement accompagnées au luth. De nombreux airs de cour furent tout d'abord publiés sous une forme polyphonique, un arrangeur publiant ensuite une version monodique accompagnée au luth. Afin de populariser ces chansons, certains recueils sont même publiés sans accompagnement. Le poème de l'air de cour concrétise le mouvement précieux et galant mis en honneur par l'hôtel de Rambouillet, et rappelle les chansons courtoises des troubadours* et des trouvères*. Les divertisse-

Air de cour : l'Ouïe (Abraham Bosse).

ments, les ballets de l'époque sont farcis d'airs de cour. Les compositeurs les plus célèbres de ce genre de chanson furent : P. Guédron*, A. de Boesset*, G. Bataille*, E. Moulinié*, J.-B. Bésard*, Caietain*, A. Le Roy*, P. Cerveau, Louis de Rigaud, F. de Chancy, François Richard, Jean Boyer, Cambefort, etc. Les poètes mis en musique le plus souvent furent : Tristan l'Hermite, Desportes*, Scarron, Malherbe, Boisrobert, Voiture, Théophile, Bertaut, Racan, Saint-Amant, Mlle de Scudéry, la comtesse de La Suze. Les éditions Le Roy et Ballard assurèrent aux airs de cour une large diffusion. Vers 1645, la dénomination « air de cour » fait place, dans les recueils, à celle d' « air sérieux », pour le différencier de l'air à boire*.

Alcazar. V. *Palace.*

Alcazar d'été, café-concert* situé aux Champs-Elysées (côté droit). C'est l'ancien café Morel, dont le directeur de l'Alcazar d'hiver se rendit acquéreur en 1861, baptisant son établissement « Alcazar d'été ». La troupe se composa au début d'un seul

artiste, Fleury, qui, tour à tour costumé en paysanne, en chiffonnier, en nourrice, etc., se contentait d'une guitare en guise d'orchestre. Ensuite, les artistes de l'Alcazar d'hiver* prirent l'habitude de venir chanter durant la belle saison à l'Alcazar d'été, qui devint le rendez-vous des cocodès. Dans ses *Mémoires,* Thérésa* dépeint ainsi l'atmosphère de ce que l'on appelait la « loge infernale » : « C'est là que viennent s'installer chaque soir cinq ou six jeunes gens, qui boivent beaucoup, fument énormément et causent tout haut de leurs petites affaires. Quelques provinciaux les prennent pour des gens du meilleur monde. Ce ne sont, en réalité, que des quarts de cocodès, qui parlent de la Patti, des Brohan, des Lafon, des femmes à la mode et des sommes immenses qu'ils ont, soi-disant, perdues au club. Quand leurs manifestations deviennent trop bruyantes, le public de la corde crie : « À la porte les « gandins ! », et le silence se rétablit. » Mais l'Alcazar d'été ne connut son heure de gloire qu'en 1886, lorsque Paulus* y créa *En revenant de la revue.* Dès 1869, l'Alcazar avait orienté ses programmes vers la formule « music-hall* », où était faite une large place aux attractions. En 1898, cette formule s'accentue avec l'apparition de revues à grand spectacle. En 1906, la direction est reprise par Cornuché (le futur animateur de Deauville), qui monte une revue, *Vive Paris!*, dont Fragson* est la vedette. L'Alcazar d'été a continué à fonctionner jusqu'en 1930, après avoir collectionné les plus brillantes « têtes d'affiches » : Thérésa*, Y. Guilbert*, Paulus, Mayol*, Dranem*, Boucot*, Fragson, Bourgès, Max-Dearly*, Polin*, etc.

Alcazar d'hiver, café-concert*, 10, rue du Faubourg-Poissonnière. Ce café-concert fut lancé par Thérésa*, dont la présence, vers 1865, suffisait pour attirer le grand public. On y applaudissait aussi (jusqu'en 1872) Suzanne Lagier, Chrétienno* et Glatigny, qui, le premier, composa des « chansons express* », dont les rimes étaient données par le public. Après plusieurs années difficiles, où les directeurs se succédèrent sans résultat de 1883 à 1885, la réapparition de Thérésa suffit à ramener le public. Triomphe de courte durée : en 1891, l'Alcazar est transformé en Théâtre moderne, sans plus de succès. Après une ultime tentative, en 1896, pour le reconvertir en café-concert, l'Alcazar fut démoli.

Alcazar de Marseille, music-hall fondé vers 1880 par M. et Mme Léon Doux, qui y créèrent les premières revues marseillaises. Ces spectacles tiennent alors l'affiche un ou deux ans, avec, comme vedettes principales, les duettistes Darbon et Nodard. À la mort de son mari, Mme Doux dirigea seule l'Alcazar, puis en passa la direction à Esposito, dit Frank, ancien acrobate, chef de claque, qui se révéla un très grand directeur de music-hall ; il fit venir à Marseille les principales vedettes de l'époque : Paulus*, Esther Lekain*, Max-Dearly*, Mayol*, etc. Il fut l'un des premiers à donner la vedette à Maurice Chevalier*, qui interprétait un sketch avec le comique Grinda (v. 1900). Pendant la guerre de 1914-1918, un trio fit courir tout Marseille à l'Alcazar : Fortuné cadet, Berval, Suzanne Chevalier.

L'Alcazar continua avec des fortunes diverses jusqu'en 1951, où Robert Trébor en prit la direction. On a vu défiler sur sa scène Aznavour*, Roger Pierre et Jean-Marc Thibaud, Réda Caire, Brassens*, Alibert*, Mathé Altéry*, Yves Montand*, Tino Rossi*, etc.
Trébor monte des revues locales, dont les auteurs sont Sarvil*, Albert Bossy, Juliette Saint-Giniez, avec, pour vedettes, Rellys, Gloria Lasso, Andrex, Vittoria Marino, Bruno Clair et René Sarvil. L'Alcazar se consacre ensuite à l'opérette marseillaise. En 1966, après le passage d'Enrico Macias* et de *la Famille Hernandez,* il est converti en cinéma, puis finit en garage.

Alhambra. Une salle de spectacles porte ce nom de 1850 à 1895, 95, rue de Richelieu. En 1904, le music-hall* de l'Alhambra s'installe 50, rue de Malte, dans la salle qui avait successivement abrité jusque-là le théâtre du Prince impérial, le théâtre du Château-d'Eau (créé en 1867), le théâtre de la République (1892). Dirigé par Barrasford, puis par Charles Gulliver, de Londres, le music-hall de l'Alhambra présente des attractions internationales. Une caricature au dos d'un programme de 1904 montre Fragson* qui traverse la Manche pour venir chanter dans ce nouveau music-hall. Détruite par un incendie (1925), cette salle est reconstruite en 1931. La première partie des spectacles a lieu sur la scène (music-hall), la deuxième sur l'écran (cinéma). On fait une large place à la chanson : Lucienne Boyer*, M. Dubas*, Gilles et Julien*, Mistinguett*, Georgius*, etc., y chantent. E. Piaf* y débute en 1936. L'histoire de la salle est une lutte entre le music-hall et le cinéma, qui triomphe par moments (1934, 1936). On y donne aussi du théâtre, des opérettes.
En 1956, il prend le nom d'*Alhambra-Maurice Chevalier* et continue à présenter des spectacles où la chanson tient le rôle principal (C. Aznavour*, J. Ferrat*, L. Ferré*, etc.), jusqu'à sa démolition (1967).

ALIBERT (Henri **Allibert,** dit **Henri**), interprète (Carpentras 1889 - Marseille

1951). Il fait ses études à Avignon. Après des débuts difficiles, où il commence par imiter Polin (1913), il entame une carrière brillante de fantaisiste (1919 : Eldorado*, Alhambra*, Empire*). D'une voix à l'accent sympathique, il interprète des chansons souvent signées de V. Scotto* (Ah! qu'il était beau mon village), dont il crée de nombreuses opérettes, écrivant parfois les livrets : Au pays du soleil, Trois de la marine, Un de la Canebière, etc. Il a dirigé le théâtre des Deux-Ânes*.

ALLWRIGHT (Graeme), auteur, compositeur, interprète (Wellington, Nouvelle-Zélande, 1926). Il fait des études dramatiques à l'Old Vic (Londres, 1947). Il épouse Catherine, fille de Jean Dasté. En France, il est tour à tour machiniste, vigneron, apiculteur. Il a dirigé à Saint-Etienne la Compagnie des Tréteaux, avec J.-M. Lancelot ; en première partie du spectacle, il chante des œuvres de G. Brassens*, J. Brel*, L. Ferré*. Puis, après avoir été moniteur dans un hôpital psychiatrique, enseigné l'anglais à Dieulefit, participé à un théâtre d'enfants, il vient à Paris et chante au cabaret de la Contrescarpe*, encouragé par Mouloudji* et Colette Magny*.

Il compose et chante en français, dans la veine du folksong* (1966), avec grand succès, des œuvres mettant en cause la guerre (Johnny), la société (Qui a tué Davy Moore ?, traduit de Bob Dylan) ou des chansons poétiques (la Plage). Il a utilisé des instruments originaux pour l'accompagner : autoharp, banjo, tabla, harpe celtique, etc.

ALTÉRY (Marie-Thérèse **de Sariac**, née **Altare**, dite **Mathé**), interprète (Paris 1933). Après s'être fait renvoyer de plusieurs institutions pour y avoir organisé des cours accélérés d'argot à l'usage de ses camarades de classe, elle passe ses bacs, tout en travaillant le piano avec Manuel Infante. En 1951, elle est sténodactylo (pas pour longtemps). Mathé Altéry appartient à une famille de chanteurs (sa grand-tante a chanté à la Scala de Milan sous le nom de Juliette Wermez ; son père, Mario Altéry, est un ténor en

renom) ; il était donc naturel qu'elle continuât la tradition. En 1953, elle remporte le prix André-Claveau* à Deauville avec Quand il m'embrasse (Datin* - Vidalin*), enregistre son premier disque et débute à la radio et à la Télévision. Premier prix de la Chanson française (Gênes, 1954), prix Charles-Cros pour son disque Treize Mélodies de la Belle Époque (1957), elle est passée sur les scènes de Bobino*, de Pacra*, de l'Alcazar de Marseille* et de l'Ancienne Belgique (Bruxelles).

Interprète de plusieurs comédies musicales au théâtre et à la télévision, elle s'est créé une spécialité : elle prête sa voix à des héroïnes célèbres du cinéma ; c'est ainsi qu'on a pu l'entendre en regardant : Peter Pan, l'Auberge du Cheval Blanc, Mylord l'Arsouille, la Veuve joyeuse, Bel-Ami, My Fair Lady, Mary Poppins, la Mélodie du bonheur, Sound of Music, etc.

AMADE (Louis), auteur (Ille-sur-Têt 1915). Licencié (droit, lettres), diplômé de médecine légale, Louis Amade a mené une double carrière : celle d'un fonctionnaire (préfet conseiller technique auprès du préfet de Police à Paris [le chansonnier Piis* avait tenu un poste similaire au XIXe s.]) et celle d'un auteur de chansons à succès. Après Feu de bois (- Walberg), créé par Y. Montand* (1948), il écrit de nombreuses chansons avec G. Bécaud* (dont il est, avec P. Delanoë*, l'un des auteurs préférés). C'est Edith Piaf* qui, en 1952, conseille à G. Bécaud de rencontrer L. Amade, et de leur collaboration vont naître les Croix, la Ballade des baladins, etc. Les textes de L. Amade sont souvent très colorés (les Marchés de Provence, la Corrida), souvent lourds de regrets et d'amitié perdue (C'était mon copain, l'Absent). Ils suggèrent une quête d'absolu avec des mots très simples (T'es venu de loin, 1966 ; L'important, c'est la rose, 1967). Auteur de la cantate l'Enfant à l'étoile (1960) et de l'Opéra d'Aran (1962), musique de Gilbert Bécaud, L. Amade a écrit cinq romans, six recueils de poèmes, un scénario, des adaptations françaises de chansons étrangères, parmi lesquelles les Cavaliers du ciel, la Petite Valse.

AMADOU (Jean), chansonnier, dialoguiste (Lons-le-Saunier, Jura, 1929). D'abord comédien, il comprit, dit-il, que ce ne serait pas « en interprétant un nègre de soixante ans dans *les Mystères de Paris* au théâtre La Bruyère, ou les trois répliques de saint Thomas avec un bandeau sur l'œil dans *Procès à Jésus* au théâtre Hébertot, qu'il ferait vibrer les foules » ; c'est pourquoi il décide de se servir lui-même et de ne plus interpréter que des textes dont il serait l'auteur : *le Gaulois et les Romains* (1962), *Sacré Sagan* (1964), *Elles sont de plus en plus...* (1965). Pensionnaire du théâtre de Dix-Heures*, Amadou est producteur, avec M. Horgues*, de *Ce soir on égratigne* (télévision). Il a écrit les dialogues du feuilleton *De nos envoyés spéciaux* (télévision). Il s'intitule le plus grand chansonnier français (1,95 m).

Ambassadeurs, simple café construit vers 1764, transformé en café chantant de plein air en 1840 (on y entendait surtout une troupe de musiciens comportant un vielleux). C'est seulement en 1849 qu'il devint véritablement café-concert et prit le nom d'Ambassadeurs, à cause de la proximité de l'hôtel Crillon, où descendaient les ambassadeurs étrangers. Ducarre en prend la direction (1867) et le transforme : la salle, décorée de treillage vert, avait un toit très haut, avec un grand balcon où il était chic de venir dîner. Après avoir été dirigé par Pinard, qui y monta des revues déshabillées, Chauveau et Cornuché, qui dirigeaient déjà l'Alcazar d'été*, donnent aux Ambassadeurs une nouvelle impulsion (1912). Les spectacles des deux établissements sont, à cette époque, à peu près identiques. Oscar Dufrenne en 1923, puis Edmond Sayag en 1926 transforment le vaste caf' conc' en un music-hall*, qui disparaît en 1929 pour faire place au théâtre actuel. Cependant, en 1935, sous la direction Beretta-Volterra, Jean Tranchant* y présente une émission célèbre, *le Music-Hall des jeunes*, dont les lauréats de la première saison furent : Lina Margy, Roger Nicolas et Charles Trenet*.
De nombreuses vedettes de la chanson se sont fait entendre aux Ambassadeurs : Thérésa*, Y. Guilbert*, Polin*, Eugénie Buffet*, Mayol*, Max-Dearly*, Bruant*, Damia*, Polaire*, Fortugé, Georgel, etc., ainsi qu'un comique très fin, Abailard l'idiot, qui remportait un triomphe.

AMIATI (Marie-Thérèse Victoire Adélaïde **Abbiate,** dite), interprète (Turin 1851 - Le Raincy 1889). Elle débute sous le nom de Fiando, au Petit Théâtre Saint-Pierre, à Charonne, tenu par Dechaume, dans une revue où elle personnifie le journal *le Gaulois*. Elle chante ensuite au concert Béranger. En 1869, elle reçoit la consécration de l'Eldorado*, où elle reste presque constamment (à part un court passage à la Scala* et aux Ambassadeurs*). Elle y crée *le Clairon*, de Déroulède, qui reste jusqu'à sa mort son grand cheval de bataille. Après 1870, elle se spécialise dans les chansons revanchardes : *le Maître d'école alsacien, Une tombe dans les blés, Maudite soit la guerre, Alsace et Lorraine;* mais elle chante aussi des œuvres sentimentales ou dramatiques : *le Baiser des adieux, l'Amour frileux, Valse maudite,* etc. Elle avait épousé Maria, directeur de la Scala de Marseille, qui avait fait de mauvaises affaires. Pour rembourser les dettes de son mari, Amiati, qui avait déjà trois enfants, chanta malgré une quatrième naissance proche. Elle mourut d'une péritonite puerpérale en mettant au monde son quatrième fils. Jolie, distinguée, la voix chaude et musicale, elle fut regrettée de tous.

AMONT (Marcel **Miramont,** dit **Marcel**), interprète (Bordeaux 1929). Fantaisiste* aux dons multiples, il aborde le tour de chant en 1950, interprétant avec dynamisme et gentillesse un répertoire qui lui donne l'occasion de faire vivre de petites scènes bien venues (*Julie, le Mexicain*). Le public aime sa verve (*Escamillo*) ou la poésie simple (*Bleu, blanc, blond*) d'un « tour » sympathique (Olympia*, 1958).

amphigouri (XVIIIe s.), parodie* composée de mélanges de mots bizarres et burlesques, n'ayant souvent aucun sens, mais rimés très richement. (Collé* fut le créateur du genre.)

Âne-Rouge (l'), cabaret fondé en 1889 avenue Trudaine par Gabriel Salis, qui s'était brouillé avec son frère Rodolphe, directeur du Chat-Noir*. Aidé de quelques dissidents de ce cabaret, il s'installa dans le local de la Grande Pinte. Décoré par Willette (comme le Chat-Noir), l'Âne-Rouge était destiné à concurrencer celui-ci. De nombreux chansonniers s'y sont fait applaudir : Delmet*, Trimouillat*, X. Privas*, Lemercier*, Montoya*, Meusy*, Legay*, Yon-Lug*, Sécot*, etc.; le maître de céans chantait lui-même des chansons traditionnelles ; Verlaine y fit plusieurs conférences. Gabriel Salis vendit l'Âne-Rouge à Andhré Joyeux en 1898. A la mort de ce dernier (un an plus tard), le cabaret passa à Marinette Renard, artiste de café-concert*, puis à une dame Bellony, créatrice à Nancy du cabaret le Chardon-qui-pique. En 1902, le bail fut repris par M. Renard, qui le céda à Léon de Bercy*. Malgré les efforts du chansonnier, l'Âne-Rouge continua à péricliter et dut fermer ses portes en 1905.

ANNOUX (Jean-Claude **Bournizien,** dit **Jean-Claude**), auteur, compositeur, interprète (Beauvais 1939). Il s'est fait connaître par une chanson-manifeste : *Aux jeunes loups,* témoignage sur la jeunesse contemporaine. Ses œuvres ont de la force, de la conviction, brossant de petites scènes bien enlevées (*Vive la mariée*), qui retiennent l'attention (*Plus heureux que le roi*).

ANTHONY (Richard **Btesh,** dit **Richard**), auteur, interprète. Il est né au Caire (1938) d'un père turc et d'une mère anglaise, et voyage pendant son enfance (Egypte, Angleterre, Argentine). Il est à Paris en 1951. Il chante des airs à la mode au début du rock* (1958) ; il atteint le succès avec le nostalgique *J'entends siffler le train,* puis avec *Écoute dans le vent* (adaptation par P. Dorsay d'une chanson de Bob Dylan). Il participe au lancement des modes nouvelles (*On twiste sur le locomotion, Tout ça pour la bossa-nova*),

évite les outrances du rock, écrit parfois l'adaptation de succès américains (*En écoutant la pluie*), parfois des textes originaux (*Ça serait beau,* mus. de F. Gérald d'après un thème de folklore).

ANTOINE (Antoine **Muracciolli,** dit), auteur, compositeur, interprète (Tamatave 1944). Il s'est rendu célèbre par ses *Élucubrations* (1966) et ses cheveux longs.

ARAGON (Louis), auteur (Neuilly-sur-Seine, 1897). Dans une carrière littéraire et politique longue et féconde, Louis Aragon a publié de nombreux recueils de poèmes à partir de 1920. Malgré les interprétations d'A. Capri* vers 1938, c'est à partir de 1955 environ que certains de ces poèmes deviennent des chansons (grâce à plus de soixante compositeurs différents). À cette époque, J. Ferrat* et M. Vandair mettent en chanson *les Yeux d'Elsa* (chanté par A. Claveau*), et G. Brassens* (sur le même timbre* musical que *la Prière de F. Jammes*) met en chanson *Il n'y a pas d'amour heureux* (sans enregistrer le dernier couplet, qui liait l'amour pour Elsa à l'amour pour la patrie). Par la suite, L. Ferré* a consacré tout un disque aux poèmes-chansons de L. Aragon : *l'Étrangère, Est-ce ainsi que les hommes vivent?, Tu n'en reviendras pas, Il n'aurait fallu,* etc. (il pratique parfois des coupures). J. Douai*, J. Ferrat, J. Kosma*, C. Léonardi*, H. Martin*, Philippe-Gérard*, entre autres, ont composé des mélodies sur des poèmes de L. Aragon. Celui-ci a écrit pour présenter le disque de L. Ferré : « La mise en chanson d'un poème est à mes yeux une forme supérieure de la critique poétique. » Le passage de la poésie écrite à la chanson pose souvent des problèmes difficiles. Les poèmes de L. Aragon se prêtent particulièrement à ce passage : ils reposent sur une métrique rigoureuse, des rimes riches, un rythme bien marqué ; ils renferment surtout des images simples, vigoureuses, dont les symboles, à la fois clairs et évocateurs, sont exprimés en formules qui frappent l'auditeur : « Nous étions faits pour être libres » ; « Vous me mettrez avec en terre, Comme une étoile au fond d'un trou »; « Que serais-je sans toi qui vins à ma rencontre, [...] Que cette heure oubliée au cadran d'une montre », etc. L'amour pour Elsa, véritable mythe moderne, rejoint sous une forme littéraire un des thèmes essentiels de la chanson. Ce « romantisme » est accordé à la sensibilité populaire, comme ses autres thèmes, à résonance sociale, humaine, généreuse.

Les solutions apportées par les compositeurs au passage de la parole au chant sont multiples : psalmodies mélodieuses (*Que serais-je sans toi?*, J. Ferrat), vigoureuse répétition du thème (*Un homme passe sous la fenêtre et chante*, Philippe-Gérard), puissance d'un vaste chœur d'accompagnement (*l'Affiche rouge*, L. Ferré*), belle ligne mélodique lente ou animée (*Est-ce ainsi que les hommes vivent?*, *l'Étrangère*, L. Ferré; *Maintenant que la jeunesse*, C. Léonardi), etc. L'ensemble constitue un des plus riches répertoires de la chanson, interprété par de nombreux artistes (notamment C. Sauvage*, F. Solleville*). Ces œuvres ont influencé la chanson contemporaine vers une recherche de la qualité; elles ont été imitées.

ARNAUD (Jean Guillaume Étienne), compositeur (Marseille 1807-1863?). Il suit la classe de chant de Plantade au Conser-

Jenny l'ouvrière (romance d'Arnaud). Phot. Lauros.

vatoire national (1825), puis décide de se consacrer à l'enseignement. Il a publié des romances qui obtinrent du succès : *Jenny l'ouvrière, la Mère du mousse, Soldat du roi, la Reine de la moisson, Jean ne ment pas*, etc.

ARNAUD (Micheline **Caré**, dite **Michèle**), interprète (Toulon 1919). Après des études supérieures (sciences po., deux certificats de philosophie), elle débute en 1952 (*l'Ile Saint-Louis*, de F. Claude* et L. Ferré*) au cabaret Milord l'Arsouille*. Elle obtient le prix de la chanson à Deauville (*Tu voulais*, F. Véran*), puis présente son tour de chant au cabaret (Chez Gilles*, l'Échelle de Jacob*) et au music-hall* (Olympia*, 1959; Bobino*, 1961). Elle interprète des œuvres de L. Ferré, S. Gainsbourg* (*la Recette de l'amour fou*), L. Ducreux* et A. Popp* (*La rue s'allume*). Productrice à l'O. R. T. F. (*les Raisins verts*, avec J.-C. Averty, 1963). Elle fut l'une des vedettes* de la première retransmission télévisée internationale (1962).

ARNAUT de Maroil (Mareuil), troubadour périgordin (fin du XIIe - début du XIIIe s.). De naissance commune, il avait commencé par être clerc, puis, grâce à ses talents de société, étant « très avenant de sa personne », il se fit bien accueillir dans la bonne société languedocienne. Ses poésies lyriques (26 chansons, dont 6 notées) ont presque toutes trait à l'amour. Il a composé sous le titre *Enseignement* un curieux poème sur la société de son temps, ses conceptions sociales et ses idées morales.

ARNULF (Jean), compositeur, interprète (Lyon 1932). Marqué par la guerre (« Les bombardements, les soldats, l'exode, les grandes personnes qui pleuraient, les larmes de mes frères, de mes sœurs, la faim »), J. Arnulf affirme que « le respect humain, la justice, la paix » sont ce qui importe le plus dans la vie. Ses chansons (dont les paroles sont le plus souvent de sa femme Martine Merri*), portent la marque de cette inspiration généreuse (*Point de vue*; *T'aurais pas dû*, -Cattegno; *Chanson pour Caryl Chessman*).

Il participe tout d'abord au Théâtre de la comédie avec R. Planchon (Lyon), puis fonde une nouvelle compagnie (1959), travaille avec le théâtre de Bourgogne, monte un spectacle de variétés et vient enregistrer à Paris (1962). Prix Charles-Cros en 1964. Son répertoire dénonce une société inhumaine, refuse le racisme, met en cause avec émotion la guerre des U. S. A. au Viêt-nam (*Chante une femme*), l'angoisse du monde contemporain (*Non, ne lâche pas ma main*), exprime aussi une poésie délicate et subtile (*les Nénuphars*).

Arts (cabaret des). V. *Lune-Rousse (Logiz de la).*

Assassins (cabaret des). V. *Lapin à Gill.*

ASSO (Raymond), auteur (Nice 1901). Il se consacre à la poésie et à la chanson à partir de 1933. Après *Mon légionnaire*, créé par M. Dubas* (1936), et *le Fanion de la légion* (« En hommage à la Légion étrangère »), tous deux sur des mélodies de M. Monnot*, il écrit la plupart des grands succès d'E. Piaf* : *le Petit Monsieur triste* (1938), *Je n'en connais pas la fin* (1939). Ses textes expriment la poésie populaires de la rue, des ports, des voyages, des amours souvent malheureuses, en des images simples : *Un jeune homme chantait* (- Léo Pol), *Elle fréquentait la rue Pigalle* (- M. Maitrier), *le Mauvais Matelot* (- P. Dreyfus), *J'entends la sirène* (- M. Monnot), etc.

Il explique dans la préface de ses *Chansons sans musique* (Salabert, 1946) : « J'ai voulu me servir de la chanson pour exprimer un idéal. Et pour parvenir à cet idéal, je me suis imposé une discipline : 1° Ne jamais écrire si je n'ai rien à dire; 2° Si j'écris, essayer de ne dire que des choses humaines, vraies, et y mettre le plus de pureté possible. Si je montre certaines laideurs, donner en même temps le remède; 3° Ecrire le plus simplement possible, pour être accessible à tous. »

ATTAIGNANT (Gabriel Charles, *abbé de L'*) [Paris 1697-1779]. Il fréquentait la haute société et en partageait tous les plaisirs. Surtout amateur de fins soupers, il roula souvent sous la table en fredonnant un couplet grivois. Il a cependant publié des cantiques spirituels. Il inventa la chanson pastorale* : *le Mystère de l'Incarnation*, sur le timbre* de *Les cœurs se donnent troc pour troc; Une aspiration à Dieu*, timbre *Ne v'la-t-il pas que je l'aime;* etc. Ses poésies, réunies en 4 volumes, brillent par leur grâce et leur facilité. On lui attribue la chanson populaire *J'ai du bon tabac*. Weckerlin* a publié l'une de ses chansons, *Fuyez l'amour*, et Jadin a mis en musique au début du XIXᵉ s. *Ma mie, ma douce mie...* L'abbé de L'Attaignant a terminé ses jours chez les frères de la Doctrine chrétienne.

aube, chanson de troubadours* et de trouvères* souvent dialoguée, dont le thème évoque la séparation des amants à l'aube naissante. (Shakespeare a repris cette formule dans *Roméo et Juliette*.)

AUBERT (René-Georges **Aubert,** dit **Michel**), auteur, compositeur, interprète (Bourg-d'Oisans 1930). Il a été instituteur, assistant de la Jeunesse et des Sports, il a chanté à la Colombe* (1961) et dans la plupart des cabarets parisiens de style « rive gauche » » (l'Ecole buissonnière*, le Petit Pont, la Contrescarpe*). Il passe à Bobino* dans l'émission des « Numéros I de demain » (Europe nº 1*), puis il chante au music-hall* (Concert Pacra*, notamment) et obtient le prix Charles-Cros en 1962.
Tendre et poétique, il chante la nature (*Rivières et torrents*), l'amour (*les Jeunes Filles*), mettant de nombreux poèmes en musique (J. L'Anselme, L. Bérimont*, P. Chaulot, J. Charles, etc.). Compositeur exigeant, rigoureux, il a le don de la mélodie élégante et très « chantante » (*la Chanson de l'été*, - L. Bérimont, que M. Aubert chanta lors de la première retransmission télévisée intercontinentale par le satellite « Telstar » en 1962). Il interprète un répertoire sensible, pudique ou humoristique (*la Grenouille de Narbonne*, - L. Bérimont), en s'accompagnant à la guitare.
Ses œuvres sont aussi chantées par Simone Bartel, J. Douai*, Marie Laforêt, les Quatre Barbus*, F. Solleville*.

AUFRAY (Jean **Auffray,** dit **Hugues**), auteur, compositeur, interprète (Neuilly 1932). Introducteur du folksong* en France, il a contribué à l'effacement du yéyé*, a redonné la primauté au texte et à la mélodie. Père industriel. Études chez les dominicains de Sorèze. Bac. Beauxarts à Paris (1947). Rupture avec sa famille. Pauvre, il chante dans les rues, puis à l'Échelle de Jacob*. J. Douai* le

Hugues Aufray (1964).
Document Barclay. Phot. J. P. Leloir.

fait engager à la Polka des mandibules, où il remplace un des chanteurs de Los Incas. 1959 : premier prix des « Numéros I de demain » avec *le Poinçonneur des Lilas*, de Gainsbourg* (Europe nº 1*, L. Morisse). Enregistre *San Miguel, Trois Hommes;* peu de succès (période du rock*). Tournées (Moyen-Orient, Afrique du Nord, États-Unis, où il rencontre Peter, Paul and Mary, 1961).
Il crée alors un « skiffle group », à l'exemple de certains étudiants américains,

et commence une nouvelle carrière dans un style qui connaît bientôt le succès (Olympia*, 1966 ; Bobino*, 1967). Il devient le modèle de toute une jeunesse.

Il réintroduit l'exotisme dans la chanson française, l'appel des grands espaces, des prairies du Far-West, du vent de la mer (*Je reviens*), qu'il chante d'une voix rauque et prenante. C'est la santé, l'aventure et la simplicité après le côté morbide de la mode yéyé (*C'est pas la peine*). Il utilise le folklore américain : *Allez, mon troupeau* (cow-boy), *Santiano* (chant de cabestan de la guerre du Mexique, 1846-1848), *Debout les gars* (poseurs de rails, 1880). Un nouveau romantisme se crée (*Céline*), fait de fraternité et d'amitié, qui touche les jeunes. Grâce aux traductions de P. Delanoë*, il popularise les œuvres de Bob Dylan (*Hattie Carol, Dieu est à nos côtés*) et prélude au renouveau de la chanson « engagée » ou politique*. Selon ses propres termes : « Les chansons reflètent la réalité : l'escalade au Viêtnam, la faim dans le monde, le racisme ; je trouve normal qu'on en parle. Cela nous concerne tous. » Il écrit certaines de ses chansons ou chante le plus souvent les œuvres de P. Delanoë, V. Buggy, G. Magenta.

AURIC (Georges), compositeur (Lodève 1899). Musicien classique, il a fait partie du groupe des Six. Son œuvre musicale est importante. Il a composé la musique de nombreux films (*l'Éternel retour*, 1943 ; *le Mystère Picasso*, 1956), comportant parfois des chansons devenues des succès (*Valse du Moulin Rouge*). Il fut plusieurs fois président de la S. A. C. E. M.* à partir de 1954.

auteur, terme réservé, pour la chanson, à l'auteur des paroles. (On dit aussi **parolier.**)

AVENEL (Paul), chansonnier, journaliste et vaudevilliste (Chaumont-en-Vexin 1823 - Bougival 1902). À la chute de Louis-Philippe, il participa activement à la révolution et, en compagnie de camarades, il imagina de chanter sur les places publiques des chansons républicaines vendues au profit des blessés de l'insurrection. Républicain convaincu, il abandonna, le 2 décembre 1851, ses études de médecine pour une carrière de journaliste et de chansonnier. Il attaqua violemment le second Empire quand celui-ci paraissait inébranlable (*la Cour du roi Pétaud, L'Empire c'est la paix, la Société des Gourdins réunis*) et cribla d'épigrammes les principaux personnages en place à l'époque : *Émile au cabinet* (qui met en scène le ministre Émile Ollivier), et, après le pamphlet de Jules Ferry, *les Comptes fantastiques d'Haussmann* (où le Parisien proteste — déjà ! — contre les grands travaux de Paris). Chansonnier régionaliste à ses heures, il a composé des paysanneries normandes chantées au café-concert*, dont la plus célèbre est *le Pied qui r'mue.*

Président de la S. A. C. E. M.* (1878-1880), président de la Lice chansonnière* (1893-1894), Avenel a laissé des comédies, des vaudevilles, des opérettes et publié des romans.

AVRAY (Charles Henri **Jean,** dit **Charles d'**), chansonnier (Sèvres 1878 - Paris 1960). Il débute en 1898 dans différents cabarets de la rive gauche, avec *l'Orage, Visite à Colombine, la Gueuse, le Tocsin*, puis passe la Seine et chante à Montmartre. Ch. d'Avray excella dans la chanson sociale. Il devait les idées qu'il professa toute sa vie à l'anarchiste Sébastien Faure, auquel il dédia une émouvante chanson pour ses 80 ans : *À mon vieil ami l'anarchiste.* D'Avray succéda à Jules Mary à la direction du Grenier de Gringoire, rue des Abbesses. En 1923, il fut mêlé au suicide du jeune Philippe Daudet, qui était venu lui demander asile, et, devant le remous d'opinion suscité par cette triste affaire, le Grenier de Gringoire dut fermer ses portes. Vêtu d'une vaste houppelande noire à collet et coiffé d'un large feutre, Charles d'Avray parcourut la France en militant de la chanson libertaire, avec tous les aléas que comportait l'étalage de ses opinions : amendes, voire prison. Près de 100 titres figurent au catalogue de ses œuvres sous la rubrique *Chansons rouges*, parmi lesquels : *l'Idée,* l'*Audace*, *Écoutez les cloches*, *Brise ton verre*, *Militarisme*, *Magistrature*, *Loin du rêve*, *Bas Biribi*, etc. Il a su aussi composer de tendres chansons d'amour : *Sur le bord du chemin*, *les Roses de grand-mère*, *Contrat d'amour*, *Pour ses vingt ans*, etc.

AZNAVOUR (Charles **Aznavourian,** dit **Charles**), auteur, compositeur, interprète (Paris 1924). Fils d'artistes arméniens immigrés, établis à Paris comme restaurateurs, il se consacre à la chanson après des études rapides. En 1941, avec Pierre Roche*, il écrit *J'ai bu, le Feutre taupé*; ils montent un numéro de duettistes « fantai-

Aznavour, vu par Pol Ferjac.

sistes* » dès la Libération. Edith Piaf* les remarque lors d'une émission publique et les engage pour une tournée (1946). G. Ulmer* obtient un grand prix de la Chanson avec *J'ai bu* (1947); pourtant, Aznavour n'arrive pas à imposer ses œuvres. Il accompagne E. Piaf aux U.S.A. pour la prendre au mot; elle avait dit : « Quand on veut aller en Amérique, eh bien, on y va ! » Elle enregistre *Il pleut* (1949) et *Il y avait* (1950), de Roche et

Aznavour. Mais elle doute du talent d'Aznavour et refuse *Je hais les dimanches* (écrit avec F. Véran*), que J. Gréco* va créer. 1950 : fin du numéro Roche-Aznavour. 1951 : début de la collaboration avec G. Bécaud* (*Viens, Donne-moi*). 1952 : cabarets parisiens; peu de succès. 1953 : tournées au Maroc; triomphe. 1954 et 1955 : music-halls parisiens (Moulin-Rouge*, Olympia*). La critique, réticente, met en cause sa voix, sa tenue en scène, sa taille (1,61 m). Ses chansons s'imposent cependant, et, après plus de dix ans d'efforts, Aznavour commence à devenir une vedette*. Dès lors, il conquiert méthodiquement un vaste public en France et à l'étranger : « Mon programme pour un avenir immédiat, c'est toute la terre. Le bout du monde est à 40 h du Boeing d'Orly. » Vedette mondiale, il écrit des chansons, les interprète, les édite (éd. French Music) avec un succès considérable (en 1966, on avait déjà vendu plus d'un million de disques de *la Mamma* [- R. Gall] ; cette chanson a rapporté 18 millions de francs, a déclaré Aznavour en 1967).

À sept ans, il avait joué *Un bon petit diable* (théâtre du Petit-Monde) ; à dix ans, il avait tenu le rôle d'Henri IV enfant; il avait tourné dans *la Guerre des boutons* (première version). Attiré par le spectacle grâce à son succès dans la chanson, il va utiliser ses dons de comédien à partir de 1955 au cours d'une carrière cinématographique importante (*la Tête contre les murs*, 1958 : *Taxi pour Tobrouk*, 1961, etc.). Ses chansons chantent l'amour (*Je t'attends*), parfois l'érotisme (*Après l'amour*), souvent le couple (*Comme des étrangers*, *Tu t' laisses aller*). Il compose de petites scènes campant des personnages souvent désabusés (*Je me voyais déjà*) ou rêvant de départ et d'aventures (*les Aventuriers*, *le Fils prodigue*). Ayant su intégrer l'apport rythmique du jazz dès son premier disque (*Couché dans le foin*), il est créateur de belles mélodies (*les Comédiens*, *Sa jeunesse*). Sa voix très particulière a contribué à son succès. À travers cette voix comme blessée, bien des admirateurs découvrent le pathétique de la passion, du mélodrame ou du malheur du monde.

bachique (chanson), pièce vocale célébrant le vin, parfois l'ivresse et, par extension, la bonne chère. Les premières chansons bachiques se rencontrent dès le XIII° s. Elles sont en général l'œuvre de goliards*, parfois de trouvères*, très rarement de troubadours*, dont la poésie courtoise s'accommode mal de ce genre satirique.

La chanson bachique ira en se multipliant. Le manuscrit de Bayeux (XV° s.) en contient plusieurs exemples, et la vogue en sera très grande sous la Renaissance. Au XVII° s., la chanson bachique prend le nom d'*air à boire*, pour la différencier de l'*air de cour**. L'une des plus célèbres chansons bachiques du XVII° s., *Aussitôt que la lumière*, est due au menuisier Adam Billaut*, mais des compositeurs éminents ne dédaignèrent pas d'en composer (François Couperin, J.-Ph. Rameau). Le spécialiste du genre, à l'époque, semble être le chanteur Bénigne de Bacilly (1625-1690), qui a publié plusieurs recueils où il mélange les airs spirituels et les airs bachiques.

Il est à peu près impossible de recenser ensuite les auteurs de chansons bachiques : tous les chansonniers en ont écrit, l'épicurisme des Caveaux* étant propice à ce genre d'inspiration.

Au XIX° s., on trouve des airs bachiques jusque dans certains opéras (*la Damnation de Faust*, de Berlioz). Plus près de nous, Saint-Saëns et Francis Poulenc ont écrit des airs à boire. On peut trouver un écho à la tradition des chansons bachiques dans le répertoire de certains auteurs-compositeurs contemporains (G. Brassens*, *le Vin*; L. Ferré*, *On n'est pas des saints*). Du Mersan* et Ségur* ont publié les principales chansons bachiques des XVIII° et XIX° s.

BAILLET (Joseph Sébastien, dit **Eugène**), chansonnier (Paris 1831-1906). Fils d'ouvrier, il termina ses études à l'âge de onze ans, pour entrer en apprentissage chez un bijoutier. Encouragé par G. Leroy*, il s'essayait à rimailler et fréquentait les goguettes*, dont il fut le premier historiographe. Il fonda en 1848 une goguette : les Ménestrels républicains. Baillet a publié plusieurs volumes de chansons, dont le premier en date, *Pleurs et sourires* (1853), le mit en relation amicale avec Béranger*, mais les chansons politiques de Baillet sont restées en feuilles volantes. Après 1870, il s'est spécialisé dans la chanson revancharde. *Champigny* fut interprété avec succès par Mme Bordas* en 1872. Il a publié les chansons de Charles Gille*.

BAILLET (Raymond **Sourdin**, dit **Raymond**), chansonnier (Paris 1919). Il a débuté comme chansonnier dans un camp de prisonniers avec *Ah! quelle prison!* (1940) et, après des débuts professionnels en 1943 au Caveau de la République*, a chanté plus de 700 chansons d'actualité au Coucou*, à la Lune-Rousse*, aux Deux-Ânes*, au théâtre de Dix-Heures*, ainsi qu'au Grenier de Montmartre (O.R.T.F.). Il participe fréquemment aux émissions télévisées de Francis Claude* et Romi, ainsi qu'à *Ce soir on égratigne*, de Maurice Horgues* et Jean Amadou*.

BAKER (Joséphine), interprète (Saint Louis du Missouri, États-Unis, 1906). En 1925, Louis Douglas et les Black Birds participent, au théâtre des Champs-Élysées, à la *Revue nègre* (Rolf de Maré, André Daven, décors de Paul Colin). Une jeune Américaine noire de dix-neuf ans y danse le charleston, et Paris découvre la beauté,

*Affiche de Paul Colin
(1925). Phot. Larousse.*

l'entrain et la voix de Joséphine Baker. Bientôt engagée au théâtre Fémina, animant un cabaret Chez Joséphine, jouant aux Folies-Bergère*, au Casino de Paris*, elle interprète *J'ai deux amours*, chanson spécialement composée pour elle par V. Scotto*, G. Koger, H. Varna (1931). Elle chante aussi *la Petite Tonkinoise*, dont Scotto a raconté la curieuse histoire (v. *Scotto*), *la Canne à sucre*, *la Créole* (Offenbach), etc. Son succès est considérable ; elle tourne des films (*Princesse Tam-Tam, Fausse Alerte*) ; la publicité reproduit son visage (crèmes, cosmétiques, etc.). En 1939, à la déclaration de guerre, elle s'engage dans l'aviation, et le « lieutenant J. Baker » sert courageusement jusqu'à la victoire. Par la suite, sans abandonner la chanson, elle a mené une action efficace contre le racisme en adoptant des enfants de toutes races, qui ont vécu fraternellement dans sa maison des Milandes.

balladée (chanson), chanson à refrain (XIIIe s.), sans forme fixe jusqu'au XIVe s. D'origine chorégraphique, la ballade est monodique, avec accompagnement. Elle se terminait par un « envoi », ou « tornada » (chez les troubadours*). Elle disparaît au XVIe s.

BALTHA (Balthasar **Glaser,** dit **Georges**) chansonnier (Paris 1872 - Cercy, Seine-et-Oise, 1944). L'un des fondateurs du cabaret des Arts, il fut de la fondation de la Lune-Rousse*, dont il devint codirecteur avec D. Bonnaud*. Il chanta aussi au Caveau des Roches-Noires et aux Quat'-z-Arts*, où il interprétait *le Charlatan arabe* (1894), qui fut son grand succès.

BAPTISTE le divertissant, chansonnier (début du règne de Louis XVI). Il chantait sur le quai de la Ferraille, qui faisait concurrence au Pont-Neuf*, un répertoire allant de la gaudriole épicée au couplet bucolique. En 1783, il chantait une chanson en vogue, *Changez-moi cette tête*, ainsi que *les Nouvelles Écosseuses* et une romance pastorale, *l'Heureux Moment*. Il remit à la mode la chanson de *Malbrough*. Mme Baptiste, dite Riche-en-Gueule, l'accompagnait au refrain. Ils chantaient en duo une chanson polissonne, *Maman, je veux Robin*, chef-d'œuvre de l'abbé Lapin*, qui, lui, fonctionnait au Palais-Royal.

Barabli, cabaret satirique et littéraire bilingue, fondé à Strasbourg (1946) par Germain Muller et Raymond Vogel. De tout temps, l'Alsace a manifesté un esprit libéral et frondeur. Afin de poursuivre la vieille tradition, le jeune chansonnier Germain Muller l'enroba de formes nouvelles, dérivées à la fois du style de l'Oiseau Bleu (cabaret russe) et des revues de Rip. Les principaux interprètes du cabaret ont été recrutés et formés sur place : Dinah Faust, Simone Muller, Elisabeth Best (principales interprètes des chansons de Germain Muller, dont Mario Hirle a écrit la musique), et, pour les hommes, Robert Breysach, René Wieber, Alfred Litzelmann et Charles Falk. Jacques Martin* a fait ses débuts d'acteur-chansonnier au Barabli (1959-1962).

BARBARA (Monique **Serf,** dite), auteur, compositeur, interprète (Paris 1930). C'est l'une des plus importantes créatrices de la chanson contemporaine ; elle a dû chanter pendant une quinzaine d'années avant de s'imposer au grand public (1966). Études musicales. Elle chante à Bruxelles (1952), Chez Moineau* à Paris (1957), à l'Écluse*. Elle obtient un prix du Disque en interprétant Brassens* (1960), puis elle interprète J. Brel*. On découvre alors ses propres œuvres (Concert Pacra* ; Bobino*, 1964). Longue silhouette noire, elle chante en s'accompagnant au piano et communique au public une émotion de haute qualité artistique, vibrante de sensibilité (*Nantes*). En quelques mots, quelques soupirs, elle évoque une atmosphère (*Pierre*). Elle a le sens de la chanson (*Au bois de Saint-Amand*), n'ignore pas le jazz (*Parce que je t'aime*) et se situe dans la tradition de Mireille* par la désinvolture, la voix (*Si la photo est bonne*), mais aussi d'Y. Guilbert* par la pureté de la diction, l'art de détailler (*les Mignons*), la verve féroce (*les Rapaces*). Face aux gros orchestres de la mode, son art a l'élégance d'une musique de chambre ; son succès est celui du goût et de la poésie.

BARRIÈRE (Alain **Bellec,** dit **Alain**), auteur, compositeur, interprète (La Trinité-sur-Mer 1935). Après des études aux Arts et Métiers, il est ingénieur pendant un an chez Kléber-Colombes, puis débute dans la chanson avec *Cathy* (1961). Il passe à l'Olympia* en 1962, puis mène une carrière de vedette internationale (notamment une tournée en Amérique du Sud, où ses chansons, adaptées aux rythmes du Brésil, deviennent populaires). Il a mis en chansons des poèmes de R. Desnos, P. Fort, avec un sens mélodique très sûr et connaît le succès avec *Ma vie* (1964), *Toi* (1966).

BASSELIN ou **VASSELIN** (Olivier), chansonnier (Vire XVe s.). Personnage à demi légendaire, dont l'existence même fut contestée au XIXe s. Cependant, il a certainement existé : une lettre de Guillaume Cretin (1515) fait mention du chansonnier, et Vauquelin de La Fresnaye le cite dans son *Art poétique*.

Les chansons d'Olivier Basselin ont été réunies dans le manuscrit de Bayeux, constitué vers 1514 par Charles de Bourbon, et publiées ensuite par Jean Le Houx* (1576), qui a mélangé ses œuvres personnelles à celles de Basselin. Selon la tradition, Olivier Basselin aurait été foulon de drap, établi sur la rivière de Vire, dans un lieu appelé les Vaux. D'où le nom de *vaux-de-vire* attribué à ses chansons et à celles de ses disciples. Ils furent les premiers à composer des chansons bachiques* en un siècle où l'on ne connaissait que la poésie courtoise. Combattant dans les troupes du roi de France, Basselin aurait été tué en 1450 à la bataille de Formigny. Une chanson contenue dans le manuscrit de Bayeux, *Hélas! Olivier Basselin*, raconte cette mort. Longfellow lui a dédié un poème.

BASSIAK (Cyrus **Rezvany**, dit **Cyrus**), auteur (Téhéran, Iran, 1928). On lui doit notamment *le Tourbillon* (- G. Delerue), *Embrasse-moi, la Joueuse de gong* (- Ward Swingle), que F. Solleville* a interprétés dans le film *Dragées au poivre* (1965). Peintre de talent, il a aussi écrit des romans signés C. Rezvany.

BASTIA (Jean **Simoni**, dit **Jean**), chansonnier et auteur dramatique (Bordeaux 1878-1940). Après des études — inachevées — au petit séminaire de Bordeaux, il débute dans sa ville natale comme compositeur d'opérettes (v. 1900), puis fait du journalisme à Reims et à Genève (1904-1908), carrière qu'il n'abandonnera jamais tout à fait. Il débute comme chansonnier à la Pie-qui-chante* (1908) avec *On n'est pas de bois* et acquiert une rapide célébrité qui l'entraînera dans les principaux cabarets artistiques (de 1908 à 1939), où il a interprété plus de 3 000 chansons et poèmes, dont *la Pointe du casque*, *Une petite croix de guerre*, *l'Autre Cortège*, *l'Hymne au crétin*. Jean Bastia a fondé le Perchoir* avec Saint-Granier* (1916) et le Café chantant, qui céda la place aux Trois-Baudets*. Il a fait jouer une centaine de revues de 1910 à 1939 et a collaboré avec André Lang et Tristan Bernard aux revues montées par l'Odéon vers 1926. Secrétaire d'Arman de Caillavet, on lui doit plusieurs couplets de *la Veuve joyeuse*, ainsi que l'opérette *Dix-Neuf Ans*, écrite en collaboration avec son fils Pascal Bastia*. Son œuvre poétique (*la Lyre de carton* et *le Missel pour rire*) a été souvent comparée à celle de Théodore de Banville.

BASTIA (Pascal), auteur et compositeur (Paris 1908), fils du précédent. Il a interprété durant quinze ans ses œuvres personnelles, qui ont été chantées également par diverses vedettes : *That's the Black Cat of Black Papa* (Pasquali, 1926), *Quand on a du fric* (Dranem*, 1929), *Souvenir* (A. Beaugé, 1930), *Aux îles Hawaï* (J. Baker* et Pills et Tabet*, 1934), *Je tire ma révérence* (J. Sablon*, 1938), *Vous, mon amour volage* (Réda Caire, 1942), *la Fille à la fermière* (Luc Barney,

1946). Il a fait représenter plusieurs comédies et de nombreuses opérettes, comédies musicales et opéras bouffes, dont certaines contiennent des airs qui furent populaires : *Dix-Neuf Ans* (avec son père Jean Bastia, théâtre Daunou, 1933), *Le groom s'en chargera* (Variétés, 1935), *Mademoiselle Star* (Daunou, 1945). Il a écrit aussi de la musique de films, dont celle du *Prince de minuit* (pour Henri Garat), et publié deux romans. Peintre et sculpteur, il a organisé plusieurs expositions de ses œuvres et fondé en 1952 la Compagnie de l'opérette.

Ba-ta-clan, café-concert*, puis music-hall*, 50, boulevard du Prince-Eugène (actuellement boulevard Voltaire). Tout d'abord Palais-Chinois (sans spectacles chansonniers), il fut repris par M. Brice, dont le café du Géant venait d'être détruit par un incendie (1863), et qui donna à Ba-ta-clan des spectacles de café-concert. En 1892, Paulus*, après avoir remis la salle à neuf, en prend la direction. Celle-ci se révélera désastreuse, et Paulus doit bientôt passer l'affaire à Gaston Habrekorn, qui, en 1913, cède Ba-ta-clan à Mme Rasimi ; elle le transforme en un somptueux music-hall, trop somptueux, car elle fut mise en faillite. Oscar Dufrenne et Henri Varna renflouent l'établissement (1927) et font alterner l'opéra, l'opérette, le mélodrame, mais présentent aussi des vedettes de la chanson : Damia*, Raquel Meller, Mistinguett*, Dranem*, etc. Ba-ta-clan a été transformé en cinéma en 1932.

BATAILLE (Gabriel), compositeur, luthiste et chanteur (? v. 1575 - Paris 1630). Maître de la musique de Marie de Médicis (1617), puis d'Anne d'Autriche (v. 1624), il a collaboré à la musique vocale des ballets de cour représentés sous le règne de Louis XIII. De 1608 à 1615, il a publié six livres de transcriptions de chansons polyphoniques pour voix seule et luth dans la collection *Airs de différents autheurs mis en tablature de luth*, qui comptent parmi les premiers airs de Cour*. — Son fils Gabriel (Paris 1615 - ? 1676) lui succéda comme maître de musique d'Anne d'Autriche.

BATTAILLE (Jean), chansonnier (Paris 1863 - 1923). Docteur en droit, avocat inscrit au barreau de Paris, secrétaire particulier du ministre Constant, il abandonna tout pour se consacrer à la chanson, ne faisant en cela qu'imiter l'exemple paternel (le docteur Charles Battaille avait abandonné la médecine pour l'art lyrique). Jean Battaille débuta au Tréteau de Tabarin*, puis passa aux Mathurins, aux Capucines, aux Noctambules*, prit en 1900 la direction artistique de la Maison du rire, revint à la chanson au cabaret des Arts* puis aux Quat'-z-Arts*.

Chansonnier d'actualité, il créa aussi quelques personnages amusants : *les Grandes Dames maigres, les Bonnes Grosses Dames, les P'tits Messieurs aux gros bedons,* etc. Il a aussi interprété avec succès des vieilles chansons traditionnelles.

BÉART (Guy), auteur, compositeur, interprète (Le Caire, Égypte, 1930). « Encore un qui s'approche armé d'une guitare et qui ne finira jamais à l'Opéra et qui ne sait pas faire l'acrobate sur la place publique [...]. Bref, un poète », écrivait G. Brassens* en 1957 au dos de la pochette du premier disque de G. Béart, qui s'était approché de la chanson par des chemins détournés. Il naît en Égypte parce que son père, expert comptable, installe des sociétés dans les pays du Bassin méditerranéen. Son enfance se passe en Provence, en Grèce, en Italie, au Mexique, au Liban... Après des études secondaires à Nice, il vient à Paris pour préparer l'École normale de musique, mais, après le baccalauréat de mathématiques élémentaires (lycée Henri-IV), il entre à l'École des ponts et chaussées. Par la suite, tour à tour professeur suppléant de mathématiques, marin, ingénieur dans un bureau d'études (1952-1957), il écrit des chansons qu'il va interpréter le soir au cabaret. G. Brassens*, Grello* l'encouragent. Patachou* enregistre *Bal chez Temporel* (- A. Hardellet); J. Gréco* chante *Chandernagor*; J. Canetti le fait passer aux Trois-Baudets*. Il reçoit le prix du Disque en 1957. Une brillante carrière commence. Il compose de nombreuses chansons, de la mu-

sique de films (*l'Eau vive, Pierrot la Tendresse*), une comédie musicale (*Patron,* -Marcel Aymé), produit une émission télévisée (*Bienvenue chez Guy Béart,* à partir de 1966).

Récital Guy Béart (1967). Phot. Meerson.

L'alliance des mathématiques et de la poésie donne à ses chansons la solidité des œuvres bien faites. Artisan inspiré, G. Béart a le sens de la mélodie (*Seine va, les Pas réunis*) et une grande habileté verbale (*Alphabet*). Il utilise toutes les techniques, y compris l'alexandrin (*l'Insouciance des jours*) ou l'assonance, plus guère utilisée depuis le Moyen Âge (*Anachroniques*). Il fait aussi appel au style folklorique (*l'Eau vive, les Souliers*). Ses thèmes favoris sont l'amour, les regrets, et bien des chansons paraissent comme voilées d'une secrète mélancolie. Ses œuvres les plus récentes montrent une inquiétude profonde devant le monde moderne (*Qui* suis-je?), qu'il met fréquemment en question (la Télé, Cercueil à roulettes), participant ainsi au renouveau de la chanson politique* (Il a dit la vérité, 1967). Il est l'un des premiers à réussir la difficile gageure de la chanson d'anticipation, car il chante l'espace et le cosmos en restant un poète (les Enfants sur la lune, Années-lumière, le Grand Chambardement, le Voyageur à rayons, enregistrés en 1967). Parfois pathétique (Hôtel-Dieu), il excelle aussi dans l'humour, l'ironie féroce ou bon enfant des chansons reprises en chœur par les spectateurs (les Grands Principes). Il a reçu le prix Charles-Cros en 1965.

BÉATRICE de Die, troubadouresse dauphinoise (XIIᵉ s.), la plus célèbre. Elle a exprimé avec charme des sentiments sincères. Il nous reste cinq de ses chansons, qui racontent son amour malheureux pour Raimbaut d'Orange*.

BEAUPLAN (Amédée **Rousseau, dit de**), auteur et compositeur (Chevreuse 1790 - Paris 1853). Il prit le nom de sa propriété (Beauplan). Son père avait péri sur l'échafaud durant la Révolution. Mᵐᵉˢ Campan et Auguier, attachées au service de Marie-Antoinette, furent persécutées sous la Terreur. Musicien d'instinct, il n'eut pratiquement pas d'éducation musicale; cependant, ses mélodies, gracieuses, agréables, ont rendu son nom populaire. Doué pour tous les arts (musique, lettres, peinture), il écrivit des romans, des fables, des comédies, des opéras-comiques, des vaudevilles*. Il a composé de nombreuses romances* : le Bonheur de se revoir, l'Ingénue, le Pardon et Dormez mes chères amours, qui eut une énorme célébrité. Il est également l'auteur de la Leçon de valse du petit François, remise à la mode au XXᵉ s. par Georges Chepfer*.

BEAUVARLET-CHARPENTIER (Jacques Marie), compositeur (Lyon 1766 - Paris 1834). Élève de son père, il lui succéda comme organiste de l'église Saint-Paul de Lyon. En plus de nombreuses compositions instrumentales, il figure parmi les principaux romancistes du début du XIXᵉ s.,

assaisonnant parfois l'actualité à la sauce romance* : la Bataille de Marengo, la Triple-Alliance. D'autres chansons ne relèvent que de l'inspiration poétique : Sapho au rocher de Leucate, Zelmire à son amant victorieux, le Mal d'amour, le Vieux Ménestrel, etc.

BÉCAUD (François **Silly**, dit **Gilbert**), compositeur, interprète (Toulon, 1927). Après des études musicales (prix de piano, conserv. de Nice), G. Bécaud est accompagnateur de J. Pills* lors d'une tournée aux U. S. A., où il entend des artistes américains dont il saura s'inspirer (Frankie

Gilbert Bécaud,
par Jean Cocteau (1955). Phot. Lauros.

Laine, Johnny Ray). Il compose quelques chansons chantées par A. Claveau* (Couventine), par E. Piaf* (Je t'ai dans la peau), passe en cabaret pendant son service militaire. Dès 1946, il met en chanson des textes de P. Delanoë*. En 1952, E. Piaf l'incite à travailler avec L. Amade*. L'un et l'autre vont rester ses principaux paroliers avec M. Vidalin*. Il est vedette d'un spectacle à l'Olympia* en 1954. Plus qu'un triomphe, c'est du délire : fauteuils cassés, vitres brisées, jeunes spectateurs déchaînés. Surnommé « Monsieur 100 000 volts » à cause de sa fougue en scène, G. Bécaud devient, quinze ans après Trenet*, le symbole du rythme : « La jeunesse s'enflamme et reconnaît dans Gilbert son authentique représentant. » Il est tout aussi vivement critiqué : « L'hystérie se communique et hystérise le public. » (Ionesco.) Mais, depuis son prix du Disque (1963), G. Bécaud a poursuivi une carrière brillante au music-hall, au cinéma (le Pays d'où je viens); il a écrit des œuvres classiques, une cantate, l'Enfant à l'étoile (1960), l'Opéra d'Aran (1962), montrant ainsi une autre face de son talent : « Le Bécaud de l'Olympia est-il un faux Bécaud? Le vrai serait alors l'adolescent fervent, génial et timide, et qui a envie que tout le monde l'aime. » (F. Mauriac.) B. Gavoty lui a consacré une séance aux J. M. F. (1965).

Ses chansons disent l'amour, la joie de vivre, l'amitié (Heureusement, y'a les copains), le monde moderne (Dimanche à Orly), et séduisent souvent par une poésie simple, une philosophie saine (L'important, c'est la rose), une gentillesse des plus sympathiques (Ah! si j'avais des sous!). Ses meilleures compositions utilisent le jazz bien intégré à la tradition de la chanson française (Cornélius).

Certains lui ont reproché d'avoir interprété quelques mois avant les élections présidentielles de 1965 une chanson exaltant le rôle du général de Gaulle (Tu le regretteras, - P. Delanoë). C'est une des rares chansons de G. Bécaud faisant allusion à des événements politiques, avec le Pianiste de Varsovie (- P. Delanoë), qui avait déjà entraîné quelques remous. La Rivière (- M. Vidalin, 1967) a une signification politique ambiguë.

BEFFROY de Reigny (Louis Abel), dit **le Cousin Jacques**, chansonnier et auteur dramatique (Laon 1757 - Paris 1811). Il a mis en musique les romances* de Berquin* (1798) : l'Innocence reconnue, la Funeste Vengeance de la jalousie, Plaintes d'une femme abandonnée par son amant, le Pressentiment, l'Inconstance, qui comptent parmi les plus expressives. Il a fait représenter des comédies en vaudevilles* aux titres bizarres : Turlututu empereur de l'île verte, Nicodème aux enfers, Nicodème dans la lune, Hurluberlu, etc., dont les airs à succès furent réunis sous le titre les Soirées chantantes ou le Chansonnier bourgeois (1805).

BÉRANGER (Pierre Jean **de**), chansonnier (Paris 1780-1857). Né rue Montorgueil, oublié pendant des années par ses parents, il est recueilli par une tante de Péronne, qui s'occupe de son éducation, où le catéchisme voisine avec Voltaire. Apprenti chez un imprimeur, il apprend du fils comment on tourne un couplet. A dix-sept ans, il revient à Paris près de son père, qui tient un cabinet d'affaires, mis en faillite, puis un cabinet de lecture, où Béranger complète son instruction et se fait des relations littéraires. Il envoie des vers à Lucien Bonaparte, qui s'intéresse à lui au point de lui déléguer sa pension de membre de l'Institut. Quesnescourt, un Péronnais de son âge, s'institue son banquier, réunit autour de lui une petite académie chantante, le « Couvent des Sans-Souci », pour lequel il écrit de nombreux couplets épicuriens, dont la chanson des Gueux. Passé la trentaine, il obtient un emploi d'expéditionnaire au ministère de l'Instruction publique. Il se livre à de nombreux essais littéraires : comédie satirique, vaudeville*, opéra-comique (la Vieille Femme et le jeune mari, refusé au théâtre impérial de l'Opéra-Comique comme étant immoral). Il écrit des poèmes épiques (Clovis, le Déluge, le Rétablissement du culte, le Jugement dernier, etc.), mais la censure impériale s'oppose à la publication du recueil dédié à Lucien Bonaparte, alors en disgrâce. À partir de 1812, il écrit toujours des chansons, mais avec le calcul d'être chansonnier, à l'exemple de Désaugiers*. Un an après, Béranger est devenu célèbre du jour au lendemain avec le Roi d'Yvetot, que tous les Français chantent, y compris Napoléon, dont la censure avait fait interdire la vieille chanson le Roi Dagobert.

**Gravure de Pauquet pour « le Grenier »,
de Béranger.** *Phot. Lauros.*

En 1815 paraît le premier recueil : *Chansons morales et autres*. Béranger chante l'amour gai et bon enfant, se moque en n'épargnant personne : *le Vieux Célibataire, Roger Bontemps, le Troisième Mari, Robin, le Vieux Maître d'école, Mon curé*. Durant l'invasion, il chante avec courage *le Bon Français* devant les généraux russes, mais, dans les trois dernières chansons du recueil (1815), *Vieux Habits! vieux galons!, Requête présentée par les chiens de qualité, la Censure*, il entame la lutte contre les excès de la Restauration. C'est un libéral. Le succès du recueil de 1815 a été très vif. Chansonnier aimé du peuple, choyé des salons, il doit à ce double prestige l'autorité qu'il exerce très vite dans les groupements d'opposition. Fonctionnaire royal jusqu'à la publication d'un nouveau recueil (1821), il se croit tenu à une certaine réserve, mais on le persuade de démissionner à la suite de la saisie du recueil après que 10 000 exemplaires eurent « fait retraite », et Béranger est poursuivi. Seize pièces constituent les unes un outrage aux bonnes mœurs, certaines un outrage à la morale publique et religieuse, les autres une offense à la personne du roi ; enfin, la dernière, *le Vieux Drapeau*, est considérée comme un signe de ralliement séditieux. Béranger passe en cour d'assises le 8 décembre 1821. Le Palais de justice est envahi par une telle foule que l'inculpé doit parlementer pour entrer : « Messieurs, on ne commencera pas sans moi », dit-il. Condamné à trois mois de prison et 300 F d'amende, il purge sa peine à Sainte-Pélagie. Les visites, les témoignages de sympathie, les colis affluent de partout.

En 1825, Béranger publie un troisième recueil. En 1828, le quatrième et nouveau recueil est saisi. Il contient *les Souvenirs du peuple* (*Parlez-nous de lui, grandmère*), où les demi-solde et une bonne partie des Français communient dans le souvenir idéalisé de Napoléon. Béranger est assigné devant la chambre correctionnelle. Ses chansons *l'Ange gardien, le Sacre de Charles le Simple* et *la Gérontocratie* constituent des délits contre la religion et le roi. Le jour du procès, la correctionnelle est envahie, comme l'avait

été sept ans plus tôt la cour d'assises. Béranger est condamné à neuf mois de prison et 10 000 F d'amende. Emprisonné à la Force, dans des conditions beaucoup plus sévères, il reçoit cependant la visite de tout ce que Paris compte de notabilltés politiques et littéraires. C'est pendant cette captivité qu'il compose *le 14-Juillet*, où il chante le souvenir interdit de la prise de la Bastille. La Révolution de 1830 le surprend à la campagne, où il soigne une santé délabrée, mais il revient à Paris ; il est le « grand conseiller de son temps », souhaitant confier la royauté au duc d'Orléans (futur Louis-Philippe), la royauté devant faire le pont, selon lui, entre la Restauration et la future République.

Moins de quatre mois après les « Trois Glorieuses », Béranger, sortant de son rôle de stricte neutralité, pousse un cri d'alarme dans *la Restauration de la chanson* et dans *Conseils aux Belges*, où, en choisissant le timbre* de *la République*, il dévoile le fond de sa pensée.

À cinquante-trois ans, Béranger publie le dernier des recueils édités de son vivant : *Chansons nouvelles et dernières* (1833). Le peuple lui est encore fidèle, mais il est de moins en moins un homme de parti, il n'est plus, selon sa propre définition, qu'un « homme d'opinion ».

En 1848, il est élu, malgré lui, député de la Seine, à une énorme majorité ; il faudra qu'il envoie deux fois de suite sa démission au président de l'Assemblée pour qu'elle soit acceptée. Vers la soixantaine, Béranger se met à rédiger *Ma biographie*, qui s'arrête à 1840, où il se raconte avec simplicité et impartialité. Il meurt le 16 juillet 1857. Le gouvernement impérial décrète que ses obsèques seront nationales, mais que le public n'y sera pas admis. Vingt mille hommes de troupe sont mobilisés pour la circonstance. Écartée du convoi, la foule grimpe sur les toits et les arbres ; tout est couvert de grappes humaines.

Lamartine lui avait décerné le titre de « ménétrier national ». Victor Hugo écrivit les *Chansons des rues et des bois* parce qu'il avait voulu, à l'époque, dépasser, si c'était possible, le succès de Béranger. Chateaubriand l'appelait « mon illustre ami ».

BÉRAT (Frédéric), chansonnier (Rouen 1800 - Paris 1855). Ses chansons reflètent sa vie : honnête, naïve. Il se contentait d'une modeste situation au Gaz de Paris, qui lui laissait du temps pour écrire des chansons.

Bérat est le chantre de sa province natale ; *Ma Normandie* (1836) fut vite populaire : 40 000 exemplaires vendus en quelques semaines. Le second couplet est cependant de pure imagination ; l'auteur était très casanier, et ses plus grands voyages le menaient au Havre. Bérat a mis en musique *Mimi Pinson*, de Musset, et a composé, en hommage à Béranger*, *les Souvenirs de Lisette*, que Déjazet fit triompher aux Variétés.

BERCY (Léon Auguste Albert **Drouin de**), chansonnier (Paris [Belleville] 1857 - Orléans 1915). Fils d'un lieutenant aux cuirassiers de la garde impériale, il commença à dix-huit ans une carrière militaire, rapidement interrompue à la suite d'une punition. Pour vivre, il se lança dans le journalisme et fit la chanson au jour le jour à *la Nation* et au *Cri du peuple*. Il débuta comme chansonnier aux Hydropathes*, puis au Chat-Noir* et au Casino des concierges, où il chantait sous le nom de **Blédort**, pour ne pas contrarier son père. Il reprit ensuite son nom véritable et fit une belle carrière montmartroise.

Bercy a fondé plusieurs cabarets : le Coup de gueule*, le cabaret de la Chaumière (à Orléans) ; il essaya, sans succès, de renflouer l'Âne-Rouge*. Il a écrit plus de 1 500 chansons.

bergerette (ou **bergerie** [XVIIIᵉ s.]), chanson de caractère simple et pastoral, qui raconte, de façon parfois grivoise, les amours de bergers enrubannés. — Les Ballard ont publié de nombreuses bergerettes, et Weckerlin* en a fait un choix judicieux (*Bergerettes, Echos du temps passé*).

Beaucoup de bergerettes sont passées dans le folklore* : *Là-haut sur la montagne* (Lorraine-Jura), *la Bergère aux champs* (Vivarais), *l'Autre Jour sur la bruyère* (Touraine), *Janeta, ount anirem gardar?* (bas Limousin), etc.

Bergers de Syracuse, goguette* fondée en 1804 par Pierre Colau. Elle peut être considérée comme la première goguette en date. Gérard de Nerval en fit partie. Le président recevait le titre de « grand patron », les membres étaient « bergers » et se réunissaient au « hameau ». Les séances s'ouvraient par ce toast : « Aux Polonais !... et à ces dames ! »

BÉRIMONT (André **Leclerq,** dit **Luc**), auteur (Magnac-sur-Touvre, Charente, 1915). Sa famille est ardennaise, mais, à cause de l'invasion allemande, il passe son enfance dans la Charente. Sa poésie reste marquée par les pays de l'Ouest. Il est cofondateur de l' « École de Rochefort-sur-Loire » (1941). Sa carrière de romancier et de poète est particulièrement féconde (prix Apollinaire, 1959 ; grand prix des Gens de lettres, 1967).

En 1958, Léo Ferré* met en chanson *Noël* (*Madame à minuit*), et, depuis, de nombreux textes de L. Bérimont sont devenus des chansons, parmi les plus belles de la production contemporaine : *la Chanson de l'été* (- M. Aubert*, 1959), *la Ballade du petit jour français* (- M. Aubert, 1962 ; par F. Solleville*), *la Chanson du romarin* (- Lise Médini*, 1964), etc. Ses œuvres sont violentes et fortes, d'une métrique régulière (*Numance*, - Lise Médini, 1964), aux images fulgurantes. Producteur à l'O. R. T. F., son action en faveur de la chanson est importante. Il a fondé les « Jam-sessions chansons-poésie* » et l'émission-concours « la Fine Fleur de la chanson française », dont le club, qui se consacre à « la vraie chanson de notre temps sans souci des modes passagères », a notamment enregistré J. Douai*, H. Martin*, J. Ollivier*.

BERNARDET (Georges), chansonnier (Paris 1897). Destiné à l'enseignement (brevet d'instituteur), il débute en 1930 au « Théâtre chantant » de Georgius*. Il passe ensuite à l'Européen*, à Bobino*, et commence à écrire des chansons. Il interprète sa première œuvre, *le Baigneur*, en 1935 aux Noctambules*.

Fondateur avec P.-J. Vaillard* et C. Vebel* du théâtre des Trois-Baudets*, il dirige les tournées des Deux-Ânes* (1958-1961), celles du Grenier de Montmartre (1962-1964), enfin les tournées du Festival des chansonniers (1965-1968), au cours desquelles il colporte l'esprit montmartrois à travers la France, la Belgique, l'Angleterre, la Suisse, la Tunisie, le Maroc, la Syrie, le Liban, etc.

BERNART de Ventadour, troubadour limousin (XIIe s.). Uc de Saint-Cyr, son biographe, nous apprend qu'il « était bel homme, adroit, savait bien chanter et trouver, et il était courtois et instruit ». Il était d'origine pauvre : son père était archer, et sa mère « chauffait le four à cuire le pain du château ». Sa biographie laisse sans doute une grande place à la légende : le vicomte de Ventadour s'intéresse à lui, le fait instruire, mais Bernart s'éprend de la châtelaine, qui s'éprend de lui à son tour. Quand le vicomte s'aperçoit de son infortune, il enferme la dame et éloigne le poète. Bernart quitta effectivement le Limousin pour la cour normande d'Aliénor d'Aquitaine. Quand celle-ci devint la femme du futur Henri II d'Angleterre, « Bernart resta triste et dolent, il s'en vint vers le bon comte de Toulouse et demeura auprès de lui jusqu'à la mort du comte ». Bernart termina sa vie en l'abbaye de Dalon.
Bernart de Ventadour a été l'un des plus grands troubadours. Sa poésie est consacrée à l'amour courtois, dont il est reconnu comme le maître parmi ses contemporains. Ses mélodies sont élégantes, aimables. Il a laissé 45 chansons, dont 19 notées ; la plus connue est *Can vei la lauzeta mover.*

BERQUIN (Arnaud), auteur (Bordeaux 1747 - Paris 1791). Son recueil de romances* (musique de Blois et Gramaignac) parut en 1776. On y trouve les *Plaintes d'une femme abandonnée par son amant* et *Dors mon enfant, clos ta paupière,* qui fut célèbre. Ces romances furent mises en musique par plusieurs compositeurs. Mais leur auteur s'est rendu populaire par les ouvrages qu'il écrivit ensuite pour la jeunesse ; le titre de l'un d'eux, *l'Ami des enfants,* lui est resté en surnom.

BERTIN (Jacques), auteur, compositeur, interprète (Rennes 1946). Élève à l'École supérieure du journalisme de Lille, il compose et chante (*J'aurai une vache nouvelle,* 1963), quand il est « découvert » par L. Bérimont* et J. Douai*. Il enregistre et obtient le prix Charles-Cros (1967). Ses chansons sont souvent d'une poésie délicate (*Un grand châle lilas*).

BERTON (Henri **Montan**), compositeur (Paris 1767 - 1844). Fils d'un compositeur, il fut professeur d'harmonie, puis de composition au Conservatoire de Paris et chef d'orchestre au Théâtre-Italien. Il a compté parmi les principaux romancistes de son époque : *Vers à mon premier-né ; le Premier Amour, Agnès Sorel, la Plainte du barde, les Regrets de Lise,* etc. Son œuvre théâtrale contient de nombreux airs et romances* qui eurent du succès : *Aline reine de Golconde, les Maris garçons, Ninon chez Mme de Sévigné, Montano et Stéphanie,* etc.

BERTRAND de Born, troubadour, seigneur d'Hautefort, en Périgord (fin du XIIe - début du XIIIe s.). Ses aventures amoureuses défrayèrent la petite chronique de son temps : épris de Mathilde, épouse de Guillaume Talleyrand, seigneur de Montagnac, il vanta sa chevelure blonde, sa peau « blanche comme fleur d'aubépine », mais l'oublia pour une autre Mathilde, femme du duc de Saxe, tout en se passionnant entre-temps pour d'autres dames (Guicharde de Comborn, Tibour de Montausier, etc.). Il joua les trublions politiques en attisant les querelles des Plantagenêts à l'aide de virulents sirventès*. Il fit une fin en se retirant à l'abbaye cistercienne de Dalon, aux confins du Périgord et du Limousin. Il laisse 45 pièces, dont 1 chanson notée.

BÉSARD (Jean-Baptiste), compositeur et luthiste (Besançon v. 1567 -? v. 1625). Docteur en droit de l'université de Dole (1587), jurisconsulte, médecin, musicien, Bésard est le représentant parfait de l'honnête homme de la fin du XVIe s. Au cours de ses nombreux voyages, il a publié des travaux sur la médecine, la physique, la chimie et l'histoire (Augsbourg, 1617), mais, surtout, il a profité d'un séjour à Cologne (1603) pour y faire paraître le *Thesaurus harmonicus*, anthologie de la musique de luth, qui contient les premières transcriptions de chansons accompagnées par cet instrument, ainsi que des compositions originales. L'une de ces chansons, *Blond est le filet d'or*, n'accuse aucune trace de vieillissement.

beuglant, s'est dit d'un concert de bas étage, où les chanteurs avaient l'habitude de « beugler » leurs chansons. — Le plus célèbre fut celui des Folies-Dauphine, établi bd Saint-Germain (v. 1860). En été, ce concert se transportait au bas du Pont-Neuf* et prenait alors le titre de concert du Vert-Galant. Le public estudiantin en était le même.

Biberons, société créée vers 1822 par des chansonniers incarcérés à Sainte-Pélagie. Ils publièrent en 1825 un recueil de chansons : *la Marotte de Sainte-Pélagie*.

Bibliothèque de la chanson. Créée par la Société des auteurs, compositeurs, éditeurs de musique* (S. A. C. E. M., 10, rue Chaptal, Paris-IXe), elle réunit des ouvrages traitant de la chanson, des manuscrits, des documents divers. Elle a reçu de nombreux dons, et notamment la totalité de la bibliothèque de l'Association amicale des chansonniers de cabaret. Il est prévu de lui adjoindre une discothèque réunissant les disques les plus représentatifs de l'évolution de la chanson.

bide (faire ou **« se taper » un),** en argot contemporain, se dit d'un chanteur

*« Le Beuglant ».
Dessin de Léandre
(1901).* Phot. Lauros.

qui n'obtient aucun succès. (On dit aussi « se ramasser ». Le contraire est « faire un malheur ».)

Vers 1929, l'expression était « s'en aller sur le bide » (quitter la scène rapidement).

BILLAUT (Adam), poète et chansonnier (Nevers 1602 - 1662). Né de parents pauvres, il apprit tout juste à lire et à écrire, et exerça le métier de menuisier, ce qui lui permit d'intituler ses recueils de poèmes : *les Chevilles de maître Adam* (1644) et *le Vilebrequin de maître Adam* (1663). Il maniait aussi bien la flatterie que le rabot, ce qui lui permit de recevoir une pension de Richelieu, bien qu'il ait plutôt fréquenté les libertins. Mazarin ne fut pas aussi généreux que son prédécesseur ; aussi, maître Adam ajouta sa note personnelle au concert des mazarinades. Surnommé le « Virgile du rabot », il a composé plusieurs chansons bachiques, dont la plus célèbre, *Aussitôt que la lumière*, a servi de timbre* à de nombreuses chansons et même à des cantiques.

BINCHOIS (Gilles de Binche, dit), compositeur (Mons v. 1400 - Soignies 1460). On peut considérer Binchois comme l'un des maîtres de la chanson d'expression française au XVe s. Militaire dans sa jeunesse, il abandonna la vie mondaine pour entrer dans les ordres. Il fut au service du duc de Suffolk (Paris, 1424), puis, à partir de 1430, de Philippe le Bon, duc de Bourgogne. Il a mis en musique des vers de Christine de Pisan (*Dueil angoisseux, rage desmesurée*), d'Alain Chartier (*Triste plaisir et douloureuse joye*) et de Charles d'Orléans (*Mon cuer chante joyeusement*). Binchois a laissé une quarantaine de chansons, toutes écrites à 3 voix, dont le thème est presque toujours l'amour courtois. Cependant la chanson *Filles à marier* est d'un tour populaire.

BLANCHE (Francis), auteur, compositeur, interprète (Paris 1921). Il a débuté dès 1938 (Café chantant de J. Bastia*) ; il a été, avec P. Dac*, directeur de *l'Os à moelle*, producteur d'émissions diverses (*Poisson d'avril, Bonjour chez vous*), auteur †1974

dramatique (*Les escargots meurent debout*, 1964), acteur au théâtre, interprète au music-hall* (ABC*, 1944), au cinéma (*Babette s'en va-t-en guerre*), fantaisiste* toujours. Il a écrit 400 chansons, de factures très diverses (*On chante dans mon quartier*, - Rolf Marbot, 1945 ; *Sur le fil*, - C. Trenet*, Jean Solar, 1941 ; *le Prisonnier de la tour*, - G. Calvi*, 1948), dont de nombreuses traductions (*Noël blanc, Davy Crockett, Vive le vent*). Ses plus originales sont des parodies* écrites parfois en collaboration avec P. Dac (*la Pince à linge* sur la Ve symphonie de Beethoven), des chansons insolites (*Ça tourne pas rond*, - H. Leca) ou non conformistes (*Général à vendre*, - P. Philippe, par les Frères Jacques*). Il est l'un des auteurs de l'opérette *la Belle Arabelle* (- Marc Cab, G. Lafarge, P. Philippe, 1956, par les Frères Jacques).

BLANGINI (Joseph Marie Félix), compositeur (Turin 1781 - Paris 1841). Il se réfugie en France avec sa famille quand le Piémont est envahi par les armées de Bonaparte. Après quelques concerts dans le midi de la France, il arrive à Paris en 1799 et se fait connaître par la publication de nombreuses romances*. Il devient aussi le professeur de chant à la mode. Maître de chant du roi de Bavière (1805), il est rappelé l'année suivante auprès de Pauline Bonaparte, qui le nomme directeur de sa musique et de ses concerts, et pour laquelle il fut plus qu'un directeur de chapelle. Vers 1810, il est envoyé à Cassel, où Jérôme Bonaparte lui donne le titre de directeur de sa musique. Rentré en France en 1814, il obtient la surintendance honoraire de la musique de Louis XVIII et la classe de chant du Conservatoire. Après 1830, il sera destitué de toutes ses fonctions. Il a composé de nombreux opéras-comiques et, entre 1800 et 1815, 34 recueils de romances sur des paroles de Florian, Demoustier, Parny*, Ségur*, la plus célèbre étant *Il est trop tard* (- Coupigny).

BLÈS (Charles **Bessat**, dit **Numa**), chansonnier et revuiste (Marseille 1871-1917). Il fait ses études à Lyon et Marseille, puis à la faculté des lettres d'Aix en vue d'une carrière professorale, qui tourne court en raison de ses succès de chansonnier amateur. Il débute à Marseille en 1893-1894 au cabaret de la Lune-Rousse, puis vient se fixer à Paris, où il se lance (avec succès) dans les divers cabarets de Montmartre et du Quartier latin. En 1902, il part en compagnie de Lucien Boyer* pour faire le tour du monde en chantant. Au retour, il prend la direction artistique des Quat'-z-Arts* et fonde avec D. Bonnaud le Logiz de la Lune-Rousse*. Malheureusement, Blès, qui avait aussi fréquenté la « muse verte », meurt fou en plein succès.

Chansonnier plein de fantaisie, il a publié également des chansons destinées au café-concert*, avec Goublier* et Dihau.

BLOCH (Jane), interprète (Paris 1858-1916). D'un embonpoint légendaire, qui prêta à de nombreux calembours (Le tas, c'est moi, Tanagrasdouble, Bibendum), elle se présentait au caf' conc'* tout d'abord coiffée d'un képi, ensuite en gom-

Jane Bloch, par André Foy. Phot. Lauros.

meuse. Elle possédait un réel talent comique, et, à côté de son tour de chant, elle a créé quantité de revues, vaudevilles, opérettes. Elle a joué aussi des pièces réalistes à l'Européen*. Elle parut pour la dernière fois au théâtre des Deux-Masques, vivante antithèse du nain Delphin.

BLONDEL de Nesles, trouvère picard (fin XIIe s.). Il a laissé 17 chansons, mais il faut sans doute lui en restituer 14 autres, attribuées à un Blondel, dont la plus célèbre est Chanter m'estuet.

BLOT (Claude **de Chouvigny,** baron **de**), chansonnier (Paris XVIIe s.), au temps de la Fronde, surnommé « Blot l'Esprit ». On lui doit les meilleurs couplets satiriques des mazarinades. « Ses chansons avaient le diable au corps », a écrit Mme de Sévigné.

Bobino, music-hall* parisien, situé depuis 1880 à Montparnasse, 20, rue de la Gaîté (1 100 places). Il prit la suite de la Baraque à Bobino et des Folies-Bobino (du pseudonyme du créateur, dont le vrai nom était Saix), primitivement installées dès 1812 dans le même quartier (à l'emplacement de l'actuelle rue du Maine, puis au coin de la rue de Fleurus et de la rue Madame, 1816). D'abord fréquenté par des étudiants et des chansonniers, on pouvait y rencontrer vers 1885 J. Richepin, E. Goudeau*, O. Métra, F. Coppée. Il accorde la plus large place à la chanson et on peut y entendre notamment, après la guerre 1914-1918, Alibert*, Lucienne Boyer*, Charles et Johnny*, Damia*, M. Dubas*, Fernandel* (1929, « un troupier du bon temps »), Lys Gauty*, Gilles et Julien*, J. Lumière*, Mayol*, E. Piaf*, Pills et Tabet*, S. Solidor*, etc. Georgius* y a présenté son « Théâtre chantant » (1929), et Ray Ventura* ses 18 collégiens (1932) ; Wiener* et Doucet y ont joué à deux pianos (1933) ; on y a monté des revues de Jacques-Charles* en 1929, de V. Scotto* en 1934 (Trois de la marine), de Rip et Rieux* en 1941, etc. Pendant la dernière guerre, on y a entendu A. Claveau*, Damia*, Georgius, G. Guétary*, etc.

Son public passe toujours pour un des plus « connaisseurs » de Paris, et la plupart des vedettes* contemporaines du tour de chant souhaitent triompher à Bobino comme l'ont fait notamment M. Amont*, M. Arnaud*, Barbara*, G. Brassens* (qui chanta huit semaines consécutives en 1966), J. Brel*, les Compagnons de la chanson*, J.-P. Ferland*, J. Ferrat*, J. Gréco*, J. Holmès*. F. Leclerc*, Y. Montand*, F. Solleville*, A. Sylvestre*, etc. J. Douai* y a donné ses représentations du Théâtre populaire de la chanson* à partir d'octobre 1967.

BOESSET ou **BOYSSET** (Antoine), compositeur et chanteur (Blois 1586 - Paris 1643). Maître de musique des enfants de la chambre (1613), puis de la musique d'Anne d'Autriche (1615), il succéda en 1622 à son beau-père, Pierre Guédron*, comme surintendant de la musique de Louis XIII, dont il devint le musicien favori. Il a laissé 9 livres d'*Airs à 4 et 5 parties* (1617-1642), et 5 livres d'*Airs mis en tablature de luth* (1624-1643). Boesset, dont les chansons furent appréciées jusqu'en Angleterre, s'est efforcé de donner à l'air de cour* une ligne mélodique plus souple, s'accordant mieux à la sensibilité poétique des auteurs de son temps.

Son fils **Jean-Baptiste,** seigneur de Dehault (Paris v. 1614-1685), maître (1636), puis surintendant (1644) de la musique de la chambre, a laissé 2 livres d'*Airs de cour à 3 et 4 voix* (1669-1671). Il fut l'un des principaux collaborateurs de Lully pour les ballets de cour de la jeunesse de Louis XIV.

Bœuf sur le toit (le), cabaret fondé en 1921, 28, rue Boissy-d'Anglas, puis rue de Penthièvre (1925), à l'hôtel George-V (1934), 34, rue du Colisée (1941). Il tire son nom du spectacle de J. Cocteau, D. Milhaud, L. Massine (décors de R. Dufy), donné en 1920 à la Comédie des Champs-Élysées. L'action se passait au bar du Bœuf sur le toit, « une enseigne du Brésil. Le titre (dit J. Cocteau) me fut donné par P. Claudel », qui y fut ambassadeur en 1917 (D. Milhaud y était secrétaire d'ambassade).

Le groupe d'amis qui se retrouvaient autour de J. Cocteau dès 1918 aux « déjeuners du samedi », au bar Gaya (rue Duphot), fit la renommée du nouveau cabaret du Bœuf sur le toit, qui, animé par Moysès, devint bientôt un lieu élégant, où l'on vit G. Auric*, A. Breton, B. Cendrars, P. Claudel, J.-P. Fargue, G. Gallimard, A. Gide, A. Honnegger, M. Jacob, J. Kessel, M. Laurencin, S. Lifar, A. de Noailles, Picabia, Picasso, Y. Printemps, E. Satie, G. Simenon, T. Tzara et beaucoup d'autres, dont Lyautey, le prince de Galles, A. Rubinstein, etc. Dès l'époque du bar Gaya, la musique de jazz* inspi-

rait les participants des déjeuners du samedi : Jean Wiener* jouait du piano, J. Cocteau utilisait un matériel de « batteur » prêté par I. Stravinsky. On put entendre au Bœuf Clément Doucet jouer du piano de 22 h à 2 h du matin, tout en bavardant ou en lisant un roman policier. « Pianiste de génie, il jouait avec une virtuosité incomparable tout ce qu'on lui

*« Le Bœuf sur le toit ».
Dessin de Jean Hugo.*

demandait, de Wagner à Offenbach, de Mozart à Debussy » (Cardine-Petit, *Journal*, 1937). On put y entendre Marcel Herrand, Yvonne George*, puis A. Capri*, M. Oswald*, P. Dudan*, et, après la guerre, Jacqueline Batell. C'est au Bœuf sur le toit que J. Gréco* interprète en 1949 l'*Ombre* devant l'auteur de cette chanson, François Mauriac.

Boîte à Fursy (la), cabaret artistique, 58, rue Pigalle, fondé en 1902 par le chansonnier Fursy*.
Tout d'abord Tréteau de Tabarin, ce cabaret, situé dans l'ancien hôtel de l'amiral Duperré, avait ouvert ses portes en 1895 sous la direction de Paul Ropiquet et Georges Charton, Fursy étant secrétaire général. Sur la scène, représentant le Pont-Neuf*, on put entendre Botrel*, Hyspa*, Montoya*, Bonnaud*, Fursy et Charton, et, dans la revue clôturant le spectacle, Marguerite Deval, Odette Dulac et Prince-Rigadin. Au bout de quatre ans de travail en commun, après un désaccord

avec Ropiquet, Fursy partit fonder son propre cabaret, la Boîte à Fursy, dans l'ancien hôtel du Chat-Noir*, rue Victor-Massé (1899). Privé de son animateur, le Tréteau de Tabarin périclita et fut déclaré en faillite. Fursy racheta le fonds en 1901, y transféra sa « Boîte » en 1902 et en fit l'un des principaux cabarets montmartrois. En 1918, Fursy s'installa 27, bd des Italiens, mais, en 1922, il revint à Montmartre pour prendre, avec Mauricet*, la direction du Moulin de la Chanson*.

La Boîte à Fursy a effectué en 1928 et jusqu'à la mort du chansonnier (1929) des tournées en province et donné des représentations dans divers théâtres de Paris et de sa banlieue.

Boîte à musique (la), cabaret artistique, 75, bd de Clichy, fondé en 1896 par le peintre Eugène Frey et commandité par le comte Arrondel de Hayes, puis par Ranvier. Animé par Léon de Bercy*, le spectacle comportait des poèmes et des chansons, avec Odette Dulac, Rachel de Ruy, Perducet, ainsi que des pièces d'ombres.

BOLLING (Claude), compositeur (Cannes 1930). Pianiste de jazz renommé (cinq fois prix du Disque), il dirige un sextet ; il a accompagné Sacha Distel*, Dario Moreno, Jacqueline François. Il a écrit l'orchestration et réalisé l'accompagnement des disques de Brigitte Bardot, pour laquelle il a composé de savoureuses chansons : Noir et blanc, C'est rigolo, Faite pour dormir, Invitango, etc., avec G. Bourgeois, J.-M. Rivière*, etc. Juliette Gréco* chante Alpha du Centaure, Mireille Mathieu* Nous on s'aimera, Georgette Lemaire* Lui, etc.

BONNAUD (Dominique Marie Jean-Baptiste), chansonnier (Paris 1864-1943). D'origine corse, il fut l'un des chansonniers les plus marquants de la Belle Époque. Secrétaire du prince Roland Bonaparte, il se lance tout d'abord dans le journalisme et, à la France, publie une chanson tous les dimanches. En 1895, il débute au Chat-Noir* et, en raison de son succès, chante simultanément dans plusieurs cabarets à la fois. Associé à Numa Blès*, il fonde le Logiz de la Lune-Rousse*, puis, au Quartier latin, la Lune-Rousse seconde. Au début de la guerre 1914-1918, secrétaire du préfet de Nancy, il en profite pour composer (avec Georges Baltha*) la chanson de marche du 20e corps d'armée, puis il regagne la Lune-Rousse.

La verve de Bonnaud est souvent rabelaisienne, égrillarde, mais sait aussi se nuancer d'un humour délicat dans Un rêve sur l'Ouest-Etat, tandis que le Mariage démocratique (mariage de Mlle Fallières) reste l'un des classiques de la satire politique. Bonnaud n'a jamais consenti à réunir ses chansons en volumes, en raison de leur actualité.

BORDAS (Rosalie **Martin,** dite **Rosa**), interprète (Monteux, Vaucluse, 1840-1901). Ses parents tenaient un café, où ils organisaient des concerts avec la jeune Rosalie, qui, à dix-sept ans, épouse Bordas, le pianiste qui l'accompagnait. Le couple part en tournée dans le Midi, où Mistral recommande la chanteuse au public. En 1869, elle arrive à Paris et débute au Concert parisien*, où elle se fait un nom, la Bordas. Elle incarne un genre subversif : vêtue d'un péplum de laine blanche, sculpturale, les bras nus, la chevelure en désordre, elle crée un grand nombre de chansons dont le type est la Canaille (Darcier* - A. Bouvier*). En 1870, à la déclaration de guerre, un drapeau à la main, elle hurle la Marseillaise, dont l'Empire vient de lever l'interdit. Le 4 septembre 1870 sera son triomphe : déguisée en Théroigne de Méricourt, elle entonne de nouveau la Marseillaise dans les Tuileries. Durant la Commune, elle reprend la Canaille à l'Hôtel de Ville. Après la guerre, elle chante les deuils et la revanche, confondant dans un égal amour la République et l'armée. L'Exposition de 1878 lui fait célébrer la paix universelle avec l'Appel aux nations (Chebroux*), la Fête de la France (E. Baillet*). En 1880, elle s'en va en Algérie chercher le repos, mais, souvent battue et ruinée par son mari, elle divorce et revient au pays natal.

BORDAS (Marcelle), interprète (Paris 1897-1968). Petite main, puis « première » « Chez Lewis », M. Bordas est d'abord modiste. Elle s'installe à son compte rue du Faubourg-Saint-Honoré et persuade une cliente, Mᵐᵉ Rasimi, de lui donner sa chance. Elle débute aux Folies-Bergère* en 1932, dans un spectacle mené par Mistinguett* et Fernandel*. Aidée par Lucienne Boyer*, Willemetz*, elle passe en cabaret, puis dans les music-halls* (Alhambra*, ABC*). De sa célèbre voix de baryton, elle reprend une partie du répertoire de Thérésa*, qui avait été modiste comme elle (la Femme à barbe), des chansons d'étudiants, des airs de marins. En tenue de matelot, elle chante encore à 70 ans le 31 du mois d'août à la télévision (1967).

BOREL-CLERC (Charles **Clerc**, dit), compositeur (Maille, Basses-Pyrénées, 1879 - Cannes 1959). Études au conservatoire de Toulouse, puis de Paris. Pour débuter dans la carrière artistique, il modifie son nom en prenant le patronyme de sa mère. L'éditeur Ricordi lui demande d'arranger une danse nouvelle sur des motifs espagnols ; huit jours plus tard, il apporte la Mattchiche. Ricordi, enthousiasmé, lui commande trente chansons à 50 F pièce. Mayol*, qui avait créé la Mattchiche, lance Amour de trottin, et le chanteur populaire Bérard met à son répertoire le Moulin de maître Jean, le Train fatal, Lison-Lisette. Volterra lui commande de somptueuses revues pour le Casino de Paris. Le matin du 11 novembre 1918, Borel-Clerc rend visite à Lucien Boyer*. Ils ont l'idée d'une chanson et, dans la nuit, composent la Madelon de la Victoire, créée aussitôt par Maurice Chevalier*.

Mistinguett* chante, de Borel-Clerc, Une femme qui passe, Monte là-d'ssus, C'est jeune et ça n'sait pas ; Chevalier, Ma pomme, Ah ! si vous connaissiez ma poule ; Tino Rossi*, Vous n'êtes pas venue dimanche ; Lucienne Boyer*, Un amour comme le nôtre ; Alibert*, Tout le pays l'a su. Mais le grand succès de Borel-Clerc reste le Petit Vin blanc, pour lequel le parolier Jean Dréjac* lui intenta un procès, car les droits des deux auteurs lui semblaient mal répartis.

BOTREL (Théodore Jean-Marie Baptiste), chansonnier (Dinan 1868 - Port-Blanc 1925). Fils d'un forgeron que la pauvreté fit émigrer à la ville, Botrel est élevé par sa grand-mère au Parson (Ille-et-Vilaine), dans une partie de la Bretagne pleine de légendes et peuplée de korrigans, où il se prendra d'affection pour les choses et les gens de sa terre natale, qu'il chantera avec talent et fera connaître au public. À onze ans, un oncle l'amène à Paris. Il est apprenti tour à tour chez un serrurier, chez un lapidaire, chez un éditeur de musique, chez un courtier d'assurances maritimes ; il échoue ensuite dans une étude d'avoué et termine (comme beaucoup d'autres chansonniers) employé aux chemins de fer.

Après des débuts dans de modestes caf' conc', où il chante des chansons qu'il reniera plus tard (Mes deux sœurs jumelles, Il est frisé mon p'tit frère, dont les titres suffisent à préciser le genre), l'éditeur Ondet le présente à Mayol*, qui crée la Paimpolaise (1896) au Concert parisien*. Cette chanson remporte un grand succès populaire et lance son auteur, qui débute au Chien-Noir* (1897) avec la Paimpolaise, la Fanchette, le Petit Grégoire, le Mouchoir de Cholet, la Cloche d'Ys, etc. Il se présente devant le public en costume breton, ce qui cause une grande impression. En 1898 paraissent les Chansons de chez nous, qui consacrent Botrel chansonnier régionaliste. Elles sont tirées à 50 000 exemplaires et couronnées par l'Académie française, qui leur décerne le prix Montyon. Botrel effectue de nombreuses tournées en France et dans le monde entier en compagnie de sa femme, Lénaïk, qui interprète avec lui ses chansons. En 1914, une décision ministérielle délègue Botrel pour aller chanter devant les troupes, et Barrès écrit dans la préface du recueil de Botrel Chants du bivouac : « Millerand a fait une jolie chose : il a chargé Botrel de se rendre dans tous les cantonnements pour chanter aux troupes des poèmes patriotiques. » C'est ainsi que, ayant troqué le « chupen » et le « bragou-braz » pour un uniforme, il chante devant des blessés et des combattants Ma mitrailleuse (sur l'air de Ma

Dessin de Jobert :
Botrel en militaire.
Phot. Lauros.

Tonkinoise), célèbre *Rosalie* (la baïonnette) et daube sur l'adversaire avec : *Guillaume s'en va-t-en guerre, le Pain KK, En passant par ton Berlin*, etc. Il est ensuite décoré de la croix de guerre et de la médaille militaire, après avoir été cité à l'ordre du jour.

Botrel, dont la devise était « Dieu et Patrie », a composé des chansons sur les guerres vendéennes de 1793, qui ont été souvent confondues avec les authentiques chansons de l'armée de Charette. Une revue, *la Bonne Chanson*, fut publiée sous son patronage de 1907 à 1925.

BOUCHOR (Maurice Victor), auteur (Paris 1855-1929). L'œuvre de Bouchor est considérable : articles de critique littéraire, musicale et artistique, traductions d'anglais (en particulier les chansons de Shakespeare, mises en vers français), notes de voyages, contes. Il a recueilli et publié de nombreuses chansons populaires, pour lesquelles il a toujours montré un goût très

vif. Il a publié aussi, avec Julien Tiersot, des chansons pour les écoles.

BOUCOT (Louis Jacques), auteur, interprète (Paris 1884-1949). Son père était « comique en tous genres », ce qui explique sa vocation précoce. Il débute au théâtre des Enfants, à l'Exposition de 1889. En 1897, le Concert du commerce annonçait à son programme : le petit Boucot et le petit Chevalier*. Son père lui fait apprendre le métier de peintre en bâtiment, puis il est élève architecte. Il préfère partir en province interpréter des rôles de collégiens. Revenu à Paris, il aborde tous les genres du café-concert*, depuis les refrains du soldat jusqu'aux chansons de Mayol*. Dès 1906, Boucot est en possession de son genre bien personnel : il descend de la scène dans le public, qu'il interpelle, ce qui a souvent été imité depuis. Il prend de grandes libertés avec le texte, mais il improvise avec facilité et esprit ; aussi est-il excusé à la fois par le public et par les paroliers. D'ailleurs, il écrit des chansons pour Fragson*, Polin*, Dranem* et pour lui-même : *Mais voilà !, le Musicien ambulant, J'ai le téléphone, Histoire bretonne.* Boucot a joué et chanté dans tous les music-halls* de Paris. Il a créé le mimodrame : *Aux Bat's d'Af,* de Chantrier*, avec Colette Willy et Georges Wague. En 1927, il a joué à l'Odéon dans *les Fourberies de Scapin.* Il a créé plusieurs opérettes : *Madame, Rose-Marie, Térésina,* etc. Mais Boucot a toujours considéré que le tour de chant était l'essentiel de son activité.

BOUKAY (Charles Maurice **Couyba,** dit **Maurice**), chansonnier et homme politique (Dampierre-sur-Salon 1866 - Paris 1931). Celui que Verlaine appelait « l'héritier spirituel de Pierre Dupont » fit une carrière assez curieuse. Professeur agrégé de l'Université, il faisait ses cours le jour et chantait au Chat-Noir* le soir.
Conseiller général de la Haute-Saône en 1895, il résolut en 1897 de se présenter à la députation dans l'arrondissement de Gray. Il fit appel à quelques-uns de ses camarades chansonniers, qui l'aidèrent dans sa campagne en chantant des couplets à ses électeurs. Ceux-ci trouvèrent le procédé de leur goût et envoyèrent Boukay les représenter à la Chambre. Il fut ministre du Commerce (ministère Caillaux, 1911) et termina sa carrière en dirigeant l'École des arts décoratifs (1925). Il fut président de la S.A.C.E.M.* en 1907. On distingue dans les œuvres de Boukay deux tendances très nettes : chansons d'amour (musique de Delmet*), dont les célèbres *Stances à Manon ;* odes véhémentes (musique de Legay*), en particulier *le Soleil rouge,* dont Laurent Tailhade disait qu'il eût mérité, mieux que *l'Internationale,* de devenir l'hymne universel du prolétariat.

BOUR (Raymond Charles Paul), chansonnier (Paris 1905). Tout d'abord comédien, il participe aux premières émissions radiophoniques (1924). Ensuite, de 1930 à 1936, il est employé à la Préfecture de police dans la journée, et, le soir, chansonnier à la Lune-Rousse*. Après un différend

avec le préfet Langeron, il retrouve sa liberté totale (1936). Il s'est produit dans tous les cabarets, night-clubs et music-halls* parisiens (dix ans au Vernet, chez Jean Rigaux), avec des chansons d'actualité comme : *le Congrès des instituteurs* (1930), *Vacances présidentielles* (1933), *Sourire quand même* (1941), *les Moulins à vent* (1945), *Éloge des gros* (1950), *Avec l'ami Hermann* (1950, sur le timbre* de *l'Ami Bidasse*), *Frères et frangines* (1957). Comédien, il a joué *On ne badine pas avec l'amour* (T.N.P., 1959) et tourné dans de nombreux films.
Collabore à des journaux satiriques : *le Hérisson, Fou-rire,* etc.

BOURVIL (André **Raimbourg,** dit), auteur, interprète (Pretot - Vicquemare, Seine-Maritime, 1917). Cultivateur à Bourville, boulanger à Rouen (1936), il s'engage dans l'armée en 1937 et entre dans la musique. Il gagne un concours en 1938, passe à Radio-Cité en 1939 (Music-hall des jeunes amateurs) et n'a guère de succès avant 1948, où il triomphe avec des œuvres dans la tradition des « chansons idiotes » de la Belle Époque (*Elle vendait des cartes postales*). Il est l'auteur de quelques-unes de ses chansons (*la Tactique du gendarme,* - Lionel, Étienne Lorin, 1949). Une carrière cinématographique brillante lui a permis de révéler des dons d'acteur très divers.

BOUVIER (Alexis), chansonnier (Paris 1836-1892). De ses œuvres de style populaire mises en musique par Darcier*, il faut surtout retenir la *Chanson des gueux* (*C'est la canaille, eh bien, j'en suis !*), interprétée par Rosa Bordas*.

BOYER (Lucien), auteur (Léognan, Gironde, 1876 - Paris 1942). Représentant d'une fabrique de vernis, il monta à Paris et se fit embaucher comme garçon de bureau au *Lyon Républicain,* où il passait son temps à griffonner des chansons qu'il chantait ensuite aux visiteurs éberlués. En 1898, il débuta aux Quat'-z-Arts* puis au Carillon*. Avec Numa Blès*, il entreprit le tour du monde en chantant. Il en rapporta des chansons teintées d'exotisme : *Printemps japonais, Stances aux vents alizés, Dans les maisons de papier, Tchow-Tchin-Chow*. À son retour, il prit la direction du Moulin de la Chanson*. En 1914, payeur-comptable au 19ᵉ escadron du train, il fut chargé de parcourir la zone des armées en chantant des œuvres de propagande, dont l'aboutissement sera la très discutée *Madelon de la Victoire* (- Borel-Clerc*).

Auteur fécond, il a écrit des pièces de théâtre, vaudevilles, opérettes et revues, et près de 2 000 chansons, dont plusieurs grands succès populaires : *les Goélands* (interprétés par Damia*), *Ah! qu'il était beau mon village, Monte là-d'sus*. Il avait coutume de dire que son œuvre la plus réussie était son fils, Jean Boyer.

BOYER (Jean), auteur (Paris 1901-1965), fils du précédent. Il commence par écrire des chansons pour le cinéma, puis des dialogues, et devient réalisateur de films qui connaissent un grand succès (*Un mauvais garçon, la Madelon*). Les Comedian Harmonists chantent ses *Gars de la marine* (- Heymann et Werner) en 1931. C'est avec Georges Van Parys* qu'il écrit ses plus grands succès, interprétés par H. Garat (*C'est un mauvais garçon*, 1936), Danielle Darrieux (*Je ne donnerais pas ma place*, 1936), J. Pills* (*À mon âge*, 1937), G. Tabet* (*Y'a toujours un passage à niveau*, 1937), et surtout Maurice Chevalier*, dont la gouaille parisienne convient particulièrement aux textes populaires et amusants de J. Boyer : *Ça c'est passé un dimanche, Mimile, Appelez ça comme vous voulez* (entièrement écrit en argot), *Ça fait d'excellents Français*.

BOYER (Lucienne), interprète (Paris). Après s'être fait engager à l'Athénée comme dactylo pour se rapprocher du théâtre, elle fait de la figuration, joue la comédie, puis, engagée à Broadway, elle joue dans une revue pendant sept mois. De retour en France, elle enregistre son premier disque (1928). Elle est la première artiste à recevoir en 1930 le prix du Disque, qu'on vient de créer, avec *Parlez-mois d'amour* (J. Lenoir*, écrit en 1923). Cette belle chanson convient particulière-

ment à sa voix mystérieuse et câline. Dès lors, elle chante dans tous les music-halls* (Bobino*, Olympia*, Apollo*, Alhambra*). Trois chansons lui assurent un grand succès : après *Parlez-moi d'amour*, c'est *Si petite* (G. Claret - P. Bayle, 1933) et *Un amour comme le nôtre* (Borel-Clerc* - Farel, 1935). Mais elle a aussi créé la première chanson de P. Dudan* (*Parti sans laisser d'adresse*, 1938), *Rêver* (G. Luypaerts* - R. Rouzaud*, 1945), *Mes mains* (P. Delanoë* - G. Bécaud*, 1953), etc. De son deuxième mariage, avec Jacques Pills* (1939), est née une fille (1941), qui, sous le nom de **Jacqueline Boyer,** mène aussi une carrière de chanteuse (*Tom Pillibi*).

BRASSENS (Georges). L'œuvre et le personnage de Brassens (Sète 1921) dominent toute la chanson contemporaine.

Après des études inachevées au collège Paul-Valéry, il vient à Paris en 1939; il est recueilli par Jeanne (« la bonne hôtesse ») et Marcel Planche au fond d'une vieille impasse du XIVᵉ arrondissement, où il habite encore. Il travaille quelque temps aux usines Renault. Pendant l'occupation allemande, il est envoyé à Berlin par le S. T. O. Après la guerre, Brassens collabore au journal anarchiste *le Libertaire* (pseudonymes : Gilles Corbeau, Pépin Cadavre). À cette époque, il a composé plusieurs chansons, dont *le Gorille*. Grâce à J. Grello*, Patachou* l'engage dans son cabaret (1952). Il passe ensuite aux Trois-Baudets* (1953), puis au Concert Pacra*. Il enregistre un 78 tours Polydor, puis un microsillon Philips. Prix Charles-Cros en 1954. Depuis, il a composé et enregistré plus de cent chansons (neuf grands disques) ; il a tourné un film (*Porte des Lilas*, de René Clair*) ; il a vendu plus de 15 millions de disques en quinze ans ; il a été le premier auteur-compositeur à donner une série de récitals au Théâtre national populaire (1966, 30 représentations, 90 000 spectateurs). Cet anticonformiste a reçu le grand prix de Poésie de l'Académie française (1967). La première chanson de son premier disque, *la Mauvaise Réputation*, donne les caractéristiques essentielles de son œuvre : non-conformisme, verve, poésie. Son anarchisme s'accorde au tempérament français, mettant en cause les « braves gens », les gendarmes, l'armée, le désordre établi. Une certaine gauloiserie robuste a pu choquer parfois; il s'en est expliqué (*le Pornographe*). Verdeur de langage, truculence, mais aucune bassesse de sentiment, il veut se placer dans une saine tradition française (Villon, Rabelais, du Bellay). Ce « gorille » est capable de délicatesse; cet anarchiste porte un semis de myosotis sur son drapeau noir et chante l'amour avec pudeur (*les Sabots d'Hélène*), tout en étant misogyne parfois; cet individualiste (*le Pluriel*) a composé les plus belles chansons sur l'amitié (*Au bois de mon cœur*); l'œuvre de cet anticlérical touche les chrétiens. Cette riche complexité est celle d'un poète, comme ses thèmes : la nature, l'amour, la mort, la divinité. L'obsession de la mort, du *Testament* à la *Supplique*, paraît souvent exorcisée par la dérision. L'inquiétude de l'au-delà (*le Mécréant*, *la Prière* de F. Jammes) a souvent été commentée. « Personnellement, dit Brassens, je déplore

Brassens, vu par Pol Ferjac.

de ne pas avoir la foi. Malheureusement. Je la cherche. Je ne crois pas en Dieu, je ne l'ai pas trouvé. »

Habile à manier les mots, il transforme en symboles les objets de la vie quoti-

dienne : le bois, le feu, le pain de l'*Auvergnat*. Il a rendu le goût de la rigueur à la chanson moderne; il disloque le vers parfois, utilise des rimes inattendues (*le Vin*), renouvelle les vieilles locutions populaires.

Il a mis en chanson et popularisé des poèmes du livre (L. Aragon*, T. de Banville, P. Corneille revu par T. Bernard, P. Fort, V. Hugo, F. Jammes, J. Richepin, F. Villon).

Il se place dans la tradition folklorique des chansons à transformations (*Comme une sœur*) et des amours impossibles (*À l'ombre du cœur de ma mie*). Il a repris les personnages traditionnels de la comédie sociale : le paysan, la vieille, le bougnat, le maître d'école, le bedeau, la prostituée, le facteur, le curé, le gendarme, le prisonnier, le juge — et quelques fantômes déjà chers à Ch. Trenet*. En réduisant le théâtre du monde à de petites scènes de trois minutes, il a rendu la poésie quotidienne.

Georges Brassens a publié trois livres : un recueil de poèmes, *À la venvole* (Messein, 1942); un récit, *la Tour des miracles* (Jeunes Auteurs réunis, 1953); des poèmes et chansons, *la Mauvaise Réputation* (Denoël, 1954).

BRAZIER (Nicolas), chansonnier et vaudevilliste (Paris 1783-1838). De tempérament indépendant, il abandonna plusieurs situations en disant : « Le chansonnier est une bête à Bon Dieu, il a horreur de la cage, si dorée qu'elle soit. » Surnommé par ses amis le « La Fontaine de la chanson », il fit partie du Caveau moderne*. Il a fait représenter plus de 200 pièces en collaboration et publié 5 volumes de chansons.

BREL (Jacques), auteur, compositeur, interprète (Bruxelles 1929). Après des études secondaires, il travaille dans les usines de son père (carton). Il commence à composer en 1950 et vient à Paris en 1953. Il a presque rompu avec sa famille, vit pauvrement, mais enregistre un 78 tours : *Il y a* et *la Foire*. Débuts « classiques » : petites salles, cabarets. Il enregistre son premier microsillon : *le Diable*, *Il peut pleuvoir*

(1954). Olympia* en supplément de programme.

Sa popularité commence en 1957 avec *Quand on n'a que l'amour*. Des groupes de jeunes (catholiques en particulier) se

Jacques Brel.
Document Barclay. Phot. Grooteclaes.

reconnaissent dans son inspiration généreuse, exigeante et poétique. Par la suite, son répertoire marque bien sa liberté par rapport à toute étiquette. Il poursuit une carrière jalonnée de grands succès populaires : *Demain l'on se marie* (Olympia*, 1958), *la Valse à mille temps* (Bobino*, 1959), *les Bourgeois* (Olympia, 1961). Il est alors devenu une vedette internationale (États-Unis, U. R. S. S.). Sa présence scénique est étonnante, sa vigueur force l'adhésion. « Toute l'impétuosité, tout le caractère cahotique, la nervosité du XXᵉ s. vibrent en lui comme les

impulsions d'un moteur. » (Evtouchenko.) Poète et satiriste, son œuvre présente sans cesse ces deux aspects : il chante la beauté de la Belgique (*le Plat Pays*), mais raille *les Flamandes* ; il exalte l'amour (*Je t'aime*), mais se méfie de la femme (*les Biches*) ; il sait être pathétique pour dire la solitude, la hantise de la mort, le temps qui passe (*Seul, les Vieux*), ou sarcastique pour dénoncer une société décadente (*les Paumés du petit matin*). Il excelle surtout à brosser de petits tableaux de genre comme des scènes de la comédie humaine (*les Bonbons, Ces gens-là*). Il dresse ainsi une vaste satire sociale où il n'épargne ni *les Bigotes*, ni *les Dames patronnesses*, ni lui-même (*Jacky*). « La chanson, dit-il, me permet d'exprimer mes indignations [...]. J'attaque ce qui me dérange la vue, ce qui gêne le bonheur. Je suis obsédé par les choses laides ou vilaines dont personne ne veut parler, comme si on avait peur de toucher à une plaie qu'il faut soigner. » Moraliste, il est rarement moralisateur. Il sait créer des personnages, des situations, des atmosphères (*Amsterdam*). Son répertoire semble avoir évolué vers plus de pessimisme. En 1967, il a annoncé qu'il renonçait à la scène. Il a joué le rôle principal du film de Cayatte, *les Risques du métier* (1967).

BRETON (Jean-Paul **Bretonnière**, dit **Jean**), chansonnier (Châtellerault 1911). Il débute à Poitiers en amateur (1938), puis abandonne des études de pharmacie pour la chanson. Il a interprété ses œuvres au Coucou*, au Caveau de la République*, au théâtre de Dix-Heures* (où il est pensionnaire), à la radio et à la télévision. Doué d'une jolie voix, il s'est créé une spécialité : il mêle à son tour de chant des fragments d'opéras, des cantiques, des chansons diverses, sans en changer une parole, mais qui s'adaptent à un sujet d'actualité, ce qui produit inévitablement un effet inattendu et comique. Parmi ses principales chansons : *la Ronde des saisons* (interprétée par Esther Lekain*), *la Romance des faubourgs, Il fait bon..., Camarade curé, la Fête des tantes, Zidoles*. Il a réuni ses œuvres sous le titre *Diseur tapant*.

BRUANT (Aristide Louis Armand **Bruand,** dit **Aristide**), chansonnier (Courtenay, Loiret, 1851 - 1925). « Un chien, deux chiens, trois chiens, des bottes, un pantalon de velours à côtes, que complètent un gilet à revers et une veste de chasse à boutons de métal. Un cache-nez rouge au mois de mai, une chemise rouge en tout temps. Sous un vaste chapeau à la va-te-faire-lanlaire, la tête, belle et douce, d'un chouan résolu. Le passant s'inquiète, s'arrête et s'interroge. Bon Dieu! qu'est-ce que c'est encore que celui-là? Celui-là, c'est Montmartre. Montmartre tout entier qui prend le frais à la porte! »

Malgré une iconographie abondante, c'est Georges Courteline qui a tracé le portrait le plus fidèle du célèbre chansonnier, qu'Anatole France appelle le « maître de la rue ».

Obligé de gagner sa vie à dix-sept ans, il interrompt des études au lycée de Sens ; ses parents le placent tout d'abord comme saute-ruisseau chez un avoué, puis le mettent en apprentissage chez un bijoutier. Il exercera cette profession jusqu'en 1875. Il est ensuite expéditionnaire à la Compagnie des chemins de fer du Nord.

Il commence à fréquenter les goguettes*, où il chante des chansons comiques : *les Femmes, Henri IV a découché, le Gaulois du pont d'Iéna.* Il loue un habit noir pour essayer son répertoire dans un petit café-concert*, les Amandiers, et récolte un engagement de plusieurs mois dans un concert de Nogent. Enfin, il débute à l'Epoque (futur Pacra*), où, abandonnant l'habit, il se compose une tenue qu'il pense raffinée : jaquette, pantalon « bois de rose », gilet fantaisie, le tout surmonté d'un huit-reflets.

Bruant, qui, en 1870, avait été franctireur à Courtenay, mais n'avait pas fait de service militaire, fut appelé en 1880 pour faire une période au 113e de ligne à Melun, durant laquelle il compose la *Marche du 113e,* sur laquelle de nombreux régiments ont défilé.

Revenu à la vie civile, Bruant chante à la Scala*, puis à l'Horloge*. Mais Jules Jouy* l'amène au Chat-Noir*. C'est alors qu'apparaît le véritable Bruant, vêtu du costume popularisé par des nombreux dessins.

Il abandonne aussi pour son répertoire personnel le style caf' conc, tout en continuant d'écrire des chansons de ce genre : il faut bien vivre, et Salis ne paie pas — ou fort peu — ceux qui chantent dans son cabaret. Bruant a écrit de nombreuses chansons pour le café-concert (souvent en collaboration avec Jules Jouy) : *la Chaussée Clignancourt, Mad'-moiselle, écoutez-moi donc, l'Enterrement,* etc.

Au Chat-Noir, Bruant crée ses célèbres chansons sur les barrières de Paris : *Aux Batignolles, À la Villette, À Montparnasse, Belleville-Ménilmontant, À la Glacière,* etc., tout en enflammant le patriotisme des auditeurs avec des chansons comme *Serrez vos rangs!* ou *la Noire.* En 1885, au moment où Salis déménage le Chat-Noir pour le transporter rue de Laval, Bruant s'installe dans le local, laissé vacant, à l'enseigne du Mirliton*, où, après des débuts difficiles, la bonne société vint s'encanailler et se faire invectiver par le maître de maison. Bruant est dorénavant lancé dans le « beau monde », qu'il ne cesse de vilipender, mais dont les cachets substantiels lui permettront d'asseoir une honnête fortune. Vers 1897, il demande 500 F (or) pour un cachet en province. Les salons le réclament; il chante aussi à la Bodinière et au Five o'Clock du *Figaro.* En juin 1892, il revient au café-concert en chantant aux Ambassadeurs*, présenté au public par une affiche de Toulouse-Lautrec. En 1895, il abandonne la direction du Mirliton, puis entreprend une tournée qui l'emmène jusqu'en Afrique du Nord et au cours de laquelle il peut confronter avec la réalité l'exactitude de certaines de ses chansons écrites « de chic » auparavant : *Aux Bat' d'Af, Biribi, les Petits Joyeux.*

Très cocardier, il se présente aux élections législatives (1898), sous l'étiquette nationaliste, dans le quartier Belleville-Saint-Fargeau. Malgré une profession de foi rédigée en chanson et une vigoureuse campagne électorale menée par son ami Léon de Bercy*, il n'obtient que 525 suffrages...

Aristide Bruant : projet d'affiche pour « le Mirliton », par Toulouse-Lautrec.
Phot. Larousse-Giraudon.

Retiré sur ses terres à Courtenay, il revient périodiquement à la chanson, dirige quelque temps le Concert de l'Époque (1899), se produit avec sa femme, la chanteuse Mathilde Tarquini d'Or, au cours d'une conférence de Laurent Tailhade à l'Odéon, au théâtre Royal (1904) et au Little Palace (1905).

En 1917, sa vie sera bouleversée par la mort de son fils, le capitaine Aristide Bruand, tué sur le plateau de Craonne. Cependant, il fait une dernière apparition à l'Empire* en 1924, quelques semaines avant sa mort.

Dans ses chansons, réunies sous le titre Dans la rue, Bruant, en marge de l'école naturaliste, a créé des héros nouveaux : les alphonses et leurs marmites. Poète entre Villon et Carco*, il a réussi à cultiver la fleur bleue sur l'asphalte des faubourgs : À Saint-Lazare, Aux Batignolles, À Mazas, les Loupiots, Rue Saint-Vincent. Dans ces chansons transparaît sa tendresse pour les radeuses et leurs marlous, « les derniers chevaliers se battant pour leur dame », disait-il. Il a écrit plusieurs romans-feuilletons, en collaboration avec Morphy, puis avec Arthur Bernède : Fleur de Montmartre, les Bat' d'Af', la Loupiote, les Trois Légionnaires, etc. Certains furent mis à la scène, en particulier Cœur de Française, drame patriotique, qui nécessita l'intervention de la police pour faire taire les sifflets que provoquaient les uniformes allemands de certains des acteurs.

brunette (XVIIᵉ s.), chanson à une ou plusieurs voix sur un sujet galant et pastoral. (Au XVIIIᵉ s., la bergerette* lui a succédé.)

BUFFET (Eugénie), interprète (Tlemcen, Algérie, 1866 - Paris 1934). Débute à dix-sept ans, à Mostaganem (Algérie), dans un rôle de page du Petit Duc (Lecocq). Elle se fait siffler à Marseille sous le pseudonyme de **Julyani.** À Paris, elle tient de petits rôles aux Variétés et aux Menus-Plaisirs. À l'Exposition de 1889, elle récolte quinze jours de prison pour avoir crié « Vive Boulanger ! » au passage du président Carnot. Sur les conseils de Séverine, elle devient en 1890 chanteuse de café-concert* à la Cigale*. Le succès est immédiat, car elle crée un type, la « pierreuse », avec, selon elle, « un costume nature, acheté par morceaux aux femmes du trottoir ». En jersey rouge, jupe noire et tablier bleu, elle avait l'air « d'une illustration de Steinlein pour une chanson de Bruant* » (Maurice Donnay*). Interprète de Bruant, elle lance À Saint-Ouen, À Saint-Lazare, mais elle chante aussi les Chansons de la fleur de lys, de Botrel*. Elle devient célèbre avec la Sérénade du pavé (de Varney*), qu'elle chante dans les rues en quêtant pour les blessés de l'expédition de Madagascar (1895). Désormais, c'est « Nini Buffet », à la popularité immense, car, à la simple annonce d'une calamité frappant une famille ou une collectivité, elle chante et quête aux carrefours. En 1902, elle fonde à Montmartre le cabaret de la Purée, qui vit un an. Après une tournée en Europe, elle rentre pauvre à Paris (1912). Pendant la guerre (1914-1918), elle chante dans les rues pour le « Sou du poilu » et fonde la Chanson aux blessés. En 1925, après deux ans de tournées de propagande pour la chanson française, elle joue un rôle de composition à la Scala* dans le mélo Fleur de trottoir et tourne dans le Napoléon d'Abel Gance le rôle de Laetitia Bonaparte. En 1930 paraissent Ma vie, mes amours, mes aventures, confidences recueillies par Maurice Hamel. Sa tombe, au cimetière de Montrouge, porte gravé : « Eugénie Buffet, cigale nationale, caporal des poilus, chevalier de la Légion d'honneur. »

BUSNOIS (Antoine **de Busnes,** dit), poète et musicien (Busnes [auj. dans le Pas-de-Calais] ? - Bruges 1492). Il fut au service de la cour de Bourgogne (Charles le Téméraire, Marguerite d'York, Marie de Bourgogne) pour terminer rector cantoriae de Saint-Sauveur de Bruges. Ecclésiastique, il est l'ancêtre des abbés de cour. Musicien brillant, poète précieux, il a composé 71 chansons polyphoniques, presque toutes écrites sur des formes fixes (rondeaux*, bergerettes*) : À une dame j'ay fait vœu, Je ne puis vivre, Accordés moy ce que je pense, A vous sans autre, etc.

café-concert. Si l'on fait généralement remonter les premiers cafés chantants à 1770, lors de la création du boulevard du Temple, dès 1759, Favart, dans la *Soirée des boulevards*, nous montre des chanteurs, des danseurs, des acrobates qui se produisent sur les boulevards, devant les tables des cafés.

Il y eut tout d'abord : le café d'Apollon, bd du Temple ; le café des Muses, quai Voltaire ; le Cadran-Bleu, où Fanchon chantait en s'accompagnant à la vielle à roue ; le café des Aveugles, situé au Palais-Royal, ainsi nommé parce qu'une demi-douzaine d'aveugles des Quinze-Vingts menaient un tapage assourdissant de 6 heures du soir à 1 heure du matin. En intermède apparaissait un « sauvage » qui jouait du tambour. Sous la Révolution, ces cafés — appelés *musicos* — devinrent prospères ; on vit s'ouvrir le café des Arts, le café National, le café Yon, le café Godet, où l'on chantait des chansons d'actualités, le café Turc, construit dans le goût ottoman, les Variétés amusantes, aux larges salles souterraines qui s'étendaient sous la galerie du Palais-Royal, Chez Ramponneau, plutôt guinguette que musico, où l'on chantait surtout des chansons à boire.

Napoléon, une fois empereur, fit fermer tous ces cafés, où l'on s'occupait plus ou moins de politique. Cependant, en 1813 s'ouvrit le café Montansier (situé à l'emplacement du théâtre du Palais-Royal), dont les chansons étaient « orientées ». Durant les Cent-Jours, on y chansonna les Bourbons. À la rentrée de Louis XVIII, des gardes du corps envahirent le café et le mirent au pillage.

Les cafés chantants réapparurent sous la monarchie de Juillet et se multiplièrent sous le second Empire. Il y eut tout d'abord : l'Estaminet lyrique, passage Jouffroy, où débuta Darcier ; le café de France, bd Bonne-Nouvelle ; le Casino français, galerie Montpensier, au Palais-Royal ; le Chalet Morel, rue de l'Arcade, l'été aux Champs-Élysées ; le Grand Concert des arts, dit « café du Géant », parce qu'un certain Brice, géant de son état, circulait entre les tables ; le café Moka, rue de la Lune ; le café de l'Épi-Scié ; le concert Béranger, bd des Filles-du-Calvaire. En 1874, *la Chanson du jour* publie la liste suivante : Scala* et Eldorado*, bd de Strasbourg ; Ba-ta-clan*, bd Voltaire ; concert de la Pépinière, rue Saint-Lazare ; Frascati, jardin d'hiver, rue Vivienne ; concert du XIXᵉ s., rue du Château-d'Eau ; concert Européen*, rue Biot ; le Sommier élastique, futures Folies-Bergère* ; salle Valentino, rue Saint-Honoré ; concert de la Gaîté, rue Rochechouart ; concert Gaulois, bd de Strasbourg ; concert de l'Harmonie, faubourg Saint-Martin ; Alhambra*, faubourg du Temple ; Concert parisien, futur Concert Mayol*, rue du Faubourg-Saint-Denis, dont la vedette était Rosa Bordas*, qui chantait des chansons guerrières ; le café de l'Abbaye, place Gozlin ; les Folies-Dauphine, faubourg Saint-Germain, qui, l'été, se transportaient sous le Pont-Neuf* et prenaient alors le titre de concert du Vert-Galant ; le Bœuf à l'huile, rues Soufflot et Victor-Cousin, dont le patron se nommait Boffali (les habitués en firent Bœuf-à-l'huile) ; les Folies-Bobino*, rue de Fleurus ; ensuite, mais de moindre importance, les Porcherons, Tivoli, les Bords du Rhin, le Commerce, le Siècle, la Samaritaine, la Ville, le Voltaire, les cafés des Bateaux, de l'Espérance, Moncey, Tertulia, Robeval, Puebla, de la Nouvelle-France, Saint-Marcel, des Familles, de l'Union, de l'Avenir, Beau Séjour, du Progrès, de Reichshoffen, du Parc, le casino d'Italie, le casino des Délices, le casino du Château, la Gaîté-Rochechouart, la Gaîté-Montparnasse, etc., auxquels vinrent se joindre à la fin du siècle le Petit Casino, Parisiana*, l'Eden-Concert, le Grand Concert de l'Époque (devenu Concert Pacra*), la Fauvette, Fantasio, le Moulin-Rouge*, sans compter les salles provinciales...

L'été voyait s'ouvrir certains établissements aux Champs-Élysées : l'Alcazar*, situé rue du Faubourg-Poissonnière en hiver, qui

magasin, pour un clerc d'avoué ou pour un employé de ministère ! » En effet, le public qui fit le succès du caf' conc' fut en majorité populaire. Dans ces établissements, où boire et fumer étaient permis, les places coûtaient un prix modique. Le répertoire n'était jamais très compliqué, s'il ne faisait pas toujours preuve de très bon goût : chansonnettes à sous-entendus grivois, scies déchaînant un rire facile, valses langoureuses, chansons sentimentales qui faisaient pleurer Margot, avec, après 1870,

« *L'Estaminet lyrique* », un des premiers cafés-concert. Phot. Lauros.

émigrait sur le côté droit des Champs-Élysées (à la place du Chalet Morel) ; à côté, les Ambassadeurs* ; le café du Rond-Point, lui aussi de style chalet ; enfin, du côté opposé, le café de l'Horloge*, élégant pavillon, orné de fleurs et de glaces, plus tard Jardin de Paris. Anatole France a décrit les cafés des Champs-Élysées avec lyrisme : « C'est le palais d'Armide sous la fraîcheur du soir ! Quel rafraîchissement de l'âme et du corps ! Quel bain de volupté pour un commis qui sort de son

une floraison de chansons patriotiques, qui cédèrent légèrement du terrain devant une vague pacifiste au début du XXe s., mais reprirent de plus belle aux approches de 1914. L'actualité et les grandes inventions étaient aussi commentées au caf' conc', mais, au contraire des cabarets montmartrois, dans un style laudatif.

Les chanteurs avaient chacun leur genre bien défini : les troupiers, genre créé par Ouvrard*, repris par Polin*, Dufleuve, Vilbert et Bach ; les gommeux, avec comme chef de file Libert, son homologue féminin étant Mistinguett*; les sentimentaux poussant la romance* ou roucoulant la valse lente (Mercadier, Dickson*, Renard, Marius Richard, Dona, Lejal, Bérard, Georgel, Mmes Bonnaire, Anna Thibaut*, Juana, Judic*, Paulette Darthy, Carmen Vildez, etc.); les chanteurs de scies* (Libert, Duhem, Mansuelle, Sulbac, Maurel et, plus tard, Dranem*); les patriotiques, très en faveur dès 1870, où triomphèrent Mmes Amiati* et Chrétienno*; enfin, les épileptiques, genre créé par Paulus*, repris par Kam-Hill* et par Mmes Duclerc et Polaire*, avant Gilbert Bécaud* et les chanteurs de rock*. Quelques « grands » passaient d'un genre à l'autre avec facilité, en particulier Thérésa* et Mayol*.

Le café-concert, déjà très ébranlé par l'apparition du music-hall*, ne résista pas au cinéma*. Après 1918, les dernières salles se transformèrent. Seuls subsistèrent un moment Bobino, Pacra, l'Alcazar d'été et l'Européen. Une tentative de résurrection du caf' conc' fut tentée par Romi à l'hôtel Saint-Yves (Saint-Germain-des-Prés) en 1949.

CAIETAIN (Fabrice Marin **Gaietane,** dit), compositeur d'origine italienne (XVIe s.). Maître de chapelle de Saint-Etienne de Toul (1571), il fut ensuite au service de Charles de Lorraine et d'Henri de Guise. Il fréquenta l'Académie de poésie et de musique*, fondée à Paris par Baïf en 1567, et reçut les leçons des compositeurs de Courville et de Beaulieu. Il a laissé trois livres de chansons, publiés par Le Roy* et Ballard (1571, 1576, 1578), qui mettent en musique les poètes son temps, Ronsard* et Desportes* en particulier. En 1576, Caietain fut couronné au Puy d'Évreux pour une chanson.

CALABRÈSE (Ange), compositeur (Marseille 1892). Élève de Paul Vidal au Conservatoire, il a accompagné, de 1928 à 1952, toute une génération de chansonniers, au Coucou*, à la Lune-Rousse* et au théâtre de Dix-Heures*. Après la Légende de l'olivier, créée par Jane Arès au Coucou (1929), il a composé de nombreuses chansons pour le music-hall* : Sous la margelle du vieux puits (créé par J. Sorbier), Chérie tous les deux (R. Burnier), Quand on est Parigot (Perchicot), Voulez-vous que je vous l'enveloppe? (Pauley). Calabrèse a fait un tour de chant en 1930 au théâtre de l'Humour*. Il a composé l'indicatif de l'émission le Grenier de Montmartre.

CALVI (Grégoire **Krettly,** dit **Gérard**), compositeur (Paris 1922). Il fait de solides études musicales (grand prix de Rome de composition, 1945). Dès 1942, Josette Daydé crée sa première chanson à l'Étoile : Ah! la vie m'appelle (-Jacques Matti). Il mène une carrière de compositeur (musique de films, comédies musicales : Ah! les belles bacchantes!, la Polka des lampions), de chef d'orchestre et d'accompagnateur, sans jamais abandonner la chanson. L'orchestre Jacques Hélian fait connaître Jo le cow-boy (1945, - Zappy Max), et Edith Piaf* interprète le Prisonnier de la tour (1946, - Francis Blanche*). On lui doit aussi, notamment, Amour de Saint-Tropez (1958, - A. Maheu, H. Ithier), la Belle Américaine (1961, - Pierre Cour, Pierre Tchernia). Ses mélodies sont souvent spirituelles et ses orchestrations pleines d'humour.

Camaros (cercle des), cabaret artistique, fondé à Asnières (Grand-Rue, vers 1900), sous la présidence d'Henri Martin, assisté d'Armand Silvestre. Animé par Georges Fragerolle, cet essai de décentralisation connut le succès durant deux ans. On y entendit Thérésa*, Goudeau*, M. Legay*, N. Blès*, Fragson*, ainsi que les comédiens Numès et Sylvain, Tremel, que Victor Hugo avait surnommé le « poète de la guitare ». La seconde partie du spectacle était réservée aux pièces d'ombres; un orchestre de bigophones ouvrait et fermait les séances.

CAMPION (Léo), chansonnier (Paris 1905). Après avoir été boxeur, champion de natation, employé de commerce, journaliste, il débute à Bruxelles en 1940. Il présentait un numéro de caricaturiste. Depuis, ses chansons à succès ont été : les Petits

Bonheurs, la Chanson rose, la Complainte cyclopéenne, Rataplan, 14-Juillet, les Poinçonneuses d'amour, Quand on aime. Il a publié des livres qu'il illustre lui-même : *le Nouveau Petit Campion illustré* (*dictionnaire humoristique*), *le Roman d'un fripon* (*code de la bienséance*).

cansó, chanson d'amour courtois, qui est considérée comme la forme la plus parfaite des chansons de troubadours*. — D'un rythme modéré, elle comporte cinq à six couplets, une « tornada » (envoi) et parfois plusieurs.

cantilène, terme employé, de façon assez vague, pour désigner au Moyen Âge une forme monodique de la chanson. — Gaston Paris y voyait l'origine des chansons de geste*. Le terme de « cantilène » appliqué aux poèmes sur sainte Eulalie et saint Faron est très controversé. Actuellement, la cantilène évoque une mélodie sans rythme accentué.

CAPELLE (Pierre Adolphe), chansonnier et éditeur (Montauban v. 1775 - Paris 1821). Libraire de son état, il se lia avec Désaugiers*, qui l'amena aux Dîners du Vaudeville*. Quand cette société fut dissoute, c'est lui qui eut l'idée de reconstituer l'ancien Caveau*, qui prit alors le nom de « Caveau moderne ». Il se fit l'éditeur de ses collègues, dont les œuvres eurent, grâce à lui, une large diffusion. Capelle a publié la célèbre *Clé du Caveau*, où il a réuni 2 350 timbres*, qui ont servi — et servent encore — à de nombreux chansonniers. Capelle a lui-même composé des chansons, dont la plupart sont éparses dans des almanachs, des feuilles volantes, ou dans l'*Encyclopédie poétique*, publiée par ses soins, et qui groupe les œuvres de chansonniers de son temps.

CAPRI (Sophie Rose **Friedmann,** dite **Agnès**), interprète. Après avoir suivi les cours de comédie (René Simon, Charles Dullin), elle est comédienne et chanteuse. Dès 1936, au cabaret du Bœuf sur le toit*, puis dans les music-halls* (notamment à l'ABC*), elle interprète des poètes (Apollinaire, Aragon*, Max Jacob, J. Prévert*), mis en musique par J. Kosma*, Francis Poulenc, Eric Satie, Henri Sauguet, G. Van Parys*. Jean Wiener* lui consacre un article dans *Ce soir* (1937) : « C'est une telle personnalité qu'on a peur d'en parler. Tout chez cette fille est complètement original, complètement à elle : elle parle comme personne ; elle a une intensité inouïe, un voltage incroyable. On a toujours l'impression que rien n'est assez fort pour ce qu'elle est capable de faire. C'est quelqu'un d'étonnant, c'est une grande dame. »

Non seulement elle est parmi les premières à faire connaître les productions de J. Prévert et J. Kosma (elle débute avec *la Pêche à la baleine*), mais elle ouvre un cabaret, Chez Agnès Capri (1938, 5, rue Molière), où elle fait notamment entendre Y. Deniaud, Fabien Lorris, G. Montero*, Mouloudji*, les Quatre Barbus*, C. Vaucaire*, etc. Pendant la guerre, elle monte, en zone non occupée, avec Jacques Ibert, G. Auric*, G. Neveux, une revue interdite après dix représentations pour « esprit révolutionnaire, esthétique Maison de la culture, attachement aux principes de la République » (*Ce soir*, nov. 1944). À la Libération, elle dirige la Gaîté-Montparnasse (1945-1948), où elle fait jouer notamment *la Parade, Orion le tueur*, avec la Compagnie Grenier-Hussenot et les Frères Jacques*. Elle fait aussi entendre S. Golmann*. Le cabaret Chez Agnès Capri ferma ses portes en 1966.

CARCO (François **Carcopino-Tusoli,** dit **Francis**), auteur (Nouméa 1886 - Paris 1958). Sa famille est originaire de Sarrola-Carcopino (près d'Ajaccio). F. Carco a mené une importante carrière littéraire (romans, poèmes, essais), puisant son inspiration dans une bohème qu'il avait connue à Montmartre vers 1910 — après divers séjours en province (Villefranche-de-Rouergue, Rodez, Agen, où il fut surveillant au lycée en 1908) — quand il fréquentait le Lapin à Gill* en compagnie de R. Dorgelès, P. Mac Orlan*, Harry Baur, P. Picasso, etc., et du pittoresque Frédé, patron de l'établissement. F. Carco s'amusait alors à imiter Mayol*. Il avait aussi chanté sous le pseudonyme de Jacques d'Aiguières; il écrit des chansons avec Daniderff* (1924) et interprète ses œuvres aux Noctambules* en 1936. Ce sont ses poèmes, mis en musique par Larmanjat, qui atteignent le plus grand succès vers 1935 : le Doux Caboulot, Chanson tendre, etc. Ses textes ont aussi inspiré d'autres compositeurs : M. Lanjean* (l'Accordéon, 1958), C. Léonardi* (Rengaine, 1963). Francis Lemarque* a mis en chansons et enregistré une série de poèmes, Je me souviens de la bohème (1966).

Caricature (théâtre de la). V. Perchoir.

Carillon, cabaret artistique, 43, rue de La Tour-d'Auvergne, fondé en 1893 par G. Tiercy* dans l'ancien hôtel de Lesdiguières. La soirée terminée, on organisait une goguette* dans la salle du rez-de-chaussée. Au Carillon, on pouvait applaudir Louise France, Mévisto*, Fursy* (qui s'appelait encore Dreyfus), Numa Blès*, Delmet*, Teulet*, P. Daubry*, H. Delorme*, etc. En 1895, Tiercy céda la place au journaliste Millanvoye, qui confia la direction artistique du Carillon à Fursy. Le programme se terminait alors par des revues et des pièces en un acte, le plus souvent écrites par Courteline, qui, se souvenant qu'il était le fils de l'auteur des Tribunaux comiques, organisa le Tribunal du Carillon, parodie judiciaire pour laquelle il écrivit Un client sérieux, ainsi que Pétin, Mouillarbourg et consorts. Dans le même temps, Octave Pradels* et Maurice Lefebvre organisèrent au Carillon des conférences sur la chanson.

Le propriétaire n'ayant pas consenti à renouveler son bail, le Carillon disparut en pleine vogue. Un cabaret baptisé du même nom fut ouvert en 1904, 30, bd Bonne-Nouvelle, par Martial Boyer. On y entendit : Jack Cazoll, René de Buxeuil, Eugénie Buffet*, Marcel Legay*, X. Privas*, V. Hyspa*, E. Lemercier*, Montoya*, V. Tourtal*, L. de Bercy*, Martini*, etc.

CARLÈS (Roméo Augustin Jules), chansonnier (Oran, Algérie, 1897). Il débute au Chat-Noir (de Jean Chagot) en 1919 avec la Dancingomanie. Il a fait une carrière de chansonnier et de comédien, en créant quelques types : M. Belette, Sidi Cacahuète. Il a composé des chansons pour le music-hall* : la Petite Boutique (par André Claveau* et Edith Piaf*), Avec son ukulele (- Louis Gasté*, par Jacques Pills), le Vase de Soissons.

CARRIÈRE (Anne-Marie **Blanquart**, dite **Anne-Marie**), chansonnière, née un 16 janvier... Licenciée en droit, elle monta, avec des camarades de faculté, un spectacle : Interdit aux Béotiens. Tout d'abord destiné à un public estudiantin, il fut repris en 1949 aux Noctambules en raison de son succès, ce qui donna à la jeune Anne-Marie le goût des planches. Ses débuts professionnels eurent lieu au théâtre de Dix-Heures* en 1950, sous le parrainage de Noël-Noël*. Depuis, elle s'est fait applaudir du cabaret, au music-hall*, au théâtre, à la télévision et au cinéma. Elle a publié le Dictionnaire des hommes (1962), qui obtint le grand prix de l'Humour (1963) et Mon musée de l'homme (1967). Parmi les chansons qu'elle a composées, elle préfère : Mon grand-père socialiste, Nouveaux Séducteurs (où elle met en parallèle les anciens, du type Ramon Novarro, et les modernes, du type Belmondo), le Démon de midi (dédié aux hommes de cinquante ans), l'Éléphant blanc, c'est-à-dire l'homme idéal.

Casino de Paris, café-concert*, rue de Lyon (1868), puis music-hall*, 16, rue de Clichy (1890). Le Casino de Paris, sous l'impulsion de L. Volterra (1917), devient un établissement célèbre pour la somptuosité et l'entrain de ses revues (le plus souvent dues à Jacques-Charles*). À partir de 1924, la direction est assurée par H. Varna et O. Dufrenne. Parmi les vedettes de ses grandes revues, dans un style qui continue à connaître le succès, on peut citer : J. Baker*, M. Chevalier*, G. Deslys, Georgius*, M. Dubas*, M. Micheyl*, Mistinguett*, Line Renaud*, S. Solidor*, Cécile Sorel, T. Rossi*, etc. C'est au Casino de Paris que Pills et Tabet* chantent Couchés dans le foin (1933) et que M. Chevalier, lorsqu'il crée Y' a d' la joie (1937), présente aux spectateurs un auteur encore inconnu du public, Charles Trenet*.

casser la baraque, argot de la chanson contemporaine : remporter un grand succès. (Se dit d'un artiste qui déchaîne l'enthousiasme des spectateurs et suscite des applaudissements qui font trembler les murs.)

CASTELLA (Maurice, dit **Bob**), compositeur (Paris 1910). Il dirige l'orchestre qui accompagne Yves Montand*, pour lequel il a notamment écrit, avec Francis Lemarque*, *Soleil d'acier*, *les Amis* et, avec René Rouzaud*, *la Fête à Loulou*.

CATHY (Louis **Guionnet**, dit **Jacques**), chansonnier (Lezay, Deux-Sèvres, 1906). Fonctionnaire des Finances, il débute à la Vache-Enragée* (1926) pendant son service militaire et opte définitivement pour la chanson. Depuis, il est passé — parfois simultanément — dans tous les cabarets de Paris. Chansonnier d'actualité, les chansons qu'il a écrites et pour lesquelles il garde de la tendresse sont : *le Gendarme qui n'était pas droit*, *la Vie des thermies*, *la Causante*, *la Décolleteuse et le travesti*, auxquelles il faut ajouter une chanson en l'honneur des poinçonneurs du métro. Passant en attraction à l'Olympia-cinéma, Cathy a battu le record du monde du public en chantant devant un seul auditeur. Pensionnaire du théâtre de Dix-Heures*, il est, en outre, secrétaire général du syndicat des chansonniers, président de la Caisse nationale de retraites du spectacle. Il a succédé à Dépaquit en tant que maire de la Commune libre de Montmartre. En 1934, il a fondé *Pandore*, revue éclectique de la chanson, et, durant l'Occupation, une école de la chanson par correspondance. Activités annexes : dessinateur humoristique.

CAUSSIMON (Jean-Roger), auteur (Paris 1919). Après des études d'art dramatique (premier prix de comédie au conservatoire de Bordeaux, 1938), il mène une carrière de comédien, avec Louis Jouvet, puis avec Charles Dullin (*Volpone*, 1944; *Maître après Dieu*, 1946), et, acteur de talent, participe à de nombreuses émissions télévisées (*Marie Stuart*, de Schiller, 1959; *la Chambre*, de J.-P. Sartre, 1964). Il écrit des poèmes et des chansons, mises en musique par Gaby Wagenheim, Pierre Philippe*, Maurice Jarre*, Jacques Datin* et surtout Léo Ferré*, qui les interprète avec succès. Œuvres fortes et rythmées, aux images violentes (*Comme à Ostende*), ses chansons disent la fraternité (*Mon camarade*), l'amour difficile (*les Indifférentes*), dans un monde impitoyable (*Monsieur William*), au cœur de la grande ville (*Mon Sébasto*, *Nous deux*, *À la Seine*). Elles sont souvent imprégnées d'une mélancolie bien accordée au style de Léo Ferré*; il s'exprime en un langage d'une poésie imagée très évocatrice (*le Temps du tango*). Philippe Clay*, Catherine Sauvage* interprètent aussi ses chansons.

Caveau, société chansonnière. En 1731, quelques joyeux pique-assiettes, Piron*, Collé* et Crébillon fils*, avaient pris l'habitude de se réunir à la table du chansonnier-droguiste Gallet*, rue de la Grande-Truanderie. Le repas s'achevait en chansons. En 1733, Gallet ayant dilapidé sa fortune, le trio de chansonniers décida de fonder une société de dîners à frais communs et, suivi de Gallet, se transporta dans un cabaret sis au n° 4 de la rue de Buci, tenu par le sieur Landelle, à l'enseigne du Caveau. Les dîners furent fixés aux 1er et 16 de chaque mois, le prix du repas étant de 2 livres. Ils s'adjoignirent quelques convives : Louis Fuzelier, Joseph Saurin, Sallé et Prosper de Crébillon, le père. En 1734, les fondateurs des dîners du Caveau décidèrent de se constituer en société et de recevoir parmi eux des personnalités de différentes disciplines artistiques : Gentil-Bernard, François Boucher, Labruère, Duclos, Helvétius, Moncrif*, Jean-Philippe Rameau, Saurin, le fils, auxquels se joignit Haguenier. Ces réunions épicuriennes étaient placées sous le signe de l'épigramme : chaque convive était l'objet d'un couplet satirique. L'épigramme était-elle trouvée « juste et piquante », le patient buvait un verre d'eau à la santé de celui qui l'avait censuré. Etait-elle trouvée « injuste » ou

L'ancien Caveau, par Jeaurat : Panard entouré de Collé, à sa gauche, et de Gallet, à sa droite. Au premier plan, Piron. Musée de Besançon, phot. Larousse.

« niaise », le verre d'eau servait alors de punition au censeur. Pendant dix ans, les réunions eurent lieu avec un plein succès. En 1743, une querelle entre les Crébillon père et fils amena la dispersion du groupe. En 1759, le fermier général Pelletier essaya de reconstituer à sa table les dîners du Caveau, mais, trop mondaines, ces réunions n'eurent pas le succès escompté. Elles durèrent trois ans, jusqu'à la mort de Pelletier.

En 1762, grâce à Piron, à Crébillon fils et à Gentil-Bernard, les dîners du Caveau reprirent avec une société agrandie : Panard*, Favart*, Laujon*, Lemierre, Colardeau, Laplace, Goldoni, Rochon de Chabannes, Barthe, Dudoyer, Denon, Delille, Coqueley de Chaussepierre, F.-A. Danican-Philidor, Albanèse, Joseph Vernet, le comte de Coigny, auxquels se joignirent plus tard Fréron et Baculard d'Arnaud. Crébillon fils fut élu président perpétuel. La société fut active durant cinq ans, puis battit de l'aile avant de se

dissoudre définitivement. Ces deux premiers Caveaux n'ont pas publié de recueils spéciaux, mais les chansons chantées aux réunions se trouvent dans *le Mercure français, l'Année littéraire,* ainsi que dans les tomes XIV et XV de l'*Encyclopédie poétique,* publiée par Pierre Capelle*.

Le Caveau moderne (1806-1815, 1825-1826 prit la suite). Il fut fondé par Pierre Capelle*, qui réunissait les membres le 20 de chaque mois chez Balaine, à l'enseigne du « Rocher de Cancale », célèbre restaurant de la rue Montorgueil. Suite réelle des « Dîners du Vaudeville* », il fut le plus important de tous les « caveaux » par la qualité de ses membres : Gouffé*, Brazier*, Capelle*, Piis*, Désaugiers*, Laujon*, Grimod de La Reynière, Cadet-Gassicourt, etc., et surtout Béranger*, qui fut présenté au Caveau en 1813 par Désaugiers et qui composa, comme discours de réception, une très jolie chanson, *l'Académie et le Caveau.* Le président en fut Laujon, jusqu'à

*Le restaurant « Au rocher de Cancale »,
où se réunissait le Caveau moderne
(état actuel).* Phot. Lauros.

sa mort (1811). Il fut remplacé par Désaugiers, Gouffé étant le secrétaire perpétuel. Quand, dans un accès de mauvaise humeur, il démissionna (1814), il fut remplacé par Béranger. Les publications de cette société sont importantes ; elles paraissaient dans les premiers jours de chaque mois. Les 24 premiers numéros eurent pour titre : *Journal des gourmands et des belles;* ensuite, ces cahiers prirent le titre de *l'Épicurien français ou les Dîners du Caveau moderne* (120 numéros, dont le dernier est daté de 1816). Indépendamment des cahiers mensuels, le Caveau moderne publia de 1807 à 1816 dix volumes annuels, sous le titre *le Caveau moderne ou le Rocher de Cancale*, contenant les chansons de l'ancien Caveau, ainsi qu'un choix des meilleures chansons

chantées au Caveau moderne. Capelle, dans sa *Clé du Caveau*, retrace l'histoire de la société et affirme que son rayonnement était si grand qu'elle comptait deux cents correspondants, en France, à l'étranger ou dans les possessions d'outre-mer, de l'Inde, de l'île Bourbon et de l'île de France, où la société associée avait pris le nom de Table ovale. En 1825, Désaugiers et Piis essayèrent de regrouper les membres du Caveau moderne, mais les réunions furent interrompues par la maladie et la mort de Désaugiers. Un volume fut publié sous le titre *le Réveil du Caveau* (1826).

Les Enfants du Caveau, société chansonnière (1834-1939), succèdent au Caveau moderne. En 1834, des chansonniers voulurent reprendre le titre de « Caveau », mais, par déférence envers leurs aînés, ils intitulèrent tout d'abord leur société « les Enfants du Caveau » pour, en 1838, revenir au titre initial. Les réunions furent fixées au premier vendredi de chaque mois, puis au deuxième vendredi. En dépit de cinq membres faisant partie de l'Académie française (Fr. Dupaty, Alex. Duval, de Jouy, Ch. Nodier et de Pongerville), ainsi que de quelques invités de marque (Scribe, Altaroche, Brazier*, Festeau*, Lesueur, Nicolas Charlet, etc.), la société fut appelée « le Bas Empire de la chanson » et sa réputation ne franchissait guère les limites de l'établissement culinaire où avaient lieu les agapes. La longue liste de ses membres n'évoque plus pour nous aucun souvenir. Béranger* n'assista à aucune réunion et trouva un prétexte poli pour refuser la publication de ses œuvres dans les recueils. La politique étant rigoureusement bannie, les membres du Caveau s'escrimèrent dans des chansons « sur des mots donnés ». Ils publièrent de 1835 à 1897 (?) des volumes annuels.
La vie du Caveau se déroula sans événements graves, mais — semble-t-il — avec une certaine monotonie jusqu'en 1939. Son président était alors Antonin Lugnier.

Caveau des Alpes dauphinoises, cabaret artistique, 4, rue Gay-Lussac (à l'emplacement actuel de la gare du

Luxembourg), fondé à la fin du XIXe s. par Chopinette, un ex-pensionnaire du Mirliton*. Il imitait Bruant*, dont il s'intitulait « le seul élève ». Montoya* y débuta. Devenu ensuite Caveau latin, on y entendit Marcel Legay* et Meusy*.

Caveau du Cercle, cabaret artistique, 119, bd Saint-Germain, fondé, au début du XXe s., par Lacoste, transfuge des Hydropathes*. Propriétaire d'un café près du Cercle de la librairie, il ouvrit dans le sous-sol le Caveau du Cercle, dont il confia la direction artistique à Léo Lelièvre*. Le répertoire allait de la chanson satirique aux romances* populaires. Au public, en majorité estudiantin, se joignaient parfois quelques vedettes de la politique (Herriot, Malvy, Lénine, Trotsky, Rappopport) ou de la littérature (A. France, La Fouchardière, etc.).

Caveau lyonnais, fondé en 1887 par Camille Roy à la Croix-Rousse. Ce fut tout d'abord une section lyonnaise du Caveau stéphanois*. Une scission, survenue en 1888, amena la formation d'un nouveau groupe, le cercle Pierre-Dupont. Alors que l'Académie française venait de refuser le legs Montariol, destiné à couronner un chansonnier, le Caveau lyonnais institua un prix. La première chanson primée fut *Premier Épi,* d'Antoine Roule.

Caveau normand, fondé à Rouen en 1852, primitivement sous le nom de « Société de l'entonnoir ». Chaque membre portait comme insigne un petit entonnoir d'argent. En 1862, le Caveau normand prit le titre de « Société lyrique rouennaise ». G. Leroy* y fit ses débuts.

Caveau de la République, cabaret artistique (1, bd Saint-Martin) fondé en 1901 par Charles Bouvet au sous-sol de la Taverne de Paris, que l'on dénommait vulgairement « la Vacherie ». Le Caveau n'était auparavant qu'un beuglant* fréquenté par les militaires d'une caserne proche. Bouvet fit de son établissement un prolongement boulevardier du Chat-Noir*, tout en y conservant la traditionnelle « cerise à l'eau-de-vie » du caf' conc'*. Il

réussit à attirer au Caveau un public populaire qui, jusqu'alors, ne s'était pas intéressé aux chansonniers. En 1937, Marcel Lucas* succéda à Bouvet et, durant dix ans, poursuivit fidèlement l'œuvre commencée, ajoutant en sous-titre au cabaret celui de « Logis des chansonniers ». Il créa, tous les samedis en matinée, des auditions publiques qui révélèrent : Pierre Gilbert*, André Rochel, Jean Lec*, Pierre Destailles, Edmond Meunier*, Robert Dinel*, Marcel Fort, Pierre Havet*, Raymond Baillet*, Yves Gibeau, Maurice Horgues*, Daniel Mussy*, qui dirige à son tour le Caveau de la République depuis 1957. Entre ces deux chansonniers, la direction du Caveau fut assurée, pour de courtes périodes, par Romain Galant, Léo Campion* et Paul Mirvil.

Caveau stéphanois, société chantante créée en 1883 à Saint-Étienne. Dès 1850, les goguettes s'étaient multipliées dans cette ville. En 1869, un premier Caveau stéphanois, fondé par des éléments épars de ces différentes goguettes, mourut, à peine né, du fait de la guerre de 1870. En 1872, quelques amis de la chanson recommencent à se réunir — dont Rémy Doutre, le chantre de la mine. En 1878, cette réunion prend le titre de « Gaîté gauloise » et termine son activité en 1881. En 1883, la plupart des anciens « gaulois » se réunissent à nouveau et reprennent le titre de « Caveau stéphanois ». La présidence d'honneur en est offerte à Victor Hugo. À la mort du poète, elle revient à Gustave Nadaud* (1885), puis à Eugène Muller (1893). Devant le succès remporté par le Caveau stéphanois, d'autres sociétés se fondent à Saint-Étienne ou dans la région : le Groupe ouvrier des amis de la chanson, les Amis foréziens, ainsi que le Caveau lyonnais*. En 1891, à la suite d'un différend entre le comité du Caveau et l'un des fondateurs, J.-F. Gonon, ce dernier donne sa démission et tente de fonder une dissidence en créant le Caveau forézien, puis, en 1893, le Temple de la chanson, sous la présidence de Paul Avenel*, et dont le comité comptait plusieurs chansonniers connus : E. Imbert*, E. Baillet*, E. Chebroux*, J.-B. Clément*, A. Lugnier,

O. Pradels*, Jules Jouy*, D. Flachat, etc. Le Temple de la chanson dura six ans et disparut en 1899.

CERCAMON, jongleur et troubadour gascon (XIIᵉ s.). Son surnom était « Cherche-au-monde ». L'un des plus anciens troubadours, il était contemporain de Louis VI. On ne connaît de lui que sept pièces, dont la mélodie ne nous est pas parvenue.

CERTON (Pierre), compositeur († Paris 1572). Clerc à Notre-Dame de Paris (1529), à la Sainte-Chapelle (1532), dont il devint maître des enfants (1542), puis chapelain perpétuel (1548). Il a laissé trois cents chansons, dont il oriente l'écriture vers l'harmonie (*Laissez la verde couleur*). Certon a été le premier à publier des « chansons en forme d'airs », où la partie supérieure était prépondérante, ce qui contribua à populariser la chanson. Il a contribué à mettre en musique les *Amours* de Ronsard.

chansonnette, diminutif, souvent péjoratif, pour désigner une chanson sans prétention.

Chansonnia. V. *Pacra (Concert).*

chansonnier. Ce mot peut s'entendre de deux façons différentes : 1° auteur de chansons (paroles et musique) ou celui qui adapte son poème à un timbre* en vue de le transformer en chanson (par exemple, Béranger*) ; à l'époque actuelle, on réserve ce nom aux auteurs d'œuvres généralement satiriques et d'esprit montmartrois ; 2° recueil de chansons (manuscrit ou imprimé) : *le chansonnier Cangé* (XIIIᵉ s.), *les chansonniers Clairembault-Maurepas* (XVIIIᵉ s.), *le chansonnier des Grâces* (XVIIIᵉ s.).

CHANTRIER (Albert), compositeur (Paris 1870-1946). Élève de P. Vidal et G. Fauré, il débute à dix-neuf ans comme accompagnateur à l'Auberge du Clou. Il faisait parfois un tour de chant très applaudi, mais c'est surtout comme compositeur de *Tu l' reverras Paname*, écrit en 1917 dans

les tranchées de Verdun, qu'il a conquis une gloire durable.

CHARDAVOINE (Jean), compositeur et éditeur (Beaufort-en-Anjou 1538-? v. 1580). Il a été le premier qui nous ait laissé, avec leur texte complet, des chansons entièrement notées sous une forme mélodique. Le *Recueil des plus belles et excellentes chansons en forme de voix-de-ville, tirées de divers auteurs et poètes français, tant anciens que modernes* (Paris, 1576) contient 190 chansons.

Dans ce recueil, Chardavoine a arrangé plusieurs œuvres de ses contemporains et adapté certains textes poétiques à des airs connus, transformant ceux-ci en timbres*, mais il a très certainement publié aussi quelques airs de sa composition. Les musiciens dont les œuvres ont été publiées par Chardavoine sont : Arcadelt, P. Certon*, P. Cléreau, N. de la Grotte, A. Le Roy*, F.-M. Caietain*. Parmi les poètes figurent : Marot, Forcadel, Des Périers, Mellin de Saint-Gelais, Desportes*, La Péruse, G. d'Avrigny, Sillac, B. de La Tour d'Albenas, de Pontoux et les membres de la Pléiade.

CHARLES et JOHNNY. En 1933, Charles Trenet* et Johnny Hess* créent un numéro de duettistes fantaisistes* (comme Pills et Tabet*, qui chantaient alors). En pantalon blanc et veste rouge, ils interprètent des œuvres dont, en général, Charles est l'auteur* et Johnny le compositeur*, ce dernier accompagnant au piano. On trouve déjà les promesses de leurs carrières futures avec l'humour débridé de *Sur le Yang-tsé-kiang* (« java chinoise »), la délicatesse de *Quand les beaux jours seront là*, la nostalgie des *Petits Punis*, etc. Le jazz*, le rythme, la santé de la jeunesse sont leurs atouts.

Engagés par H. Varna au Palace* (déc. 1933), ils le quittent après trois représentations, mécontents de leur place au programme. Ils chantent alors Chez O'dett (René Goupil), au Fiacre, au théâtre des Deux-Ânes*, à Bobino*, enfin à l'ABC* en 1936. « Résiste-t-on à la fraîche et spontanée sincérité de leur foi en eux-mêmes ? » demande le programme de ce music-hall*. On ne résiste pas. C'est un triomphe. Ils enregistrent alors une quinzaine de 78 tours, soit trente chansons. Ils se séparent après le service militaire de J. Hess en Suisse et de C. Trenet en France (1937).

Chacun poursuit une carrière séparément, mais Trenet enregistre encore par la suite des œuvres communes comme *Vous qui passez sans me voir* (1937), *Rendez-vous sous la pluie* (1939).

CHÂTELAIN (Amable Pierre Eugène), chansonnier (Paris 1829-1902). Ancien proscrit de la Commune, il fonda de nombreux organes socialistes et publia plusieurs volumes de chansons et poésies révolutionnaires : *Vive la Commune!*, *les Gueules noires*, *les Soldats de l'amour*, etc. Il fut président de la Lice chansonnière*.

Chat-Noir, cabaret fondé en 1881 par Rodolphe Salis, assisté d'Émile Goudeau*. Installé, tout d'abord, 84, bd Rochechouart, dans un bureau de poste transformé en cabaret Louis XIII. L'enseigne, dessinée par Willette, s'inspirait d'un

Cabaret du Chat-Noir (rue Victor-Massé). Phot. Mairet.

conte d'E. Poe : *The Black Cat* (*Histoires extraordinaires*). Le cabaret se composait d'une première salle, plus longue que large, avec, au fond, un réduit fort sombre, qu'on appelait l'« Institut ». La décoration, à laquelle collaborèrent Willette et Henri Pille, fut particulièrement remarquée. Goudeau recréa au Chat-Noir l'atmosphère qui avait fait le succès des Hydropathes*, en alternant poésies et chansons. Bientôt, le cabaret étant devenu trop exigu, Salis loua l'ancien hôtel du peintre Stevens, rue de Laval (depuis rue Victor-Massé), et y transporta ses pénates en mai 1885. Le déménagement s'effectua en grande pompe, en chantant un refrain écrit par Bruant* sur un air du folklore languedocien :

> Nous cherchons fortune
> Autour du Chat-Noir
> Au clair de la lune,
> A Montmartre, le soir.

Là encore, la décoration avait été particulièrement soignée : la façade était ornée de chats gigantesques, exécutés par Alexandre Charpentier. L'enseigne (de Willette) était composée d'un croissant argenté, sur lequel était placé un chat faisant le gros dos. Au faîte de la maison, un chat de la taille d'un lion, œuvre de Charpentier, se découpait sur un soleil d'or qui lui servait d'auréole. La salle principale était décorée du *Parce Domine* de Willette, de tableaux de chats de Steinlein ; le mobilier était de style Louis XIII. Au second étage, dans l'ancien atelier de Stevens, Salis avait aménagé la salle de spectacle.

La consécration d'un poète ou d'un chansonnier était de passer au Chat-Noir, où les chansons de genres les plus différents furent applaudies. Maurice Donnay*, qui fit partie du Chat-Noir, a décrit l'atmosphère de l'établissement : « Chansons vives, libres, satiriques, blagueuses, gouailleuses, frondeuses, pénétrées d'irrespect envers toutes les puissances et toutes les gloires immméritées, en continuelle réaction contre la sottise, l'injustice et la muflerie, telle fut ce qu'on pourrait appeler l'école chansonnière du Chat-Noir. » Jules Lemaître ajoute : « Le Chat-Noir a

joué un rôle dans la littérature d'hier. Il a été des premiers à discréditer le naturalisme en le poussant à la charge, et, en même temps, le Chat-Noir a contribué au réveil de l'idéalisme. » À part les tours de chant et de poésie, Emmanuel Poiret, dit Caran d'Ache, créa le théâtre d'Ombres, dont la pièce la plus célèbre fut *l'Épopée*, consacrée à Napoléon. Le dimanche, en matinée, une goguette*, où se révélèrent de nombreux chansonniers, était organisée. Elle fut présidée pendant longtemps par Jules Jouy*. De 1884 à 1892 se déroulèrent les années glorieuses du Chat-Noir. Ensuite, Salis, fatigué, se fit souvent remplacer pour présenter les chansonniers. Des défections se produisirent dans l'état-major du cabaret (Goudeau, Gabriel Salis, J. Jouy). En 1898, Salis organisa des tournées en province pour permettre au Chat-Noir de survivre. C'est au cours de l'une de ces tournées que Salis tomba malade à Angers et décéda dans son château de Naintré (1897). Le Chat-Noir ferma ses portes.

Le Chat-Noir a publié de 1882 à 1899 un journal satirique dont le rédacteur en chef était E. Goudeau, puis Alphonse Allais. Vers 1908, Jean Chagot essaya de créer un Chat-Noir, 68, bd de Clichy, en se servant du label qui avait fait la fortune de Montmartre. Il obtint de la veuve de Salis (contre une indemnité) de baptiser son cabaret « Caveau du Chat-Noir ». À la mort de celle-ci, le mot « Caveau » disparut, il ne resta plus que Chat-Noir, ce qui créa une confusion dans l'esprit des touristes. C'est ainsi que de nombreux chansonniers actuels peuvent se targuer d'avoir fait partie du Chat-Noir.

CHAULIEU (Guillaume **Amfrye**, abbé **de**), poète et chansonnier (Fontenay, Vexin normand, 1639 - Paris 1720). Sans être impie ni athée, Chaulieu a pratiqué un épicurisme qui sera plus tard la règle du Caveau*. Ses œuvres furent imprimées en 1724 (avec quelques pièces du marquis de La Fare). Elles contiennent des épigrammes en chansons du même style aimable et libertin que ses autres poésies. Ses contemporains l'ont surnommé l' « Anacréon du Temple ».

Chaumière (cabaret de la). V. *Dix-heures (théâtre de).*

CHEBROUX (Ernest), chansonnier (Lusignan, Vienne, 1840 - Paris 1910). Modeste imprimeur, il a consacré sa vie à la chanson, qu'il a défendue contre les inepties pornographiques du caf' conc'*. Il exprime son sentiment sur le rôle de la chanson dans *La chanson ne peut mourir*. En 1873, entré à la Lice*, il en fut le secrétaire, puis le président. Il organisa avec Sarcey les Vendredis classiques de la chanson à l'Eden-Concert. En 1900, il présida le Congrès de la chanson, puis fonda l'Œuvre de la chanson française, dont le but était de propager la bonne chanson parmi la classe ouvrière.

Les chansons de Chebroux sont simples, franches, souvent pleines de charme, comme *C'est l'hiver* ou *les Rives du Clain*, évocation poétique de son Poitou natal. Il a composé également quelques chansons bachiques*, destinées aux réunions de la Lice*.

CHELON (Georges), auteur, compositeur, interprète (Marseille 1943). G. Chelon a enregistré son premier disque en 1965. Dans une langue parfois populaire (*Père prodigue*), parfois très recherchée (*Morte-Saison*), ses chansons, souvent en mineur, disent la tristesse de l'amour (*le Grand Feu*) ou le désespoir (*le Chien*), et elles lui ont valu un prix du Disque.

CHEPFER (Georges Lucien), chansonnier (Nancy 1870 - Paris 1945). Fils d'un chemisier de la rue Stanislas, il débuta dans sa ville natale, salle Poirel, au cours d'un gala de charité, devant Meusy*, qui l'engagea incontinent pour une tournée (v. 1892). Chansonnier régionaliste, il s'est toujours tenu à l'écart de l'actualité, se contentant d'imiter les vedettes de son époque. Il débuta au Chien-Noir* et fit dans tous les cabarets montmartrois un tour de chant qu'il aimait terminer par *la Leçon de valse du petit François* (de Beauplan*).

Parlant à la fois le dialecte alsacien et le patois lorrain, il a composé des monologues qui mettent en scène des paysans de sa province, et qui eurent un succès retentissant : *la Première Communion du gamin, Qu'est-ce que nous pourrions bien faire du Mimile?*, etc. Aidé par son ami Maurice Barrès, il prospectait la Lorraine à la recherche de ses « modèles », dont il a su blaguer gentiment les travers, sans jamais les ridiculiser.

Un prix Georges-Chepfer a été fondé, qui récompense tous les ans un chansonnier régionaliste.

CHEVAIS (François), chansonnier (Paris 1922). Élève de Georges Pompidou au lycée Henri-IV (1938), il fonde une compagnie théâtrale, le Pentacle. Après avoir débuté comme chansonnier-comédien au Tabou* (1947), il passe ensuite aux Trois-Baudets* (1949), au Grenier de Montmartre (R. T. F., 1952). S'intitulant lui-même « le plus mauvais comédien de Paris », il interprète ses sketches ou ses chansons d'une façon imperturbable dans un style particulièrement farfelu : *le Palmarès du mois, l'Histoire inachevée, le Ruban sonore, le Chiffrisme* et *le sémaphorisme.*

Cheval d'Or (le), cabaret parisien contemporain, l'un des plus actifs dans le renouvellement de la chanson de style « rive gauche ». Vers 1950, Léon Tcherniak et sa femme reprennent une bonneterie (33, rue Descartes, Vᵉ). Mais, à fréquenter les artistes du quartier, L. Tcherniak prend goût à la chanson ; la bonneterie devient cabaret en 1955, avec Suc et Serre, duettistes, accompagnés par une contrebasse (Henri Droux) et un trombone (« Balenglow »). Ce cabaret prend le nom d'une chanson de Suc. Par économie, on y utilise des rideaux de boucherie ; mais, malgré ces rideaux et son enseigne, la boutique n'est pas une ancienne boucherie chevaline comme le veut la légende — et comme le croyait au début la police, surprise par une « boucherie » dont la musique gênait les voisins.

Toujours dirigé par Léon Tcherniak, faisant appel aux auteurs-compositeurs, le Cheval d'Or s'est peu à peu orienté vers la formule du spectacle en deux parties (jeunes de la chanson, équipe permanente de la maison dans un « montage » de tours de chant), qui eut d'abord lieu sur une simple estrade, et désormais sur une petite scène avec rideaux. On a pu y applaudir, entre autres, Jean Bériac, A. Colette*, Luce Klein, Francis Lalande, Boby Lapointe, Ricet-Barrier*, R. Riffard*, Suc et Serre, A. Sylvestre* (qui y chanta pendant six ans), les fantaisistes R. Devos, Petit Bobo, Jean Obé, les marionnettes de Tournaire, etc.

CHEVALIER (Maurice), interprète (Paris 1888). Fils d'ouvriers de Ménilmontant, il quitte l'école après le C. E. P. et devient menuisier, puis électricien, peintre sur poupées, fabricant de punaises à dessin,

Maurice Chevalier (affiche de Leymarie). Par la suite, il change la veste jaune et verte et le chapeau melon pour le smoking et le canotier. Phot. Larousse.

etc. Il débute dans la chanson au Casino des Tourelles avec V'là les croquants. Il a douze ans et commence une carrière de fantaisiste* qui va le mener des cafés-concerts* des quartiers populaires aux plus grands music-halls* du monde. « Le petit Jésus d'Asnières » (dix-sept ans, publicité de l'Eden-Concert) remplace Dranem* à l'Eldorado* (1907), devient le partenaire de Mistinguett*, de G. Deslys, de Polaire* (Folies-Bergère*, 1909). Après la guerre (blessé, prisonnier, rapatrié), il chante au Casino de Paris*, aux Bouffes-Parisiens* (Dédé, Là-Haut). Vedette internationale, il part tourner à Hollywood de 1928 à 1935 (carrière cinématographique bien remplie : 44 films, dont 9 muets).

Comme interprète de la chanson, il a créé un type célèbre, chanteur et danseur, dont la silhouette élégante (canotier, nœud papillon, sourire) s'est imposée au monde entier. « Comme magnétiseur, on ne fait pas mieux », a dit Colette. Sa popularité s'est maintenue à travers années et récitals (Champs-Élysées, 1963). Il a écrit ses Mémoires en onze volumes (Ma route et mes chansons, Éd. Julliard). Parmi son répertoire considérable, ses chansons les plus célèbres sont Valentine (Willemetz* - Christiné*, 1925), Prosper (Koger, Telli et Scotto*, 1935), Ma pomme (Fronsac, Rigot et Borel-Clerc*, 1936), qu'il détaillait d'une voix gouailleuse, faubourienne. Il est l'auteur de plusieurs chansons, sur des musiques d'Alstone, de Borel-Clerc, H. Bourtayre, F. Freed, F. Lopez*, R. Lucchesi, Mireille*, Misraki*, Van Parys* et surtout H. Betti (Amuse-toi, la Chanson du maçon, Notre espoir, 1941, etc.).

CHEZELL (Fernand **Passereau**, dit **Fernand**), chansonnier (Pons, Charente-Maritime, 1870-1907). Il prit un pseudonyme pour chanter à l'insu de sa famille et de l'avoué qui l'employait comme clerc. Après des débuts aux Quat'-z-Arts* en 1895, un article de Brisson vantant les mérites du jeune chansonnier fit découvrir sa véritable identité, et Chezell n'eut plus que la ressource de se consacrer uniquement à la chanson. De 1897 à 1900, il présentait le spectacle du Conservatoire de Montmartre*.

Il a réuni ses œuvres sous le titre de Chansons aigres-douces. D'une santé fragile, il fut enlevé en quelques semaines par une grippe infectieuse.

Chien-Noir, cabaret situé faubourg Saint-Honoré, fondé en 1895 par des transfuges du Chat-Noir*, alors en déconfiture. Y débutèrent Botrel* et Chepfer*. Le public était reçu cérémonieusement par des huissiers à chaîne en cravate blanche : l'atmosphère n'y était pas. Au bout de trois ans, le Chien-Noir ferma ses portes et les chansonniers remontèrent sur la Butte.

CHRÉTIEN DE TROYES, trouvère* et romancier († en 1191). Premier trouvère en date, protégé par Marie de Champagne, petite-fille de Guillaume d'Aquitaine*, puis par Philippe de Flandres, il est surtout connu par ses romans. Il a laissé quelques chansons courtoises qui sont loin de valoir celles de ses successeurs.

CHRÉTIENNO (Alexandrine **Chrétiennot,** dite), interprète (Paris 1840 - ?). Débuts au théâtre de Belleville en 1859, sous le nom d'**Alexandrine.** Offenbach l'y déniche et l'emmène jouer *Orphée aux Enfers* à Lyon (rôle de Junon). En 1863, elle inaugure le Chalet des îles, au bois de Boulogne. Après une saison d'opérettes au théâtre Déjazet et au Palais-Royal, elle commence une carrière au caf' conc', à l'Eldorado*, où ses débuts furent un triomphe. De nombreux théâtres la sollicitent alors (même l'Opéra!). Sa voix ample, vigoureuse, vibrante a fait écrire à Jules Janin, alors qu'elle venait de chanter aux Ambassadeurs* : « C'est une Malibran qui jette aux vieux arbres émus les plus belles fusées de sa voix de vingt ans. » Après 1870, Chrétienno fut, avec Amiati*, l'interprète des chansons revanchardes, en particulier *la Paysanne lorraine* (Delormel* - Planquette).

CHRISTINÉ (Henri Marius), auteur, compositeur (Genève 1867 - Nice 1941). Compositeur attitré de Polin*, Mayol*, Esther Lekain* et Fragson*. Ce dernier lui rapportait de Londres des succès que Christiné adaptait au goût français. À *la Martinique* (dont il composa les paroles et la musique) donna un avant-goût des rythmes américains. La liste des chansons de Christiné qui devinrent populaires est particulièrement longue : *la Petite Tonkinoise*

(- Scotto* et Villard), *Ah! ma p'tit' Lili* (- L. Roydel), *C'est un petit béguin* (- Timmory), *Cett' petit' femme-là* et *la Polka des Englishs* (- F. Mortreuil), *Reviens!* et *le Long du Missouri* (- Fragson), *Valentine* (- Willemetz*). Après trois opérettes médiocrement accueillies à la Scala*, il connut le grand succès en 1918 avec *Phi-Phi* (- Willemetz et Solar), *Dédé, Madame* (- Willemetz), *J'adore ça* (- Willemetz - Saint-Granier), *P.L.M.* (- Rip), dont les airs devinrent rapidement populaires et le classèrent parmi les maîtres de l'opérette.

Cigale (la), café-concert fondé par Forêt (1887) sur l'emplacement du bal de la Boule-Noire, 120, bd Rochechouart, puis repris et reconstruit par Léon, dit Armand Flateau (1894), qui lui donne une formule « concert - music-hall », voisine avec les revues et les vaudevilles. À sa mort (1906), son fils aîné, Raphaël-Gaston, continue, mais, mobilisé en 1914, il sous-loue à Léon Volterra. À son retour des armées, Flateau reprend son théâtre, mais, vers 1925, le cède à Max Viterbo, qui crée « la Fourmi » dans le hall, tandis que le sous-sol est transformé en dancing. La Cigale est finalement devenue un cinéma.

À son époque glorieuse, la Cigale vit défiler sur sa scène tout ce que Paris comptait de vedettes : Jane Bloch*, Raimu*, Harry Pilcer et Gaby Deslys, Miss Campton, De Max, Dorvil, Maurice Chevalier*, Saint-Granier*, Milton*. Yvonne Printemps y joua un rôle de Petit Chaperon rouge aux côtés de Gabin père et de Prince-Rigadin. Gémier y signa un contrat quelques jours avant d'être nommé directeur de l'Odéon.

cinéma. Après l'invention du cinématographe des frères Lumière (1895), la projection des films muets est accompagnée par un orchestre dans les grandes salles, par un piano le plus souvent ; on joue soit des pots-pourris* de chansons à la mode (« saucissons* »), soit des extraits d'œuvres classiques, soit des morceaux écrits spécialement pour le film (parfois par des grands compositeurs comme Saint-Saëns, Honegger, Jacques Ibert, D. Milhaud, E. Satie, H. Rabaud).

Dès le premier film parlant, *le Chanteur de jazz* (États-Unis, 1927), Al Jolson chante deux chansons (projection à Paris en 1928). Il récidive dans *The Singing Fool* (*le Fou chantant*, 1928). De même, le premier film parlant allemand (1929) fait une place à la chanson : *Ce n'est que votre main, Madame*. En France, R. Clair* utilise la chanson de Raoul Moretti et René Nazelles dans *Sous les toits de Paris* (1930). Vient ensuite *la Ronde des heures*, avec André Baugé (chanson de René Sylviano et Henri Falk).

La comédie musicale se développe dans le cinéma américain, mais reste rare en France (*Moulin-Rouge*, 1933 ; *Folies-Bergère*, 1936 ; *Lumières de Paris*, 1938 ; *Mademoiselle Swing*, 1942, etc.). Le cinéma concurrence fortement le music-hall* à partir de 1930, et de nombreuses salles de spectacles disparaissent alors ou se transforment pour le cinéma (v. *music-hall*). Mais de nombreuses vedettes* de la chanson tournent des films où elles chantent des succès, comme Tino Rossi* (*Marinella, Naples au baiser de feu*, 1937 ; *Fièvres*, 1941), Charles Trenet* (*la Route enchantée*, 1939 ; *la Romance de Paris*, 1941), Gilbert Bécaud*, Maurice Chevalier*, Edith Piaf*, etc. Grâce à la célébrité acquise dans la chanson, certaines vedettes tournent des films et révèlent alors un vrai talent de comédien (C. Aznavour*, Bourvil*, Y. Montand*).

Le chansonnier Noël-Noël* a réalisé tout un film en chansons (*la Vie chantée*). Le film de Jacques Demy et M. Legrand* *les Parapluies de Cherbourg* est un exemple original de film chanté.

Il est arrivé que certaines chansons à succès aient suscité un film portant leur nom. Ainsi *Ramona* (1927), de Mabel Wayne et Wolfe Gilbert (traduction française de Saint-Granier*), devient un film (1936) ; ainsi *Lily Marlène* (paroles : Hans Leip, 1923 ; musique : Norbert Schultze, 1938) donne naissance à deux films (1951, 1956) et à un documentaire retraçant l'extraordinaire histoire de cette chanson, adoptée par les armées allemande, britannique, américaine, et bien connue en France pendant l'Occupation (Humphrey Jennings : *The True Story of Lili Marleen*).

Certaines chansons de films sont restées célèbres (*les Gars de la marine, 14-Juillet, C'est un mauvais garçon, Premier Rendez-Vous, Ballades des visiteurs du soir*, etc.). Parmi les auteurs ou compositeurs de chansons pour le cinéma, on peut citer : G. Auric*, C. Aznavour*, G. Béart*, G. Bécaud*, J. Boyer*, L. Gasté*, M. Jarre*, M. Jaubert*, J. Kosma*, R. Legrand*, J. Lenoir*, F. Lopez*, Louiguy*, G. Luypaerts*, P. Misraki*, V. Scotto*, G. Van Parys*, J. Wiener*, M. Yvain*, etc.

CLAIR (René **Chometton**, dit **René**), auteur (Paris 1898). Cinéaste, écrivain, il réalise, après plusieurs films muets, le premier film parlant français, *Sous les toits de Paris* (1930), qui popularise la célèbre chanson de Raoul Moretti et René Nazelles. Par la suite, beaucoup de ses films feront entendre des chansons dont il écrit lui-même les paroles. On peut citer particulièrement : *À nous la liberté* (- G. Auric*, 1931), *À Paris dans chaque faubourg* (film *14-Juillet*, - M. Jaubert*, 1932), *Pour les amants* (*Le silence est d'or*, - G. Van Parys*, 1946), *la Valse des Grandes Manœuvres* (- G. Van Parys*, 1956), *les Deux Pigeons* (- C. Aznavour*, 1965).

CLAIRVILLE (Louis François **Nicolaïe**, dit), chansonnier et auteur dramatique (Lyon 1811 - Paris 1879). Fils d'un entrepreneur de spectacles, il fréquente plutôt les tréteaux de son père que l'école. À dix ans, il débute au théâtre du Luxembourg, dont son père est administrateur. Il est, tour à tour, souffleur, contrôleur, régisseur, jeune premier, père noble, enfin auteur ; à dix-huit ans, il y fait représenter sa première pièce, *l'Enragé par ruse*. De vaudevilles en opéras-comiques, Clairville est monté jusqu'à la renommée avec : *les Sept Châteaux du diable, Gentil-Bernard, Roger Bontemps, le Diable boiteux, la Fille de Mme Angot*, dont beaucoup d'airs sont devenus populaires. Clairville eut également une activité chansonnière qui l'amena à présider le Caveau* (1862). Il a publié *Chants du peuple* (1834) et *Chansons et poésies* (1853).

Rochefort a dit de lui : « C'est avant tout l'homme de l'à-propos, et nul ne se tient mieux à l'affût pour l'arrêter au passage. Pas une mesure administrative un peu grave, pas une annonce un peu bizarre, pas une invention un peu excentrique qu'il ne mette en scénario, qu'il ne tourne en couplet. »

CLARK (Petula), compositeur, interprète (Epsom, Grande-Bretagne, 1934). Elle commence sa carrière en Grande-Bretagne dès l'âge de sept ans; elle compte déjà 550 galas à douze ans, enregistre à dix-sept ans et débute à Paris en 1957 (Olympia*, Allô mon cœur, Meunier - Rolland). Avec un léger accent sympathique, elle campe un personnage et interprète des succès (Ne joue pas, C'est ma chanson, Chariot) dont elle écrit parfois la musique (la Seine et la Tamise).

CLAUDE (Charles **Saüt**, dit **Francis**), auteur, critique (Paris 1905). Il a débuté au Perroquet (Nice); il a écrit quelques chansons (la Vie d'artiste, l'Ile Saint-Louis, - L. Ferré* ; Moi tout perdu, - C. Pingault*, 1945) et mené une action très efficace en faveur de la chanson de qualité par ses émissions radiophoniques (Monsieur Flûte, Isabelle), par ses critiques et ses études, par l'animation de cabarets (Quod libet*, Milord l'Arsouille*), où sont passés notamment M. Arnaud*, J. Douai*, L. Ferré*, S. Golmann*, J. Gréco*, J. Holmès*, F. Lemarque*, H. Martin*, C. Sauvage*, etc. Il est producteur à la télévision (Un pied dans le plat).

CLAVEAU (André), interprète (Paris 1915). Après avoir été décorateur (études à l'école Boulle), il est lauréat du concours d'amateurs de Jean Delettre, Premières Chances (1935), chante Venez donc chez moi (1936), commence une carrière radiophonique, enregistre et joue dans des revues, passe au music-hall* (ABC*, 1942). Célèbre « chanteur de charme », il interprète un répertoire composé surtout de chansons d'amour (la Chapelle au clair de lune, J'attendrai, Symphonie). Il eut le grand mérite de chanter les Yeux d'Elsa (Aragon* - Ferrat* et Vandair, 1955). Pendant bien des années, il a animé des émissions radiophoniques, surtout destinées aux auditrices, avec un très grand succès (Cette heure est à vous).

CLAY (Philippe **Mathevet**, dit **Philippe**), interprète (Paris 1927). Sa famille est parisienne depuis cinq générations. Après la guerre (maquis, puis engagement dans l'armée malgré son jeune âge), Philippe Clay suit des études d'art dramatique au Conservatoire. Il est lauréat du concours « Espoirs et vedettes 1949 », et se tourne vers le music-hall*, où il campe un personnage insolite, chanteur, mime, comédien, très à son aise dans la chanson d' « atmosphère » ou la fantaisie (les Voyous, d'André Grassi* ; Festival d'Aubervilliers, de Vic et Bérard). Il a tourné une vingtaine de films, dont French-Cancan (de J. Renoir), où il campait le personnage de Valentin le Désossé, Notre-Dame de Paris (Jean Delannoy), où il fut le roi de la cour des Miracles, Clopin Trouillefou.

CLÉMENT (Jean-Baptiste), auteur (Boulogne-sur-Seine 1836 - Paris 1903). Fils d'un meunier, il est, à partir de quatorze ans, en apprentissage chez un tourneur de cuivre, puis chez un architecte, enfin chez un marchand de vin en gros. À vingt et un ans, il est manœuvre au viaduc de Nogent et commence à rimailler tout en travaillant la grammaire et la versification. L'éditeur Vieillot s'intéresse à lui et publie ses premières chansons : Si j'étais le Bon Dieu, Quatre-Vingt-Neuf, le Bonhomme Misère, Dansons la capucine, etc. En 1867, il commence une carrière de journaliste et de pamphlétaire, qui lui vaut trois ans de prison à Sainte-Pélagie. Il en sort à la chute de l'Empire et prend une part active à la Commune. Obligé de s'expatrier, il fait paraître depuis l'Angleterre quantité de brochures et de chansons : la Semaine sanglante (composée en juin 1871, alors qu'il se cache quai de Bercy), l'Invasion, les Volontaires, À mon marteau, etc. Amnistié, il regagne Paris, reprend son métier de journaliste et fait paraître, de 1880 à 1885, de nouvelles chansons : les Gueux, la Bande à Riquiqui, Jean Rat, Liberté-Égalité, etc. À partir de 1885, il consacre toute son activité à la propagande socialiste révolutionnaire. Cependant, de 1895 à 1898, il fait paraître ses dernières chansons : *Ça sent la guerre, la Grève, le Premier Mai, En avant paysan!, Jacques Bonhomme a bien voté,* etc. Ces chansons, cris de révolte ou de pitié, font oublier le poète amoureux de la belle nature qu'a su être J.-B. Clément avec des chansons comme *Bonjour printemps, En coupant les foins, Catherine* ou la délicieuse chanson enfantine *Pimperlin et Pimperlin,* et surtout le *Temps des cerises,* composé dès 1866, mis en musique par le célèbre ténor Renard et dédié seulement en 1885 au souvenir de Louise, une ambulancière de la Commune, donnant ainsi une autre signification à une chanson primitivement anodine. La plupart des chansons de Clément furent mises en musique par Darcier* et Legay*.

Clou (auberge du), cabaret artistique, 30, av. Trudaine, fondé dès 1881 par Jules Mousseau, ex-comédien enrichi dans l'oisellerie. En 1891, associé à Paul Tomaschet, ancien garçon de café, il présente un spectacle de chansonniers animé successivement par H. Sombre, Paul Daubry*, Léo Lelièvre*, M. Legay*, qui y organise une goguette*.
Le cabaret, décoré par Willette et Steinlein, recueillit de nombreux transfuges du Chat-Noir*, excédés par le caractère de R. Salis : Delmet*, Meusy*, Lemercier*, Tourtal*, L. de Bercy*, Paul Paillette, Hyspa*, qui fit représenter au Clou un Noël illustré par Utrillo et mis en musique par Eric Satie. On entendait aussi certains poètes, dont L.-P. Fargue et Saint-Georges de Bouhélier.

COLETTE (Annie **Pessin,** dite **Annie**), compositeur, interprète (1934). Sur des paroles de M. L. Liégard, elle compose et chante de charmantes fantaisies (*l'Ours, À la campagne*).

COLLÉ (Charles), chansonnier et auteur dramatique (Paris 1709 - Saint-Cloud 1783). D'origine bourgeoise (son père était avocat à la cour et conseiller du roi), il manifesta très jeune le goût des tréteaux, que son père essaya de combattre en le faisant entrer dans l'étude d'un notaire. Contraint de gagner sa vie, il devint en 1723 secrétaire de M. de Meulan, receveur de la généralité de Paris. Ses fonctions ne l'absorbaient pas assez pour l'empêcher de fréquenter d'autres écrivains épicuriens, tels que Piron*, Panard*, Crébillon fils. En 1733, ils fondèrent le célèbre Caveau*. Parallèlement, Collé s'exerça à composer des parades pour des scènes privées (en particulier chez le comte de Clermont, au château de Berny). Bientôt, la réputation de Collé parvint jusqu'à Philippe d'Orléans, alors duc de Chartres, qui s'attachera pendant vingt ans le chansonnier comme ordonnateur de ses réjouissances. À la fin de sa vie, le joyeux Collé, supplanté dans la faveur de son maître par l'auteur dramatique Carmontelle, sombra dans la mélancolie, et ce libertin ne trouva de réconfort qu'auprès de sa femme, Nicole Bazire, qu'il avait épousée en 1756, dont il fut le mari constant et à qui il ne survécut que peu de temps.
« Les chansons de Collé peignent au naturel les mauvaises mœurs de la bonne compagnie », a écrit l'un de ses biographes. La muse de Collé est avant tout érotique. S'il verse dans le libertinage, c'est pour se mettre au goût de ceux que n'offusquent pas les pires obscénités. La chanson intitulée *Conseils ironiques aux chansonniers sur les mœurs du temps* est significative sur ce point. Chansonnier politique à ses heures, Collé a célébré la prise de Port-Mahon dans une vigoureuse chanson, qui reste l'une des meilleures du genre (1756).

COLLINE (Paul Louis Élisée **Duard,** dit **Paul**), chansonnier, revuiste, auteur et réalisateur de films (Paris 1895). A débuté en 1920 à la Boîte à Fursy* avec *Fais dada.* Tout en ayant à son actif plus de deux cents chansons d'actualité, telles que *Déjà* (1925), *Quand c'est aux autos de passer* (1933), *Dommage* (1934), *Y a qu'à!* (1941), *Factice* (1942), *Même pas!* (1944), il a écrit trente-six revues satiriques de 1920 à 1950, dont : *C'est l'heure exquise* (1927), *C. G. T. Roi* (1936); avec René Dorin* *Drôle d'époque* (1933) et *la Revue des Variétés* (1945); avec Jean Rieux*

Couleurs du temps (1947), Version française (1950). Il a imaginé le personnage d'Adémaï, créé par Noël-Noël* au cours d'une revue au théâtre de Dix-Heures*, et dont il a tiré une série de films. Il a produit à Radio-Luxembourg* la Demi-Heure de Barju (1936-1937) et a fait paraître deux recueils de poèmes : Croquis de guerre lasse (1941) et Dieu me pardonne (1941).

COLMANCE (Louis Charles), chansonnier (Paris 1805 - 1870). Restaurateur, puis bouquiniste, il pensait surtout à chanter et à fréquenter les goguettes. Ses chansons, souvent scatologiques (Un enfant terrible, Un repas de famille), montrent le côté godailleur de l'ouvrier bon enfant. Il eut pour interprètes Darcier*, Pacra* et Hortense Schneider.

Colombe (la), cabaret parisien ouvert en 1954 et animé par Michel Valette (4, rue de la Colombe, Paris-IVe). Il utilisa la formule du dîner-spectacle, présentant neuf artistes dans un programme qui changeait toutes les trois semaines ; la Colombe assurait ainsi cent programmations par an, et son rôle fut très important dans la chanson de style « rive gauche* ». Grâce à ce brassage, qui nécessitait plus de soixante-dix auditions par mois, la Colombe donna une première chance à de nombreux jeunes et fit débuter entre autres M. Aubert*, G. Béart*, H. Gougault*, J.-C. Massoulier*, L. Médini*, F. Solleville*, A. Sylvestre*, etc. On put y entendre aussi J. Arnulf*, M. Fanon*, J. Ferrat*, S. Kerval*, H. Martin*, J. Moustaki*, B. Sauvane*. En 1964, la Colombe cessa de présenter des spectacles de chansons. Le restaurant continue.

COLOMBO (Eliane Pia), interprète (Homblières, Aisne, 1934). Elle débute au cabaret de l'Écluse* en 1956 dans un répertoire dû à M. Fanon* et elle impose une voix à la fois forte et sensible, un ton vigoureux (Isabelle, mettant en cause la guerre d'Indochine). Elle mène ensuite une carrière patiente, mais sûre, de cabarets (Échelle de Jacob*, Port du salut*) en music-halls* (Olympia*, 1958 ; Bobino*,

1966). Elle interprète des rôles difficiles comme dans Chant public devant deux chaises électriques (d'A. Gatti, T. N. P., 1966) ; surtout, elle est inégalée dans les œuvres de B. Brecht, où elle se montre excellente actrice et chanteuse de grande classe : Schweyck dans la Deuxième Guerre mondiale (Villeurbanne, théâtre de la Cité, 1962), Grandeur et décadence de la ville de Mahagonny (T. N. P., 1967). Pia Colombo allie le réalisme à l'émotion, tout en restant soucieuse de la qualité de son répertoire (l'Écharpe, la Ballade du soldat, Jean-Marie de Pantin).

Pia Colombo. Doc. Philips.

COMPAGNONS DE LA CHANSON (les), groupe vocal de neuf interprètes qui comprend (1967) : trois basses, Jean-Louis Jaubert* (animateur du groupe), Jo Frachon (auteur de Ce sacré vieux soleil et des Cavaliers du ciel), Guy Bourguignon ; trois barytons, Henri dit Hubert Lancelot, Gérard Sabbat, Jean Broussolle (auteur de Alors raconte, du Gondolier et de Si tu vas à Rio) ; trois ténors, Jean-Pierre Calvet (compositeur de Marchands de

Edith Piaf et les Compagnons de la Chanson. Phot. Jacques Munch.

bonheur et de *Ronde mexicaine*, paroles de J. Broussolle), Fred Mella, René Mella. À l'origine, Jean Albert, dit « le Petit Rouquin », faisait partie du groupe.

Ils s'appelaient d'abord les Compagnons de la musique (ABC*, mai 1944), « groupe d'expression des Compagnons de France » (Lyon, 1942). Ils s'engagent dans l'armée de Lattre (théâtre aux armées). Démobilisés (1945), ils chantent à Paris (ABC) des chansons « folkloriques » (*Perrine était servante*), harmonisées par L. Liébard, et jouent des sketches. E. Piaf*, qui les avait rencontrés au cours d'un gala à la Comédie-Française (1944), les incite à chanter un répertoire plus moderne. Ils partent en tournée avec elle (1947) et interprètent avec un succès mondial, *les Trois Cloches* (Gilles*), tournent un film (*Neuf Garçons et un cœur*), puis poursuivent indépendamment d'E. Piaf leur carrière de groupe vocal à travers le monde.

En chemise blanche et pantalon bleu, ils donnent un spectacle pittoresque, utilisant des accessoires variés (tartan écossais, melon du jazz-band, képi du tourlourou), chantent et jouent des instruments les plus divers (guitare, banjo, tambourin, tambour, triangle, castagnettes, batterie, trompe de chasse, cornemuse, basson, trompette, clairon, trombone, clarinette, saxophone, accordéon, piano, hautbois, flûte, violon, etc.). La chanson est ainsi prétexte à une représentation très scénique.

Parmi leurs nombreux succès, on peut citer aussi *l'Ours* (C. Trenet*, 1946), *la Marie* (H. Contet* - A. Grassi*, 1947), *Mes jeunes années* (C. Trenet, 1950), *les Comédiens* (C. Aznavour*, 1963), etc.

COMPÈRE (Loyset), compositeur (v. 1450 - Saint-Quentin 1518). Originaire du Pas-de-Calais actuel, il fit sans doute son apprentissage à la collégiale de Saint-Quentin, où il termina sa carrière comme chanoine. Il fut au service du duc de Milan sous le nom d'*Aloyseto* (1474-1475), puis chantre du roi Charles VIII (1486). Disciple de Josquin Des Prés*, il a laissé une cinquantaine de chansons françaises. Si certaines se réclament du style savant de la célèbre école bourguignonne (*Venez regretz, Mes pensées ne me laissent*), d'autres sont de style plus populaire (*Un franc archer, Alons fere nos barbes, Nous sommes de l'ordre de Saint-Baboin*).

complainte, chanson populaire dérivée du planh* provençal. La complainte est monodique ; sa mélodie et son rythme doivent provoquer chez l'auditeur une sensation de tristesse et de monotonie. Le nombre des couplets n'est pas limité, mais, en général, les complaintes sont longues, la tradition orale ajoutant continuellement de nouveaux couplets. Dès le XVIe s., la complainte est chantée aux carrefours par des chanteurs ambulants. Parmi les plus célèbres citons : *le Roi Renaud* ; *la Pernette* ; *Al roc d'Anglars* (haut Quercy), qui est à la fois une complainte et une pastourelle*; *la Mort de La Palice* (1525) ; *la Mort de René de Nassau* (1544), ancêtre de la chanson de Malbrough; *Complainte de Louis XVI aux Français* (1793); *Complainte du juif errant*; *Complainte du maréchal de Saxe* (1750), qui servit de patron musical et littéraire à la plus célèbre complainte du XIXe s., la *Complainte de Fualdès*, qui, elle-même, engendra de nombreuses complaintes; enfin, plus proche de nous, la *Complainte de Sacco et Vanzetti*.

Le genre a disparu dans la chanson contemporaine, bien que le titre soit parfois encore utilisé (*Complainte des infidèles*, G. Van Parys* - Carlo Rim, par Mouloudji*). C'est sous le titre de *Chansons et complaintes* que P. Seghers* a réuni tous ses textes écrits pour la chanson.

compositeur, terme réservé, pour la chanson, à l'auteur de la musique. S'il compose la mélodie sans pouvoir écrire un accompagnement de piano ou des parties d'orchestre (cas fréquent dans la chanson contemporaine), le compositeur est dit « mélodiste ». Pour les enregistrements sur disque, un musicien est chargé d'écrire une orchestration*.

comptine, formulette enfantine et populaire, voisine de la fricassée*, employée avant un jeu pour désigner celui ou celle qui doit assumer le premier rôle ou le rôle ingrat. — La comptine est avant tout rythmée, puisqu'elle a pour but de compter des joueurs, mais beaucoup ont une mélodie, très simple, dont la phrase musicale ne dépasse pas la quinte ou la sixte. Certaines comptines semblent avoir une musique originale, mais la plupart d'entre elles se chantent sur des timbres*. Transmises par tradition orale, les comptines sont soumises à des transformations. Elles suivent de près l'actualité, faisant intervenir un personnage historique (Henri IV, le roi, Madame, la reine d'Espagne, Bismarck, l'empereur Guillaume II, etc.). Le premier recueil de comptines publié est *la Friquassée crotestyllonnée, des antiques modernes fretel des petits enfants de Rouen* (1604). Exemples de comptines : *Am stram gram, Pomme de reinette et pomme d'api, Une poule sur un mur, Trois Petits Princes sortant du paradis,* etc., qui ont chacune plusieurs variantes littéraires et musicales. Certaines comptines auraient une origine magique.

Concert parisien. V. *Mayol (Concert).*

CONON (ou **QUÈNES**) **de Béthune,** trouvère artésien († en Orient v. 1220). Chansonnier officiel de la troisième croisade, il fit des chansons de propagande (*Ahi amors!, Bien me deüsse targier*), qui incitèrent plus d'un à se croiser. Ayant abandonné la croisade à la suite de Philippe Auguste, il se fit vertement tancer par son vieux maître Huon d'Oisy (*Maugré tous saints*), qui reprochait vertement au roi et au poète leur défection.

Conon de Béthune devint l'un des chefs de la quatrième croisade et mourut en Terre sainte. Il a laissé 14 chansons.

Conservatoire de Montmartre, cabaret artistique (108, bd Rochechouart), fondé en 1895 par Henri Martin. L'établissement avait connu des fortunes diverses sous le nom de Morgue littéraire (direction Hector Sombre), puis du Corneille, avec Delmet*, Georges Auriol et Haïm, dit Miah. Il fut ensuite le cabaret des Éléphants, dirigé par Eugène Lemercier*, qui ne dura que six mois, enfin le Coup de gueule, de Léon de Bercy*, où, moyennant 5 F (or), chaque client était autorisé à faire inscrire son « coup de gueule » au mur de l'établissement. On pouvait y trouver ceux d'André Gill, de Rodolphe Salis, de Séverine, et même... d'Abélard. Un petit tramway, installé près de la porte d'entrée, transportait le public jusqu'à la salle de spectacle ; l'un des artistes dirigeait le convoi au moyen d'un petit drapeau rouge, semblable à ceux des chefs de gare. La Préfecture de police, jugeant l'emblème séditieux, fit fermer le Coup de gueule au bout d'un mois et demi.

Henri Martin, décorateur, transforma la maison en lui donnant l'aspect de l'ancienne abbaye de Montmartre, et le Conservatoire de Montmartre connut une ère de succès et de stabilité jusqu'à la mort de son directeur (1899). Il passa ensuite entre les mains de Gabrielle Bassy, puis d'une certaine Gaminette, qui coula complètement l'établissement en y attirant une clientèle « spéciale ». Jean Chagot, aidé de Yon-Lug*, essaya, mais sans succès, de ramener l'ancien public, puis partit fonder un « ersatz » du Chat-Noir*, tout en restant propriétaire du Conservatoire de Montmartre, dont il confia la direction à X. Privas* et à Gaston Dumestre. En 1902, ceux-ci, pour conjurer le sort qui semblait s'attacher à l'établissement, le rouvrirent sous le nom de cabaret de la Veine. Malgré les trèfles à quatre feuilles qui ornaient la maison et en dépit d'une troupe excellente, ce cabaret ferma définitivement ses portes au bout de quelques mois pour céder la place à un restaurant.

Conservatoire de la chanson (Petit). Créé en 1955 avec l'aide de l'O. R. T. F. par Mireille*, qui y enseigne et conseille de jeunes artistes, ce conservatoire est une « école » qui fonctionne chaque jour et donne des occasions de paraître en public. Les meilleurs élèves passent dans l'émission télévisée. Cette école a notamment été fréquentée par H. Aufray*, F. Hardy*, C. Magny*, Ricet-Barrier*, P. Vassiliu*. Pour les sélectionner, Mireille auditionne en France et à l'étranger environ 2 000 jeunes par an.

CONSTANTIN (Jean), auteur, compositeur, interprète (Paris 1926). En 1955, Annie Cordy crée une chanson un peu loufoque, au rythme entraînant, Jolie Fleur de papillon. L'auteur, J. Constantin, l'interprète aussi aux Trois-Baudets*, s'accompagnant au piano avec beaucoup de verve et de présence scénique. Mets deux thunes dans l' bastringue (créé par C. Sauvage*, 1955), les Pantoufles (1956) confirment le talent de J. Constantin pour découvrir la formule qui frappe et qu'on retient. Il passe à l'Olympia*, à Bobino* et continue d'écrire des succès (Mon manège à moi, - N. Glanzberg*).

CONTET (Henri), auteur (Anost, Saône-et-Loire, 1904). Après C'était une histoire d'amour (- J. Jal, 1941), H. Contet écrit quelques-uns des plus grands succès d'E. Piaf*, qu'il a rencontrée au studio où elle tournait Montmartre-sur-Seine : Y'a pas d'printemps (- M. Monnot*, 1943), Padam-Padam (- Glanzberg*, 1944). Y. Montand* a chanté Ma gosse ma p'tit' môme (- M. Monnot*, 1943).

Contrescarpe (la), cabaret contemporain situé place de la Contrescarpe, qui a participé à la chanson de style rive gauche* avec, notamment, G. Allwright*, M. Aubert*, C. Magny*, H. Martin*, F. Solleville*, A. Vanderlove*, etc. Avec le Cheval d'Or*, la Contrescarpe a contribué à susciter dans ce quartier pittoresque, situé au flanc de la montagne Sainte-Geneviève, une animation nocturne constituée par des cabarets, boîtes à chansons, petits bistrots, etc.

copain, vieux terme français remis à la mode dans la chanson par Gilbert Bécaud* (C'était mon copain, - L. Amade*, 1954; Salut les copains!, Heureusement y'a les copains, - P. Delanoë*, 1957, 1963) et adopté par le yéyé* pour désigner n'importe quel jeune. (Se retrouve dans le titre d'une émission de chansons de ce style [Europe n° 1*] et d'un journal pour jeunes fondé en 1962, Salut les copains.)

COQUATRIX (Bruno), auteur, compositeur (Ronchin, Nord, 1910). Il a écrit plus de 350 chansons (Mon ange, - J. Féline; Clopin-clopant, - P. Dudan*; Dans un coin de mon pays, - J. Féline). J. Pills* a interprété beaucoup de ses chansons (Mon cher vieux camarade Richard, 1943), ainsi que R. Lebas*, Lucienne Boyer*, T. Rossi*, G. et J. Sablon*, etc. On lui doit dix opérettes (les Pieds-Nickelés, - A. Hornez* et J. Valmy, par les Frères Jacques*; Monsieur Nanar, - J.-J. Vital, A. Hornez,

par Bourvil*; *Trois Faibles Femmes,*
- S. Veber, A. Hornez et J.-J. Rouff; etc.).
Il a pris la direction du music-hall* de
l'Olympia* en 1954.

COSMOS (Jean **Cauchat,** dit **Jean**),
auteur (Paris 1923). Écrivain de théâtre
(*le Manteau,* d'après Gogol), il est aussi
l'auteur de chansons comme *Dis-moi Jo*
(- H. Crolla*), *les Mômes de mon quartier*
(- B. Castella*), dont Yves Montand* a
rendu célèbres la finesse et l'humour.

COSTELEY (Guillaume), compositeur (Pont-
Audemer ? v. 1531 - Évreux 1606). Organiste des rois Charles IX et Henri III (1560-
1585), il était en outre « valet de chambre
du roi ». C'est l'un des derniers représen-
tants du style polyphonique*. Il a laissé
une production importante de chansons,

publiées en grande partie dans un recueil
qui contient plus de 100 chansons à 4, 5
et 6 voix (1570). Musicien de cour raffiné,
Costeley a mis en musique Ronsard* et
Desportes*.

Coucou, théâtre de chansonniers, 33, bd
Saint-Martin, fondé en 1921 par Jean
Marsac*. Le spectacle était composé de
tours de chant et terminé par une revue
d'actualité. On a pu y applaudir les jeunes
chansonniers de l'époque, qui sont devenus les grands de l'entre-deux-guerres
(Jean Rieux*, René Dorin*, Raymond Sou-
plex*, Augustin Martini*, Geo Charley,
Marc Hély, Philippe Olive*, etc.), ainsi
que les chansonniers de la génération présente (Jacques Provins*, R. Baillet*,
P. Gilbert*, René-Paul*, B. Lavalette*,
Jean Lacroix*, Jean Breton*, Robert

*Programme du Coucou
(1925).
Dessin de Noël-Noël.*

Dinel*, Robert Gamelin*, etc.). Jean Marsac ayant pris sa retraite, le Coucou s'est transformé en théâtre (1967).

COUCY (Regnault, dit **le Châtelain de**), trouvère (fin du XIIe ou début du XIIIe s.). On ne sait presque rien de lui, sinon qu'il mourut en mer en partant pour la quatrième croisade. Il a laissé trente-six chansons pleines de charme, dont *la Douce vois del rossignol sauvage* et *Quand li estés et la douce saisons.*

COULONGES (Georges), auteur (Lacanau-Ville 1923). Romancier, il a reçu le prix de l'Humour (1964) et le prix Alphonse-Allais (1966). Sa chanson *Escamillo*, créée en 1950 à Bordeaux par un M. Amont* encore inconnu, est bien dans cette veine amusante. Mais il est aussi l'auteur de chansons d'un tout autre ton, comme *Potemkine*, mis en musique et chanté par J. Ferrat* (1965, 450 000 disques vendus en un an), qui s'inspire de la célèbre révolte des marins russes à Odessa (1905). Ses vers ont l'aspect d'une confidence directe, d'une prise de position qui touchent l'auditeur (« M'en voudrez-vous beaucoup, si je vous dis un monde où l'on n'est pas toujours du côté du plus fort »), bien soutenues par la musique de J. Ferrat*. De même, avec *Un enfant quitte Paris* (- J. Ferrat), c'est la mise en question très simple de la civilisation moderne. On peut citer encore *la Fête aux copains* (1963), *la Chanson des pipeaux* (- J. Ferrat, 1965), *la Musique* (- Jack Ledru, par Patachou*, 1958), *Et une liberté* (- René-Louis Lafforgue*).

Coup de gueule. V. *Conservatoire de Montmartre.*

Coup de soleil, cabaret animé par Gilles* à Lausanne (Suisse) pendant et après la guerre (1940-1948). Il y fit entendre des chansons francophiles.

couplets, strophes poétiques racontant en général une histoire et séparées entre elles par le refrain*.

COUTÉ (Gaston-Eugène), chansonnier (Beaugency, Loiret, 1880 - Paris 1911). Fils d'un meunier, il monte à Paris et raconte à son père qu'il y a trouvé un emploi. En réalité, il disait des vers à Al' Tartaine, à l'Âne-Rouge*, etc., en recevant comme rémunération un café crème. En 1898, il décroche un véritable engagement aux Funambules, où *le Champ de naviots* le lance définitivement. Il s'est fait entendre dans la plupart des cabarets chantants : Conservatoire de Montmartre*, Quat'-z-Arts*, Noctambules*, Grenier de Gringoire, Carillon*, Truie-qui-file (dont il fut, avec Dominus et Gaston Dumestre, le co-directeur).

Mayol* a popularisé la *Chanson d'un gâs qui a mal tourné*, et Daniderff* a mis en musique les poèmes de Couté.

Couté débitait, avec l'accent de sa province, des satires âpres, fustigeant tous les faux bons sentiments.

crochet, concours réservé aux chanteurs amateurs, et qui peut être radiodiffusé. Les réactions du public entraînent l'élimination des candidats qui lui déplaisent. Des protestations assez nombreuses (cris, sifflets, etc.) conduisent à interrompre le tour de chant au milieu d'une chanson. Le candidat quitte alors la scène, parfois entraîné symboliquement par un « crochet » que manie l'animateur. Ces tournois d'amateurs ont eu un grand succès entre les deux guerres mondiales. Ils ont parfois servi d'épreuve d'essai à des vedettes qui se sont confirmées par la suite. La formule a pratiquement disparu.

CROLLA (Henri), auteur, compositeur (Naples 1920 - Paris 1960). Guitariste de jazz particulièrement doué, il a accompagné Y. Montand*, pour lequel il a écrit de nombreux succès, à la fois rythmés et proposant de belles mélodies, comme *Du soleil plein la tête* (- A. Hornez*), *Calcutti-Calcutta* (- Fabien Loris), *la Fille du boulanger* (- Trévières), dont il écrivait parfois les paroles (*Car je t'aime, Pour Pierrette et Pierrot*). Ses chefs-d'œuvre sont sans doute les chansons écrites avec Jacques Prévert* pour Y. Montand* : *Sanguine, le Cireur de souliers de Broadway* et le célèbre *Cri du cœur*, qui résumait tout le talent d'E. Piaf*.

† 9.2.75

DAC (André **Isaac,** dit **Pierre**), chansonnier, auteur, acteur, journaliste (Châlons-sur-Marne 1893). En 1917, à Fleury-sous-Douaumont, il crée sa première chanson, *la Victoire aux cheveux ras.* En mars 1926, à la Vache-Enragée*, il passe pour la première fois en public. *La Complainte froide* (1933), *Tyrolienne corse* (1935), *Je vais me faire chleuh* et *la Home Fleet* (1938) comptent parmi ses principales chansons. Le 13 mai 1938 paraît *l'Os à*

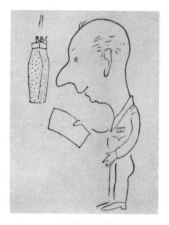

Pierre Dac. Dessin de Jean Oberlé.

moelle, organe officiel des loufoques. Pierre Dac en est le rédacteur en chef, entouré d'une équipe de chansonniers, écrivains et dessinateurs, qui, au cours de 108 numéros parus jusqu'au 31 mai 1940, se vouent avec un succès triomphal à la cause du *non-sens.* Cet humour absurde

reconquiert depuis quelques années une large audience. *L'Os à moelle* a reparu en 1964.

Pierre Dac est un inventeur et un pionnier de cette forme d'humour. Producteur à la radio des émissions *la S. D. L.* (Société des loufoques, 1937), *la Course au trésor* (1938), *le Parti d'en rire* (1949), il a participé de 1943 à 1944 à l'émission de la B. B. C. *Les Français parlent aux Français.* On se souvient de *la Défense élastique* et de … *a dit Lily Marlène,* qui furent de féroces parodies*.

DALÈS (Alexis), chansonnier (Metz 1813-? 1893). Il fut président des « Amis de la vigne » de Ménilmontant. A demi paralysé à quarante ans, il se comparait, en riant, à Scarron. Ses œuvres reflètent l'esprit et la gaieté : *l'Étudiant et la grisette, la Résurrection de Dagobert, le Retour de Nigaudin dans son village,* etc. On lui a faussement attribué une scie en vogue, *les Bottes de Bastien,* dont Eugène Imbert* a revendiqué la paternité.

Son frère Émile a publié un recueil de chansons patriotiques : *l'Arc-en-ciel de la liberté* (1831).

DALIDA (Yolande **Gigliotti,** dite), interprète (Le Caire, Égypte, 1933). Son père était premier violon à l'Opéra du Caire. Secrétaire (1951-1954), actrice, lauréate de concours de beauté en Égypte, elle vient à Paris pour essayer, sans succès, de devenir actrice de cinéma (1955). Elle se tourne vers la chanson, passe en cabaret (la Villa d'Este), puis à l'Olympia*. Remarquée par Lucien Morisse, directeur des programmes d'Europe n° 1*, elle commence, avec *Bambino* (1956), une carrière réussie. D'une voix au léger accent italien, elle interprète des succès populaires et tourne plusieurs films.

DAMIA (Maryse **Damien**, dite), interprète (Paris 1892). À dix-sept ans et demi, elle est la partenaire de Max-Dearly*, pour aller danser la « valse chaloupée » à Londres. Ses débuts de chanteuse ont lieu au concert de la Pépinière (1911), puis, un mois après, au Petit Casino, où elle apparaît frisée au petit fer, couverte de

Damia, par Foujita.

faux bijoux, dans une robe rouge à franges d'or. Elle quitte cette pacotille sur les conseils de Max-Dearly et de Sacha Guitry, qui lui dit : « Pourquoi, diable, vous habillez-vous en dompteuse de puces ? » Elle reprend le fourreau noir qu'elle portait pour la « valse chaloupée ». Cette tenue stricte l'oblige à modifier son

répertoire. Trois mois après, à l'Alhambra*, son nom commence à être mis en vedette. Par la suite, elle fera le tour de tous les établissements en vogue de Paris, ainsi que de nombreuses tournées à l'étranger. Ses succès sont très grands jusqu'en 1949, où les chansons noires commencent à paraître fades. On l'appelle la « tragédienne de la chanson ». Pour certains critiques, elle est même la « Sarah Bernhardt de la chanson », pour d'autres, la « Duse du music-hall ». Pendant la guerre 1914-1918, elle chante la mort qui rôde, avec *la Consigne* (d'Henry de Fleurigny), *la Garde de nuit*, du poète belge Jean Val. Elle chante la mer avec *les Goélands*, de Lucien Boyer*, plus de 3 000 fois. Elle crée le tour de chant du music-hall*, avec le sens d'une mise en scène qui passe pour révolutionnaire. Elle apparaît sur un fond noir, éclairée par un projecteur. Ces jeux de lumière lui ont sans doute été inspirés par ce qu'elle avait appris dans sa jeunesse, quand elle faisait partie de la troupe de la Loïe Fuller. Le genre de chanson qu'elle illustre est dramatique, sinon mélodramatique, mais elle sait « donner même à de pauvres textes la cadence même du cœur populaire » (Henri Béraud). *Fleurs de berge* (Jean Lorrain), *la Glu* et *les Deux Ménétriers* (Jean Richepin) sont d'un romantisme frelaté. Si *D'une prison* (Verlaine - Reynaldo Hahn) est aussi au répertoire de Damia, la critique a souvent pensé que la chanteuse a manqué, malgré tout, d'un répertoire à sa taille.

En 1943, Damia abandonne la chanson réaliste et la robe noire pour la valse, l'éventail et la robe blanche. En 1946, elle reprend son costume précédent. Damia a résumé sa carrière de chanteuse après son récital triomphal, salle Pleyel, et son tour de chant à l'Étoile, « Trente ans de chansons » (1949), dans l'expression « Trois robes et vingt poètes ».

Damia a joué au théâtre dans : *Gigolette* (1920), *la Fille Elisa* (1923), *le Procureur Hallers* (1925). Elle a tourné dans plusieurs films dont : *Napoléon* (Abel Gance), où elle symbolise *la Marseillaise* (1926) ; *Tu m'oublieras* (1930) ; *Remontons les Champs-Élysées* (de S. Guitry, 1936).

DANIDERFF (Fernand **Niquet,** dit **Léo**), compositeur (Angers 1878 - Rosny-sous-Bois 1943). Après des études musicales au conservatoire de Nantes, il fit ses débuts à Angers comme chef d'orchestre à l'Alcazar et organiste à Sainte-Thérèse. Il se fixa à Paris (1899), chanta au Carillon*, fut pianiste chez Bruant* et dans divers cabarets. Il mit en musique les poèmes de Gaston Couté*. Il abandonna ensuite Montmartre pour le caf' conc'; c'est pourquoi son catalogue est surtout composé de javas musettes, valses lentes et chansons sentimentales. Deux grands succès sont à son actif : *la Chaîne* (« Le soir où l'on s'est rencontré », Damia*, 1911) et *Sa robe blanche* (J. Lumière*, 1945).

danse. La chanson à danser profane n'apparaît qu'assez tardivement. La majorité des chansons des troubadours* étaient faites pour être écoutées (à part le *Kalenda Maya* de R. de Vaqueiras, improvisé sur la musique d'une estampie que deux vielleux venaient de jouer). Au XIIᵉ s., la carole est la première chanson à danser, puis le rondeau*, le virelai*, dont la forme fixe s'accommode des figures de la danse, avant qu'une polyphonie* aux rythmes complexes ne rende la danse pratiquement impossible sur ces chansons (fin XIVᵉ s.). Aussi, dès le XVᵉ s., on voit apparaître des versions instrumentales, destinées à la danse, prenant pour thème la trame mélodique de chansons polyphoniques en vogue (*Filles à marier*, d'après une chanson de Binchois*). Cette pratique ira en se généralisant. En 1588, Toinot Arbeau présente dans son *Orchésographie* les danses de son époque, la plupart étant issues de chansons; l'exemple le plus significatif étant le *Bransle couppé* nommé *Cassandre*, publié tout d'abord dans un recueil de *Noëls* de Christophle de Bordeaux (1581), servant ensuite à une chanson de Ronsard*, *Réponse de la Cassandre*, transformée en danse par Arbaud et revenant à la chanson pour servir de timbre* à *Vive Henri IV*. À la même époque, la danse et la chanson sont intimement liées dans le ballet de cour, dont le premier exemple est le *Ballet comique de la reyne*, représenté en 1581 et conçu par Balthazar de Beaujoyeulx, où des chansons mesurées accompagnent les danses. Cette formule trouvera son plein épanouissement sous Louis XIV, avec les ballets-mascarades de J.-B. Lully.

Au XVIIIᵉ s., si de nombreuses chansons furent écrites sur des structures chorégraphiques, les chansons parodiées emploient souvent des timbres de danses extraites d'opéras-ballets; les membres du Caveau* se sont servis souvent des danses des *Indes galantes*, de Rameau. Les ariettes des pièces du théâtre de la Foire ou des Italiens empruntent souvent des rythmes de danses en vogue : allemande, gavotte, branle, pavane, etc., avec une préférence pour le menuet. Dans *la Rosière de Salenci* (1769), Ch. S. Favart* adapte un poème sur la musique d'un menuet célèbre, composé en 1751 par André-Joseph Exaudet. Une expérience de ce genre, beaucoup moins heureuse, sera réalisée par Ladré* en 1790 avec l'adaptation du *Ça ira* à une contredanse instrumentale de Bécourt, *le Carillon national*.

Au XIXᵉ s., on ne compte pas les rondos, contredanses, galops, soit qui furent chantés, soit qui servirent de timbres* à des chansons. Le quadrille emprunte aussi souvent l'une de ses figures à la chanson; *les Bottes de Bastien*, d'E. Imbert*, gros succès populaire, sont employées par O. Métra pour l'une des figures du quadrille des *Lanciers*. Mais c'est la valse qui connaît le plus grand succès. Dès le début du café-concert*, les chanteurs « à voix » roucoulent des valses chantées en quantités innombrables : *le Temps des cerises* (Renard - J.-B. Clément*), *les Feuilles mortes* (Abadie*), *les Roses* (Métra), *la Valse des adieux* (Nadaud*), *Frou-frou* (Château), *Bonsoir m'amour* (Sablon*), etc.

La polka est réservée aux chansonnettes : *Mad'moiselle, écoutez-moi donc, Viens Poupoule, Polka des trottins*, etc., chansons créées par Mayol*, qui lance *la Mattchiche* (1905), danse qui fait fureur dans les bals populaires, relayés par les dancings au XXᵉ s.

Les rapports de la chanson et de la danse changent alors dans la mesure où la radio popularise rapidement des succès et accentue des phénomènes de mode. Jusqu'à la guerre de 1939, les rythmes des orchestres de jazz* (slow, fox-trot, onestep, shimmy, charleston), des orchestres « typiques » (cucaracha, rumba, samba, tango), des orchestres musettes (valse, boston, java, paso doble) sont aussi ceux qu'adoptent les chansons à la mode. Dans les bals musettes de la rue de Lappe ou dans les dancings aux noms exotiques (le Mikado) ou pittoresques (le Perroquet, Florence, Florida), on danse sur des airs de V. Scotto* (la Java bleue), de Bixio (le Chaland qui passe). On essaie de nouvelles danses amusantes (le Lambethwalk). Le dancing inspire J'aime tes grands yeux à J. Tranchant*, qui explique : « J'ai imaginé un couple, dix couples, cent couples emportés dans la pénombre d'un dancing où tout disparaissait, sauf le regard. » D'après Maurice Sachs, vers 1930, « le vrai dancing a des murs rouges laqués, des lanternes oranges et bleues, clair-obscur et mains pressées, à gauche orchestre de tango, à droite le jazz ». C'est l'ambiance amoureuse du dancing qu'évoquera trente ans plus tard, avec mélancolie, le Temps du tango (L. Ferré* - J.-R. Caussimon*).

Interdits pendant la guerre 1939-1944, des bals clandestins sont cependant organisés (la chanson les évoque : le Bal défendu). À la Libération, les bals publics reprennent et on danse sur la valse du Petit Vin blanc (J. Dréjac* - Borel-Clerc*). Depuis 1945, les bals réguliers (dancings, cabarets) ou occasionnels se sont développés de façon considérable. En 1966, il existait 2 000 orchestres de danse homologués par la S. A. C. E. M.* et on comptait environ 200 000 bals par an. Certains cabarets utilisent non pas un orchestre, mais un électrophone. Une chanson sur laquelle on peut danser bénéficie de droits d'auteur* intéressants. L'influence réciproque de la danse et de la chanson est plus que jamais importante. Portée par la radio, le disque, la télévision, une chanson à succès s'introduit immédiatement partout et elle devient aussi un succès de danse dans les bals publics comme dans les « surprisesparties », pour lesquelles on presse de nombreux disques de variétés*, que des « changeurs » mettent en place automatiquement sur les électrophones modernes. Sous l'influence du système de consommation, la chanson est tributaire de modes successives, souvent très rapprochées : on estime qu'il « faut » au moins une danse nouvelle chaque été, et il convient de fabriquer les chansons appropriées. Cette abondance n'est pas toujours bénéfique à la qualité des chansons, qui suivent les rythmes nouveaux dérivés du jazz (jitterburg, boogie-woogie, rock*, twist*, hullygully, hula-hoop, mashed-potatoes, madison, slop, snap, stake, mirliton, etc.), rythmes afro-cubains (bossa-nova, cha-chacha, merengue, tamouré, etc.), rythmes empruntés à des folklores étrangers (le letkiss vient de Laponie, le sirtaki de Grèce). Les paroles sont souvent un prétexte, un habillement sans intérêt esthétique ; elles sont parfois de franches parodies* (comme les rocks burlesques de B. Vian* et H. Salvador*, 1956), dont l'humour n'empêche pas le succès (le fameux cha-cha-cha de J. Constantin* les Pantoufles, 1956). Mais les jeunes auteurs-compositeurs ne dédaignent pas les rythmes plus traditionnels, comme Adamo* et son tango qui évoque le dancing (Vous permettez, Monsieur?, 1965), ou E. Macias* et sa valse musette les Millionnaires du dimanche (- M. Ayela et J. Demarny, 1967).

Bien des danses modernes éloignent les partenaires ; certaines exigent des qualités quasi athlétiques ; d'autres sont des canulars ; ainsi, dans la Bostella (1965), les danseurs se jetaient par terre les uns sur les autres. Mais tout peut se danser, les chansons à succès étant pliées aux rythmes à la mode s'il le faut, sans souci des paroles. On danse sur le Déserteur de B. Vian*, une ex-chanson maudite.

Les danses folkloriques, maintenues par des groupes régionaux ou recréées par le Ballet national populaire, sont en général agrémentées de paroles que les danseurs chantent tout en évoluant. En Bretagne, le fest-noz authentique se passe d'accompagnement instrumental, les danses étant chantées par deux coryphées, puis reprises en chœur. La chanson contemporaine s'inspire peu des danses folklo-

Danse : carole dans un verger (« le Roman de la Rose »). Miniature du XVᵉ s.
Bibliothèque nationale.

riques. On peut citer *la Sardane*, où C. Trenet* reprend le nom d'une danse catalane, mais sans en emprunter le rythme.

DARCIER (Joseph **Lemaire,** dit), interprète et compositeur (Paris 1819-1883). Tout d'abord comédien (1842-1845), il prit le même pseudonyme que sa sœur, brillante chanteuse de l'Opéra-Comique. Attiré par la musique, il travailla la composition avec Delsarte et abandonna le théâtre. Pour vivre, il dut, toute sa vie, accompagner ses camarades dans divers cabarets et goguettes*, et donner des leçons de musique. Quand les élèves manquaient, il se faisait placier en vins. Pourtant, Darcier a remporté de grands et légitimes succès en France et en Belgique en chantant tout d'abord les chansons de Pierre Dupont*, dont il fut l'interprète idéal, ensuite ses propres œuvres. Il a mis en musique nombre de ses contemporains, d'abord son ami Nadaud*, puis J.-B. Clément* (*Bonjour à la meunière*), Charles Gille* (*le Bataillon de la Moselle, la 32ᵉ Demi-Brigade*), Alexis Bouvier* (*la Canaille*), E. Hachin* (*la Tour Saint-Jacques*) ; il collabora aussi avec Th. de Banville, Murger, Bérat*, Festeau*, Colmance*, Ponsard*, Burani, abordant aussi bien la chansonnette, voire la gaudriole, que la romance*.

Darcier a fait représenter de nombreux opéras-comiques, comme *l'Enfant du tour de France* (Th. Beaumarchais, 1857), dont il était aussi l'interprète. Il y avait intercalé quelques chansons de compa-

Darcier. Portrait charge par Hadol (1859). Phot. Lauros.

gnonnage, qui firent le succès de la pièce.

Ses contemporains reconnurent les qualités d'interprète de Darcier. Th. Gautier le surnomme le « Frédéric Lemaître de la chanson », et, dans l'*Illustration* (avril 1849), un rédacteur le dépeint ainsi : « Il parle, déclame, gesticule, chante, surtout, avec une profondeur de sentiment si extraordinaire et une passion si vraie, que l'auditeur se sent emporté, comme Mazeppa, sur un coursier ardent et sans frein. » Par contre, Berlioz a émis quelques réserves sur le compositeur : « Darcier est certainement un bon musicien, nonobstant l'habitude qu'il a prise de traiter la mesure et le rythme à coups de pied... »

DARCIEUX (François, dit **Francisque**), compositeur (Saint-Genis-Laval 1880 - Clermont-Ferrand 1951). Il a recueilli et harmonisé quantité de noëls et vieilles chansons françaises, ainsi que des chansons pour les jeunes, en collaboration avec F. et X. Privas*. Il a terminé sa carrière comme directeur du conservatoire de Clermont-Ferrand.

DARNAL (Jean-Claude), auteur, compositeur, interprète (Douai 1929). Après des études à la Sorbonne, il est surveillant, secrétaire, professeur (et marin), puis il va en auto-stop jusqu'à Salonique (1953), car il a le goût des voyages. Il a aussi celui de la chanson et débute aux Trois-Baudets*. Sa traduction de *Toi qui disais*, son *Soudard* le mènent au succès. Le public aime ses mélodies (*Une petite chanson*), son goût de l'aventure (*le Tour du monde*). Il a animé des émissions de télévision (*les Jeux du jeudi*).

DATIN (Jacques), compositeur (Saint-Lô 1920). Il fait des études musicales (avec Casadesus). Philippe Clay* crée *Un fil sous les pattes* en 1953 (- H. Giraud). J. Datin compose ensuite de nombreuses chansons, le plus souvent en collaboration avec M. Vidalin*, interprétées par C. Renard* (*Zon, zon, zon*, 1956), M. Amont* (*Julie*, 1957), ou avec C. Nougaro*, qui chante *Une petite fille* (1953), *Je suis sous* (1965), etc. Ses mélodies sont faciles à retenir, mais jamais vulgaires.

DAUBRY (Paul **Jary**, dit Paul), chansonnier et revuiste (Le Mans 1871 - Paris 1933). Son père le destinait à Saint-Cyr. Il préféra la comédie et la musique. Nanti d'un prix de piano du Conservatoire, il alla jouer le drame aux Bouffes-du-Nord, fut ensuite pianiste accompagnateur au Divan japonais*, avant de se lancer dans la chanson à la Ville japonaise, au Caveau de la Gauloise, aux Adrets, au cabaret de la Butte.

Il se fit entendre aux soirées de la Plume*, avant de succéder à H. Sombre à la direction de l'auberge du Clou*. Il lança aux Décadents* ses *Chansons infâmes* et ses *Chansons frondeuses*. L'une d'entre elles, les Présidences de Casimir, jugée irrévérencieuse pour le nouveau président de la République (Casimir-Perier), fit fermer le cabaret des Décadents pendant quelques semaines. En 1899, une revue que Daubry avait signée avec Bercy* et Mévisto*, dans laquelle Paul Déroulède* était brocardé, déclencha aux Quat'-z-Arts* une expédition punitive de la Ligue des patriotes.

DEBRAUX (Paul Émile), chansonnier (Ancerville, Meuse, 1796 - Paris 1831). Fils d'un huissier, il passa son enfance en Lorraine et fit ses études à Paris au lycée Impérial. Dans deux chansons, Mon portrait, le Conscrit, Debraux prétendait que, malgré son âge, il aurait participé à la campagne de Russie. En 1818, il fut employé à la bibliothèque de la faculté de médecine de Paris. En 1826, il abandonna cette situation modeste pour se consacrer à la chanson. Béranger* devint son guide. Il traitait les mêmes sujets, en leur donnant une forme plus populaire. « Le peuple admira Béranger, un peu sur parole, écrit Pierre Larousse, il comprit et aima Debraux. » En 1818, dans une goguette*, Debraux acquit du premier coup la célébrité en chantant la Colonne. Dès lors, il sera jusqu'à sa mort le grand maître des goguettes, nombreuses à l'époque. En 1822, il publia un supplément à ses chansons, mais le recueil fut saisi, Debraux condamné à un an de prison et à 16 F d'amende. Il a laissé le récit de sa captivité dans le Voyage à Sainte-Pélagie (1823). Il mourut de tuberculose laryngée, et sa mort causa une véritable émotion dans les goguettes et les milieux populaires. Debraux a été, au moins autant que Béranger, l'artisan de la légende napoléonienne, avec des chansons comme Te souviens-tu, le Mont-Saint-Jean. Il a frondé les Bourbons avec le P'tit Mimile, la Liberté de la presse; mais il a laissé des chansons où se reflète son naturel insouciant et gai : le Chansonnier, la Grisette, Ne mourons pas et, surtout, Fanfan la Tulipe, dont le personnage a été popularisé grâce à Gérard Philipe dans le film de Christian Jaque (1951).

Les chansons de Debraux ont été réunies en 1836 et préfacées par Béranger.

Décadents (concert des), cabaret artistique (16 bis, rue Fontaine) fondé en 1893. Dès 1884, une brasserie intitulée « concert des Incohérents » avait été ouverte à cet endroit, avec des programmes de café-concert*. Le succès grandissant du Chat-Noir* incita le propriétaire, Carpentier, à fonder lui aussi un cabaret de même veine, dont la direction artistique fut confiée à Jules Jouy*. Il y présentait Delmet*, Marcel Legay*, Hyspa*, Armand Masson, Paul Daubry*, M. Lefebvre, G. Tiercy*. Passés sous la direction de Marguerite Duclerc, qui avait fait fortune au café-concert, où elle chantait travestie en Espagnole, les Décadents devinrent concert Duclerc (1896) et retournèrent à la formule caf' conc' en présentant May Belfort, sans autre talent que celui d'avoir inspiré une affiche à Toulouse-Lautrec, ainsi que d'autres numéros d'un goût douteux, dont un pendu, qui fit dénommer la salle « concert du Pendu », avant que cet établissement ne fermât définitivement ses portes.

DEGEYTER (Pierre **de Geyter,** dit), compositeur (Gand 1848 - Saint-Denis 1932). Fils d'ouvriers établis à Gand, il était tourneur et modeleur sur bois aux usines Fives-Lille. Il suivit les cours du conservatoire de cette ville en 1866. En 1888, Gustave Delory, maire de Lille, qui avait fondé la Lyre des travailleurs, société chorale, se réunissant à l'estaminet de la Liberté (rue de la Vignette), suggéra à Degeyter de mettre en musique des chansons de Pottier* qui venaient de paraître. Degeyter se mit au travail et composa, un dimanche, la musique de l'Internationale en s'aidant d'un harmonium. La chanson fut chantée en public à Lille en 1888 à la fête du syndicat des marchands de journaux. Devant son succès, en 1901, Adolphe Degeyter, frère de Pierre, prétendit en être l'auteur. Un procès en contrefaçon fut jugé au bénéfice d'Adolphe (1914), mais, pris de remords, avant de se pendre en 1915, lors de l'occupation allemande, Adolphe reconnut qu'il avait menti, et

Pierre Degeyter put faire casser le jugement (1922). En 1902, Degeyter avait quitté Lille pour Saint-Denis, où il termina ses jours et où on lui fit des obsèques

« L'Internationale ». Lithographie de Jonchères. Phot. Lauros.

grandioses. Une rue de Moscou porte son nom.

Degeyter a mis en musique d'autres chansons de Pottier (l'Insurgé, En avant la classe ouvrière), mais il a composé aussi des valses et des chansons sentimentales : l'Aéroplane, Inconsolée, Reine des fleurs, etc.

DELANOË (Pierre **Leroyer,** dit **Pierre**), auteur (Paris 1918). Il est, avec Louis Amade*, l'un des deux paroliers habituels de Gilbert Bécaud*, qui, dès 1946, met ses textes en musique. En 1953, Lucienne Boyer* crée Mes mains et, dès lors, le public va apprécier ses chansons, qui parlent à l'imagination, qui touchent la sensibilité : le Jour où la pluie viendra (1961), Et maintenant (1961), etc. Il a le don de la formule qui accroche l'attention,

créant des personnages attachants, une atmosphère bien mise en valeur par la musique de G. Bécaud (Nathalie, 1963 ; l'Orange, 1964). En 1965, à quelques mois des élections présidentielles, sa chanson consacrée au général de Gaulle (Tu le regretteras, - G. Bécaud) soulève des polémiques.

On lui doit d'autre part de bonnes traductions de chansons de l'auteur-compositeur américain Bob Dylan, qui, interprétées par Hugues Aufray*, participent à la mode du folksong* et redonnent la primauté au texte par rapport à l'orchestration ; il retrouve ainsi le vieux style des ballades* et complaintes* (Dieu est à nos côtés, la Mort solitaire de Hattie Carol, 1965). P. Delanoë a été directeur des programmes de la station radiophonique Europe n° 1* (1955-1960).

DELMET (Paul Julien), compositeur (Paris 1862-1904). À douze ans, on le mit en apprentissage chez un feuillagiste ; il y resta un jour et entra, à l'insu de ses parents, chez un graveur de musique. Dans le même temps, il était soprano à la maîtrise de Saint-Vincent-de-Paul. Sa voix, ayant mué, ne perdit rien de son charme et de sa pureté, malgré un noctambulisme acharné et des libations fréquentes. Entré au Chat-Noir* en 1886, il eut d'emblée un double succès, d'auteur et d'interprète, et se prodigua durant vingt ans dans les cabarets des deux rives, ainsi que dans les salons.

Les chansons de Delmet, tout en restant le symbole de la Belle Époque, sont encore chantées actuellement. Il fut le musicien de ces chansons restées célèbres : Envoi de fleurs (- Henri Bernard), Tout simplement (- M. Boukay*), les Petits Pavés (- Maurice Vaucaire*), la Petite Église (- Ch. Fallot*), Vous êtes si jolie (- Léon Suès), les Choux (- V. Meusy*), Une étoile d'amour (- Fallot), Stances à Manon (- Boukay), etc.

DELORME (Georges **Thiébost,** dit **Hugues**), chansonnier (Avize, Marne, 1868 - Paris 1942). Journaliste à Rouen, il débuta à Paris comme chansonnier au Carillon*, puis à la Roulotte*. Il a écrit quantité de couplets, réunis sous le titre de *Chansons en l'air,* pleins d'une verve gracieuse. Il se défendait d'être chansonnier sous prétexte qu'il chantait faux. Comédien à ses heures, il a créé le rôle du président dans la pièce de Courteline *Un client sérieux.* Il a écrit de nombreuses revues et vaudevilles.

DELORMEL (Lucien) [Paris 1847-1899] **et VILLEMER** (Germain **Girard,** dit **Gaston**) [Annonay ? - Paris 1892], auteurs. Après *Mon Oscar,* créé à l'Eldorado* par Mme Kaiser (1867), Delormel partit comme mobile à Châlons en 1870. Il y rima un poème, *Liberté,* que Mme Duguéret récita à la veille de Sedan à la Porte-Saint-Martin. L'accueil fut triomphal au point qu'il fut repris ensuite au Cirque d'Hiver et que l'argent rapporté par cette œuvre permit l'achat d'un canon, baptisé « Liberté ». Après la guerre, Delormel exploita le filon des chansons revanchardes, seul (*la Paysanne lorraine,* - Planquette) ou associé avec Villemer (*le Fils de l'Allemand,* - Paul Blétry ; *le Maître d'école alsacien,* - Benza). Villemer et Delormel furent pendant longtemps les frères siamois de la littérature des cafés-concerts* ; cependant, Villemer a signé avec Nazet *Alsace et Lorraine* (- Ben-Tayoux), *les Cuirassiers de Reichshoffen* (- Francis Chassaigne), tandis que Delormel s'est couvert d'une gloire internationale avec Garnier en écrivant *En revenant de la revue* (- Désormes), créé par Paulus* à l'Alcazar d'été* le 14 juillet 1886.

DEMANET (Hippolyte Joseph), chansonnier (Paris 1821 - La Bosse, Oise, 1892). Inspecteur de la Compagnie des omnibus de Paris, il composa ses chansons (près de 1 000 à son répertoire) en parcourant la ville. Il fréquentait beaucoup les goguettes* et a publié de nombreuses chansons républicaines avant 1852, dont la *Nouvelle Carmagnole,* qui eut un vif succès. Il mit ensuite sa muse au service de Napoléon III et composa une larmoyante *Complainte de Louis-Napoléon au tombeau de sa mère,* tout en rappelant les victoires de l' « Oncle » dans *Une ancienne de la vieille.* En 1853, au moment du mariage de l'empereur, courut une

chanson, *Badinguette,* qui était loin d'être à la gloire du ménage impérial. On en chercha vainement l'auteur. En 1872, à une époque où il était de bon ton de brocarder Badinguet, la chanson reparut sous la signature de Demanet.

Il a publié un roman, des pièces de théâtre et une très originale *Physiologie des omnibus.*

DÉROULÈDE (Paul), auteur (Paris 1846 - Nice 1914). Neveu d'Émile Augier, il abandonna des études de droit pour se consacrer à la littérature. Il publia des poésies sous le pseudonyme de Jean Rebel à la *Revue nationale* dès 1870. Engagé dans les zouaves durant la guerre, prisonnier, évadé, il fit les campagnes de la Loire et de l'Est, prit part à la répression de la Commune, où il fut blessé au bras en

Déroulède. Couverture du « Clairon », C. Joubert, éditeur. Phot. Lauros.

enlevant une barricade. Un accident à une jambe l'obligea à quitter l'armée. Dès lors, il milita pour la revanche, publia les *Chants du soldat* (1872) et les *Nouveaux Chants du soldat* (1875), dont deux chants, le Clairon (musique d'E. André) et le Bon Gîte (musique de Gustave Michiels), connurent une extraordinaire popularité. En 1882, il s'engagea à fond dans la lutte politique en fondant la Ligue des patriotes et le journal le Drapeau. Exilé par un arrêt de la Haute Cour après avoir tenté un coup d'État (1899), il passa six ans hors de France. Rodolphe Salis prétendait que Déroulède s'était fait construire un escalier uniquement composé de marches militaires, et Félix Fénéon a tracé de lui un portrait sévère : « Le poing aux Vosges, héroïque, se fait tuer tous les soirs vers 11 h 20 dans la baraque des impresarii forains qui montent des drames militaires. »

DÉSAUGIERS (Marc-Antoine), chansonnier et vaudevilliste (Fréjus 1772 - Paris 1827). La jeunesse de Désaugiers ressemble à un opéra-comique. Royaliste de conviction, il dut quitter la France au moment de la Révolution pour se réfugier chez sa sœur à Saint-Domingue, où il arriva en pleine insurrection. Prisonnier des Noirs, il réussit à s'échapper et s'embarqua sur un navire anglais faisant route vers les États-Unis. Il tomba gravement malade. Les marins le débarquèrent sur un coin de la côte, mais une dame compatissante le recueillit et le guérit. Il se rendit alors à Philadelphie, où, pour vivre, il donna des leçons de clavecin. La tourmente passée, il regagna la France en 1797, au moment où les Français, las de chanter des hymnes révolutionnaires, retrouvaient le goût de la chanson. Désaugiers fit alors représenter de nombreuses comédies à couplets, dont certains airs sont devenus de durables succès, comme Monsieur et Madame Denis ou les Souvenirs nocturnes de deux époux, que l'on chante encore à présent, et qui étaient le vaudeville* final d'une pièce, Monsieur et Madame Denis, ou la Veille de la Saint-Jean (Variétés, 1808).
En 1806, Capelle* ayant fondé le Caveau moderne, Désaugiers ne tarda pas à en être nommé président. En 1815, Louis XVIII lui confia la direction du Vaudeville, où, pendant dix ans, Désaugiers ne connut que des succès. En 1825, il commença à souffrir de calculs rénaux. On dut l'opérer, mais, après avoir supporté l'opération avec un grand courage, il expira sitôt remis dans son lit. Il avait pris la précaution de rédiger en vers son épithaphe :

> Ci gît hélas, sous cette pierre,
> Un bon vivant mort de la pierre.
> Passant, que tu sois Paul ou Pierre,
> Ne vas pas lui jeter la pierre.

Désaugiers reste le chansonnier de Paris. Il a décrit en chansons les différents quartiers de la capitale : les Halles, le Palais-Royal, Longchamp, Paris à 5 heures du matin, Paris à 5 heures du soir, Paris en miniature, etc.
Désaugiers est aussi le premier chansonnier de l'actualité ; il crée un personnage, Cadet Buteux, « passeu d' la Râpée » (descendant des personnages de Vadé*), qu'il envoie en reportage et qui chante en style poissard les événements ou les grandes premières théâtrales (Cadet Buteux à la Vestale, Cadet Buteux à l'enterrement de Mlle Raucourt, etc.).
Il avait reçu de son père, musicien disciple de l'école de Mannheim, une excellente éducation musicale, qu'il employa à écrire lui-même la musique de ses chansons. Il les chantait avec beaucoup de charme.
L'un de ses amis lui ayant demandé pourquoi il ne se présentait pas à l'Académie, Désaugiers fit cette réponse ambiguë : « Oh ! comme on rirait ! »

DESBORDES-VALMORE (Marceline Félicité Josèphe **Desbordes**, épouse **Valmore**, dite **Marceline**), auteur (Douai 1785 - Paris 1859). Sa famille ayant été ruinée par la Révolution, elle dut se faire actrice, mais ce sont ses poésies qui lui apportèrent la renommée. Sa première poésie, publiée en 1807, fut une romance*, le Billet (musique de Joseph-Henri Mees). Son premier recueil poétique (1819) comprend des élégies et des romances. Entre 1807 et 1838, ses vers inspirèrent une cinquantaine de compositeurs, dont Garat* et la Malibran. Il faut détacher de ce groupe Pauline Duchambge* : « Nous étions, a écrit Marceline, comme les deux tomes d'un même livre. »

DESFONTAINES. V. Radet.

DÉSORGUES, chansonnier († Paris 1808). Bossu et contrefait, il a composé des hymnes durant la Révolution, dont l'*Hymne à l'Être suprême*. Il chanta Bonaparte général et consul, mais, foncièrement républicain, il n'épargna pas l'Empereur. Il fit une chanson dont le refrain disait :

> Oui, le grand Napoléon
> Est un vrai caméléon.

Dénoncé, il fut arrêté et enfermé à Bicêtre comme fou. Il y mourut sans avoir voulu demander sa grâce.

DESPORTES (Philippe), auteur (Chartres 1546 - Paris 1606). Son œuvre profane comporte environ 600 poésies, dont beaucoup ont été mises en musique entre 1569 et 1650, plusieurs étant couronnées au concours musical du « Puy d'Évreux » : *Rozette, pour un peu d'absence* (- Du Caurroy*, 1575), *Mon Dieu, mon Dieu que j'ayme* (- Nicolas Mazouyer, 1582), *Las, je ne voirray plus* (- Denis Caignet, 1588), *Ceux qui peignent amour sans yeux* (- Jacques Péris, 1588). Si les poésies de Desportes ont été mises en musique par ses contemporains (Costeley*, Goudimel*, Pevernage, N. de La Grotte, Le Blanc, Sweelinck, Le Jeune*, Chardavoine*, A. Le Roy*, etc.), il est l'un des rares, avec Baïf et Ronsard*, qui ait tenté les compositeurs de la génération suivante (Bésard*, Bataille*, Boyer, L. de Rigaud, etc.), plusieurs compositeurs mettant en musique le même poème, comme *Que ferez-vous, dites, Madame?* (Chardavoine, Le Blanc et Bataille), *Las! que nous sommes misérables* (La Grotte, Le Roy et Chardavoine), *Blessé d'une playe inhumaine* (Beaulieu, Le Blanc, Le Jeune et Rigaud), etc.

DES PRÉS (Josquin), compositeur (Beaurevoir, Picardie, v. 1449 - Condé-sur-l'Escaut 1521). Il fit des études musicales à la collégiale Saint-Quentin et fut l'élève d'Ockeghem*. Il a été au service de Charles le Téméraire, puis des Sforza (Milan, 1474-1486). Chantre pontifical (Rome, 1486-1494), il aurait séjourné à Nancy vers 1493 à la cour de René II d'Anjou, duc de Lorraine. En 1499, il dirigea la chapelle musicale du duc de Ferrare, Hercule d'Este. À la mort de ce prince, il revint en France et aurait été maître de chapelle du roi Louis XII (1503-1515). Il termina sa carrière comme doyen de l'église collégiale de Condé-sur-l'Escaut.

Il était déjà considéré par ses contemporains comme le plus grand musicien de son temps. Martin Luther lui rendit hommage en écrivant que « les mélodies de Josquin

Josquin Des Prés, gravure sur bois, d'après une œuvre de la collégiale des Saints-Michel-et-Gudule, à Bruxelles.
Phot. Larousse.

s'élèvent libres comme le chant des pinsons » et qu'il « fait ce qu'il veut des notes, tandis que les autres font des notes ce qu'elles veulent... ». Pour la postérité, il demeure le plus grand polyphoniste français. La chanson occupe dans l'œuvre de Josquin une place considérable : plus de soixante-dix œuvres. Certaines sont écrites à 3 voix, selon la formule des polyphonistes du XVe s., mais Josquin s'évade des canons établis et compose pour 4, 5 et même 6 voix.

L'inspiration de Josquin est sensible, et presque toujours empreinte de gravité : *Cuers désolés, Mille regretz,* ou la très émouvante *Déploration de Johannès Ockeghem,* qui constitue le sommet de son œuvre chansonnière.

Il a souvent pris des chansons en vogue pour servir de thème à ses messes : deux chansons de Ockeghem (*Malheur me bat* et *D'ung aultre amer*) ; il se sert même de chansons joyeuses, voire gaillardes (*l'Amy Baudichon ma dame*, *l'Homme armé*), ou de folklore (*Una musque de Buschaia* [Pays basque]).

DESROUSSEAUX (Alexandre-Joachim), chansonnier (Lille 1820 - 1892). À six ans, il fut mis en apprentissage chez un tisserand, puis chez un tailleur, qui lui chantaient les chansons en vogue. À quinze ans, il savait à peine lire, mais la musique n'avait plus de secrets pour lui. Il fut professeur de musique et fonctionnaire, mais devint surtout une gloire lilloise en composant des *Chansons et Pasquilles lilloises*, réunies en 5 volumes, chansons dialectales inspirées par le peuple et composées pour lui. La plus célèbre, *le P'tit Quinquin*, est passée au folklore* lillois.

Deux-Ânes, cabaret artistique, 100, bd de Clichy. Après un essai de cabaret pour touristes, l'Araignée, monté par Constantin, il est transformé en cabaret chansonnier sous le titre les Truands, remplacé rapidement par le Porc-Épic, sous la direction de Maurice Mérall, accompagné d'une équipe de chansonniers, dont Saint-Granier*, Pierre Dac*, Gabaroche*. William Burtey succède à Mérall et baptise son cabaret l'Épatant. En 1921, André Dahl et Roger Ferréol*, commandités par le journal satirique *le Merle blanc*, fondent un cabaret dont ils n'arrivent pas à trouver le titre. « C'est que nous sommes deux ânes ! », s'écrient les directeurs : le titre était trouvé. La devise vint d'elle-même : « Bien braire et laisser dire. »
Le spectacle d'ouverture comportait les noms de J. Moy*, France Martis, Georges Merry, Tremolo ; ensuite on y vit Loulou Hégoburu, Paul Colline*, Koval, P. Clérouc, Marc Hély, René Dorin*, Dalio, Arletty, Jane Fusier-Gir, Noël-Noël*. Gassier y fit des caricatures express (1924). À la mort de Dahl, Ferréol dirigea seul les Deux-Ânes jusqu'en 1931. La direction passa ensuite à Henri Alibert*, puis, à la mort de ce dernier (1951), à Jean Herbert. Ce cabaret, toujours en activité, est le seul à monter des revues, interprétées par les chansonniers et par des comédiens en seconde partie du spectacle, la première étant réservée aux tours de chant. Tous les chansonniers de la génération actuelle sont passés aux Deux-Ânes, qui comptent parmi leurs pensionnaires : Pierre-Jean Vaillard*, Christian Vebel*, Daniel Mussy* et Pierre Gilbert*.

DHERVYL (Louis Étienne **Durafour**, dit **Fernand**), chansonnier (Lyon 1875 - 1918). Placier en quincaillerie, chansonnier amateur, il suivit les conseils de X. Privas*, quitta Lyon et la quincaillerie pour Paris et la chanson. Il débuta aux Quat'-z-Arts en 1897. Chansonnier de l'actualité, il ne connut pas la célébrité que ses chansons, toujours soignées et originales, auraient dû lui assurer, à cause d'une intense myopie, dont il se moquait avec esprit : « Si je porte des verres de couleur, disait-il, c'est pour voir les choses de la vie sous des couleurs plus gaies. » Pour vivre, il dut servir de « nègre »* à de nombreux confrères, moins myopes, mais moins doués.

DICKSON (Elias **Cohen**, dit **Henri**), interprète et compositeur (Tlemcen 1872 - Paris 1936). Il abandonna des études de médecine, commencées à Marseille, pour venir chanter dans les cabarets artistiques et les cafés-concerts* de la capitale. Spécialisé dans la chanson de charme (*Quand l'amour meurt*, *Nuits de Naples*, *Dernière Lettre*, *les Vieilles Larmes* [- Millandy]), il a été surnommé « l'Alfred de Musset du cabaret ». Il a composé la musique de chansons également sentimentales : *Je vous aime, et j'en meurs !* En 1908, il a dirigé les Folies-Royales, théâtre chansonnier donnant des revues déshabillées.

DINEL (Roger Albert **Boudinelle**, dit **Robert**), chansonnier (Sannois 1911). Il a débuté... en sana, où il occupait ses loisirs à composer des chansons pour distraire ses compagnons. Revenu chez lui, il quitte la compagnie d'assurances qui l'emploie et décide de se consacrer à la chanson. Il connaît des débuts difficiles : galas sordides en province et en Belgique.

Enfin, Marcel Lucas l'engage au Caveau de la République* (1943), où il « casse la baraque »* avec le Wagon de beurre. Il a fait ensuite une brillante carrière de chansonnier satirique avec 722 chansons d'actualité (à ce jour), sans compter la chanson de la semaine au Grenier de Montmartre*. Il a chanté simultanément aux Deux-Ânes*, au théâtre de Dix-Heures*, à la Lune-Rousse*, au Coucou* (dix-huit ans consécutifs), à Bobino*, à l'Européen*, au Petit Casino, à Pacra*, à l'Alhambra*, à la Gaîté et au Casino Montparnasse. Il a produit à la R.T.F. le Cabaret du soir, en collaboration avec Léo Campion*.

disque, support privilégié de la chanson contemporaine, dont il permet la diffusion par la radio.

Le poète Charles Cros* (membre des Hydropathes*) ne parvient pas à intéresser l'Académie des sciences à son paléophone (1877). C'est Thomas Edison qui réalise la première machine à enregistrer et à reproduire les sons, le phonographe (1878), perfectionné par Bell et Tainter (graphophone). L'enregistrement est effectué sur cylindres (carton recouvert d'une feuille d'étain, puis de cire végétale). On utilise le cylindre jusque vers 1914, mais, dès 1887, Berliner utilise un disque de zinc enduit de cire qui tourne sur un gra-

mophone (Etats-Unis). Les premiers disques commercialisés (1893) tournent à 78,26 tours à la minute. En France, les frères Pathé, à partir de 1894, fabriquent des cylindres dans leur usine de Chatou, puis des disques à partir de 1906. Après 1930, le disque à aiguille triomphe. En 1933, R. C. A.-Victor (États-Unis) édite un disque en résine vinylique à 33 tours 1/3 par minute. Columbia réalise un microsillon en 1948. L'Apothéose de Lully (Couperin) est le premier microsillon français (Oiseau-Lyre, 1949). Un microsillon peut contenir jusqu'à 100 sillons de 60 à 70 microns de largeur par centimètre. On n'utilise plus que les disques de 17 cm de diamètre (45 tr/mn), 25 ou 30 cm (33 1/3 tr/mn). Le disque tournant à 78 tr/mn a disparu (les anciens 78 tours deviennent objets de collection). Le 16 tr/mn n'a guère de succès.

En 1958, Erato et Decca perfectionnent en France la stéréophonie, qui donne l'illusion du « relief sonore ». En 1966, les microsillons dits « stéréo-compatibles » ou « gravure universelle » permettent l'écoute du même disque indifféremment en mono ou en stéréo.

L'enregistrement a toujours lieu désormais sur bande magnétique, qui, après montage et mixage s'il y a lieu, est utilisée pour graver au burin chauffé un disque original servant à fabriquer par galvano-

production des disques microsillons en France (en millions) [1]		nouveautés (nombre de « titres »)		chiffre d'affaires des disques en France [3] (en millions de francs)	
1956	18,5	1957	5 000	1959	190
1957	34,5	1958	6 292	1960	184
1958	30,5	1959	6 417		
1959	35	1960	7 847	1961	190
1960	32	1961	6 176	1962	240
1961	35	1962	5 749		
1962	40	1963	6 612	1963	300
1963	43	1964	7 871	1964	320
1964	48	1965	7 436		
1965	48	1966	7 708	1965	328
1966	43	1967	6 271[2]	1966	272

[1] Les disques de variétés constituent 85 % de cette production.
[2] On a produit 3 060 disques de chansons en 1966 et 2 829 en 1967.
[2] Du producteur au revendeur, T. V. A. incluse.

plastie les matrices de pressage. Il existe en France (1967) environ 300 marques ou étiquettes, regroupées en une centaine de sociétés de production de disques. Les éditions Barclay, Decca, Pathé-Marconi, Philips et Vogue se partagent 80 p. 100 du marché français, les quatre dernières de ces firmes étant éditeurs fabricants. Les autres sociétés font presser leurs disques soit chez ces éditeurs fabricants, soit dans des usines de pressage (il en existe une vingtaine en France). La diffusion est assurée par 4 000 points de vente environ, mais 300 disquaires réalisent 80 p. 100 du chiffre total des ventes. En France, 37,5 p. 100 des foyers possèdent un électrophone (1967), la vente des appareils stéréophoniques restant peu importante. Les enregistrements de chansons sur bande magnétique (« cassettes ») sont commercialisés en 1966. À partir de 1967, beaucoup de jeunes enregistrent sur magnétophone leurs chansons préférées. Le disque risque-t-il de perdre sa suprématie ? En 1967, le Marché international du disque et de l'édition musicale (M. I. D. E. M.) a été créé pour faciliter pendant une semaine les échanges internationaux. En 1968, il a réuni 3 000 participants venus de 40 pays. 400 vedettes* y ont présenté 4 000 chansons.

Une chanson dont le succès a été suscité par la radio entraîne la vente de 100 000 exemplaires d'un disque 45 tours. On vend 100 000 exemplaires d'un disque 33 tours d'une grande vedette* comme J. Brel*, et 350 000 à 400 000 exemplaires d'un de ses disques 45 tours. Certains grands succès ont atteint 800 000 exemplaires, très peu ont dépassé le million (par exemple, la Mamma, C. Aznavour* - R. Gall).

Le disque 78 tr/mn avait imposé aux chansons une durée de 2 à 3 mn. Le microsillon 33 tr/mn, 30 cm, peut offrir 30 mn d'audition par face, et les chansons peuvent de nouveau dépasser les 3 mn, durée arbitraire, plus courte que la tradition. La chanson française a été influencée par les progrès des techniques d'enregistrement (trucages, écho, surimpression, re-recording*, play-back*, etc.), par le quasi-monopole de la diffusion de la chanson par le disque et la radio, par le caractère industriel de la production et les liens internationaux des grandes marques, accentuant les phénomènes de mode. Pratiquement, la chanson française n'existe plus si elle n'est pas enregistrée.

L'enregistrement d'une chanson, puis la campagne publicitaire en faveur de la vedette mettent en jeu un grand nombre de personnes : l'auteur*, le compositeur*, l'interprète, l'impresario*, l'éditeur, le directeur artistique, le directeur commercial de la firme de disques et de multiples secrétaires avant même l'enregistrement, puis l'ingénieur du son et l'assistant technique, l'orchestrateur-chef d'orchestre et ses musiciens, les photographes (intérieur et extérieur), les responsables du service de presse, de la publicité, divers techniciens (pressage du disque, pochette imprimée), des critiques, des disquaires, le personnel de la radio, de la télévision (techniciens, animateurs, programmateurs, etc.). À l'autre bout de la chaîne, un auditeur qui achète le disque, produit de consommation.

DISTEL (Sacha), compositeur et interprète (Paris 1933), neveu de Ray Ventura*. Guitariste renommé (prix du tournoi des amateurs de jazz, 1950 ; premier guitariste français au référendum du jazz, 1953). Son coup d'essai dans la chanson est un coup de maître (1958). Avec Maurice Tézé, dans l'avion qui les mène à Alger pour un gala, il écrit Scoubidou, dont les paroles, savamment farfelues, sont liées, sans qu'on sache pourquoi, à une mode peu banale : on tresse des fils de plastique baptisés « scoubidous ».

Sympathique, doué d'une bonne présence scénique, ayant le sens du rythme, il fait carrière avec un répertoire léger, souriant, où il se met parfois lui-même en scène (Oh quelle nuit !, Personnalités, 1959 ; Mon beau chapeau, 1961 ; Scandale dans la famille, 1965). M. Tézé écrit presque toujours les paroles, Sacha Distel ou G. Gustin la musique, sauf pour les adaptations étrangères. Prix Charles-Cros (1960), prix du Disque (1962), il présente quatre fois par an son Sacha Show à la télévision. Il a tourné pour le cinéma.

*Le **Divan japonais**. Affiche de Toulouse-Lautrec. Musée d'Albi.* Phot. Giraudon.

Divan japonais, café-concert*, 75, rue des Martyrs. Ancien Café de la Chanson, modeste beuglant* établi sur l'emplacement du bal Brunet et tenu par Rossignol, puis par Lefort, qui le baptisa Divan japo-nais et y donna un festival O. Métra (qui était un pilier de la maison). Jean Sarrazin, marchand d'olives de son état, reprit le Divan (1888), et, tout en vendant ses olives aux habitués, tenta, mais sans succès d'y fonder une goguette*. Le café-concert reprit ses droits avec Marcel Legay* et Yvette Guilbert* comme vedettes. Au départ de celle-ci pour le Concert parisien (1892), le Divan passa entre les mains d'Édouard Fournier et de Maxime Lisbonne (1893). Durant cette direction, le Divan fut baptisé « Concert Lisbonne », et représenta quelques revues à succès : *la Revue du colonel* (Varney* et Sainville), *l'Empereur des dos* (Oscar Méténier) et surtout *le Coucher d'Yvette* (Verdelet et Arnaud, 1894), que l'on peut considérer comme un spectacle précurseur du strip-tease. En 1895, le Concert Lisbonne redevint le Divan japonais sous la direction de Gaston Habrekorn, qui l'orienta vers des « chansons sensuelles », débitées par Flavy d'Orange. On put y applaudir Dranem*. En 1900, Ruez succéda à Habrekorn, puis le Divan japonais disparut, devint un petit théâtre qui prit le nom de « Comédie mondaine » avant d'être transformé en cinéma.

Dix-Heures (théâtre de), cabaret artistique, 36, bd de Clichy. Dans le local laissé vacant par le départ de la Lune-Rousse* s'installa tout d'abord la Chaumière, cabaret fondé en 1915 par Paul Weil* et Victor Tourtal*. Y chantèrent (en plus des directeurs) Mauricet*, Martini*, Jean Rieux*, J. Ferny*, M. Herbert*, Noël-Noël*, René Dorin*, G. Chepfer*, etc. La Chaumière avait conservé la tradition chatnoiresque : des revues alternant avec des pièces d'ombres. Une communion, rendue parfaite par l'absence de scène, existait entre le public et les interprètes, qu'un estaminet ouvert au public et aux chansonniers venait encore renforcer. En 1923, Léonce Paco en prit la direction et y donna des spectacles assez hétéroclites, où alternaient des valeurs sûres comme Ferny, Bastia*, Marinier*, Chepfer et des sketches d'un goût douteux.
En 1925, Roger Ferréol*, qui avait dirigé avec succès les Deux-Ânes*, transforma la Chaumière en « mas provençal » (Ferréol était marseillais) et voulut y réaliser une idée émise par Courteline dans *les Linottes : un théâtre qui n'ouvrirait qu'à 10 heures du soir. Dans le roman de

Courteline, cette tentative aboutit à un échec, tandis que cette formule obtint d'emblée un vif succès auprès du public parisien. Le premier programme comportait les noms de Noël-Noël, Martini, Goupil, France Martis, V. Vallier, P. Colline*, Jean Maugier, accompagnés au piano par Paul Maye. Le spectacle se terminait par une revue de Colline et Jean Deyrmon : *À la bonne heure !* Ferréol obligea les chansonniers du théâtre de Dix-Heures à paraître en smoking devant le public. Après la guerre de 1939, Raoul Arnaud succéda à Ferréol et donna un nouvel élan au théâtre de Dix-Heures en faisant débuter la génération actuelle des chansonniers : Grello*, Rocca*, Max Régnier, Jacques Cathy*, Jean Breton*, Maurice Horgues*, Jean Amadou*, Michel Méry*, R. Gamelin*, Robert Dinel*, Raymond Baillet*, Bernard Lavalette*, etc.
Poiret et Serrault y firent leur numéro, et Henri Tisot y créa son sketche dédié à « Qui-vous-savez ».
Le théâtre de Dix-Heures continue vaillamment sa carrière depuis plus de quarante ans. À la mort de R. Arnaud (1967), sa femme, Oléo, en a pris la direction.

Dominicale (la), société chansonnière fondée au XVIIIᵉ s. par le chirurgien Louis, qui rassemblait le dimanche, après dîner, les débris du second Caveau*. Cette société fut la seule à inviter des femmes à ses réunions. Sophie Arnould y chanta des œuvres des chansonniers de l'époque. La Dominicale se dispersa au moment de la Révolution.

DONNAY (Charles Maurice), auteur (Paris 1859 - 1945). Sorti en 1885 de l'École centrale des arts et manufactures avec le diplôme d'ingénieur, il trouva un emploi chez un marchand de fer. Il envoyait des manuscrits au *Chat-Noir* (l'hebdomadaire publié par le cabaret). Un secrétaire de rédaction les jetait au panier sans les lire. Donnay s'en fut se plaindre à Rodolphe Salis, qui le pria de réciter lui-même ses poésies dans son cabaret. Une nouvelle carrière commençait avec un succès tel que, devenu auteur dramatique, il fut élu à l'Académie française au fauteuil d'Albert Sorel (1907). Maurice Donnay célébra l'éclectisme des suffrages de l'illustre compagnie, « où un inventeur de divertissements peut succéder à un historien considérable ». Il était président d'honneur de l'Amicale des chansonniers. Plusieurs de ses poèmes furent mis en musique par Marie Krysinska* et par Paul Delmet*.

DORIN (René), chansonnier et auteur dramatique (La Rochelle, 1891). Il a commencé au lycée par chansonner ses camarades et ses professeurs. Destiné au notariat, il jeta rapidement le Code aux orties et commença par gagner sa vie comme

**René Dorin,
vu par Pol Ferjac.**
Phot. Lauros.

violoniste. Mobilisé en 1914 au 119e régiment d'infanterie, il interprète une chanson de sa composition, le Pot-au-Feu, sur l'air du régiment. De 1914 à 1918, il chante pour ses camarades des chansons recueillies sous le titre de Chansons poilues. Démobilisé, Gabaroche* l'encourage à venir chanter à Paris. Après de nombreuses auditions, il obtient de passer à la Boîte à Fursy* (1920). René Dorin a chanté ensuite dans tous les cabarets de Montmartre : Lune-Rousse*, Œil de Paris, Coucou*, Caveau de la République*, Caricature* (qu'il fonda avec Ferréol*), Deux-Ânes*. Il fut le premier chansonnier montmartrois à affronter le public du music-hall* : Olympia*, Empire*, Européen*. Il a écrit de nombreuses revues, et des comédies pour l'Athénée, le théâtre Michel, les

Nouveautés, les Capucines, les Variétés, pour lesquelles il eut pendant longtemps l'exclusivité des revues après le succès de Vive la France !, qui dura un an (v. 1930). « René Dorin s'est fait le porte-parole du Français moyen ; ses ennuis lui ont inspiré des pages d'un humour et d'une saveur pleins de bon sens. » (A. Warnod.)
Principales chansons : les Clous, Nuances, Pourquoi pas?, le Parisien conscient et organisé, Je nous aime, Ah! les salauds, On est inquiets, auxquelles il faut ajouter un poème plein de tendresse désabusée, Vieux Ménage. Dorin a publié 64 de ses chansons dans un recueil, Pourquoi pas?, et, sous le titre 50 Ans de récréation, il a raconté ses souvenirs.

DORIN (Françoise), auteur (Paris), fille du précédent. Elle est d'abord comédienne (pièces de Georges Arnaud, d'Armand Salacrou), puis elle écrit des chansons pour le numéro des « Filles à papa » (avec Suzanne Gabriello et Perrette Souplex, autres filles de chansonniers). Colette Deréal enregistre sa Lettre à Véronique (- C. Rolland*), et C. Aznavour* Que c'est triste Venise, le Repos de la guerrière. Elle est l'auteur de plus de 250 chansons (la Danse de Zorba, Dieu! que ça lui ressemble, etc.). Elle a écrit deux comédies musicales, le Petit Chaperon rouge (- M. Emer*), Cendrillon (- G. Garvarentz*), des romans, des pièces de théâtre.

DOUAI (Gaston **Tanchon**, dit **Jacques**), compositeur, interprète (Douai 1920). Son importance dans la chanson contemporaine vient de ses qualités d'interprète (pureté de la voix, technique vocale), du style qu'il a créé, de son action en faveur de la chanson.
Après de solides études musicales, il a la révélation du folklore* au contact de L. Chancerel, C. Geoffray et de la Compagnie Grenier-Hussenot. Il dirige des chorales, fait du théâtre, de la danse, se passionne pour la culture populaire (comme il déclare « s'occuper de culture », un employé de mairie lui délivre un jour, pendant la guerre, une carte d'alimentation de « travailleur de force »...). Il chante en s'accompagnant à la guitare et

Jacques Douai
(1966).
Doc. B. A. M.
Phot.
R. Nusimovici.

débute en 1947 Chez Pomme*, qui le baptise du nom de sa ville natale. Venu pour chanter un soir, il passe pendant deux ans dans ce cabaret, où il crée *les Feuilles mortes* (Prévert* - Kosma*). Dès lors, il participe au renouvellement de la chanson de qualité (style « rive gauche* »), inaugure l'Échelle de Jacob* et Chez Gilles*, chante au Quod libet*, à la Rose-Rouge*, etc. Francis Claude* l'engage à la radio pour des émissions où il chante chaque semaine pendant trois ans. Mais, malade, il doit quitter la scène (1951-1954). À son retour, avec ses *Chansons anciennes et modernes*, il obtient le prix Charles-Cros et recommence une carrière brillante. Avec la Frairie (groupe de danse que dirige sa femme, Thérèse Palau), il chante pendant 95 représen-

tations (Petit Marigny, 1957), puis en 1959 pendant trois mois; il obtient un prix international du Disque avec le Ballet populaire en 1962, fête ses quinze ans de chansons au Vieux-Colombier et à la Mutualité (1964), et continue de chanter en France et à l'étranger.

Il représente la chanson française de toutes les époques, son répertoire étant d'une qualité poétique sans faille : *File la laine* (R. Marcy*), *le Bateau espagnol* (L. Ferré*), *Maintenant que la jeunesse* (Aragon* - Léonardi*). Il a repris des chansons du siècle précédent (*Va danser*, G. Couté*), mis en chansons des poèmes de L. Aragon*, R. Desnos*, M. Jacob, T. Klingsor, etc.

Animateur débordant d'activité, il a fondé avec sa femme le Ballet national populaire

90

(1960). Il dirige l'association « Chants et Danses de France » (qui forme des animateurs culturels), le « Théâtre populaire de la chanson* », une Maison de la culture (Sceaux).

DRANEM (Armand **Ménard,** dit), interprète (Paris 1869 - 1935). Fils d'un ouvrier bijoutier, il obtient le succès dans les concerts d'amateurs, ce qui décide de sa carrière. En 1894, il est engagé comme « chanteur comique genre Polin* » à l'Électric-Concert du Champ-de-Mars. Il entre bientôt à l'Époque*, puis au Divan japonais*, où, dans une revue, le Nouveau jeu, d'Henry Moreau, il joue une demi-douzaine de rôles, tous comiques, ce qui lui vaut un engagement en vedette au Concert parisien*. Mais c'est en 1900, à l'Eldorado*, qu'il crée un genre bien à lui, que l'on étiquette « comique-comique ». Il se présentait à la scène comme un homme poursuivi, le chapeau de marin américain couvrant une tête chauve comme un œuf, la jaquette étriquée, les pantalons à carreaux, trop larges, découvrant d'énormes chaussures sans lacets, la figure maquillée (joues et nez rouges, lèvres blanches). Comme surpris par l'orchestre, il chantait les yeux fermés, qu'il n'ouvrait que pour simuler la frayeur, après avoir débité une énormité.
Ah! les p'tits pois..., J'suis l'fils d'un gniaf, J'ai deux quetschiers dans mon jardin et le Trou de mon quai comptent parmi les succès d'une multitude de chansons volontairement bêtes que Dranem a créées. L'homme était par ailleurs un artiste complet. Antoine, directeur de l'Odéon, lui fit jouer en 1910 le Médecin malgré lui. Après avoir créé un type original au café-concert*, Dranem abandonna le tour de chant pour le théâtre (1920), puis pour l'opérette (1921) : Là-haut, la Dame en décolleté, En chemyse, Phi-Phi; enfin, il tourna dans plusieurs films. Il écrivit un roman, Une riche nature. Dranem, mutualiste fervent, a fondé la maison de retraite des artistes lyriques de Pont-aux-Dames.

DRÉJAC (Jean **Brun,** dit **Jean**), auteur, compositeur, interprète (Grenoble 1921). Il vient à Paris en 1938 et participe au Music-Hall des jeunes, que Jean Tranchant* anime aux Ambassadeurs*; il chante à Radio-Cité et suit des cours de comédie chez René Simon. Une vingtaine d'années après, devenu un auteur-compositeur à succès, il redeviendra interprète, enregistrant ses principales chansons d'une voix très agréable (Papa est un poète, les Enfants de Gennevilliers). Mais on connaît surtout ses œuvres enregistrées par d'autres. À la Libération, la France entière chante son Petit Vin blanc (- Borel-Clerc*), « qu'on boit sous la tonnelle, quand les filles sont belles, du côté de Nogent ». Juliette Gréco* mène sa Cuisine au succès. D'une poésie simple, légère, ironique parfois, son œuvre comprend aussi des chansons plus violentes, inspirées par les réalités politiques (Octobre, - Philippe-Gérard*, inspiré par la révolution russe de 1917).

droit d'auteur. Il est reconnu et protégé par la loi du 11 mars 1957 sur la propriété littéraire et artistique, qui a repris et développé la législation antérieure élaborée dès la Révolution (lois de 1791 et 1793). Les chansons font partie des œuvres protégées. L'auteur jouit d'un droit de propriété exclusif de son œuvre, lui permettant de l'exploiter sous quelque forme que ce soit et d'en tirer un profit pécuniaire. « Ce droit comporte des attributs d'ordre intellectuel et moral, et des attributs d'ordre patrimonial. » Les héritiers de l'auteur jouissent de la propriété pendant cinquante ans à dater du 1er janvier qui suit le décès; la durée des deux guerres mondiales n'entre pas en compte. En ce qui concerne les chansons, la quasi-totalité des auteurs français a chargé la Société des auteurs, compositeurs et éditeurs de musique* (S. A. C. E. M.) d'accorder les autorisations préalables et de percevoir les droits d'exécution publique; la Société* pour l'administration du droit de reproduction mécanique des auteurs, compositeurs et éditeurs* (S. D. R. M.) perçoit les droits concernant l'enregistrement des œuvres par quelque moyen que ce soit. La répartition des droits est toujours faite à parts égales entre l'auteur, le compositeur et l'éditeur s'il y a lieu.

La France a signé la Convention internationale de Berne sur la protection du droit d'auteur (1886), soumise à des révisions périodiques, dont les plus récentes ont eu lieu en 1948 à Bruxelles et en 1967 à Stockholm. Certains pays ne font pas partie de cette convention (ainsi les États-Unis, l'U. R. S. S.).

Dessin de Bellus illustrant le « Guide du droit d'auteur », publié par la S.A.C.E.M. en 1962. Phot. Larousse.

Le droit d'auteur peut être considéré comme un salaire différé : « On dit aux foyers des théâtres qu'il n'est pas noble aux auteurs de plaider pour le vil intérêt, eux qui se piquent de prétendre à la gloire. On a raison, la gloire est attrayante, mais on oublie que, pour en jouir seulement une année, la nature nous condamne à dîner 365 fois. » (Beaumarchais.)

DROUET (Louis François Philippe), flûtiste et compositeur (Amsterdam 1792 - Berne 1873). Fils d'un barbier français établi en Hollande, il fut successivement flûtiste du roi de Hollande Louis Bonaparte (1808), à la cour de Napoléon (1811) et premier flûtiste de la cour de Louis XVIII (1814). Secrétaire musical d'Hortense de Beauharnais, il a revendiqué la paternité musicale de *Partant pour la Syrie*, romance* attribuée à la reine Hortense, dont les paroles sont d'Alexandre de Laborde. Drouet a été ensuite au service de Pauline Bona-

parte, chargé de composer les romances que signait cette princesse.

DUBAS (Marie), interprète (Paris 1894). Après des études d'art dramatique au Conservatoire (P. Mounet), M. Dubas débute au théâtre (Esmeralda de *Notre-Dame de Paris*), suit des cours de chant et commence une carrière de chanteuse d'opérettes (1923, Messager), qu'elle interrompt à la suite d'un accident vocal (1927). P. Wolf lui demande d'illustrer ses conférences sur la chanson par des œuvres anciennes; elle retrouve alors sa voix et décide de se consacrer au tour de chant. P. Franck l'engage à l'Olympia* (*Pedro*, de Jey et Rodor) et elle connaît un succès rapide (Casino de Paris*, 1928; vedette de la revue *Sex-Appeal Paris 32* aux Folies-Bergère*; tous les grands music-halls*).

Elle apporte un ton nouveau dans la chanson, chantant, dansant, intercalant chansons réalistes et comiques, poèmes sur fond musical (*la Charlotte*), chansons folkloriques, sur les conseils d'Y. Guilbert* (*la Femme du roulier*), mélodies classiques (M. Rosenthal). Elle inaugure la formule du récital (Champs-Élysées, 1933). On s'inspire de son style : « Je dois beaucoup à Marie Dubas. Elle a été mon modèle, l'exemple que j'ai voulu suivre, et c'est elle qui m'a révélé ce qu'est une artiste de la chanson », écrit E. Piaf*, qui était allée, à ses débuts, l'écouter pendant quatorze représentations consécutives. Colette nous parle de sa présence en scène : « Il est patent que cette jeune femme, belle comme un tison, compose une chanson avec une lucidité de peintre ardent. » Elle crée *le Doux Caboulot* (F. Carco* - Larmanjeat), *Mon légionnaire* (R. Asso* - M. Monnot*, 1936) et continue sa carrière après la guerre (A B C*, 1945), assurant, avec Damia*, la réouverture de l'Olympia* (1955). Malade, elle doit interrompre en 1958 une carrière exemplaire qui a duré trente ans.

DU CAURROY (Eustache), compositeur (Beauvais 1549 - Paris 1609). Chantre (1575), puis sous-maître à la chapelle royale (1578) et compositeur de la chambre du roi, il cumula les situations à bénéfice. Installé comme prieur conventuel à Saint-Ayoul de Provins, il suivit de près le mouvement musical et poétique de l'Académie* fondée par Baïf. Ses œuvres ont été couronnées trois fois au concours musical du Puy d'Evreux (1575, 1576, 1583). Malgré tout cela, la soixantaine de chansons qu'il a publiées n'apportent pas grand-chose et sont en retard musicalement sur leur époque. Il passe pour avoir corrigé l'inspiration d'Henri IV (Charmante Gabrielle). Il a surtout adapté la première mouture du Vive Henri IV, dont la source musicale se trouve dans un recueil de noëls de Christophle de Bordeaux (1581).

DUCHAMBGE (Antoinette Paule **de Montet,** épouse), compositrice (La Martinique 1778 - Paris 1858). Née dans une famille noble et riche, elle considéra d'abord la musique comme un délassement. Puis, en 1800, ayant divorcé d'avec le baron Duchambge, elle envisagea de se servir de son talent pour gagner sa vie. Elle travailla avec Cherubini, puis avec Auber. Elle composa quelque trois cents romances*, qui furent tirées à des milliers d'exemplaires. C'est dans les poésies de Marceline Desbordes - Valmore* que Pauline Duchambge, écrit Sainte - Beuve, « trouva les airs les plus agréables, les plus chers au cœur et les mieux assortis ». Cependant, la chanson les Goélands (poème de Brizeux) est son chef-d'œuvre et elle peut rivaliser avec les plus grands succès actuels.

DUCREUX (Louis), auteur, compositeur (Marseille 1911). Il a mené une carrière d'auteur dramatique (la Part du feu), d'acteur, de metteur en scène (directeur de l'Opéra de Marseille de 1961 à 1965, de l'Opéra de Monte-Carlo à partir de 1965). André Baugé crée sa première chanson à la radio en 1938 (Une maison). Par la suite, Jeanne Dorival, puis Michèle Arnaud* rendront célèbre l'une des plus belles chansons françaises, l'Odeur des roses (La rue s'allume), en 1952. Sur des thèmes d'Oscar Strauss, il a écrit la Ronde (pour le film d'Ophuls, 1952), L'amour

m'emporte. Il montre dans certaines œuvres un humour caustique des plus efficaces (T'en fais pas, mon amour).

DUDAN (Pierre), auteur, compositeur, interprète (Moscou 1916), d'origine Suisse. Il fait des études supérieures à Lausanne. Il est doué pour l'art dramatique (théâtre, cinéma [36 films]), le music-hall* et la chanson. Il est pianiste de bar et chante au Bœuf sur le toit* (1936), au Lapin à Gill* (1938). Sa première chanson connue est créée par Lucienne Boyer* en 1938 : Parti sans laisser d'adresse. Son grand succès, écrit en 1940, n'est connu en France qu'après la Libération, c'est le célèbre Café au lait au lit, qui fleure bon les alpages suisses. Il écrit Sœur Marie-Louise avec F. Blanche*, Clopin-clopant avec Bruno Coquatrix* (1947), et se fixe au Canada à partir de 1962. Il a apporté dans la chanson d'expression française une robuste santé, un humour et une variété sympathiques.

DUFAY (Guillaume), compositeur (dans le Cambrésis v. 1400 - Cambrai 1474). La vie de celui que l'on a appelé la « Lumière du XVe s. » fut un voyage perpétuel. Formé à la cathédrale de Cambrai, il part pour l'Italie, où il entre au service des Malatesta. Il y compose ses premières œuvres (1419-1420). Il revient en France vers 1426. De 1428 à 1433, il est, à Rome, chantre du pape Martin V. De 1428 à 1434, il se met au service du duc de Savoie, puis reprend ses fonctions à la chapelle pontificale, réfugiée alors à Florence et à Bologne. Il revient à Cambrai, puis, de 1453 à 1458, se rend auprès de Louis de Savoie et retourne à Cambrai pour y mourir.

Dufay a composé 75 chansons polyphoniques de genres très différents : chansons amoureuses (Mon cuer me fait, Donnez l'assault à la forteresse), chansons bachiques (Adieu les bons vins de Lannoys), chansons de circonstance (Bon jour, bon mois, bon an et bonne estraine), chansons d'allure populaire (La belle se siet, qui se transformera et restera au répertoire traditionnel sous le titre de la Pernette. Concurremment avec Ockeghem*, il a composé des messes sur les timbres* de chansons en vogue (Se la face ay pale, l'Homme armé).

DU MERSAN (Marion), chansonnier (Peillac, près de Ploërmel, 1718 -? 1801). Commissaire général de l'armée française (1750), il a publié de nombreuses chansons dans les recueils du XVIIIe s., dont la plus célèbre est le Refrain du chasseur, ou Tontaine tonton (1770), composé sur un air de chasse chez le duc de Montmorency.

DU MERSAN (Théophile Marion), vaudevilliste (château de Castelnau, près d'Issoudun, 1780 - Paris 1849), fils du précédent.

Du Mersan fils. Gravure de Geoffroy (1847). Phot. Lauros.

Il a publié des chansons et des rondes enfantines (1846), une anthologie de la chanson française (1847). Il est l'auteur de nombreux vaudevilles, dont les Saltimbanques, la Descente de la Courtille, etc., airs qui connurent une grande vogue. Il était en outre conservateur adjoint du cabinet des Médailles.

DUMONT (Charles), compositeur (Cahors 1929). E. Piaf* a interprété ses chansons

(le Billard électrique, - L. Poterat* ; Toi tu l'entends pas, - P. Delanoë* ; Faut pas qu'il se figure, - M. Rivegauche ; Non, je ne regrette rien, - Michel Vaucaire*). Il a enregistré seul ou avec E. Piaf.
On lui doit aussi notamment, avec M. Vaucaire, Envoie la musique (par Colette Renard*), Sophie (par M. Amont*), Cœur désaccordé (par Georgette Lemaire*), etc.

DUPONT (Pierre), chansonnier (Lyon 1821-1871). D'une famille d'artisans, il commença par être apprenti canut, puis employé de banque. Le poète Pierre Lebrun, de l'Académie française, le prit alors sous sa protection et organisa une souscription pour éditer son premier volume de poèmes les Deux Anges, qui obtint un prix à l'Académie (1842). Le tirage au sort l'ayant désigné pour un régiment de chasseurs, l'édition de ce volume lui permit d'acheter un remplaçant, et Lebrun le fit engager comme aide aux travaux du Dictionnaire de l'Académie. Après avoir été le chantre de la République de 1848, il fut, en 1851, condamné à sept ans de déportation à Lambessa pour avoir écrit le Chant des paysans, résolument antibonapartiste. Après avoir demandé et obtenu sa grâce de Louis-Napoléon, il opéra un retournement de veste spectaculaire et mit sa muse au service du second Empire en chantant la guerre de Crimée : le Siège de Sébastopol, la Nouvelle Alliance. Ses amis républicains l'ayant abandonné, il mourut dans l'isolement et la misère.
Les chansons de Pierre Dupont puisent leur inspiration à trois sources différentes : les paysans, la nature (la Mère Jeanne, les Bœufs, les Fraises sauvages) ; les chansons politiques, qui continuent le socialisme utopique des saint-simoniens (le Chant du vote, le Chant des étudiants, les Journées de juin) ; les travailleurs, leurs joies, leurs peines (le Tisserand, le Chant du pain, et surtout le Chant des ouvriers, que Baudelaire appelle la « Marseillaise du peuple »). Il définit ainsi le style de Pierre Dupont dans la préface de Chants et chansons (1853) : « La confiance illimitée dans la bonté naturelle de l'homme, son amour fanatique de la nature font la plus

grande partie de son talent. » Pierre Dupont, sans connaître les règles de la composition, écrivait la musique de ses chansons, revue et corrigée par Ernest Reyer.

DUROCHER (Léon **Duringer,** dit), auteur (Pontivy 1862 - Paris 1918). Licencié ès lettres, il entra à l'université comme professeur, puis se fit admettre au Chat-Noir*, où ses chansons, tendres et ironiques, furent le plus souvent mises en musique par Delmet* : À Chloris, Amertume, Romance fanée, la Noisette, l'Étoile du berger, le Chanteur des bois, etc. Cependant, la musique de son plus grand succès, l'Angélus de la mer, est de Goublier*. Chansonnier régionaliste, il a publié

Clairons et binious (1886), Binious et tambourins (1899), Chansons de là-haut et de là-bas (1899), là-haut étant la butte montmartre et là-bas sa Bretagne natale. Avec Fragerolle*, il est l'auteur de la pièce d'ombres la Marche au soleil.
Durocher a fondé l'Association des Bretons de Paris et les dîners du Bon-Bock.

DUTRONC (Jacques), compositeur, interprète (Paris 1943). Guitariste des « Cyclones », puis assistant directeur artistique de F. Hardy*, il met en musique et chante avec succès (1966) des textes du romancier Jacques Lanzmann (Et moi, et moi; les Cactus). Ses mélodies sont le plus souvent très simples.

Echelle de Jacob, cabaret créé à la Noël 1948 (10, rue Jacob) et inauguré par Gordon Haet et J. Douai*, animé par Guidon-Lavallée, qui affectionnait particulièrement le ton d'*ut* majeur au piano, puis par Pierre Arvay. La chanson de qualité y a toujours occupé la première place. M. Micheyl* y débuta en chantant deux fois par semaine, car elle habitait encore Lyon, où elle étudiait le dessin publicitaire. On put applaudir à l'Échelle de Jacob bien des artistes, et notamment H. Aufray*, M. Arnaud*, J. Brel*, F. Lemarque*, Fernand Raynaud, etc.

Écluse (l'), cabaret fondé en 1949 par Brigitte Sabouraud, Léo Noël, André Schlesser et Marc Chevalier (les duettistes Marc et André). Situé au Quartier latin, à deux pas de la place Saint-Michel, sur les bords de la Seine, rive gauche (15, quai des Grands-Augustins), ce minuscule bistrot, fréquenté jadis par les mariniers, est devenu, décoré d'un filet et d'une bouée, l'un des hauts lieux de la chanson de qualité. Ses créateurs (quatre artistes de la chanson) voulaient permettre « aux talents originaux de s'exprimer, comme aux jeunes talents de s'affirmer en dehors de toute contrainte commerciale ». Sur la minuscule scène de l'Écluse sont passés plus de 300 artistes, présentés par Léo Noël († 1966), qui chantait lui-même avec une verve parodique, en s'accompagnant à l'orgue de barbarie, de vieux succès comme *Dans les jardins de l'Alhambra*, repris en chœur par la salle. On a pu notamment y entendre Barbara*, Jacques Brel*, Agnès Capri*, Caroline Cler, Pia Colombo*, Giani Esposito*, Stéphane Golmann*, Francis Lemarque*, Catherine Sauvage*, Cora Vaucaire*, etc., sans oublier Brigitte Sabouraud, Marc et André et sans parler des attactions hors de la chanson, comme les célèbres marionnettes d'Yves Joly. L'Écluse a puissamment contribué au succès du style « rive gauche* » de la chanson contemporaine. « En un temps scandaleusement publicitaire, où le moindre gougnaffier est sacré vedette en cinq minutes, le café-cabaret de l'Écluse demeure un foyer d'art pur et de vraie poésie, dans la déliquescence de l'heure. » (*Combat*.)

École buissonnière (l'), cabaret fondé en 1962 par René-Louis Lafforgue* († 1967). Situé au 10, rue de l'Arbalète, près de la rue Mouffetard et du Quartier latin, ce petit bistrot fut transformé en « boîte à chansons » du style « rive gauche* ». R.-L. Lafforgue y a surtout fait entendre de jeunes auteurs-compositeurs déjà reconnus, parmi lesquels J.-C. Annoux*, Michel Aubert*, Maurice Fanon*, Henri Gougaud*, Jean-Claude Massoulier*, etc. Il serait difficile de schématiser un style commun, si ce n'est un désir de qualité qui refuse la chanson « intellectuelle ». L'École buissonnière est aussi une galerie d'art ; on y projette des films inédits ; elle sert, dans la journée, de salle de répétition gratuite pour de jeunes artistes.

Eden-Concert. V. *Palace*.

Eldorado, café-concert*, bd de Strasbourg. Il fut construit en 1858 sur l'emplacement du manège Pellier, et ouvert à la Noël. Après une rapide faillite, le fonds fut vendu en 1860, et l'Eldo* végéta jusqu'en 1861, où Lorge en prit la direction et en fit le premier café-concert de Paris. C'est l'Eldorado qui créa le caf' conc' dans la forme qui lui valut ses succès. C'est Lorge qui, en 1867, réussit à faire supprimer l'interdiction aux artistes du café-concert de porter un costume « qui tendrait à empiéter sur le domaine des théâtres », de mimer, de parler ou de venir en scène avec un accessoire. (À l'Eldorado, une canne ou un faux col excentrique coûtait 25 F d'amende [Romi].) Lorge engagea à l'Eldo' (à raison de 40 F par an) Cornélie, tragédienne en rupture de Comédie-Française. Elle récita les imprécations de Camille et le songe d'Athalie en robe du soir. Devant le succès remporté, la presse réclama la liberté totale, pour les artistes de café-concert, de s'habiller comme bon leur semblerait. C'est Francisque Sarcey qui publia le bulletin de victoire dans le Journal illustré : « Le succès de Mlle Cornélie a été le point de départ d'une guerre qui s'est terminée à l'avantage des cafésconcerts. L'Administration s'était émue de voir les œuvres de nos maîtres traînées devant ces tabagies, et elle avait mis son veto. Toute la presse, à l'instant, prit feu, les articles succédèrent aux articles; on

en vint à se demander pourquoi les cafésconcerts n'étaient pas libres comme les théâtres. Ils le sont à présent. »

C'est à l'Eldorado aussi que Lorge supprima (toujours en 1867) la « corbeille ». Quelques jeunes artistes passant au début du spectacle étaient tenues de s'asseoir en demi-cercle au fond de la scène durant toute la soirée.

Pépinière de vedettes, l'Eldorado fut surnommé la « Comédie-Française de la chanson »; le passage sur sa scène était pour un chanteur la consécration : Thérésa* y chanta dès 1863; Renard, le créateur du Temps des cerises (- J.-B. Clément*); Doria, sacré à l'époque « prince de la romance »; Judic* y débuta en 1868; Mmes Amiati* et Chrétienno*, dans leurs chansons revanchardes; Libert y créa le genre « gommeux »; Méaly, future créatrice de Frou-frou; Mercadier; Milly Meyer; Paula Brébion, Pacra*; Kam-Hill*, etc. Enfin, Paulus* y resta sept ans (1871-

L'Eldorado, café-concert célèbre avant 1914. Phot. Gaillard.

1878). Pendant la Commune, alors que tous les théâtres fermaient leurs portes, l'Eldorado devait être transformé en ambulance, mais, grâce à l'intervention de J.-B. Clément (alors membre de la Commune), il put rouvrir, avec un programme où l'on note la présence de Pacra et d'Amiati. L'Eldorado connut ainsi une période « dorée », jusqu'au moment où M. et Mme Allemand, ayant pris la direction de la Scala*, lui firent une concurrence sérieuse. L'Eldo' essaya de se reconvertir en théâtre d'opérette, puis, en 1896, les directeurs de la Scala en prirent la direction et donnèrent à ce concert une nouvelle impulsion. Ils engagèrent Dranem*, qui venait de « faire un malheur » au Divan japonais*, Bach*, Georgel, Chevalier*, qui y fit ses débuts de vedette, Carmen Vildez, Polaire*, Mistinguett*, etc. En 1930, Georgius* tenta de relancer l'Eldorado en créant le Théâtre chantant. Mais le music-hall a disparu.

Éléphants (cabaret des). V. *Conservatoire de Montmartre.*

EMER (Michel), auteur, compositeur (Leningrad 1906). Sur des paroles de Jamblan*, il compose en 1931 *J'ai le béguin pour la biguine* (créé par J. Sablon*) et, dès lors, il « produit des airs comme un pommier produit des pommes », écrit E. Piaf*, pour laquelle il compose plus de vingt-cinq chansons, à commencer par *l'Accordéoniste*, qu'il lui présente en 1939 quelques heures avant de prendre le train pour la guerre : *D' l'aut' côté de la rue, le Disque usé, À quoi ça sert l'amour?, Sœur Anne,* etc. Lucienne Boyer*, M. Chevalier*, L. Gauty*, Y. Montand*, T. Rossi*, C. Sauvage* ont interprété ses chansons. Producteur à la radio, compositeur de musique de films, il est aussi chef d'orchestre.

Empire, music-hall* parisien (39, avenue de Wagram), qui a remplacé en 1920 l'Étoile-Palace sous le nom d'Empire-Théâtre, lui-même démoli et remplacé par l'Empire (1924), que dirigent H. Varna et O. Dufrenne. Ce nouveau music-hall (3 000 places, une très grande scène) offre des spectacles qui font sensation

(Maurice Chevalier*, un ballet... et quarante chevaux). Parmi les principaux artistes de la chanson, l'Empire fait entendre notamment Damia*, Y. Guilbert*, Raquel Meller (créatrice de *la Violetera*), Ouvrard*, etc. Tout en continuant à présenter des « attractions », le music-hall laisse la place à un cinéma (1931). Repris par les frères Amar (propriétaires de cirque), l'Empire revient au music-hall et surtout à l'opérette. Mais, après la guerre, il est équipé pour le Cinérama, et le music-hall disparaît.

Enfants de Bacchus (concert des), association bachique et chantante, florissante vers 1630, qui a peut-être donné l'idée du premier Caveau*. Le souvenir de cette société est perpétué par un appendice au *Parnasse des Muses* (1630), sous le titre *le Concert des enfans de Bacchus, assemblez avec ses bacchantes, pour raisonner, au son des pots et des verres, les plus beaux vers et chansons a sa louange, composez par les meilleurs buveurs et sacrificateurs de Bacchus.* Le mot « bacchantes » laisse supposer que cette association n'était pas misogyne.

Épicurienne de Lyon (l'), goguette* fondée à Lyon sous l'Empire. Ses membres composèrent un nombre important de pièces publiées sous le titre *Recueil de chansons et de poésies fugitives de la société épicurienne de Lyon* (1812, 1813, 1816). Cette société semble avoir terminé ses activités au moment de la Restauration.

ESCUDERO (Joaquin, dit Leny), auteur, compositeur, interprète (Espinal, Espagne, 1932). Il fait dans la chanson une entrée très remarquée avec *Pour une amourette, Ballade à Sylvie* (1962), qu'il chante d'une voix un peu rauque, mais prenante.

ESPOSITO (Giani), auteur, compositeur, interprète (Etterbeeck, Belgique, 1930). Il fait une brillante carrière de comédien (théâtre, cinéma, télévision). On lui doit toute une série de chansons insolites, qu'il a chantées en cabarets (notamment à l'Écluse*), qu'il a enregistrées en s'accompagnant au tam-tam, et qui constituent une recherche intéressante, créant une atmosphère particulière pour chacune d'elles : *Brève Lamentation d'une veuve*, *Souvenirs d'un barbare ou la Descente en ville*, et surtout *les Clowns*, à la beauté étrange, déchirante, baroque.

ESTEREL (Charles **Martin,** dit **Jacques**), auteur, compositeur, interprète (Bourg-Argental, Loire, 1917). Ingénieur des Arts et Métiers, grand couturier en renom, Jacques Esterel écrit aussi des chansons pleines d'humour. En 1954, les Frères Jacques* créent *Tchin Ponpon*, savoureux portrait d'un peintre en bâtiment italien. Ses œuvres, alertes et joyeuses, peuvent être « mises en scène » ; les Trois Ménestrels chantent *le Mois des maris*, les Quatre Barbus* *le Brave*, les Frères Jacques, de nouveau, *Des souris et des chats*. Lucette Raillat, Patachou*, A. Dassary, etc., interprètent aussi ses chansons.

ÉTIENNE, dit **le Cocher de M. de Verthamont** et **Pantalon-Phœbus,** chansonnier (XVIIᵉ s.). Il prit en 1670 la succession du Savoyard* sur le Pont-Neuf. Il avait longtemps conduit le carrosse du magistrat Verthamont, puis, se croyant poète, s'était installé sur le Pont-Neuf, près de la Samaritaine. Il chantait surtout des complaintes* sur les crimes du jour. Quand le crime ne donnait pas, il se rabattait sur les cantiques ; il chantait la *Conversion de la Samaritaine* (36 couplets) ou le *Cantique spirituel de la chaste Suzanne* (24 couplets). Il mourut vraisemblablement peu de temps avant la Régence.

Europe nᵒ 1. Créée en 1955, la station privée Europe nᵒ 1 (studios à Paris, émetteur en Sarre, Allemagne) s'impose en 1956 avec ses émissions *Vous êtes formidables*, son style d'informations et ses nombreux programmes consacrés à la chanson. Après les *Numéros I de demain* (début en 1957), la station crée le *Coq d'or de la chanson française* (1960). Ses grandes émissions publiques (*Musicorama*, à l'Olympia* depuis octobre 1956) ont présenté toutes les vedettes* de la chanson.

Europe nᵒ 1 a contribué au succès de nombreux chanteurs, et, s'adressant surtout à une clientèle de jeunes et d'adolescents, il a participé à la création de modes (comme le yéyé*) sous l'impulsion de ses directeurs de programmes (P. Delanoë*, 1955-1960 ; puis Lucien Morisse), de ses animateurs de grandes émissions de chansons comme *Salut les copains*, qui suscite un magazine du même nom (Daniel Filipachi et Frank Ténot, 1962), *Dans le vent* (Hubert), *Rendez-vous avec lui* (Jacques Lanzmann, 1967). Parmi ses meilleures émissions, on peut citer les entretiens avec J. Ferrat*, J. Brel*, G. Brassens*.

Européen (l'), café-concert*, théâtre, puis music-hall* (5, rue Biot), fondé en 1872. Sa clientèle était surtout montmartroise, malgré son titre, dû seulement au quartier de l'Europe, où il était situé. On y applaudit tout d'abord Max-Dearly*, Jane Bloch*, Polaire*, Fragson*, Y. Guilbert*, Mayol*, Rosa Bordas*, Esther Lekain*, etc. L'Européen devint pour un temps « théâtre réaliste » avec des pièces comme *Vierge séduite à Saint-Lazare*. En 1923, la salle, transformée par Castille père, devint un music-hall. L'orchestre était dirigé par Henri Poussigue, qui en était l'attraction principale : il chantait depuis sa place sans se retourner, tout en conduisant son orchestre, ce qui surprenait beaucoup le public. Sous les directions des Castille, père et fils, on a pu entendre à l'Européen : Cassive, Spinelly, Damia*, Georgius*, M. Dubas*, J. Lumière*, E. Piaf*, S. Solidor*, C. Trenet*, René Dorin*, P. Colline*, etc.
L'Européen s'est converti en théâtre et a pris le nom de « Vaudeville » (1967).

express (chanson). Voisine des bouts-rimés, la chanson express consiste à exécuter sur-le-champ une chanson — en général satirique — sur des rimes lancées par le public. Glatigny fut le premier à composer des chansons express à l'Alcazar d'hiver* vers 1870.
Très en honneur dans les cabarets de style montmartrois, les grands spécialistes du genre furent les chansonniers Secrétan et Marsac*.

FABRE D'ÉGLANTINE (Philippe François Nazaire **Fabre,** dit), auteur (Limoux [mais se disant de Carcassonne] 1750 - Paris [sur l'échafaud] 1794). En 1771, il remporte un lys d'argent pour un sonnet à la Vierge, à l'académie des jeux Floraux de Toulouse. Plus tard, sans doute pour mettre en accord son nom avec ses idées politiques, il a substitué l'églantine au lys dans son pseudonyme. Il quitte l'habit religieux des doctrinaires et suit des comédiens ambulants. Condamné à Namur à être pendu pour avoir enlevé l'ingénue de la troupe, puis gracié, il se marie à Strasbourg avec une autre de ses camarades. L'hyménée eut pour résultat de lui faire composer la chanson l'Hospitalité, qui, sous le titre de son incipit Il pleut, il pleut bergère ou de l'Orage, a survécu, tandis que ses romances*, Je t'aime tant, À peine encor le couchant brille, ne sont pas plus chantées que son opéra-comique Laure et Pétrarque.

Auteur de 17 pièces de théâtre composées en sept ans, dont la plus connue est le Philinte de Molière ou la Suite du « Misanthrope ». Député de Paris à la Convention, il est l'auteur des poétiques appellations du calendrier républicain, qui, en 1967, inspirent encore une chanson à H. Aufray*, P. Delanoë et J.-P. Sabard (le Calendrier de Fabre d'Eglantine). Ami de Danton, dont il fut le secrétaire, traduit avec lui devant le Tribunal révolutionnaire, il resta « homme de lettres » dans l'âme : « Fouquier peut faire tomber ma tête, dit-il, mais pas mon Philinte. »

FALLOT (Charles), auteur (Paris 1874 - 1939). Enfant gâté du public au « Carillon* » et aux « Noctambules* », il voulut s'installer chez lui. Avec Marinier*, il ouvrit « la Pie-qui-chante* ». L'affaire se révéla désastreuse. Marinier se retira. Au bord de la faillite, Fallot fut renfloué par un commanditaire. La Pie connut alors une ère de prospérité, et tous les chansonniers de Montmartre y vinrent faire leur tour de chant.

Charles Fallot est l'auteur de chansons à succès : Une étoile d'amour (- Delmet, créée par Laurence Deschamps), la Petite Église (- Delmet, créée par Jean Lumière*), le Coffret (- Fatorini).

fan, abréviation contemporaine de fanatique. Désigne des admirateurs enthousiastes de vedettes de la chanson. (Plur. : des fans.) [Ils se retrouvent parfois dans le « club » de leur vedette* préférée, ou « idole* ».]

FANON (Maurice), auteur, compositeur, interprète (Auneau, Eure-et-Loir, 1929). Licencié ès lettres, il fut professeur d'anglais durant quelques années (Chartres, Paris), mais la chanson l'attirait. Il écrit tout d'abord pour Pia Colombo*, puis interprète ses œuvres à la Colombe*, au Port du Salut* et reçoit le prix Charles-Cros (1965). Sa Petite Juive le fait connaître du grand public, comme Paris-Cayenne (- Yani Spanos*).

Ses chansons, âpres, violentes, souvent heurtées, frappent par un ton personnel et par ses prises de position. « Je ne vis pas dans une tour d'ivoire, dit-il. Je suis tout naturellement porté à prendre parti : à mon avis, la chanson doit s'inspirer du réel et de la vie, poser les problèmes de la vie. » Il suit avec force cette ligne de conduite, sans négliger des refrains plus tendres. Il s'est livré à une bonne satire des modes de la chanson moderne (Avec Fanon).

fantaisiste, interprète de chansons amusantes. — La chanson fantaisiste est un genre mal défini, qui regroupe des œuvres de factures diverses. Certaines catégories d'interprètes ont disparu avec les chansons correspondantes, comme les comiques troupiers du café-concert* et du début du music-hall*. On peut considérer comme fantaisistes à cette époque : Bqch, Boucot*, Fortugé, Gabaroche*, Milton*, Ouvrard*, Polin*, Thérésa*, etc. Le plus célèbre fantaisiste du music-hall est resté M. Chevalier*, dont la longue carrière s'étend avec succès sur une soixantaine d'années. Dans les années 1930, les fantaisistes provençaux (Andrex, Alibert*, Fernandel*, Darcelys), Félix Paquet et Georgius* (« l'amuseur public n° 1 ») connaissent un grand succès.

Les fantaisistes contemporains sont nombreux. Certains continuent la tradition des « chansons idiotes » de Dranem* (mais l'appellation a disparu), comme Bourvil* (à ses débuts), Lucette Raillat (la Môme aux boutons), Bobby Lapointe, aux savoureux jeux de mots, René Lafleur. D'autres continuent la tradition du spectacle très « scénique », comme M. Amont*, P. Clay*, J.-C. Massoulier*, Dario Moreno, H. Salvador*. Certains, proches des chansonniers, interprètent leurs œuvres, comme F. Blanche*, J. Constantin*, Annie Colette*, Robert Lamoureux*, R. Riffard*, Jean Yanne. On peut encore citer, depuis 1945, de spirituelles voix féminines (Denise Benoît, Marie Bizet, Annie Cordy, Caroline Cler, Suzy Delair, Lily Fayol) et, pour les hommes, Henri Genès, Jacques Fabbri, Pierre Perret*, P. Vassiliu*, etc. Les groupes vocaux* sont souvent des fantaisistes, depuis les duettistes Pills et Tabet*, Charles et Johnny* (années 1930), jusqu'à Roger Pierre et Jean-Marc Thibault (années 1950), jusqu'aux Frères Jacques* ou aux Quatre Barbus*. Bien des chanteurs ont parfois abordé ce genre et ont pu être considérés comme des fantaisistes, de Fragson* à Y. Montant* en passant par C. Trenet*.

FAVART (Charles Simon), auteur (Paris 1710 - 1792). Fils d'un pâtissier qui inventa les échaudés et qui taquinait la muse, Favart apprit le métier paternel et fit concurremment de la pâtisserie et des

couplets. Les meilleurs sont contenus dans les pièces qu'il a fait représenter aux foires ou au Théâtre-Italien. Le reste de sa production chansonnière est surtout consacré aux couplets de circonstance. Avant ses démêlés conjugaux dus au maréchal de Saxe, celui-ci le chargea d'annoncer la bataille de Rocoux en chanson : Malgré la bataille, souvent attribuée à Voltaire; son timbre*, légèrement transformé, a servi à chanter le Chat de la mère Michel. Favart a fait partie du Caveau*.

Sa femme, Marie Justine **Du Ronceray** (Avignon 1727 - Belleville 1772), interprète idéale des œuvres de son mari, a donné avec l'abbé de Voisenon une comédie pastorale à ariettes, Annette et Lubin (Théâtre-Italien, 1762; musique de Blaise) dont les airs devinrent rapidement populaires.

FERLAND (Jean-Pierre), auteur, compositeur, interprète (Montréal, Canada, 1934). Né dans la deuxième ville de langue française du monde (2 500 000 habitants), ce Québécois est l'un des créateurs qui comptent pour la chanson contemporaine d'expression française, comme son aîné, qu'il admire, Félix Leclerc*. Grande vedette au Canada, il a recommencé une carrière à Paris (1966) avec un ton étonnant, une présence scénique saluée par la critique. « Quand j'étais comptable, dit-il, j'écrivais des poèmes pour m'amuser et jouais de la guitare pour rire. J'ai fait des chansons par désœuvrement, puis par goût, et enfin par métier. » Un métier qu'il possède parfaitement.

Contrairement à l'imagerie conventionnelle, il ne chante pas les grands espaces du Canada, mais la vie urbaine et ses difficultés : les Fleurs du macadam, la Ville, les Bums (« titis ») de la 33ᵉ avenue, etc. La langue est poétique, savoureuse, toujours juste, souvent pleine d'humour (les Journalistes); les mélodies sont belles et simples. (Prix Charles-Cros, 1968.)

FERNANDEL (Fernand **Contandin**, dit), interprète (Marseille 1903). Employé de banque, il chante en amateur (1917-1927; tour de « comique troupier » en 1921 à

l'Eldorado de Nice) et débute à Bobino*
(1928), puis dans les grands music-halls*.
Il mène une brillante carrière cinématographique (100 films), crée des opérettes,
souvent reprises au cinéma (Ignace,
R. Dumas - J. Manse, 1935) et interprète
des chansons comiques avec succès (Ne me
dis plus tu, Oberfeld - Manse, 1938).

FERNY (Georges **Chervelle,** dit
Jacques), chansonnier et revuiste (Yer-
ville, Seine-Maritime, 1863 - Paris 1936).
Clerc d'avoué à Evreux, il s'employait surtout à composer avec succès de petits opéras bouffes, joués en Normandie. Il vint à
Paris, changea d'avoué, mais ne s'inté-
ressa pas au droit pour autant, et débuta
aux soirées de la Plume*. Au Chat-Noir*,
Salis refusa tout d'abord Ferny, mais, lors
d'une absence du cabaretier, en 1891,
Valbel le fit débuter, et Salis, en rentrant,
trouva Ferny installé et remportant tous
les soirs un triomphe. Il fut à l'affiche des
principaux cabarets et effectua des tournées en Russie, en Roumanie et en Turquie.
« Un hérisson qui serait cordial » a dit de
lui l'un de ses biographes. Pince-sans-rire,
il chantait faux et paraissait indifférent à
son succès. Les chansons de Ferny ont
gardé malgré le temps leur finesse et leur
originalité. Elles furent réunies en deux
volumes : Chansons immobiles et Chansons
de la Roulotte. Les plus célèbres sont : la
Chanteuse et le conférencier, la Disparition du Congo français, l'Ecrasé et Faute
de mieux ou le Meilleur Président, qui
salue l'élection de Fallières à la présidence
de la République, ainsi qu'Une chanson
de café-concert, qui satirise le style du
caf' conc'*.
Administrateur de la S. A. C. E. M.*, il
prit en 1927 la succession de X. Privas* à
la présidence de « la Chanson de Paris ».

FERRAT (Jean **Tenenbaum,** dit **Jean),**
auteur, compositeur, interprète (Vaucres-
son 1930). Il interrompt ses études en
seconde. Il est aide-chimiste, il fait du
théâtre amateur, il apprend la guitare,
puis il compose ses premières mélodies et
commence à chanter en cabaret (1954) ;
A. Claveau* interprète les Yeux d'Elsa, un
poème de L. Aragon*, mis en musique par

J. Ferrat et Vandair (1955). Avec Ma
môme (- Frachet) en 1960, Ferrat s'affirme,
puis il continue de composer des mélodies
sur des textes de Coulonges*, Delécluse,
Senlis, etc. À partir de 1963 (prix du
Disque), il est l'un des premiers auteurs-
compositeurs de notre temps.
C'est avec Nuit et brouillard que J. Ferrat
conquiert un vaste public (1963), une
émouvante chanson sur la déportation

Jean Ferrat, par Guily Joffrin (1966).
Phot. Larousse.

dans les camps nazis (des membres de sa
famille furent déportés). Il remet ainsi au
premier plan la chanson engagée (chanson politique*) sans sacrifier la poésie :
Quatre Cents Enfants noirs, Berceuse, les
Guerilleros sont des chansons qui prennent
position, comme Potemkine (- Coulonges*),
qui fut un moment interdite à l'O. R. T. F.
« Au fond, tout est simple, j'exprime des

idées, je dis ce que j'ai envie de dire. » (J. Ferrat.) Le succès de ces œuvres viriles, fortes, mais sans grandiloquence, montre que le public a été sensible à cette sincérité.

Toute une partie de son œuvre dénonce le monde moderne, ses H. L. M., ses « poulets aux hormones » (la Montagne ; 500 000 disques vendus en 1966), mais un solide optimisme lui fait écrire C'est beau la vie ou Au point du jour (- H. Gougaud*). Il consacre des chansons à ceux qu'il admire (Brassens*, Pauvre Boris [Vian*]), cite Lorca, Maïakovski et s'inspire de l'œuvre de L. Aragon (Je ne chante pas pour passer le temps), dont il a mis bien des poèmes en chansons, soutenus par de belles et simples mélodies (Que serais-je sans toi?, J'entends).

L'amour et la tendresse font aussi partie d'un répertoire très accordé à la sensibilité contemporaine (C'est si peu dire que je t'aime, la Jeunesse).

FERRÉ (Léo), auteur, compositeur, interprète (Monaco 1916). Après avoir été interne de huit à seize ans (Frères des écoles chrétiennes, collège Saint-Charles, Bordighera), L. Ferré suit sa philo à Monaco, où son père est directeur du personnel du Casino. Il prépare une licence en droit à Paris (1935), étudie la musique. Années de guerre dans une ferme, près de Monaco. Puis il travaille à Radio-Monte-Carlo (speaker, aide-régisseur, pianiste) tout en composant de la musique et des chansons. Il vient à Paris et passe en cabarets (Bœuf sur le toit*, Quod libet*, 1946), où il chante l'Inconnue de Londres. Après une tournée à la Martinique (1947), il passe à Milord l'Arsouille* et au music-hall* (Olympia*), arrivant peu à peu à s'imposer et à occuper une des premières places dans la chanson contemporaine. C. Sauvage* obtient le prix du Disque avec sa chanson l'Homme (1954) et, en 1961, ce prix lui est de nouveau décerné pour l'ensemble des enregistrements des œuvres de L. Ferré.

Il est dans la lignée des chansonniers anarchistes, dont il adopte la silhouette à ses débuts sur scène (Graine d'ananar), mais aussi dans la tradition des « poètes mau-

dits » (Villon, Rimbaud) en rupture avec l'époque. Il sait être un poète délicat (l'Étang chimérique), maniant le décasyllabe classique (la Chanson triste), mais il fait entendre le plus souvent une voix violente, aux images suggestives, un argot vivant et poétique (la Langue française), n'hésitant pas à mettre en cause, comme dans la Maffia, les mœurs et les modes, y compris dans le domaine de la chanson. Il chante aussi l'amour, pudique ou non (Jolie Môme), la nostalgie du temps qui fuit (Monsieur mon passé), l'inquiétude ou la révolte métaphysique (Et des clous, Thank you Satan). Toute une partie de

Léo Ferré. Couverture du programme du récital de 1961. Phot. Larousse.

son œuvre est celle d'un chansonnier qui fustige la société (Cannes la braguette, Épique-époque, T'es rock coco) et qui prend des positions politiques (Franco la muerte, Mon général, la Gueuse). C'est dans cette veine qu'il a écrit et enregistré trois versions des Temps difficiles (1961, 1963, 1966), chanson engagée qui met en cause les Grands de ce monde. Il a mis en musique de nombreux poèmes de Baudelaire, Verlaine, Rimbaud, et surtout d'Aragon* (l'Affiche rouge, Est-ce ainsi que les hommes vivent?, l'Etrangère, etc.). « Il faudra récrire l'histoire littéraire un peu différemment à cause de L. Ferré. » (Aragon.) Il a mis aussi en chansons de nombreux textes de J.-R. Caussimon* (Comme à Ostende, Mon camarade, les Indifférentes, Monsieur William, le Temps du tango, etc.).

Révolté, tendu, vengeur, L. Ferré a traité la chanson avec rigueur. « La poésie est une fureur qui se contient le temps qu'il faut [...]. Je lancerai des mots dans la foule, au hasard », a-t-il écrit. Mais il souligne la difficulté de la chanson : « Il faut dire en trois minutes ce que l'on admet qu'un romancier puisse dire en trois cents pages. On ne peut pas truquer. »

Il est aussi l'auteur d'un opéra (la Vie d'artiste, 1950), d'un oratorio sur le poème d'Apollinaire la Chanson du mal aimé (créé en 1954).

FERRÉOL (Eugène **Roger,** dit **Roger**), chansonnier (Marseille 1880 - Paris 1959). Il fut, en tant que chansonnier, marqué par le style d'avant 1914. Il est surtout connu comme directeur de cabarets : il a fondé les Deux-Ânes* (avec André Dahl) en 1921, le théâtre de Dix-Heures* en 1925, et dirigé le Perchoir* en 1929, dont il changea temporairement le nom en celui de Théâtre national de la caricature (le gouvernement lui fit enlever « national »). Ferréol a beaucoup contribué à la transformation des cabarets artistiques et à l'évolution du style chansonnier. Il a imposé le smoking à ses pensionnaires; comme corollaire, il est le premier à les avoir payés d'une façon décente. Auparavant, les chansonniers, étant considérés comme des amateurs, ne touchaient qu'un cachet symbolique, ce qui les forçait, pour vivre, d'avoir au-dehors d'autres activités rémunérées. Il est le premier à avoir monté des revues à spectacle dans ses cabarets.

FESTEAU (Louis), chansonnier et journaliste (Paris 1793-1869). Artisan joaillier, il se partagea entre les lettres et le commerce. « Le chansonnier est l'écho, le pétitionnaire du peuple; il rit de sa joie, pleure de sa souffrance et menace de sa colère », a écrit Festeau en exergue à ses chansons. En 1848, rédacteur à la Démocratie pacifique, de Considérant, il lutta dans des chansons de tendance fouriériste contre les idées réactionnaires. En 1841, en même temps que Musset et Lamartine, il avait répondu au Rhin allemand de Becker par la Marseillaise du Rhin, où l'humour fait bon ménage avec le patriotisme. Les chansons de Festeau ont été réunies en 5 volumes : Éphémères (1834), Chansons (1838), Égrillardes (1842), Chansons nouvelles (1847), Roturières (1859), mais il existe aussi de lui de nombreuses chansons imprimées sur feuilles volantes.

Folies-Bergère, music-hall*, 32, rue Richer. Le terme « folie » désigne à partir du XVIIIe s. une maison de divertissements. Les Folies-Bergère furent inaugurées le 1er mai 1869. C'était le premier music-hall ouvert à Paris, à proximité de la rue Bergère. Il a été construit sur l'emplacement d'un magasin de meubles, « les Colonnes d'Hercule », que le public avait surnommé le « Sommier élastique », parce qu'il était spécialisé dans les chambres à coucher. Après 1871, les Folies-Bergère, sous la direction de Léon Sari, connurent un énorme succès avec des tours de chant et des numéros de variétés*. Mais, ayant voulu transformer les Folies en un haut lieu de la musique, avec le Concert de Paris, il fut mis en faillite en 1885.

Repris par M. et Mme Allemand (les directeurs de la Scala*), les Folies donnèrent en 1886 la première revue à grand spectacle Place aux jeunes (déjà!). On relève dans les programmes de l'époque les noms d'Yvette Guilbert* et de Judic*. Édouard Marchand (neveu des Allemand) introduisit les premières girls, venues de Hongrie. En 1901, les frères Isola et Dumien prirent la direction des Folies, puis Ruez (en 1903). En 1907, retour des Isola, qui laissent la direction des Folies à leur administrateur Clément Bannel. Après une direction Berretta, Paul Derval prend les Folies-Bergère (1918). Aidé par sa femme et Michel Gyarmathy, il maintient la tradition des revues à grand spectacle, qui ne s'est jamais démentie de nos jours : luxe, lumière, girls somptueusement

La Revue des Folies-Bergère. Affiche de Barrère. Phot. Larousse-Giraudon.
**On reconnaît Caroline Otéro, Arthur Meyer, Henri Rochefort, le prince de Galles
(futur Edouard VII).**

habillées ou déshabillées, etc. La revue du Centenaire *Et vive la Folie* a coûté près de 4 millions et demi de francs. Parmi les vedettes de la chanson qui ont mené des revues aux Folies, on peut citer : Dranem*, Max-Dearly*, Mistinguett* et Maurice Chevalier*, J. Baker*, Fernandel*. Denise Duval, l'interprète idéale de Poulenc à l'Opéra-Comique, a chanté aussi aux Folies-Bergère.

L'hospice des Quinze-Vingts est propriétaire du terrain des Folies-Bergère, grâce au legs ancien d'un moine qui y avait sa maison et son champ, alors à la campagne, où maintenant s'élève l'établissement qui symbolise pour le monde entier un aspect de la vie parisienne.

folklorique (chanson). Expression vocale du folklore (science du peuple), la chanson folklorique, quelles qu'en soient les origines, est essentiellement populaire. Elle est toujours recueillie et transformée par la tradition orale, qui en modifie perpétuellement et le texte et la musique.

Les sources d'inspiration sont diverses. Certaines chansons prennent pour thème le cycle saisonnier : chansons de moisson, de vendange, de labour, de quête; chansons pour le solstice d'été; sans compter les innombrables Noëls.

D'autres chansons accompagnent les divers actes de la vie : naissance, conscription, mariage, mort. Les métiers ont inspiré de nombreuses chansons, auxquelles il faut rattacher les chansons de bord. Le folklore est international. Certains thèmes sont communs à plusieurs provinces, mais on les retrouve également dans des pays différents, soit que le folklore français se soit exporté (Canada), soit qu'il ait reçu des apports étrangers à la suite de migrations; au XIXe s., le folklore de certaines provinces a été fortement influencé par la venue en France d'émigrants polonais. La plupart des chansons (à part les romances* et les complaintes*) servent à danser, ce qui explique leur rythme précis. On rencontre en particulier beaucoup de rondes énumératives.

Une même chanson peut se chanter sur des airs différents en changeant de province, voire de canton; l'exemple inverse se rencontre plus rarement. La chanson folklorique est anonyme par tradition. On a beaucoup discuté sur son origine : les uns y voient une création spontanée et populaire, d'autres la transformation par le peuple d'une chanson littéraire. En réalité, l'un et l'autre de ces genres existent. Il y a eu, et Il y a toujours dans le peuple, de remarquables improvisateurs ; en Corse, en particulier, la naissance, la mort, les élections et n'importe quel fait divers sont prétexte à des chansons improvisées. Certaines chansons populaires sont d'inspiration collective ; elles se reconnaissent à leurs couplets de facture inégale, comme *la Mort de La Palice.*

D'autre part, il est certain que, en raison de leur contexte, des chansons passées au folklore ont une origine littéraire, voire aristocratique. Certains « patrons » remontent aux troubadours* et aux trouvères* : reverdies*, pastourelles*, planhs*, légendes. *La Pernette,* dont il existe de nombreuses versions, trouve sa source dans une chanson de toile* : *Bele Amelot soule en chambre feloit* (transformée dès le XVe s. par Dufay*). À côté de la chanson folklorique, donc anonyme, existe la chanson régionaliste, dont on connaît le nom des auteurs : ainsi les œuvres de Botrel*, de Bouchor*, de Bérat*, etc. Ces chansons passeront inévitablement au folklore, quand, transformées par le génie populaire, elles tomberont dans l'anonymat. Certaines chansons du folklore béarnais ne remontent pas plus haut que le XVIIIe s. ; elles ont pour auteurs Despourrins et Jélyotte. Plus près de nous, *le P'tit Quinquin,* de Desrousseaux*, est en train de passer au folklore.

Les chansons folkloriques ont été recueillies et diffusées au XIXe s. grâce à des écrivains : Chateaubriand, George Sand, Gérard de Nerval, Mérimée, Murger, ainsi que par la cantatrice Pauline Viardot. De nombreux volumes de chansons, classées par provinces, ont été publiés, parmi lesquels il faut citer les recueils de Tiersot, Van Gennep (Alpes), Weckerlin (Alsace), Canteloube (Auvergne), Maurice Emmanuel (Bourgogne), La Villemarqué (Bretagne), Tomasi (Corse), Van Gennep (Flandre et Hainaut), Beauquier (Franche-Comté), Arnaudin (Landes), Seignolle

(Languedoc), Branchet et Plantadis (Limousin), Puymaigre, Sauvé, Chepfer (Lorraine), Delrieu (Nice), Gasté, Moullé (Normandie), Casse et Chaminade (Périgord), Carnoy et Henry (Picardie), Arbaud-Damase (Provence), Rivarès, Couaraze de Laa, Poueigh (Pyrénées), Trébucq (Vendée), Vincent d'Indy (Vivarais), auxquels il faut ajouter le recueil de Bujeaud consacré à l'ouest de la France, l'*Anthologie des chants populaires français,* de Canteloube, ainsi que les travaux de Patrice Coirault sur l'origine et la filiation des chansons folkloriques françaises.

« Cela suffit à nous faire entrevoir l'inépuisable richesse d'un trésor artistique encore inexploré dans son tréfonds. » (Jacques Chailley.)

folksong, mot américain qui signifie « chanson populaire », et qui caractérise en France, à partir de 1965, un style inspiré par la chanson traditionnelle américaine. Le terme *folklore* est réservé à la chanson traditionnelle française. Par opposition à la mode du yéyé*, le folksong redonne la primauté au texte et à la mélodie ; l'accompagnement reste simple (guitares sèches, banjos, parfois harmonicas).

À l'origine, le folklore américain est lié à la conquête de l'Ouest (vie difficile, liberté, appel des grands espaces). Il a exprimé aussi les luttes ouvrières (chants des syndicats), le travail, les événements historiques, des anecdotes, etc. Aux États-Unis, son renouveau date de Woodie Guthrie (Oklahoma, États-Unis, 1912). Pete Seeger (New York, 1919), divers groupes vocaux (Almanac Singers, Weavers) élargissent leur répertoire (chansons des Noirs américains, folklore de divers pays). Des interprètes (Joan Baez, Judy Collins), des auteurs-compositeurs (Bob Dylan) sont célèbres hors des États-Unis. Le folksong est une forme vivante, utilisée par des créateurs contemporains ; la chanson de revendication (protestsong) exprime des revendications politiques (lutte contre la ségrégation raciale, pacifisme) et remet en cause la société moderne. En France, Hugues Aufray* s'inspire du folksong américain avec un grand succès. Il chante des œuvres de Bob Dylan traduites par Pierre Delanoë* (la Mort solitaire de Hattie Carol). Il reprend et adapte des airs américains traditionnels, qui deviennent des succès en France (Hardi les gars, Santiano). À partir de 1966, Graeme Allwright* s'impose à son tour. Antoine*, Long Chris, Dutronc* peuvent être rattachés à cette mode (1966).

Sous cette influence, la chanson de variétés retrouve la veine du folklore français, à vrai dire resté présent dans la chanson contemporaine grâce à Jacques Douai*, C. Vaucaire*, Y. Montand*, les Quatre Barbus*, les Compagnons de la chanson*, etc. Mais G. Béart* rajeunit de vieilles chansons en modernisant le rythme (Vive la rose, 1966). La chanson française, influencée par le protestsong, a retrouvé une nouvelle vigueur des thèmes de revendication. Paradoxalement, le Déserteur (B. Vian*, 1955) a été « redécouvert » en 1966 par l'intermédiaire des États-Unis, où Peter, Paul and Mary l'avaient repris dans le contexte de la guerre États-Unis - Viêt-nam. Après le jazz*, le rock*, la mode du folksong a été une nouvelle manifestation de l'influence américaine sur la chanson française.

FOLQUET de Marseille, troubadour provençal d'origine italienne († Toulouse 1231). Il abandonna le commerce pour la poésie. Ayant perdu son ami, le comte Barral de Baux (1192), il écrivit un planh* en son honneur, puis se rendit à l'abbaye du Tholonet (Var) avec sa femme et ses deux enfants. Il devint abbé en Provence et fut évêque de Toulouse. C'est à ce titre qu'il fut mêlé à la croisade albigeoise, où il se comporta comme on ne s'y serait guère attendu d'un troubadour. Une chanson anonyme relate cette croisade et l'attitude de Folquet : « ... Il fit perdre la vie à plus de 500 000 personnes, grands et petits [...]. Il ressemble plutôt à l'Antéchrist qu'à un messager de Rome. » Dante et Pétrarque le citent. Il a laissé vingt-sept chansons, dont vingt-trois notées.

Fontaine des quatre saisons (la). Inaugurée le 18 juin 1951 avec le Dîner de têtes de Jacques Prévert*, la Fontaine des quatre saisons (59, rue de Grenelle, Paris, VIIe) fut brillamment animée jusqu'en 1956 par Pierre Prévert, qui en fit l'un des plus importants cabarets de style « rive gauche* ». Le programme était toujours composé de tours de chant, de projections, de sketches. On put y entendre notamment M. Amont*, Ph. Clay*, Caroline Cler, Eddie Constantine, les Garçons de la rue, F. Lemarque*, G. Montero*, Mouloudji*, les Quatre Jeudis, B. Vian* (il y chanta habillé en clergyman), Jean Yanne, etc. Les projections d'images fixes étaient assurées par Elsa Henriquez, Siné, Cyrille Dives. Les sketches, plus ou moins longs (le Petit Bi, l'École du crime, Images d'Épinal, la Famille tuyau de poêle, de J. Prévert), étaient interprétés par la Compagnie Grenier-Hussenot, décors de Paul Grimault, J.-D. Maclès, J. Noël, etc. On pouvait y voir des ballets et pantomimes (M. Béjart, Étienne Decroux), des marionnettes (Georges Lafaye), y entendre le trio Aravah, Raymond Devos, C. Duvaleix, Grégoire et Amédée, Henri Crolla*, Claude Véga, etc. Les peintres ou décorateurs Labisse, Savitry, Vimeney, Maurice Henri, Petrus Bride y collaborèrent aussi. Le hall présenta des expositions diverses. La Fontaine des quatre saisons fut ainsi un lieu privilégié où la chanson bénéficia d'une atmosphère propice à la qualité et à l'humour.

FRACHET (Pierre), auteur, compositeur, interprète (Plombières 1933). Après des études littéraires et juridiques, Pierre Frachet fréquente la classe de comédie du conservatoire de Nancy, fait son service militaire en Algérie et joue ensuite la comédie (Molière, Regnard, Labiche). Il débute au cabaret dans les monologues (la Fille du forgeron, accompagnée à la machine à écrire). Il écrit les textes de quelques-uns des premiers succès de Jean Ferrat* (Regarde-toi Paname, 1960), où la simplicité des mots, des rimes et des rythmes crée souvent une poésie populaire délicate (Ma môme, 1960). Interprète ne manquant ni d'humour ni de finesse, il a chanté notamment le Briquet (- Jacques Loussier*, 1961), Il y avait sa mère (- Jacques Lacome), la Fête des pères

(- J. Loussier, 1962), etc., dans divers cabarets (Échelle de Jacob*, Milord l'Arsouille*, etc.) et music-halls* (Bobino*). Il est l'auteur d'un roman policier, *Comme dit ma grand-mère* (1967).

FRAGEROLLE (Georges), compositeur (Paris 1854 - Asnières 1920). Ce brillant élève, une fois nanti de ses diplômes (2ᵉ prix de vers latins au concours général, bac, licence en droit), se dirigea vers la musique. Il travailla le chant avec Arnoldi, et la composition avec Guiraud. Il débuta aux Hydropathes* en chantant ses compositions sur des poèmes de J. Richepin, A. Gille et Bouchor*. Il suivit les Hydropathes au Chat-Noir*, où il composa (paroles et musique) *la Marche à l'étoile*, célèbre pièce de théâtre d'ombres (1890). Il commentait, en chantant, l'action des silhouettes dessinées par Henri Rivière. Devant le succès de cette formule, Fragerolle écrivit de nombreuses pièces du même genre : *le Sphinx, la Marche au soleil, Jeanne d'Arc, Lourdes,* etc.

FRAGSON (Victor Léon Philippe **Pot**, dit **Harry**), auteur, interprète (Soho, Angleterre, 1869 - Paris 1913). Il débuta au cabaret de la Butte (futur cabaret des Quat'-z-Arts*) [1891] avec *Sa famille* (E. Héros). Il passa ensuite à la Cigale*, où il créa l'une de ses œuvres, *le Reporter en goguette*. Il chantait alors sous le nom de **Frogson,** mais, un ami lui ayant fait remarquer que *frogson* signifie en anglais « fils de grenouilles », il transforme son pseudonyme en Fragson. C'est sous ce nom qu'il fit une brillante carrière au café-concert* et au music-hall*, tant en France qu'en Angleterre. En 1913, devant partir pour une longue tournée, il songeait à confier son père (ancien courtier en levures à Londres et à Anvers) à une maison de retraite, car il ne voulait pas le laisser seul. Celui-ci, dans un accès de folie sénile, déchargea tout un revolver sur son fils.
Fragson a composé des chansons de genres très différents : chansonnettes comiques (*l'Amour boiteux, Elle est de Marseille, À la Martinique, la Petite Dame du métro, Sympathique*), chansons sentimentales (Re-

viens!, *Je connais une blonde, Le long du Missouri*), refrains patriotiques (*C'est un aviateur, Un gamin de Paris, En avant les p'tits gars*), que toute la salle de la Scala* reprenait en chœur. Excellent pianiste, Fragson chantait en s'accompagnant lui-même au piano. Son compositeur attitré était Henri Christiné*.

FRANÇOIS (Claude), auteur, interprète (Ismaïlia, Égypte, 1939). Il étudie le violon, vient en France (Nice) en 1956. Il est batteur dans un orchestre de jazz (Monte-Carlo). À Paris il connaît des débuts difficiles (démonstrations de danses au Caramel-club). Son premier succès est *Belles, belles, belles* (trad. de *Girls, girls, girls,* d'Everly Phil) en 1962. Il passe à l'Olympia* en 1963. Il interprète surtout, dans un style yéyé*, des chansons sur des danses à la mode, adaptées et traduites par ses soins de succès étrangers, comme *Si j'avais un marteau* (Lee Hays - Pete Seeger).

FRÉHEL (Marguerite **Boulc'h**, dite), interprète (Paris 1891-1951). Fille de concierges parisiens originaires de Primel-Trégastel (Finistère), elle est mise en apprentissage chez divers patrons. Livrant un jour un « rénovateur facial » à la Belle Otéro, elle l'intéresse et, pour 25 F par semaine, elle débute au caf' conc'* (futur Empire*) sous le nom de **Pervenche** (qu'elle garde jusqu'en 1908), interprétant des succès de Montéhus*. En 1910, elle épouse le chanteur Roberty (Edouard Hollard), qui lui fait chanter *Sur les bords de la Riviéra* (Daniderff*). Elle chante partout (caf' conc', music-halls*) et connaît un immense succès. V. Scotto* la décrit « le visage délicat, d'une adorable pureté de lignes, sur un long cou svelte, élancé ». Elle séduit Paris et les altesses étrangères qui fréquentent les établissements élégants. Colette (*la Vagabonde*) la montre sous le nom de « la petite Jadin », le « chanteur Cavalier » n'étant que M. Chevalier* : « Toute sa personne têtue penchée en gargouille, elle chante en cosette ou en goualeuse des rues sans penser qu'elle peut chanter autrement [...]. Le public l'adore. » Mais, surprenant M. Chevalier

avec Mistinguett*, elle essaie de le tuer, puis tente de se suicider et part pour la Russie. En 1914, elle est à Bucarest. Dans *Capitaine Conan*, Roger Vercel parle d'une « grande fille canaille et tendre », « repérée dans un beuglant », Fréhel. Elle séjourne ensuite à Constantinople, où elle se drogue et mène une vie difficile. Quand elle revient à Paris (1923), elle décide de changer de vie et reprend le tour de chant. Paul Franck (directeur de l'Olympia*) lance le slogan « l'inoubliable et inoubliée Fréhel ». Elle reconquiert le public avec un répertoire réaliste*, tourne des films et recommence une carrière que la guerre n'interrompt pas (théâtre Pigalle, ABC*, stalags). On le lui reprochera. Elle meurt pauvre dans son domicile de la rue Pigalle.

Interprète émouvante, elle a chanté la misère qu'elle avait connue : « À cinq ans, je grimpais sur les tables des bistrots pour pousser *Fleurs de Seine*. J'accompagnais un aveugle, et je faisais la quête pour lui. C'est ça le meilleur conservatoire. » Parmi ses succès, on peut citer *Tel qu'il est* (Vandair - Charlys et Alexander, 1936), *la Java bleue* (G. Koger - V. Scotto*, 1939), *la Valse à tout le monde* (C. Trenet* - C. Jardin, 1936), *Sans lendemain* (Michel Vaucaire* - G. Van Parys*, 1938).

FRÈRES JACQUES (les), interprètes. Aucun des « hygiénistes en chef de la santé morale du pays » (R. Queneau*) ne se prénomme Jacques, et deux seulement sont frères. André Bellec (docteur en droit), Georges Bellec (peintre), Paul Tourenne (employé des postes), François Soubeyran (fermier et potier) se sont rencontrés en 1944 au sein de l'association Travail et Culture. Avec leur accompagnateur Pierre

Les Frères Jacques. Dessin de Chaval. Extrait du Programme de la Comédie des Champs-Elysées, 1958.
Phot. Larousse.

Philippe*, ils jouent dans *les Gueux au paradis*, ouvrent le cabaret la Rose-Rouge* (*Exercices de style*, de R. Queneau*, 1948), obtiennent un prix du Disque (1950) et s'affirment comme l'un des meilleurs groupes vocaux* au service de la chanson. Collants bicolores, chapeaux claques, gants immaculés (costumes dessinés par Jean-Denis Malclès), ils créent un style qu'ils portent aux quatre coins du monde avec un succès considérable (1952, récital au théâtre Daunou, 25 chansons, 120 représentations). Pleins de verve (*Jours de colère*), ils manient la satire (*Shah, Shah persan*), la loufoquerie (*Elle avait le nombril en forme de cinq*), la poésie vigoureuse (*Complainte mécanique*). Ils chantent, dansent, miment, composent des tableaux vivants (*les Boîtes à musique*). Ils ont interprété des opérettes comme *les Pieds-Nickelés* (A. Hornez* - J. Valmy et B. Coquatrix*), *la Belle Arabelle* (F. Blanche* - Marc-Cab, Guy Lafarge et P. Philippe, 1956).

En 20 ans, ils ont donné 3 000 tours de chant, 3 500 récitals, chanté 140 000 chansons pendant 9 600 heures (et 11 500 heures de répétition). Ils ont utilisé 1 020 chapeaux, 2 452 paires de gants, 408 maillots collants, 136 paires de chaussures de scène, 320 moustaches (et quelques ratons laveurs chers à l'*Inventaire* de Prévert* et Kosma*, qu'ils ont si souvent chanté). On comprend qu'Y. Audouard les ait surnommés « les athlètes complets de la chanson ».

FRÈRES MARC (les), Maurice et Nathan Korb (Francis Lemarque*), qui, vers 1934, chantent les chansons de Gilles et Julien*, Prévert*, Kosma*.

fricassée, mosaïque formée par un nombre plus ou moins grand de fragments de chansons différentes, très en honneur aux XVᵉ et XVIᵉ s.

FURSY (Henri **Dreyfus,** dit), chansonnier (Paris 1866-1929). Comptable dans diverses entreprises, il termina cette carrière au journal *la France*, ce qui lui donna le goût du journalisme; et, tout en collaborant à plusieurs journaux, il commença à écrire des monologues et des chansons, qu'il chantait salle des Capucines et à la Bodinière. En 1893, il débuta véritablement comme chansonnier, au Carillon*, dont il devint le directeur artistique, puis, en 1895, il fut secrétaire des Tréteaux de Tabarin*. En 1902, il créa son propre cabaret, la Boîte à Fursy*. En 1922, avec Mauricet, il prit la direction du Moulin de la Chanson*. En 1929, en tournée sur la Côte d'Azur, des spectateurs mécontents se ruèrent sur lui et lui infligèrent une correction si sévère qu'il mourut quelques semaines après. Fursy avait créé l'Amicale des chansonniers, dont il a été le président jusqu'à sa mort. Il a fondé une œuvre pour l'inhumation des chansonniers, le « caveau des chansonniers », au cimetière de Saint-Ouen.

Exclusivement chansonnier d'actualité, il a eu une énorme production, et les recueils qu'il a publiés ne contiennent qu'une petite partie de ses chansons, boutades écrites d'un jet, au jour le jour et au hasard des événements. Les plus célèbres chansons de Fursy restent *Stances à Édouard* (Édouard VII), *le Suffrage universel*, *l'Automobile du pauvre*, *les Rois à Paris*, *le Panama* et *l'Impromptu de Compiègne* (voyage de Nicolas II à Paris), qui valut au chansonnier la fermeture de son cabaret durant neuf jours. C'est au moment de l'affaire Dreyfus que Fursy changea son nom, tout d'abord en de Fursy, puis, laissant tomber la particule, en Fursy.

Fursy et Mauricet (Chez). V. *Moulin de la Chanson.*

GABAROCHE (Gaston), chansonnier (Bordeaux 1884- Marseille 1961). Il fait des études de piano au conservatoire de sa ville natale, puis au Conservatoire de Paris (classe X. Leroux, harmonie). En 1907, Lucien Boyer* et D. Bonnaud* l'engagent à la Lune-Rousse*, où il connaît bientôt son premier succès de chansonnier avec *le Regret*. À la fin de la guerre, il inaugure le théâtre de la Potinière, avec Saint-Granier*.
Gabaroche a composé plus de 2 000 chansons, dont beaucoup eurent du succès : *Nocturnes, les Papillons de nuit, Chantez grand-mère, les Beaux Dimanches de printemps, la Femme à la rose*. Il a composé plusieurs opérettes, dont *Enlevez-moi* (avec Praxy et Hallais).

GABRIELLO (Marie André **Galopet**, dit), chansonnier (Paris 1896). Après une licence ès lettres, il chante pour la première fois à l'Athénée Saint-Germain, ensuite à la Vache-Enragée*. Depuis, il a joué les rondeurs dans divers théâtres chansonniers. À son actif, il avoue 25 pièces pour le théâtre, la radio et la télévision. Il a participé à 110 films, composé 2 500 chansons, dont : *le Couronnement de la rosière* avec Jean Rodor* (Perchicot), *Quand je danse avec lui* et *Qui qui m'a* (Marie Dubas*), *Sous le pont du Gard* (Réda Caire), *la Reine de la Sierra* (Tino Rossi*), *Sur un bateau blanc* et *Ay ay ay* (Valiès).
Il a publié *Souvenirs d'un homme de poids* et *Ma femme insignifiante*. Sa fille, **Suzanne,** continue au music-hall* et au cabaret la carrière paternelle.

GACE BRULÉ, trouvère champenois (début du XIII° s.), l'un des plus importants. Il a peut-être été le maître ès poésies de Thibaut de Champagne*. Son style raffiné s'exprime dans 91 chansons, dont certaines ont été insérées dans le *Roman de la violette* (v. 1225), en particulier *A la douçor de la bele saison, De bone amor.*

GAINSBOURG (Lucien **Ginsburg,** dit **Serge**), auteur, compositeur, interprète d'origine russe (Paris 1928). Après des études d'architecture, il est pianiste et guitariste (il accompagne M. Arnaud* à Milord-l'Arsouille*, où il va débuter). Sa première chanson, *le Poinçonneur des Lilas* (1958), connaît un grand succès. Les Frères Jacques* l'interprètent avec force et sobriété. S. Gainsbourg devient célèbre ; il obtient le prix Charles-Cros (1959). Son œuvre fait appel au jazz* (*Black Trombone, le Rock de Nerval*), mais il sait être mélodiste (*la Chanson de Prévert, la Javanaise*). Il dit le monde moderne, sa noirceur, ses gadgets (*le Talkie-Walkie, Jazz dans le ravin*), aime jouer avec les mots (*Douze Belles dans la peau, la Recette de l'amour fou*) ; il a mis de la musique sur des textes de Baudelaire, Musset, Nerval. Interprétée par F. Gall*, sa chanson *Poupée de cire, poupée de son* a obtenu le prix Eurovision de la chanson européenne (1965).

GALL (France), interprète (Paris 1947). Fille de l'auteur Robert Gall (*la Mamma*, - C. Aznavour*), petite-fille de Paul Berthier, cofondateur avec Mgr Maillet des « Petits Chanteurs à la croix de bois ». Elle quitte le lycée et enregistre à seize ans. Dans la mode du yéyé*, elle représente la jeune fille gracieuse et simple, connaît le succès (1964) avec des chansons faciles, parfois à reprendre en chœur (*Sacré Charlemagne*, R. Gall - G. Liferman).

GALLET, chansonnier (Paris 1698-1757). Fils d'un épicier-droguiste de la rue de la

Truanderie, il se piquait de poésie et, dans ses cornets de papier, débitait tout ensemble sa marchandise et ses œuvres. À la mort de son père, il ouvrit sa maison à ses amis chansonniers : Piron*, Collé*, les Crébillon, Panard*, etc. Mis en faillite, il dut se réfugier au Temple, où il mourut hydropique, mais toujours aussi joyeux luron. Il fut à l'origine de la fondation du Caveau*. La muse de Gallet est surtout grivoise. On lui attribue la ronde La boulangère a des écus.

GAMELIN (Robert), chansonnier (Paris 1922). Il débute à la Vache-Enragée* (1945) avec une chanson sur la Pénurie des boîtes de sardines. Il fait ensuite son tour de chant au Caveau de la République*, au Coucou*, à la Lune-Rousse*, à la Tomate*, au théâtre de Dix-heures*. Chansonnier de tradition montmartroise, il choisit ses sujets principalement dans l'actualité politique (Jeanne et Charles) ou dans les inconvénients de la vie courante (Où est l'austérité ?).

GARAT (Pierre-Jean), chanteur et compositeur (Bordeaux 1762 - Paris 1823). Arrivé à Paris en 1782 pour étudier le droit, il préfère se perfectionner dans l'art du chant. Dès 1783 il est invité à Versailles pour chanter des chansons du folklore* de sa province devant Marie-Antoinette. Apprécié à la Cour, Garat s'impose à la Ville. En 1791-1792, il publie un recueil de 6 romances* sur des poésies de Champcenetz. Les salons se vident, Garat part pour Rouen, où il donne plusieurs concerts, accompagné par Boieldieu. Emprisonné comme royaliste, il écrit (poème et musique) la Complainte du troubadour (1794). Libéré par le 9-Thermidor, il compose la Mie du troubadour, puis la Complainte de Marie-Antoinette. Garat voyage en Angleterre, en Hollande, en Belgique. De retour à Paris sous le Directoire, il connaît une vogue extraordinaire : il est l'idole* des Incroyables, qui imitent sa tenue, ses tics, en particulier son zézaiement.
Professeur au Conservatoire dès sa fondation (1795), il est accueilli à la Malmaison par Bonaparte, mais l'Empereur (qui

l'a cependant décoré) lui retirera sa classe du Conservatoire par crainte de l'influence qu'avaient ses chansons. La Restauration lui rend son poste, mais celui qui a été qualifié d'« Orphée des Français » vieillit à regret, affublé d'un costume à l'ancienne mode. Garat compte parmi les principaux romancistes de l'Empire. En 1804, il a fait paraître 3 romances : Il est trop tard (- Coupigny), Sans le vouloir, N'est-il, amour, sous ton empire ? ; ensuite, jusqu'en 1815 : Éloge de l'absence (- S. Gail), le Ruisseau (- Dastarat), Comment éviter ton pouvoir, la Lettre de congé (- L. J. N. Lemercier), le Sommeil de Clary, Comme va le monde (- A. J. de Launay), Romance nègre, le Petit Air boudeur (- Dupuy des Islets).

Garçons de Bonne-Humeur (déjeuners des), association qui, de 1801 à 1805, forma le point de liaison entre les Dîners du Vaudeville* et ceux du Caveau moderne. Trois volumes de chansons furent publiés par les soins de Capelle*.

GARVARENTZ (Diran Wem Georges), compositeur (Athènes, Grèce, 1932). Son père était un poète et un musicien célèbre en Grèce, mais sa famille doit s'exiler au début de la guerre. Après être passé dans divers pays, Georges Garvarentz se retrouve seul à Paris, où, voulant être médecin, il poursuit des études générales jusqu'à dix-huit ans. Mais il est saisi par le démon de la musique et commence à composer. En 1957, Aïda Aznavour (la sœur de Charles Aznavour*) crée sa première chanson, le Bal des truands. Il se consacre alors à la musique et compose de nombreux succès, dont les paroles sont le plus souvent de Charles Aznavour : Et pourtant, Rendez-vous à Brasilia, Il te faudra bien revenir, Paris au mois d'août, etc.. Sylvie Vartan* lui interprète la Plus Belle pour aller danser, Dalida* les Marrons chauds, Maurice Chevalier* le Twist du canotier, Johnny Hallyday* Retiens la nuit, Mireille Mathieu* Ponts de Paris, etc. Il a écrit la musique d'une cinquantaine de films (Cherchez l'idole, Un taxi pour Tobrouk). Il est directeur des éditions musicales French-Music (éditions Ch. Aznavour).

GASTÉ (Louis, dit **Loulou**), auteur, compositeur (Paris 1908). Guitariste de valeur, il fait partie de l'orchestre Ray Ventura* à ses débuts (1931). Sa première chanson, *Avec son ukulele* (- Roméo Carlès*), a été créée en 1944 par Jacques Pills*. Depuis, il a écrit plus de 2 000 chansons, dont la célèbre *Cabane au Canada* (- Mireille Brocey), créée en 1948 par sa femme, Line Renaud*. Cette dernière raconte avec esprit dans son livre *Bonsoir mes souvenirs* (Éd. Flammarion, 1963) l'extraordinaire engouement du public pour cette chanson. Elle l'interpréta aux étapes du Tour de France, voyageant dans une voiture carrossée en « cabane canadienne »... Sous une chaleur accablante, le voyage fut une épopée. Elle montre aussi le rôle de Louis Gasté dans l'établissement de sa carrière de chanteuse. Louis Gasté a écrit de nombreuses chansons pour elle, dont *le Soir* (1954), *Bal aux Baléares* (1958), *la Madelon* (1955, pour le film de Jean Boyer*). Ses mélodies sont très diverses, toujours agréables, souvent pleines d'entrain. Parmi ses plus grands succès, on peut citer les chansons écrites avec Jean Guigo pour Yves Montand* (*Luna-Park*, *Battling-Joe*). Louis Gasté dirige une maison d'édition.

GAUCELM FAIDIT, troubadour limousin (1185-1220 env.), fils d'un bourgeois. Il était renommé pour sa jolie voix. Ayant perdu sa fortune aux dés, il dut se faire jongleur. Porté sur les joies de ce monde, il était gros outre mesure, et avait épousé une femme de peu, qui devint aussi grosse que lui !
Néanmoins, il participa à la troisième croisade. Son œuvre est considérable : 65 chansons, dont 14 notées, la plupart adressées à Marie de Ventadour. Il a composé un planh* sur la mort de Richard Cœur de Lion (1199), qui est l'une des plus belles pages de la chanson française.

GAULTIER-GARGUILLE (Hugues **Guéru de Fléchelles**, dit), chansonnier et comédien (Sées 1573 - Paris 1633). Il commença par faire le désespoir d'une famille de nobliaux normands, pour, finalement, s'engager dans une troupe de comédiens

Gaultier-Garguille. Frontispice de Michel Lasne. Phot. Lauros.

ambulants. À partir de 1615, il appartint à la troupe de l'Hôtel de Bourgogne, où il joua les rôles dramatiques, les farces épicées et chanta des chansons qui ne l'étaient pas moins. Protégé de Louis XIII, enrichi, marié et assagi, il finit très bourgeoisement.
Les chansons et les farces de Gaultier-Garguille relèvent d'une même inspiration, essentiellement populaire. Si ses obscénités ont souvent offusqué les historiens, le gros public s'y est diverti.

GAUTIER de Coincy, trouvère (né probablement à Coincy, près de Soissons, v. 1177 - Soissons 1236). Novice à Saint-

Médard de Soissons, puis prieur de Vic-sur-Aisne (1214), il revint à Saint-Médard en 1233 comme grand prieur. Poète marial, il a été l'un des premiers à écrire des chansons sur des timbres*.

GAUTY (Alice **Gauthier,** dite **Lys**), interprète (Paris 1908). Après avoir vendu des chapeaux, elle débute dans un concert d'amateurs où elle chante le grand air de la Tosca, Madame Butterfly, etc. Elle se consacre à la chanson, fait ses débuts professionnels à Paris dans un spectacle « en mutuel » (organisé par les artistes eux-mêmes), chante à Bruxelles au théâtre de Dix-Heures, puis à Paris de nouveau, en cabarets (la Boîte à matelots, 1932 ; la Folie de Lys Gauty, 1933) et en music-halls* (Bobino*, 1933 ; Alhambra*, 1934 ; ABC*, 1936, etc.). Sa popularité est grande : elle est reine des Six-Jours en 1934. C'est l'époque de son plus grand succès, le Chaland qui passe (A. de Badet et C. A. Bixio). Vêtue d'une robe blanche très simple, sans bijou, elle chante dans un style classique des textes de valeur, comme Une femme (poème de Henri Heine), les chansons de l'Opéra de quat' sous (B. Brecht-Mauprey - K. Weill), qui lui valent un prix du Disque. Son répertoire comprend aussi de nombreux succès populaires : J'aime tes grands yeux (J. Tranchant*), le Bistrot du port (qui l'amène à tourner un film sur ce thème, 1934), Dis-moi pourquoi (Michel Vaucaire* - J. Kosma*, 1938), Le bonheur est entré dans mon cœur (M. Vaucaire - N. Glanzberg*, 1938), etc.
Elle poursuit encore sa carrière quelques années (ABC, 1944 ; Alhambra, 1946), joue Ma goualeuse, opérette de J. Guitton - M. Lanjean* - Marc-Cab (Casino-Montparnasse, 1950), puis elle abandonne la scène.

GAVEAUX (Pierre), chanteur et compositeur (Béziers 1761 - Paris 1825). Il quitta l'habit ecclésiastique pour le théâtre. Après des débuts à Bordeaux et à Montpellier, il se fit applaudir comme ténor à l'Opéra-Comique. Élève de Franz Beck pour la composition, il est l'auteur de romances* à succès : Amédée et Adèle, les

Trois Sortes d'amour, la Ronde nocturne ; il est aussi le compositeur du Réveil du peuple (1795) [- J. M. Souriquière], qui salua le 9-Thermidor. Il a écrit environ 35 œuvres dramatiques, dont certaines mélodies furent populaires.

Gayant (Enfants de) [1801 - 1820, Douai], réunions bachico-lyriques fondées sur le modèle des Caveaux*, sous l'égide du géant d'osier qui préside à la fête de Douai. Cette société a publié un recueil : Étrennes douaisiennes, ou Recueil de chansons dédiées aux Enfants de Gayant (1818-1819).

GELNARD (Maurice **Legrand,** dit), interprète (Morbecque, près d'Hazebrouck, 1888). Né dans une famille pauvre de cinq enfants, il est tout d'abord vacher. Le curé de sa paroisse le remarque et lui apprend le chant au son d'un harmonium, puis il suit les cours de solfège de l'harmonie municipale d'Hazebrouck. Il débute en 1915 au Casino de Montmartre sous le nom de Glénard et se produit dans les derniers cafés-concerts* de la capitale : Pacra*, Fantasio, etc. Gelnard, accompagné de cinq accordéonistes, a chanté aussi dans les rues, à la sortie des théâtres, et il a acquis ainsi une énorme popularité : la Femme aux yeux verts, la Java des clochards, Pour toi si jolie, Sous le soleil marocain, En fumant la cigarette (qu'il a gardé sept ans à son répertoire), mais son plus grand succès fut Nuits de Chine, composé par Dumont pour les paroles et, pour la musique, par le docteur Benech, qui avait ceci de particulier, de ne savoir ni lire ni écrire la musique : il se contentait de fredonner un air, que Gelnard transcrivait sur-le-champ. Après 1945, Gelnard fut pendant dix ans organiste à Paris, avant de prendre sa retraite à Hazebrouck.

GEORGE (Yvonne **de Knops,** dite **Yvonne**), interprète (Bruxelles 1896 - Gênes 1930). Paul Franck la fait débuter à l'Olympia* (1920), où son tour de chant fait scandale ; elle est sifflée, huée par un public déconcerté par son répertoire, en particulier par Nous irons à Valparaiso,

Yvonne George, par Van Dongen (1925).
Phot. Larousse.

authentique chanson de la marine à voile. Les auditeurs ne comprennent pas les « Good bye farewell » du refrain.

Depuis, cette chanson a fait son chemin sur la terre ferme, puisque Darius Milhaud en a utilisé la mélodie pour son opéra-comique *le Pauvre Matelot* (1927). Yvonne George a fait une extraordinaire carrière au music-hall*. Malgré son insuccès de l'Olympia, Cocteau lui confie le rôle de la nourrice dans son *Roméo et Juliette*, représenté à la Cigale*, puis elle revient courageusement sur la scène de l'Olympia, où elle remporte cette fois un triomphe, avec un répertoire à la fois traditionnel et populaire : *la Mort de Jean Renaud, la Femme du bossu, les Cloches de Nantes, Pars sans te retourner* (Lenoir*), *Et c'est pour ça qu'on s'aime* (Borel-Clerc*); elle chante aussi des fantaisies comiques, comme *Impressions de dancing,* et, bien entendu, des chansons de marins, que le public écoute cette fois sans protester. Elle chante au Casino de Paris*, au Moulin-Rouge*, à Bobino*, à l'Apollo; après une saison à Londres, Ziegfield l'engage pour chanter en Amérique. C'est à l'apogée de son succès que, minée par la maladie, elle doit aller se soigner en Suisse. Après deux ans de sanatorium, se croyant guérie, elle fait annoncer sa rentrée au music-hall et part pour Gênes, où elle meurt.

GEORGIUS (Georges **Guibourg,** dit), auteur, interprète (Mantes 1891). Après des débuts en amateur à Rosny-sous-Bois, Georgius chante en professionnel au Concert du XXᵉ siècle (*les Archers du roi,* 1912). Il poursuit une carrière de fantaisiste* dans les cafés-concerts* et music-halls* parisiens (la Fauvette, la Gaîté, Concert Mayol*, Casino de Paris*, etc.), et il acquiert une popularité considérable. En habit blanc, fleur à la boutonnière, l' « amuseur public n° 1 » interprète des œuvres farfelues, *le Fils père* (1920), *Ça c'est de la bagnole* (1936), *le Lycée Papillon* (1937), dont il écrit les paroles (musique de Chagnon, Poussigue, Juel). Son Théâtre chantant présente des chansons mises en scène avec habileté (Bobino*, 1929). Auteur de 1 500 chansons, 12 revues et opérettes, 18 comédies et 14 romans policiers, il fut un fantaisiste à la verve endiablée.

geste (chanson de) [du latin *gesta,* « actions »], poème épique divisé en strophes*, appelées laisses, chaque laisse étant construite sur la même assonance. La plus importante et la plus connue est *la Chanson de Roland* (XIIᵉ s.). Certains auteurs, après Gaston Paris, en font remonter l'origine à la cantilène*; selon eux, la chanson de geste ne serait que le rassemblement de plusieurs cantilènes*, mais cette théorie a été remise en cause.

Les chansons de geste étaient plutôt cantillées que chantées, sauf le dernier vers, qui avait une mélodie propre, au cours de laquelle il semble que l'interprète pouvait déployer toute sa science vocale ou sa fantaisie.

Les chansons de geste ont été regroupées en cycles, dont les principaux sont la Geste du roi (Charlemagne), celle de Garin de Monglane, celle de Doon de Mayence.

GILBERT (Pierre Gilbert **Richardot,** dit **Pierre**), chansonnier (Paris 1909). Après avoir écrit une chanson dès l'âge de dix ans (jamais créée!), il débute en gagnant le grand prix d'un concours organisé à Marseille par le journal *Artistica* (1936). Il passe ensuite dans quelques cabarets marseillais. Délaissant des études de médecin vétérinaire, il commence en 1937 une carrière de chansonnier (Chat-Noir* [de Chagot], Caveau de la République*, Lune-Rousse*), interrompue par la guerre et reprise dès 1940 au Coucou*. Depuis 1943, Pierre Gilbert chante chaque soir aux Deux-Ânes* et, depuis 1951, partage ses soirées entre ce cabaret et le Caveau de la République. De 1951 à 1959, il a participé au *Club des chansonniers* (Radio-Luxembourg*). Coauteur, avec Rocca*, Destailles* et René-Paul*, de 25 revues d'actualité. Il s'est spécialisé dans la chanson politique* et le pamphlet; les titres de ses chansons rappellent une actualité qui fut brûlante : *On est rationné* (1940); *le Pauvre Petiot* (1944), *À l'abbé Pierre* (1954), *Je vous salue Hongrois* (1956), *les Yéyés** (1964). En 1965, Pierre Gilbert a été condamné par la 17ᵉ chambre correctionnelle pour offense au chef de l'État.

GILLE (Charles), chansonnier (Paris 1820-1856). À douze ans, il quitta l'école mutuelle pour entrer en apprentissage. Sa mère, corsetière, le fit coupeur de corsets, profession qu'il exerça longtemps. Il fit ensuite de nombreux métiers; il travailla dans une fabrique de céruse, traîna une voiture dans les rues de Paris; dans les dernières années de sa vie, il donnait des leçons de français et d'écriture à raison de 1 F le cachet. À seize ans, farci de littérature, il rimait correctement; et si la forme laissait à désirer, la pensée était originale. Les sujets les plus divers abondaient sous sa plume : voulant enseigner l'histoire de la Révolution aux ouvriers qui l'écoutaient, il composa *le Vengeur*, *le Départ de la garde nationale en 1792*, *la 32ᵉ Demi-Brigade*, *le Bataillon de la Moselle*. Il écrivit des chansons-pamphlets, fustigeant la politique du moment (*Napoléon*, *Si vous l'aviez voulu*, *la République bourgeoise*), ou des chansons dénonçant la condition des travailleurs (*les Vieux Ouvriers*, *le Bon de travail*, *les Mineurs d'Utzel*, etc.). Il y a aussi, dans l'œuvre de Gille, des compositions poétiques et charmantes : *la Cloche fêlée*, *la Fée aux aiguilles*, *Mon pays, c'est ton cœur*, *Pâques fleuries*, etc. Ses chansons ne lui rapportaient rien. Les éditeurs le rétribuaient à raison de 0,50 F le couplet; seul l'éditeur Vieillot le paya convenablement. Il fonda la goguette la Ménagerie* (1841), où son surnom était « le Moucheron ». Il fut condamné à six mois de prison à Sainte-Pélagie pour avoir fondé une société sans autorisation. Après avoir soldé une dette de 2 F à un boutiquier voisin, Charles Gille se pendit. Beaucoup de ses chansons, éditées en feuilles volantes ou restées manuscrites, furent publiées par les soins d'Eugène Baillet*.

GILLES (Jean **Villard,** dit), auteur, compositeur, interprète (Montreux, Suisse, 1895). Après des études classiques (Montreux, Lausanne), il commence une carrière théâtrale en France avec Copeau, Baty (Vieux-Colombier) et fonde la Compagnie des Quinze. Avec Julien*, il crée un numéro de duettistes qui débute au théâtre de Montrouge (*la P'tite Nini*, 1932). Gilles et Julien (prix du Disque en 1934) constituent l'un des groupes de duettistes qui annoncent le renouveau de la chanson contemporaine (v. aussi *Pills et Tabet*, *Charles et Johnny*). Abandonnant bientôt l'habit, ils chantent en chandail de matelot *Dollar* (Empire*, Bobino*, 1932), *la Marie-Jésus*, *les Trois Bateliers* (1935), *Hommes 40, chevaux 8* (Michel Vaucaire* - Ivan Devriès, 1936), *Familiale* (Prévert* - Kosma*), *Browning* (R. Asso* ; ABC*, 1937), puis se séparent (1938); Julien s'oriente vers le théâtre, et Gilles (auteur de certains de leurs textes) retourne pendant la guerre en Suisse, où il mène une carrière de chansonnier francophile dans son cabaret du Coup de soleil* à Lausanne (1940-1948) : *À l'enseigne de la fille sans cœur*, *14-Juillet*. Après la guerre, il anime le cabaret Chez Gilles* à Paris (1949-1959), continue à chanter et à écrire (*les Bonnes*). E. Piaf* et les Compagnons de la chanson* créent ses *Trois Cloches* et en font un succès mondial (un million de disques). [Prix de Poésie populiste, 1954.]

Gilles (Chez), cabaret fondé et animé par le chansonnier Gilles* (1949-1959), avenue de l'Opéra à Paris. Inauguré par J. Douai* et les marionnettes d'Hubert

Gignoux (qui devint par la suite directeur du Centre dramatique de l'Est, à Strasbourg), ce cabaret a toujours fait la plus large place à la chanson de qualité. On put notamment y entendre les Frères Jacques*, Béatrice Moulin, Cora Vaucaire*, les Quatre Barbus*, etc., sans oublier le maître de maison, Gilles*, aux chansons pleines d'humour. Par la suite, Chez Gilles est devenu la Tête de l'art.

GILLES et JULIEN, numéro de duettistes (1932-1938). [V. *Gilles.*]

GLANZBERG (Norbert), compositeur (Rohatyn, Pologne, 1910). Après des études à l'université de Würzburg, N. Glanzberg se consacre à la musique. Il est chef de chœurs au théâtre de Würzburg, puis à celui d'Aix-la-Chapelle. Il écrit de la musique de films (U. F. A., Berlin). En France, il est accompagnateur de Rina Ketti, Lys Gauty*, C. Trenet*, T. Rossi*, E. Piaf*. Il a écrit la musique de nombreuses chansons à succès comme *J'ai juré de t'aimer toujours* (- Michel Vaucaire*, 1937) ; le public retient ses mélodies (*Tout le long des rues,* - J. Larue*, 1947), qui sont souvent brillantes et bien venues (*Mon manège à moi,* - J. Constantin*, 1948). Ses œuvres ont été interprétées par Lys Gauty, Y. Montand*, E. Piaf, C. Renard*, etc.

goguettes, sociétés chantantes (XIXe s.). Alors que les caveaux* recrutaient leurs

Un goguettier.
Dessin
de Daumier
(1845).
Phot. Lauros.

Tandis que cet Orphée au geste symbolique
Prêche à ses auditeurs un avenir heureux,
Ceux-ci, remplis du feu de sa voix prophétique,
Dégustent... par avance un repas somptueux ;

Caressent... en espoir des femmes toujours belles,
Savourent... dans leur rêve un champagne à huit sous,
Jonchent de mille fleurs... le fond de leurs cervelles,
L'imagination a de si beaux joujoux !

membres parmi des littérateurs, ceux de la goguette furent, pour la plupart, des ouvriers ou des artisans, épris de littérature et de musique. Malgré l'étymologie de son nom (gogue, faire bombance), la goguette rejette l'épicurisme des caveaux. Si ses membres se réunissent dans des cabarets, c'est plutôt pour entendre ou chanter des chansons que par le désir de boire ou de manger. La première goguette en date fut celle des Bergers de Syracuse*, fondée par Pierre Colau (1804). Mais ce fut seulement à partir de 1817 que les goguettes se multiplièrent, à tel point que, dès 1818, il devint difficile de les recenser. En 1845, Du Mersan a relevé les noms de 480 goguettes pour Paris et ses environs. Ce chiffre a pu paraître exagéré ; cependant, il est fort plausible : on nommait goguette toute réunion périodique organisée par une société chantante. Elles étaient pratiquement ouvertes à tous ; il suffisait de verser 0,30 F de caution pour que s'ouvrent les portes de la goguette. Certaines goguettes eurent une vie éphémère ; il est donc difficile d'en dresser une liste exhaustive.

Les goguettes les plus célèbres furent les Bergers de Syracuse, les Infernaux*, la Ménagerie*, les Troubadours* et la Lice chansonnière*, auxquelles il faut ajouter les Enfants de la halle, de Phébus, de la goguette, du vaudeville, de la joie, de l'avenir, de Momus, de la lyre, de la gaîté, de l'entonnoir, du désert, du temple, du siècle ; les Bons Enfants ; les Amis de la pipe, de la gloire, de la treille, de la vigne, des arts, de la chanson, de la chaumière, de l'Étoile ; les Joyeux Amis des dames ; les Braillards, les Gamins, les Grognards, les Lapins, les Lapins du Nord, les Lapins du Midi, les Epicuriens, les Sans-Souci, les Francs-Gaulois, les Joyeux, les Démocrites, les Momusiens, les Insectes, les Triboulets, les Ménestrels, les Ermites du Pré-aux-Clercs, les Bons Diables, les Francs Canonniers, les Disciples de Bacchus, les Canotiers, les Moissonneurs, les Nourrissons des Muses, les Vrais Soutiens de la gaîté française, les Bons Vivants, les Templiers, les Indépendants de la Table ronde, les Lutins, les Rats, les Ceps de vigne, les Palefreniers de l'hippocrène,

les Frileux, les Vrais Français, la Fauvette, les Fleurs, les Farfadets, le Sacrifice d'Abraham, les Gais Pipeaux, la Couronne chansonnière, la Camaraderie, les Soirées de famille, la Société du gigot, la Pipe, le Canif, l'Institut lyrique, l'Athénée lyrique, le Cercle lyrique de Belleville, la Lyre amicale, la Jeunesse artistique, l'Harmonie du commerce, la Cordiale, les Vingt-et-Un, les Gais Musiciens, les Intimes, la Lyre du Marais, la Pensée, le Cercle Murger, le Cercle Musset, la Muse des Arts et Métiers, le Pot-au-feu, les Chevaux d'Apollon, etc.

Des noms de goguettiers sont restés célèbres : E. Debraux*, Vinçard*, H. Moreau*, Ch. Gille*, Colmance*, G. Leroy*, E. Baillet*, R. Ponsard*, L. Festeau*, les frères Dalès*, Henri Murger*, Desrousseaux*, E. Pottier*, J.-B. Clément*, E. Chebroux*, E. Hachin*, P. Avenel*, P. Dupont*, V. Rabineau, Lachambaudie, Ch. Lepage, J. Jeannin, E. Imbert*, D. Flachat, Barateau, Jules Moineaux, G. de Nerval, Ch. Vincent, G. Mathieu, E. Plouvier et Jules Jouy*, qui transporta la goguette à Montmartre.

Les goguettiers n'ont pas seulement composé des chansons parodiées*, quelques musiciens ont collaboré avec eux : Darcier*, Henrion*, Tac-Coen, Ben-Tayoux, E. Arnaud*, L. Abadie*, etc.

Des publications se firent l'écho des réunions : le Momus, l'Écho lyrique, la Muse gauloise, le Divan, la Chanson illustrée, l'Étoile, sans compter la Lice chansonnière. Debraux, qui fut jusqu'à sa mort (1831) le grand maître des goguettes, avait donné des conseils de prudence aux goguettiers, leur recommandant de ne pas se mêler de politique, conseils qui ne seront pas suivis, car Vinçard, Ch. Gille, L. Festeau, G. Leroy exalteront, chacun selon son tempérament, les doctrines fouriéristes ou babouvistes et prépareront ainsi la IIe République. Aussi, après le coup d'État du 2-Décembre, le droit de réunion fut supprimé, chaque goguette étant considérée comme un foyer de conspiration. Il fallait demander à la Préfecture de police la permission de se réunir, ce qui porta un coup fatal aux goguettes. La IIIe République refusa aux goguettiers l'autorisation de reprendre leurs activités, malgré la supplique chantée adressée au préfet de police par Jules Jeannin :

Ah! rendez-nous notre vieille goguette
Ses gais refrains et son vin à six sous...

Seule, ou à peu près, subsista la Lice chansonnière.

Golf Drouot. Ouvert en 1953, le Golf Drouot est animé à partir de 1956 par le barman Henri Leproux. La clientèle de jeunes (pas de boissons alcoolisées) peut y utiliser librement le juke-box (disques de rock and roll*). Le Golf Drouot (qui tire son nom du « mini-golf » précédemment installé dans l'établissement, 2, rue Drouot), en accueillant de jeunes chanteurs et des orchestres amateurs sur son « tremplin » tous les vendredis, a contribué au succès du style yéyé*. On a pu y entendre notamment J. Hallyday*, Eddy Mitchell, Sheila*, Dick Rivers.

goliards, poètes (XIᵉ-XVᵉ s.). Clercs, pour la plupart, ils écrivirent des pièces profanes, souvent lyriques, de tendance épicurienne, soit en latin, soit en français. Beaucoup faisaient le métier de jongleur, allant de château en château. Leurs œuvres — rabelaisiennes avant la lettre — les ont fait ranger sans distinction dans la catégorie de « mauvais sujets ». Cependant, parmi les principaux, Gautier de Châtillon mena une vie exemplaire. Il faut citer encore Hugues d'Orléans, qu'on a surnommé « le prince des Poètes », et Fulbert de Chartres.

GOLMANN (Stéphane), auteur, compositeur, interprète (Montrouge 1921). En 1950, Yves Montand* crée *Actualités* (- A. Vidalie), et on découvre dans cette belle mélodie, ces paroles à la fois tendres et viriles, l'annonce d'un renouveau de la chanson française, que Félix Leclerc*, puis Georges Brassens* vont assurer et, après eux, J. Brel*, G. Béart*, etc. Si les chansons de S. Golmann connurent de grands succès, il répugne à une carrière régulière. Ce grand voyageur veut rester libre, ce poète authentique refuse l'esclavage de la vedette.

Il a fait des études techniques (certificat de mathématiques générales en 1939), a fréquenté l'École des ingénieurs mécaniciens de Rochefort, comme la Sorbonne. Mais il est porté vers la musique et les lettres. Il enrichit son bagage folklorique anglo-saxon et, vingt ans avant la mode du folksong*, Agnès Capri* l'utilise en 1946 dans *Laisse parler Jacob*. Paris découvre un guitariste (que l'on croit américain), et qui est consacré comme instrumentiste et chanteur français par l'opéra bouffe *les Taureaux* (Alexandre Arnoux - Jean Wiener*). Mais il entreprend alors d'écrire des chansons « dans la tradition des anciens troubadours* et trouvères* » ; il les chante au théâtre de la Gaîté, que dirige Agnès Capri (*Ma guitare et moi*, 1950). Il passe dans tous les cabarets parisiens (Quod libet*, Trois Mailletz, Rose-Rouge*, Vieux-Colombier*, l'Écluse*, Chez Gilles*, etc.) et donne des récitals. Il chante *les Comédiens*; Juliette Gréco* lui interprète *C'est à s'aimer*, les Frères Jacques* chantent et miment l'un de leurs plus grands succès, *la Marie-Joseph* (1956). Ses œuvres sont spirituelles (*la Conscience*), enlevées avec un brio extraordinaire, où l'humour n'exclut pas la férocité (*l'Art de la guerre*, - F. Frédéric). On y trouve la fantaisie la plus farfelue (*le Cheval dans la baignoire*) et surtout un art aigu de l'observation (*les Visons, Saint-Tropez*), qui en font l'un des plus heureux créateurs de la chanson contemporaine : « Toutes les formes de l'esprit le plus brillant, le plus chaud, le plus fraternel à cela même qu'il se moque sont ici réunies avec un extraordinaire bonheur. » (Jean Hamon, *Combat*.)

En 1956, il s'installe à Londres et participe aux travaux d'une commission internationale ; de 1960 à 1962, il est expert international attaché au ministère des Affaires étrangères à Paris ; de 1962 à 1963, il est assistant personnel d'un haut fonctionnaire du secrétariat de l'O. N. U. ; de 1964 à 1966, il est professeur de conversation française à New York, où il rédige un manuel d'histoire française contemporaine ; depuis 1966, il s'occupe de l'édition des documents officiels à l'O. N. U. Mais il n'a jamais abandonné la chanson. Il a aussi dirigé les services de variétés de la section britannique de la radio française, fait de multiples conférences au Canada et aux États-Unis, animé à New York le premier programme Telstar en direction de l'Europe, enregistré et continué à composer, écrit la musique de dix-sept films, etc. Il est aussi compositeur d'œuvres classiques (Messe, exécutée à Bruxelles, 1958; Répons n° 1 pour clavecin et alto, O. R. T. F., 1964).

GORAGUER (Alain), compositeur (Rosnysous-Bois 1931). Après des études à Nice, il vient à Paris, étudie la musique et se consacre au jazz*. Compositeur de musique de film (J'irai cracher sur vos tombes), chef d'orchestre, il a réalisé de nombreux accompagnements pour des enregistrements de vedettes de la chanson (S. Gainsbourg*, J. Gréco*, C. Sauvage*, etc.). Il compose dès 1955, avec B. Vian*, des rocks* parodiques (Fais-moi mal Johnny). Il a écrit la musique de plusieurs chansons de B. Vian (Ne vous mariez pas, les filles!, la Java des bombes atomiques, Je bois, le Petit Commerce, la Java martienne, la Complainte du progrès, Pan, pan, pan, poireaux, pommes de terre).

GOUBLIER (Gustave **Conin**, dit **Gustave**), compositeur (Paris 1856 - 1926). Tout d'abord pianiste au théâtre Robert-Houdin, puis chef d'orchestre à l'Eldorado*, à Parisiana* et aux Folies-Bergère*, il a composé la musique de chansons très populaires (l'Angélus de la mer, - L. Durocher*; Credo du paysan, - S. et F. Borel; Miserere d'amour, - P. Chapelle - Jean Hems, etc.), ainsi que plusieurs opérettes. Le passage de l'Industrie (Paris-X°), quartier général de la chanson à la Belle Époque, s'appelle à présent rue Gustave-Goublier.

GOUDEAU (Émile), chansonnier (Périgueux 1849 - Paris 1906). À dix-huit ans, il professait en sixième au collège de Marmande, et, deux ans plus tard, la cinquième au lycée d'Evreux. Malgré une extrême myopie, il fit la guerre de 1870 comme sous-lieutenant de mobiles. Après un retour à l'enseignement au lycée de

Goudeau. Gravure de Paillard.
Phot. Lauros.

Bordeaux, il obtint en 1874 un emploi au ministère des Finances, ce qui lui permit de versifier en toute tranquillité.

Après avoir fondé les Hydropathes*, il fut, avec G. Salis, l'instigateur du mouvement montmartrois en créant le Chat-Noir*. « Il était l'esprit, la verve de cette société, groupant pour l'ébaudissement des bourgeois, tous les jeunes et libres talents qui faisaient à Montmartre une auréole. » (G. Montorgueil.) Toute sa vie il resta fidèle à la Butte, organisant avec Willette les fêtes de la Vachalcade et le bal du Déficit. Rédacteur en chef des journaux le Chat-Noir, puis les Quat'-z-Arts, Goudeau a publié, en collaboration avec Charles Cros, d'extraordinaires chroniques dans le Gil Blas, sous le pseudonyme de Karel Émile. De nombreux poèmes de Goudeau, extraits de Fleurs de bitume, Poèmes ironiques, Chansons de Paris et d'ailleurs, ont été mis en musique par Delmet*. Dans 10 Ans de bohème, il a raconté ses souvenirs sur la fondation du club des Hydropathes.

GOUDIMEL (Claude), compositeur (Besançon 1505 - Lyon 1572). On connaît surtout Goudimel grâce aux traductions de psaumes, par Marot et par Th. de Bèze, qu'il a mises en musique et qu'il publiait concurremment avec des œuvres relevant du culte catholique, dont plusieurs messes sur des timbres* de chansons (le Bien que j'ay par foy d'amour conquis). Il a cependant laissé nombre de chansons profanes, publiées par les éditeurs Le Roy* et Ballard entre 1556 et 1559. À partir de ce moment, Goudimel, complètement gagné aux idées de la Réforme, semble s'être consacré aux œuvres protestantes. Il mourut assassiné, victime de la Saint-Barthélemy lyonnaise, et son corps fut jeté dans le Rhône.

GOUFFÉ (Armand), chansonnier (Paris 1775 - Beaune 1845). Fonctionnaire des Finances, il employait son temps à composer des chansons. Il fit partie des Dîners du Vaudeville* et fut secrétaire perpétuel du Caveau moderne. Il démissionna en 1814 et fut remplacé par Béranger*. Caustique, spirituel, mais misanthrope, Gouffé est l'un des pères de l'humour noir, comme en témoignent certaines de ses chansons : le Corbillard, Quand on est mort c'est pour longtemps, le Jugement dernier. Au milieu des biberons qui l'entouraient, Gouffé ne buvait que de l'eau.

GOUGAUD (Henri), auteur, compositeur, interprète (Carcassonne 1936). Après des études supérieures (licence de lettres), il débute en cabaret (la Colombe*, l'École buissonnière*, l'Écluse*, etc.) à partir de 1963. Il enregistre en 1964 (À Carcassonne) et obtient un prix du Disque. Ses œuvres sont aussi interprétées par les Frères Jacques* (Béton armé), Serge Reggiani (Paris ma rose), C. Sauvage*, Mouloudji*, etc. Il chante dans les maisons de jeunes et de la culture des œuvres qui prennent souvent parti : « Une chanson engagée, dit-il, c'est une chanson écrite et chantée par un homme et non par une idole*, et qui s'adresse à des hommes et non à des moutons. »
En collaboration avec J. Ferrat*, il a écrit des œuvres très engagées (Cuba si, Pri-

sunic) et poétiques (Au point du jour, 1967).

Grand Concert de l'époque (le). V. Pacra (Concert).

GRANDMONT (Dominique), auteur (Montauban 1941). Il a écrit des chansons poétiques et soignées, le plus souvent mises en musique et interprétées par Hélène Martin* (l'Homme en bleu, la Margot, Art poétique).

GRANGÉ (Pierre Eugène **Basté,** dit), chansonnier et vaudevilliste (Paris 1809-1887). À l'opposé de Pottier*, il ne voyait dans les communards que des pillards, des voleurs et des assassins. Son recueil les Versaillaises contient des chansons dont le style est excellent, et qui sont le reflet de ses opinions : les Gardes à 30 sous, les Prussiens de Paris, les Moutons, De Profundis de la Commune, etc. Il a fait représenter avec succès de nombreux vaudevilles, dont le Punch Grassot (en collaboration avec Delacour et Lambert-Thiboust), qui fut interprété par Hortense Schneider et dont tout Paris fredonna les couplets.

GRASSI (André), auteur, compositeur (Paris 1911). Il fait de solides études musicales (Schola cantorum) et, diplômé d'études supérieures de piano, il donne des récitals, des concerts avec orchestre. De retour de captivité, où l'a mené la guerre, il devient pianiste accompagnateur Chez Suzy Solidor*. Après la Libération, Colette Mars, devenue propriétaire de ce cabaret, interprète ses premières chansons (Nostalgie, 1945). Il devient alors chef d'orchestre à la radio (émission d'André Claveau* et Odette Laure les Amoureux du dimanche), puis, tout en continuant à composer pour la chanson, il accompagne avec un orchestre A. Claveau, J. Gréco*, F. Leclerc*, Mouloudji*, Patachou*, les Quatre Barbus*, etc., lors de divers enregistrements. Il compose aussi de la musique symphonique dite « légère » et deux opérettes avec Guy Lafarge : Un chapeau de paille d'Italie, d'après Labiche (Strasbourg, 1966), et

Bouchencœur (Mulhouse, 1967). Ses chansons peuvent être tendres (*Jimbo l'éléphant,* par Colette Mars, 1946), pleines d'humour (*les Voyous,* par les Garçons de la rue, Patachou, 1955); la mélodie en est toujours solidement dessinée (*la Marie,* paroles d'Henri Contet*, créée par les Compagnons de la chanson*, ABC*, 1947).

GRÉCO (Juliette), interprète (Montpellier 1927). Elle fut la « muse de Saint-Germain-des-Prés » à l'époque où le Tabou* était « créé » par une équipe d'amis, Queneau*, Camus, Vadim, Vian*, Sartre, qui écrivit : « J. Gréco a des millions dans la gorge; des millions de poèmes qui ne sont pas encore écrits, dont on écrira quelques-uns. On fait des pièces pour certains acteurs, pourquoi ne feraiton pas des poèmes pour une voix? » Pourquoi pas? Sartre écrit donc *la Rue des Blancs-Manteaux* pour cette voix mystérieuse et prenante qui détaille avec art des chansons insolites comme *Si tu t'imagines* (Queneau* - Kosma*).

Elle eut une enfance heureuse. Vint la

Juliette Gréco,
par
Jean Boullet.
Phot. Lauros.

guerre. Sa mère et sa sœur sont déportées. Juliette est enfermée à Fresnes pendant dix jours. Elle a quinze ans. Libérée, elle connaît le Paris de l'Occupation, s'oriente vers le théâtre, joue une vague dans *le Soulier de satin* (Claudel), une mère de famille dans *Victor ou les Enfants au pouvoir* (Vitrac). Dans Paris libéré, elle découvre un petit bistrot bientôt célèbre, le Tabou. Elle ne commence vraiment à chanter qu'au Bœuf sur le toit* (1949). Puis c'est le cabaret la Rose-Rouge* et le succès. Moulée dans une longue robe noire (« Ce beau poisson noir », dit F. Mauriac, dont elle chante *l'Ombre*, mus. de Porret), économe de gestes, mais maîtresse d'une voix caressante ou ironique, elle obtient le prix du Disque (1952), mène une carrière cinématographique (*les Racines du ciel*) en France et à l'étranger, chante avec G. Brassens* au T. N. P. (1966). Son répertoire est divers : mélancolique (*Il n'y a plus d'après*), canaille (*Jolie Môme*), humoristique (*Un petit poisson*), souvent non conformiste (*la Vénus du 5ᵉ zouave*). Elle reste l'incarnation d'un moment important de la chanson française.

GRELLO (Gaëtan **Greslot**, dit **Jacques**), chansonnier, acteur (Stains, Seine, 1911). Il passe pour la première fois en public en 1932 à la Vache-Enragée* avec *On demande un dictateur*. Depuis, *Que de questions sans réponses !, le Cul entre deux chaises, l'Argent, l'Amour, Le pape est républicain* comptent parmi ses meilleures chansons, avec *Il fait doux à Paris*, qui a été le sujet d'un court métrage réalisé par Pierre Gout. Il a joué et collaboré a des revues d'actualité à succès, dont *Vive de...* (- Rocca*, 1960). A fait partie de l'époque créatrice de la Tomate* (1949-1950). Après avoir été pensionnaire du théâtre de Dix-Heures* de 1940 à 1948, il y est revenu en 1967. Coauteur (avec Rocca) de *la Boîte à sel*, émission satirique de la télévision française*, il a participé à des émissions de chansonniers à Radio-Luxembourg* et à Europe n° 1*. Excellent acteur, il a tenu un rôle dans de nombreuses émissions de télévision ; il a créé *les Hussards* avec J. Fabbri, tourné dans

Pot-Bouille (film de Jeanson, d'après Zola) et écrit le scénario et les dialogues de *À pied, à cheval et en spoutnik*, film dont la vedette était Noël-Noël*.

GRENIER (Gilbert), auteur, compositeur, interprète (Paris 1945). Dans la lignée de Brassens* et, par-delà, de Trenet* et même de Bruant*, G. Grenier sait la valeur de la rime et de la mélodie (*À Bagnolet*, 1966). Son inspiration naît de la vie quotidienne, et il ne manque pas de verve (*la Publicité, la Vieille Dame et le jeune homme*).

Grillon (le), cabaret artistique (20, rue Cujas), fondé par Chareyron, le directeur artistique étant Marcel Legay*. Vers 1907, Numa Blès *et Victor Tourtal* reprirent l'affaire pour une courte durée. En 1912, une artiste montmartroise, Suzanne Flon-Flon, se servit du titre pour fonder le Caveau du Grillon, bd Saint-Michel, dans le sous-sol de la brasserie Steinbach. Au retour de la guerre 1914-1918, Jean Rieux* épousa Suzanne Flon-Flon et l'assista à la direction du Grillon. Malgré des programmes choisis, ce cabaret ne dura que quelques saisons.

groupe vocal, groupe d'au moins deux interprètes se consacrant à la chanson. Vers 1933, la mode des « duettistes » participe à un renouvellement de la chanson française ; après Gilles et Julien*, les Frères Marc*, Pills et Tabet*, Charles et Johnny* interprètent (souvent en jazz*) des œuvres nouvelles. On a pu entendre Mireille*, J. Sablon*, Pills et Tabet* interpréter ensemble *C'est un jardinier qui boite* (Mireille - J. Nohain*). Dans des styles différents, Bayle et Simonot, Charpini et Brancato (ces derniers, duettistes parodiques) continuent cette mode. Dès la Libération, Roche et Aznavour* composent et interprètent des chansons rythmées. Les duettistes connaissent une nouvelle vogue avec des chansons plus conventionnelles (les sœurs Estienne, Patrice et Mario, Varel et Bailly, les sœurs Bordeau). Mais Marc et André chantent à l'Écluse un répertoire plein d'humour et de finesse, Serge et Sonia interprètent Léo Ferré* avec un grand talent, Roger Pierre et Jean-Marc Thibaud sont des fantaisistes* de classe. Des groupes vocaux plus importants prennent après la guerre la relève des célèbres Comedian Harmonists des années 1930 (les Gars de la marine) et des Comédiens routiers de Léon Chancerel (ABC*, 1938). Certains sont très scéniques (les Garçons de la rue, dont fit partie le dessinateur Siné). La plupart montrent de grandes qualités vocales (enregistrement des Chantefables et des Chantefleurs de R. Desnos et J. Wiener* par les Quatre Jeudis). Certains groupes sont de véritables chorales de valeur (les Frères Jeff; les Djinns, issus de la maîtrise de l'O.R.T.F.). Des groupes se consacrent au jazz et non pas à la chanson (les Double-Six, les Jazz Swingle Singers) ou à un répertoire religieux et folklorique (les Petits Chanteurs à la croix de bois).

Des groupes vocaux célèbres, en général créés pendant ou après la guerre, offrent un véritable spectacle (chansons, mimes, attractions, etc.); les plus importants sont les Compagnons de la chanson* (qui bénéficient un moment de la collaboration d'E. Piaf*), les Frères Jacques*, les Quatre Barbus*, les Trois Ménestrels; ces groupes ont acquis une maîtrise et une cohésion remarquables. Parmi les groupes plus récents, on retient les Trois Horaces (chansons, mimes) et les JPPLL (initiales des prénoms des choristes). La mode du yéyé* a suscité vers 1962 des groupes qui chantent et constituent un orchestre fortement sonorisé (les Chaussettes noires).

GUÉDRON (Pierre), compositeur († v. 1620), sans doute originaire de Châteaudun. Il était, en 1590, chantre de la chapelle royale. Il succéda à Le Jeune* comme compositeur de la musique de la chambre du roi (1601) et fut ensuite intendant des musiques du roi et de la reine mère (1613). Il a publié six livres d'airs de cour* (de 1602 à 1620); de nombreux airs de sa composition figurent dans les recueils d'Airs mis en tablature de luth (de 1608 à 1620), édités par Le Roy* et Ballard; d'autres furent imprimés par J. Mangeant (1608-1615) et Ballard (1615-1621). Guédron a collaboré à la musique des ballets

de cour de son époque. L'une de ses œuvres les plus connues, Cette Anne si belle (paroles de Malherbe), fut insérée dans le Ballet de Madame (1615) et a trait au mariage d'Anne d'Autriche et de Louis XIII. La renommée de Guédron fut si grande que dix-sept de ses airs furent traduits et publiés en Angleterre (1629).

GUI, seigneur **d'Ussel**, troubadour* limousin (fin XIIᵉ s.-début XIIIᵉ s.). Il fonda avec ses frères une dynastie de troubadours : Elie, qui était, après lui, le plus doué; Ebles, qui n'avait guère de talent; Peire, qui se contentait d'interpréter ce que ses frères avaient composé.
Gui était chanoine de Brioude et de Montferrand; après des aventures galantes, il fut obligé par le légat du pape d'interrompre sa production poétique.

GUILBERT (Yvette), auteur, interprète (Paris 1867 - Aix-en-Provence 1944). De douze à dix-huit ans, elle a été successivement modiste avec sa mère, puis mannequin, vendeuse, couturière. Elle est remarquée par Zidler, directeur de l'Hippodrome, où elle refuse d'être écuyère, puis par Edmond Stoullig, critique dramatique, qui lui fait donner des leçons de diction. Elle joue aux Bouffes-du-Nord en 1885, puis dans de nombreux théâtres parisiens et en tournée. Elle prend ainsi « de superbes leçons gratuites » auprès d'acteurs célèbres de l'époque, qui influenceront sa manière. « Car plus tard, écrit-elle, quand j'eus à apprendre une chanson, je m'appliquais à la jouer. » En 1889, elle débute comme chanteuse à l'Eldorado*, qu'elle quitte au bout de deux mois, parce que le public restait indifférent à ses chansons.
Elle entre à l'Eden-Concert*, où elle a l'idée d'une silhouette « unique et bon marché » : dame rousse, aux gants noirs, vêtue de satin vert. La Pocharde, rimée par elle et mise en musique par Byrec, obtient un succès, mais la direction refuse les chansons de Xanrof*, dont le Fiacre, qui, lui dit-on, « devait être réservé à la province », et qui, plus tard, contribuera à la célébrité d'Yvette Guilbert. Elle passe au Moulin-Rouge* que son ami Zidler

Yvette Guilbert, vue par Cappiello (1899). Phot. Lauros.

venait de créer, mais où le concert n'est qu'accessoire, à côté du bal et du Pétomane. Son tour de chant terminé, elle se rend au Divan japonais*, d'où est partie sa consécration artistique. « C'est la diseuse fin de siècle. » Elle crée *les Vierges,* où les mots parlés, supprimés par la cen-sure, sont remplacés par des mots « tous-sés », ce qui accentue le caractère grivois de la chanson. Ce genre de répertoire lui apporte la gloire dans les cafés-concerts*, les cercles littéraires, ainsi que dans ses tournées en Angleterre et en Amérique.

Toulouse-Lautrec, qui fait sa connaissance en 1894, compose un album de 16 planches sur elle et un projet d'affiche, qu'elle refuse. Son portrait au fusain, du musée d'Albi, est peut-être l'une des meilleures réussites de Lautrec. En 1900, une maladie de reins astreint Yvette Guilbert à une intervention chirurgicale, qui sera renouvelée cinq fois. L' « enfant du miracle » comme l'appellent ses chirurgiens (elle en consulte vingt-huit !), enfin libérée de ses souffrances, aborde une seconde carrière : elle se consacre à la renaissance des vieilles chansons françaises. « Du XIᵉ au XIXᵉ s., écrit-elle, plus de 60 000 chansons sont sous nos yeux. » Elle sait les choisir avec goût et les présenter avec intelligence, avec esprit, dans une diction impeccable, bien que certaines transcriptions ne soient pas toujours exactes.

Elle a publié : l'Art de chanter une chanson (1928), la Chanson de ma vie (Mémoires, 1929), la Passante émerveillée (1929).

GUILLAUME IX D'AQUITAINE, comte de Poitiers, premier troubadour* en date (1071-1127). Il appartenait à la plus haute noblesse féodale. Son style est très éloigné de la courtoisie, qui sera de règle chez ses successeurs. Sa muse est cynique, souvent gaillarde. Il a cependant écrit des strophes émouvantes, dont une sorte de testament poétique, Pos de chantar m'es pres talenz (Puisque de chanter m'a pris envie), dont la ligne mélodique dérive directement des versus de l'école Saint-Martial de Limoges, et qui deviendra plus tard le O Filii.

Guerrier malheureux, tant à la croisade que sur ses propres terres, excommunié pour le désordre de sa vie, il faisait « rire aux larmes » ses auditeurs en mettant ses malheurs en chansons. Il a laissé 11 pièces lyriques.

GUILLAUME de Machaut, poète et compositeur (né en Champagne entre 1300 et 1305 - Reims 1377). Secrétaire de Jean de Luxembourg, roi de Bohême, il parcourut l'Europe à la suite de son maître, avant de terminer ses jours comme chanoine à Reims. Chef d'école reconnu

par les poètes et les musiciens de son temps, il a joué un rôle considérable dans l'évolution de la chanson. Il a créé ou perfectionné les genres à formes fixes (ballade*, virelai*, rondeau*, etc.). Son œuvre a été relevée par A. Machabey ; elle comporte, en ce qui concerne la chanson, 19 lais, 1 complainte, 1 chanson royale, 42 ballades, 21 rondeaux, 33 virelais.

GUIOT de Dijon, trouvère* (XIIIᵉ s.). Sa vie est inconnue, et c'est dommage, car il a laissé l'une des plus belles parmi les chansons de croisades, Chanterai por mon corage, qui est la seule à faire parler une femme.

GUIRAUT de Bornhel, surnommé par ses contemporains le « maître des troubadours* » (né dans la région d'Excideuil, Limousin, fin XIIᵉ - début XIIIᵉ s.). Alphonse VIII de Castille fut son protecteur.

Il semble avoir consacré toute sa vie uniquement à la poésie et à la musique : l'hiver, il perfectionnait son art en fréquentant les écoles de ménestrandie ; l'été, il s'en allait de château en château, accompagné de deux jongleurs qui chantaient ses chansons. Il prit part à la troisième croisade. Il a laissé 80 chansons (4 notées), dont une chanson d'aube* célèbre, Reis glorios, verai lums e clartatz, qui commence par une invocation à Dieu d'une rare grandeur.

GUIRAUT RIQUIER, de Narbonne, troubadour* catalan (v. 1292). Le dernier des troubadours chronologiquement, il est aussi celui dont le plus grand nombre d'œuvres nous sont parvenues (89 pièces, dont 48 notées, qui comportent 3 retrohencha [rotruenges*] et 1 planh* sur la mort d'Amauric IV de Narbonne [1270]). Guiraut Riquier est l'un des maîtres incontestés de la musique de son temps.

Gymnase lyrique (1825-1840), société rivale du Caveau moderne*, qui continua la tradition de l'épicurisme à la disparition de celui-ci. En 1840, le Gymnase lyrique fusionna avec les Enfants du Caveau*.

HACHIN (Georges Edouard), chansonnier (Arras 1808 - Paris 1891). Spécialiste dans la fabrication des porte-mousquetons, il n'en était pas moins un chansonnier estimé. Après quelques chansons égrillardes (*Mon rêve, Javotte, Mon taudis*, qui lui valut un premier prix à un concours organisé par la Lice*), il a composé les paroles de *la Tour Saint-Jacques* (- Darcier*). L'une des chansons d'Hachin raconte avec humour les pérégrinations de la Lice chansonnière.

HALLYDAY (Jean-Philippe **Smet,** dit **Johnny**), compositeur, interprète (Paris 1943). Élevé par ses cousins Lee et Desta Hallyday. Il connaît des débuts difficiles (Marcadet-Palace, émission *Paris-Cocktail*, 1959). Grâce aux compositeurs Jil et Jan, il enregistre un disque (*T'aimer follement*). À l'Alhambra* (spectacle R. Devos, 1960), conspué le soir de la première, il conquiert vite, cependant, un public de jeunes et, en 1961, il est célèbre (Olympia*). Après le rock*, il participe au lancement de la mode du twist* (*Let's twist again*). Une série de récitals à travers la France déchaîne un enthousiasme souvent marqué par la violence (Luchon, 1961). Europe n° 1* rassemble 150 000 jeunes autour de lui place de la Nation à Paris (1963). Surnommé « l'idole* des jeunes », il chante, d'une voix décuplée par toute la puissance de la « sonorisation », des chansons souvent adaptées de succès américains (*le Pénitencier*). Il a tourné des films.

HARDY (Françoise), auteur, compositeur, interprète (Paris 1944). Après des études secondaires, un début en Sorbonne, elle écrit des chansons (1960), fréquente le Petit Conservatoire de la chanson*, enregistre et chante à la télévision* en intermède des résultats du référendum du 18 novembre 1962. Elle est célèbre : « La France entière, qui est restée très tard devant les écrans de télévision dans l'attente des résultats du référendum, a appris à connaître un peu mieux mon visage et mes chansons. » Elle représente une jeunesse « romantique » face aux outrances du rock* (*Tous les garçons et les filles*, - Samyn, 1960; *l'Amitié*, G. Bourgeois - J.-M. Rivière*, 1965).

HAVET (Pierre), chansonnier (Paris 1920). Tout d'abord chansonnier d'actualité, il passe (1945 à 1952) aux Deux-Ânes*, à la Lune-Rousse*, au Caveau de la République*. Producteur à l'O.R.T.F. et à Radio-Monte-Carlo depuis 1945, il a beaucoup composé pour le music-hall* : *Quelle heure est-il?* (Jacques Hélian, Patrice et Mario, 1950), *J'ai gardé ta photo* (Tino Rossi*, Lina Margy, 1951), *Un petit peu d'argent* (Yvette Giraud, Lisette Jambel, 1952), *Je te le le* (Maria Candido, 1953), *le Torrent* (Dalida*, Gloria Lasso, 1954), *Y aura toujours des roses* et *la Première fois* (Rosy Armen, 1967).

HENRION (Alexandre Ferdinand, dit **Paul**), compositeur (Paris 1817-1901). Apprenti horloger, il quitte ce métier à onze ans pour celui de comédien ambulant. Il joue les jeunes garçons et les travestis. Au bout de quatre ans, il rentre à Paris, étudie la musique et débute comme romanciste avec *Un jour* (1840), qui connut un succès populaire. Il a composé plus de 600 romances*, publiées, pour la plupart, dans des albums recherchés. Auteur de chansonnettes chantées par Judic*, d'espagnolades, il a mis en musique *Pimperline et Pimperlin* de J.-B. Clément*. Il a fait représenter plusieurs opérettes et opéras-comiques. Henrion fut l'un des fondateurs de la S. A. C. E. M.*

HERBERT (André Michel), chansonnier (Paris 1898). Après avoir été tour à tour employé de commerce, commis d'architecte, classeur émargeur au ministère des Finances, inspecteur à la Compagnie du gaz de Paris, il devint rédacteur au *Merle*

Michel Herbert, par Noël-Noël.
Phot. Lauros.

blanc en 1920. À la même époque, il est engagé par Paul Weil* à la Chaumière*, où il crée sa première chanson, qui est en même temps sa profession de foi, *Je suis chansonnier*. Il s'est fait entendre dans les principaux cabarets de Montmartre* et du Quartier latin*. Bibliothécaire de la chanson à la S.A.C.E.M.*, il a publié des recueils de poèmes, chansons et monologues (*la Dernière Bohème, la Poubelle, Le merle siffle, la Butte en luth*), ainsi que des ouvrages sur la chanson.

HESS (John, dit **Johnny**), auteur, compositeur, interprète (Engellery, Suisse, 1915). Tout en continuant des études à l'École supérieure de commerce à Paris, J. Hess est pianiste au College Inn, cabaret, rue Vavin. Il rencontre C. Trenet* et ils montent un numéro de duettistes, Charles et Johnny*, interrompu par le service militaire (1937). J. Hess crée ensuite un cabaret (le Jimmy's, rue Huygens) où passent

des artistes comme H. Salvador*. J. Hess chante seul, enregistre 200 disques et continue d'écrire (plus de 600 chansons). Les œuvres de Charles et Johnny sont l'une des sources du renouveau de la chanson contemporaine. J. Hess a écrit de nombreux succès : *Rendez-vous sous la pluie* (- Trenet), *Vous qui passez sans me voir* (800 disques dans toutes les langues depuis 1936), *Je suis swing* (- A. Hornez*, 1938), *J'ai sauté la barrière* (- M. Vandair, 1938), *Ils sont zazous* (- M. Martelier, 1943).

HEYRAL (Marius **Herschkovitch**, dit **Marc**), compositeur (Levallois-Perret, Seine, 1920). On lui doit de nombreuses chansons aux belles mélodies (*l'Émigrant, les Chercheurs d'or*, - C. Aznavour*). La plupart ont été de grands succès (*Mon pot' le gitan*, - J. Verrières, 1954).

Hirsutes. V. *Hydropathes.*

HOLMÈS (Joël **Covrigaru**, dit **Joël**), auteur, compositeur, interprète (Tighina, Roumanie, 1928). Ses parents viennent en France; ils sont déportés par les Allemands (1942), Joël est caché. Après la guerre, il travaille aux usines Renault et Citroën (B. E. P. C., C. A. P. d'électricien), puis il est peintre au pistolet, représentant, moniteur de colonies de vacances, photographe, acteur (1950). Il chante ses premières chansons en cabarets (l'Écluse*, Milord l'Arsouille*, 1954), gagne le concours des *Numéros I de demain* (Europe n° 1*), enregistre (1958) et reçoit le prix Charles-Cros (1962). Riche de son expérience de la vie, il met en scène dans ses chansons les humbles (*Jean-Marie de Pantin*, - M. Fanon*), utilisant des images simples et fortes (*la Pierre*, - J.-M. Rivière*); parfois il prend nettement position (*la Romance attaque la mode du twist*, 1963; *Demain* exprime sa foi en un avenir meilleur, 1967).

HORGUES (*Maurice Léon*), chansonnier et revuiste (Asnières 1923, mais, ayant fait ses études chez les Pères à Pau, il se considère comme Béarnais). Durant son service militaire (trompette d'harmonie au 92° R.I. à Clermont-Ferrand), il joue du piano dans les bals d'Auvergne et commence à écrire des chansons. Il vient à Paris en 1946, passe en attraction dans les cinémas et débute au Chat-Noir (Chagot), puis passe au Caveau de la République* (1947), où il agrémente son sketch de sonneries de trompette réglementaire, ensuite au Coucou* (1948) et, en 1949, au théâtre de Dix-Heures*, où il est toujours pensionnaire. Il y a interprété, entre autres chansons : le Mec à son volant, les Femmes et les bagnoles, l'Amour équilibré, le Miracle, le Général du dedans, Force de frappe. Il s'est fait entendre aussi dans divers cabarets (l'Orée du bois, la Villa d'Este, l'Échelle de Jacob*, la Grignottière, etc.) et music-halls* (Olympia*, Bobino*, Pacra*).

Il a produit de nombreuses émissions de radio ou y a participé : à Radio-Luxembourg*, le Club des chansonniers (de 1951 à 1965), la Chanson du jour, Moi, j'aime ça (avec Bourvil*), les Trois Cloches (avec Souplex* et Grello*), Radio-Roméo (avec R. Carlès*), Isabelle et son locataire (avec Jane Sourza); à Paris-Inter O.R.T.F.*, le Concert anachronique (avec A.-M. Carrière*); à Radio-Monte-Carlo, les Maurice (avec Maurice Biraud). Depuis 1962, Maurice Horgues est producteur, avec Jean Amadou*, de Ce soir on égratigne et Couleur du temps (télévision française*). Il a fait jouer une opérette, le Verbe aimer (O.R.T.F., 1947), et écrit en 1961 la Revue de l'ABC*, avec Saint-Granier* et René-Paul*.

Horloge (l'), café-concert* situé aux Champs-Élysées (en face du restaurant Ledoyen), inauguré en 1855 par Besselièvre, qui le vendit en 1857 à Mme Picolo. Il était renommé pour son élégance, et on y applaudissait de bons artistes. En 1869, l'Horloge passa sous diverses directions, pour, en 1871, être repris par le Viennois Stein, qui engagea de nombreuses vedettes : Bourgès, Libert, Marie Lafourcade, Reschal, Plessis, etc. À la mort de Stein, sa veuve engagea Y. Guilbert* (1891), puis vendit l'Horloge à Debasta, mais celui-ci, ayant entrepris la construction de Parisiana*, revendit l'Horloge à Oller, qui en fit le Jardin de Paris. Cet établissement connut un gros succès de snobisme : les entrées étaient à 5 F, alors que partout ailleurs elles coûtaient 1 ou 2 F... Le spectacle comprenait deux parties : 1° sur la petite scène de l'Horloge, qui avait été conservée, spectacle de café-concert avec des artistes peu connus, terminé par le numéro de Max-Dearly; 2° en fin de soirée, exhibition du quadrille du Moulin-Rouge*. Fermé en 1914, le Jardin de Paris fut détruit, à l'exception du kiosque de l'orchestre, aujourd'hui réserve à outils des jardiniers de la Ville de Paris.

HORNEZ (André), auteur (Lens 1905). Il suit les cours de l'École des travaux publics; mais il est secrétaire de Saint-Granier* en 1928, avant de travailler pour la Paramount française pendant deux ans (films pour Dranem*, H. Garat, etc.). Entre 1931 et 1934, il va six fois à Hollywood, où il collabore à des films de Maurice Chevalier* et Jeannette Mac Donald (dont la Veuve joyeuse), puis à Berlin pour l'U. F. A. (1935, film de Marika Röke). C'est en 1936 qu'il commence à écrire des chansons, pour Tino Rossi* (Tant qu'il y aura des étoiles, - Vincent Scotto*, et, plus tard, Sérénade sans espoir) et surtout pour l'orchestre Ray Ventura*. Avec Paul Misraki*, il écrit Ça vaut mieux que d'attraper la scarlatine, Je voudrais en savoir davantage, pour l'opérette de H. Decoin, Normandie. Après deux films pour Ray Ventura (Feux de joie, Tourbillon de Paris), il continue à lui donner des chansons, dont l'orchestre fait des succès : Comme tout le monde, Y'a des jours où toutes les femmes sont jolies (1938, - P. Misraki). Sa carrière est interrompue par la guerre (prisonnier en Allemagne de 1940 à 1945). Après la Libération, il écrit de nouvelles chansons, qui deviennent vite célèbres, comme Maria de Bahia (- P. Misraki, 1945, par Ray Ventura), Avec son tralala (- F. Lopez*, 1947, par Suzy Delair), C'est si bon (- H. Betti, 1947, par Yves Montand*), etc., et des chansons pour trois films avec Ray Ventura : Mademoiselle s'amuse, Nous irons à Paris, Nous irons à Monte-Carlo. Il est aussi l'auteur de nombreuses opérettes, de plusieurs revues

(Lido, Moulin-Rouge*, Folies-Bergère*, Casino de Paris*).

Hydropathes (club des), fondé par Émile Goudeau* au Quartier latin* en 1878, premier cabaret artistique en date, à mi-chemin entre la goguette* et le cabaret. L'étymologie du nom a eu de nombreuses interprétations ; Goudeau a prétendu que l'idée de baptiser son club d'un nom aussi insolite lui était venue en entendant au concert Besselièvre une valse de Gung'l, *Hydropaten Walz* ; certains firent un rapprochement entre le propre nom du fondateur du club, Gou-deau, et son vif penchant pour les boissons fermentées et liquoreuses... Goudeau avait commencé par réunir des poètes dans un café plus ou moins bien famé de la rue des Boulangers. Celui-ci ayant été clos par autorité de justice, il transporta sa compagnie au premier étage du café Rive-Gauche (au coin de la rue Cujas et du boulevard Saint-Michel). C'est là que fut baptisé le club, qui comprenait des poètes, des musiciens, des peintres, des acteurs, des étudiants. Les membres les plus célèbres furent Rollinat*, Monselet, Paul Arène*, Fr. Coppée, Richepin, Coquelin cadet, André Gill, Mac-Nab*, Jules Jouy*. Les séances furent fixées au vendredi. À la troisième séance, devant le nombre croissant d'auditeurs, les Hydropathes élirent domicile dans le vaste rez-de-chaussée d'un hôtel, 19, rue Cujas. En 1879, les Hydropathes s'agrandissent encore et prennent possession d'une ancienne salle de bal, 29, rue Jussieu. Les réunions furent portées à deux par semaine. Les Hydropathes publièrent un journal (janvier 1879-mai 1880), qui devint ensuite *le Tout-Paris* (mai-juin 1880) ; le rédacteur en chef en était J. Jouy. En décembre 1919, parut un numéro spécial de *l'Hydropathe* à l'occasion d'une séance à la Sorbonne, présidée par Léon Bérard et Sarah Bernhardt, en hommage à Goudeau. En septembre 1881, les Hydropathes se transformèrent en Hirsutes. Les réunions eurent lieu tout d'abord au café du Commerce (passage du même nom), puis au café de l'Avenir (place Saint-Michel). La présidence en fut offerte à Goudeau, mais celui-ci, très occupé par les préparatifs d'ouverture du Chat-Noir*, se désintéressa de la société, qui périclita au bout d'une saison. Les Hydropathes traversèrent la Seine et constituèrent en grande partie la première équipe du Chat-Noir.

HYSPA (Vincent), chansonnier (Narbonne 1887 - Villiers-sous-Gretz 1938). Monté à Paris pour y faire son droit, au lieu de se rendre à ses cours, il se fit embaucher comme pointeur chez un marchand de bois de la Râpée. Il débuta au Chat-Noir* pour remplacer Mac-Nab*, malade, dont il interprétait les chansons. Au bout d'un an, fatigué de se parer des plumes du paon, il bouda Salis* et, pendant trois ans, fréquenta l'auberge du Clou*. Il y donna un noël, dont la musique était de Satie, et les décors d'Utrillo. En 1892, il retourna au Chat-Noir et interpréta alors à la goguette* *le Ver solitaire* avec un succès extraordinaire, ce qui le fit engager d'une façon durable par Salis. Il se produisit ensuite aux Décadents*, au Chien-Noir* et dans les principaux cabarets de l'époque. En 1909, il prit avec Montoya* la direction des Quat'-z-Arts*, mais, l'administration l'ennuyant, il donna sa démission tout en continuant de collaborer au journal. Hyspa conserva toujours l'accent de son terroir. Un jour, en tournée à Genève, Salis le présenta comme étant Belge... Le surnom de « Hyspa le bon Belge » lui resta. Au Chat-Noir, il parodia spirituellement les chansons de Delmet*, mais il cultiva aussi la satire politique. Dans maintes chansons, Hyspa brocarde la fausse simplicité des dirigeants politiques de son temps. Les plus célèbres chansons d'Hyspa appartiennent à ce genre : la *Visite impériale* (visite du tzar Nicolas II à Paris), *Lettre de Russie* (voyage de Félix Faure), *le Banquet des maires* (qui eut lieu sous Loubet à l'Exposition universelle), *les Joies de l'Exposition* (1900), *le Mariage de Deschanel*.

idole, terme né vers 1961 pour désigner les vedettes* du yéyé*, et particulièrement J. Hallyday* (*l'Idole des jeunes*). Le terme anglais *star* (« étoile ») est vieilli; il est réservé aux acteurs de cinéma; « vedette » paraît trop faible. *Idole* peut s'appliquer à un homme ou à une femme. D'après une mode venue des États-Unis, l'idole est l'objet d'un véritable culte : photo « géante » *(poster)* encartée dans les disques, effigies punaisées au mur, reliques diverses, signature, tissu, poussière, morceaux de voiture dévissés subrepticement, etc. On veut la toucher, on essaie d'atteindre ses gouttes de sueur, etc. Son iconographie est très développée sur les supports les plus divers (papiers peints, chandails, abat-jour, miroirs de poche, etc.). Le passage de l'idole déchaîne l'enthousiasme, voire l'hystérie collective. L'idole en tournée est entourée de nombreux officiants (administrateurs, secrétaires, ingénieur du son, musiciens, impresario, amis divers). Des milliers de copains* ou de fans* se rassemblent parfois dans un club et portent des signes distinctifs (insignes, perruques, talons hauts). L'idole est un modèle dont on s'inspire, un idéal (vestimentaire et moral); elle donne des conseils dans la presse spécialisée. L'idole est jeune (certaines carrières commencent à seize ans, douze, parfois, aux États-Unis). Elle est comme une projection du spectateur sur scène. Certains journaux étalent complaisamment les péripéties de la vie privée de l'idole. Le mot est récent, mais le phénomène est bien connu dans la chanson contemporaine : G. Bécaud* en 1954, C. Trenet* en 1938 suscitent l'enthousiasme de jeunes spectateurs; les « chanteurs de

A propos d'une idole : publicité publiée dans la presse vers 1962-63.

Les poussières du costume de JOHNNY HALLYDAY VÉRITABLE RELIQUE !

Bonne nouvelle pour les amis : vous pouvez recevoir chez vous la carte habillée de poussières du véritable costume de JOHNNY HALLYDAY. Authenticité garantie sous contrôle d'officier ministériel + 5 nouvelles photos couleur de Johnny présentées sous porte-cartes classique.

BON DE COMMANDE

A ENVOYER A MICHEL BONNARD, 36, RUE DU GÉNIE, MARSEILLE

VEUILLEZ M'ADRESSER UNE CARTE-COSTUME JOHNNY HALLYDAY + 5 PHOTOS COULEUR

NOM................ PRÉNOM.......... ADRESSE................

Je règle par : mandat, chèque ou virement CCP 339376 - Offre exceptionnelle (5 NF) - Expédition immédiate charme » (T. Rossi*, A. Claveau*, G. Guétary) bénéficient d'un engouement et d'une iconographie considérables ; avant eux, Paulus* fut une « idole ». Plus loin encore, sous le Directoire, Garat* (l' « Orphée des Français ») connut un succès extraordinaire. Le phénomène n'est pas propre à la France (les Beatles en Grande-Bretagne) ; il n'est pas propre à la chanson (sport, cinéma, théâtre), mais il s'y manifeste le plus fréquemment et avec le plus de vigueur.

IMBERT (Eugène Alphonse **Monet de Maubois**, dit) [Paris 1821 - Saint-Rémy-lès-Chevreuse 1898). Chansonnier et historiographe de la chanson, il a publié un intéressant ouvrage, *la Goguette* et *les goguettiers*. Auteur de chansons de café-concert*, il a revendiqué la composition des *Bottes de Bastien*, attribuée primitivement à Alexis Dalès*, qui fut vendue à 600 000 exemplaires.

imprésario, intermédiaire entre les directeurs de salles (music-halls*, cabarets, etc.), les organisateurs de galas, les firmes de disques, la presse, etc., et les vedettes* qui lui ont confié leurs intérêts, moyennant une redevance variable, prévue par un contrat. Il doit être titulaire d'une licence. La plupart des imprésarios s'occupent de plusieurs vedettes, comme la famille Marouani (R. Anthony*, H. Aufray*, G. Bécaud*, J. Brel*, M. Fanon*, C. Nougaro*, etc.). Un bon imprésario mène avec efficacité la carrière de jeunes artistes (ainsi Carrère, imprésario de Sheila*). De plus en plus, l'imprésario est créateur de vedettes ; il assure leur formation et leur publicité (Johnny Stark, imprésario de Johnny Hallyday*, Mireille Mathieu*, etc.).

Incohérents (concert des). V. *Décadents.*

Infernaux (goguette des), située rue de la Grande-Truanderie (v. 1830). Le lieu de réunion était dénommé l' « Enfer », chaque membre était un « démon », et la salle où avait lieu les séances s'appelait la « grande chaudière ». Un argot spécial était employé : *jouer des griffes* signifiait « applaudir ».
Hégésippe Moreau* y créa sa jolie chanson *la Fermière*. Vinçard* en fit partie et raconte comment cette goguette, composée d'ouvriers, d'étudiants et de bourgeois républicains, fut dispersée par la police après une visite d'Arago, au cours de laquelle les Infernaux oublièrent la chanson pour la politique.

J

JACQUES-CHARLES (Jacques **Charles**, dit), auteur et revuiste. Il débute comme auteur avec *Celui que j'aime n'est pas ici* (- Scotto*), créé en 1914 à la Cigale* par Lyska. Jacques-Charles a fait ensuite une brillante carrière de revuiste, écrivant plus de cent revues à grand spectacle pour les music-halls* de Paris, New York, Londres, Rome, Bruxelles, Buenos Aires, Rio de Janeiro. Secrétaire des frères Isola, il a dirigé ensuite l'Olympia*, Marigny, le Palace*. Auteur-producteur au Casino de Paris* et au Moulin-Rouge* (1917-1922), *producer* à la Paramount de Paris (1922-1928), il a produit ensuite des émissions de chansons à la radio pendant dix-huit ans, et à la télévision *Du caf' conc' au music-hall* (1960-1964).

Historiographe du café-concert* et du music-hall, il a publié de nombreux livres, très documentés grâce à ses souvenirs personnels.
Jacques-Charles est l'auteur de chansons conduites au succès par Mistinguett* : *Mon homme* (1918), *En douce* (1919), *la Java* (- Maurice Yvain* 1920), *Valencia* (1927), *Ça c'est Paris* (- Padilla 1928), et aussi *Attends* (- J. Lenoir*, par Lucienne Boyer*), *Fleurs d'amour* (- Padilla, par Raquel Meller), *C'est jeune et ça n' sait pas* (- Saint-Granier* et Borel-Clerc*).

jam-session chansons-poésie, formule de représentation créée par Luc Bérimont*, et où des interprètes chantent et disent des poèmes au gré de l'inspiration et du mo-

Jam-session chansons-poésie. De gauche à droite : Anne Sylvestre, Jacques Doyen, Hélène Martin, Marc Ogeret, Luc Bérimont. Phot. A. D. P.

ment. Par analogie avec le jazz*, chacun « monte » au micro « prendre le chorus » à son tour. Après le succès des premières jam-sessions (1963, Vieux-Colombier, puis salle de la Mutualité, Paris), elles deviennent une émission régulière de l'O.R.T.F.*, où passent notamment B. Arnac, M. Aubert*, G. Béart*, G. Brassens*, J. Brel*, J. Douai*, J. Doyen (poèmes), J. Ferrat*, F. Leclerc*, F. Lemarque*, C. Magny*, H. Martin*, L. Médini*, Mouloudji*, M. Ogeret, J. Ollivier*, C. Sauvage*, C. Trenet*, C. Vinci*, etc. Suivies par un public jeune et enthousiaste (si nombreux qu'il fallut appeler police-secours pour le dégager de la Mutualité en 1963), ces jam-sessions ont contribué à maintenir la qualité de la chanson face à « la malédiction du bruit » (J. Cocteau).

JAMBLAN (Jean-Marie **Blanvillain,** dit), chansonnier (Bressuire, Deux-Sèvres, 1900). Chansonnier au style tendre et cocasse, il a composé plus de 1 300 chansons, qu'il a interprétées lui-même durant une carrière de quarante années dans les cabarets, ou qui ont été « défendues » par Maurice Chevalier*, André Dassary, Suzy Solidor*, André Claveau*, Jean Sablon*, Cora Vaucaire*. *Viens danser quand même* a été créé par Lucienne Boyer* (v. 1932), *la Bague à Jules* par Patachou* (1955), *Faut tout ça* par les Frères Jacques* (v. 1956). Sa chanson la plus célèbre, *Ma mie*, a connu un étonnant destin ; Jamblan a débuté comme chanteur professionnel en l'interprétant ; vers 1942, *Ma mie* est partie pour l'Amérique, où elle change de titre et devient *My Heart sings*, interprété par de nombreuses vedettes (repris en 1960 par Paul Anka) ; en 1946, *My Heart sings* retraverse l'Océan, rentre en France sous le titre *En écoutant mon cœur chanter*, que crée Charles Trenet* avec de nouvelles paroles de Jamblan et que reprend Mireille Mathieu* (1967).

JANEQUIN (Clément), compositeur (Châtellerault ? v. 1480 - Paris v. 1560). Il domine le XVIe s. comme Machaut* a dominé le XIVe s., et Josquin Des Prés* le XVe s. Curé près de Bordeaux (1505-1526), puis à Brossay, en Anjou, maître de chapelle de la cathédrale d'Angers (1527), il est curé d'Unverre (près de Chartres) en 1548, et, de 1549 à sa mort, il réside à Paris, où il sera chantre, puis compositeur de la chapelle royale.

Cet ecclésiastique se distingue surtout dans la chanson profane (275 titres), dont le succès était si grand, que, pour la première fois, des recueils entiers furent consacrés aux chansons de Janequin. Plusieurs de ses chansons polyphoniques sont restées célèbres : *le Chant des oiseaux, Ce mois de may, la Chasse.* Il a commenté en chansons les événements historiques ; non seulement il célèbre *la Bataille de Marignan,* qu'une fille d'honneur de Catherine de Médicis se fit chanter à ses derniers moments pour s'aider à bien mourir, et que l'on écoutait l'épée à la main, mais il chante aussi la paix des Dames (Cambrai, 1529) avec *Chantons, sonnons trompettes,* ensuite *le Siège de Metz* (1550), etc.

Janequin a mis en musique les principaux poètes de son temps (Marot, Saint-Gelais, Baïf, du Bellay) et a collaboré à la mise en musique des *Amours* de Ronsard*.

JAQUES-DALCROZE (Émile), auteur et compositeur (Vienne, Autriche, 1865 - Genève 1950). Il fait des études musicales avec Brückner et Fuchs à Vienne, ensuite à Genève (où il sera nommé plus tard professeur d'harmonie au Conservatoire), puis à Paris avec Léo Delibes ; là, pendant ses études, il accompagne au piano les soirées du « Grillon* ». Il a composé (paroles et musique) des chansons dont le style s'apparente à la romance* : *Chanson à la lune, Chant des canotiers, la Chère Maison, le Cœur de ma mie.* Jaques-Dalcroze a composé aussi de nombreuses chansons enfantines et a recueilli le folklore romand.

Jardin de Paris. V. *Horloge.*

JARRE (Maurice), compositeur (Lyon 1928). Après des études musicales (Conservatoire national), M. Jarre travaille pour la radio et devient directeur de la musique au Théâtre national populaire (1950, *Nucléa* de Pichette). Il a composé de la musique pour le cinéma (*Week-End à Zuydcoote*), pour la comédie musicale (*Loin de Rueil,* - R. Queneau*) et des chansons : *Le monde est sous nos pas* (- C. Aznavour*), *Tu r'passeras* (- R. Rouzaud*, par Y. Montand*).

JAUBERT (Jean-Louis) [Mulhouse, 1920]. V. *Compagnons de la chanson*.

JAUBERT (Maurice), compositeur (Nice 1900 - Azerailles, Meurthe - et - Moselle, 1940). Musicien de formation classique, après le conservatoire de Nice, il suit les cours d'Albert Groz à la Schola cantorum.

Dès 1928, il compose de la musique pour accompagner des films muets (piano, orchestre) comme *le Mensonge de Nina Petrovna,* suivant en cela d'illustres exemples, puisque Saint-Saëns composa en 1908 la première musique écrite pour un film (*l'Assassinat du duc de Guise*). Avec l'avènement du parlant, Maurice Jaubert devient le plus grand musicien français de cinéma, notamment avec *14-Juillet* (René Clair*, 1932), *l'Atalante* (Jean Vigo, 1934), *Un carnet de bal* (Julien Duvivier, 1937), *Le jour se lève* (Marcel Carné, 1939). Il meurt à la guerre, lors de l'offensive allemande de juin 1940.

Il a composé des chansons interprétées dans certains films dont il écrivit la musique (*l'Atalante, Drôle de drame,* 1937). La plus célèbre, un des classiques de la chanson française, *À Paris dans chaque faubourg,* du film *14-Juillet* (- R. Clair), résume bien ses qualités : beau thème très mélodique, développé avec naturel, populaire sans vulgarité, nostalgique et tendre, apparemment très simple. Outre ses œuvres « classiques », il a écrit de la musique de scène pour des pièces de J. Giraudoux, *La guerre de Troie n'aura pas lieu* (1935) et *Tessa* (1934), dont la célèbre chanson est souvent interprétée (notamment par J. Douai*). Il a composé un cycle de mélodies sur des textes de Jean Giono : l'Eau vive.

JAUFRÉ RUDEL, prince **de Blaye**, troubadour* girondin (XIIᵉ s.). « Il s'éprit, sans la voir, d'Odierne, comtesse de Tripoli, et composa en son honneur de nombreuses chansons. Afin de la rencontrer, il se croisa (1147), tomba malade en mer et fut débarqué mourant à Tripoli. La comtesse accourut, prit son soupirant dans ses bras et il mourut louant Dieu de ce qu'il l'eut vue... Odierne le fit enterrer dans la maison du Temple, et prit le voile pour la douleur qu'elle eut de sa mort. »
Cette touchante histoire, rapportée par des manuscrits du XIIIᵉ s., a été souvent controversée ; elle prend peut-être sa source dans une chanson de Jaufré, Lan quan li jorn son lont en may, dédiée à une bien-aimée lointaine. Des chansons d'amour qui restent de lui, aucune ne mentionne la comtesse de Tripoli. Sa légende, si légende il y a, a été une source d'inspiration pour les poètes de tous les temps ; Pétrarque écrit : « Il usa la voile et la rame pour chercher sa mort. » À sa suite, Uhland, Swinburne se sont servis de cette histoire romanesque. Henri Heine lui a consacré l'une des plus belles pages de son Romancero ; enfin, Edmond Rostand lui a assuré une gloire populaire avec la Princesse lointaine. Jaufré Rudel laisse 7 chansons, dont 4 notées.

jazz. Le jazz est né vers 1900 en Louisiane (États-Unis). Issue des chants de travail des esclaves, des chorals protestants, des chants religieux (spirituals), peut-être aussi de la tradition africaine, cette musique originale des Noirs des États du Sud a gagné le nord des États-Unis après la fermeture de Storyville, quartier réservé de La Nouvelle-Orléans. À partir de 1917, le jazz se répand en Europe (en partie par le corps expéditionnaire) et, en moins de cinquante ans, cette musique, fortement rythmée et syncopée, est connue dans le monde entier, y compris dans les pays socialistes. Le jazz a influencé la musique populaire de tous les pays ; il a influencé la chanson française.

Dès 1917, Gaby Deslys, dans une revue de Volterra au Casino de Paris*, fait connaître le jazz, qu'elle a pu entendre à New York. En 1925, avec la Revue nègre au théâtre des Champs-Élysées, Paris découvre les Black Birds et Joséphine Baker*, qui chante et danse le charleston. Les Black Birds reviendront en 1929 au Moulin-Rouge* (où Fred Mêlé dirige alors le « Symphonic jazz ») et ils « enthousiasment Paris », dit Maurice Sachs. Le cinéma* participe aussi à la diffusion du jazz grâce au premier film parlant (avec Al Jolson), le Chanteur de jazz (1927, présenté à Paris en 1930), suivi un an après du Fou chantant (The singing Fool). Des artistes, des musiciens (Ansermet, Ravel, Roussel), des intellectuels s'intéressent au jazz, comme ceux qui se retrouvent au cabaret du Bœuf sur le toit* (à partir de 1921), où joue le pianiste Doucet. L'un d'eux, Jean Cocteau (qui accompagne Jean Wiener* sur une batterie de jazz prêtée par I. Stravinski), affirme : « Le jazz nègre est à la folie d'Offenbach ce que le tank peut être à une calèche de 70. »
En ce qui concerne la chanson populaire, la création de l'orchestre de Ray Ventura* est importante (1929). Car « Ray Ventura et ses collégiens » vont populariser le style de l'orchestre en sketches, réalisant peu à peu dans la fantaisie la synthèse d'un jazz bon enfant et de la chanson française, en particulier grâce aux œuvres de P. Misraki* et A. Hornez* (Tout va très bien, Madame la Marquise, 1934) ; de même l'orchestre de Fred Adison*, tantôt dans la vieille tradition de la rengaine populaire (Avec les pompiers), tantôt dans la jeune influence d'un jazz fait pour la danse* (Voulez-vous danser, Madame?, J. Tranchant*, 1936). Il faut aussi citer l'orchestre créé en 1936 par Jo Bouillon (Rex). La chanson est donc influencée dès les années 20 par le jazz que l'on peut connaître en France (un « faux jazz » estimera B. Vian* vingt-cinq ans plus tard). La première intégration du jazz à la chanson a lieu à partir de 1933 environ. J. Tranchant compose alors de charmantes chansons qui empruntent au jazz son tempo bien marqué, ses syncopes, son orchestration (les Prénoms effacés, Ici

l'on pêche, 1933, par Lucienne Boyer*, Germaine et Jean Sablon*), puis il enregistre son premier disque avec les musiciens de jazz Django Reinhardt* et Stéphane Grapelly (1935). C'est aussi le temps des duettistes Pills et Tabet* (à partir de 1933), de Charles et Johnny*. Les premiers chantent Couchés dans le foin, de Mireille* et Jean Nohain*, au Casino de Paris*. Mireille (qui revient d'un long séjour à New York et à Hollywood) interprète bientôt elle-même ses œuvres (1934) et renouvelle la chanson : fraîcheur, gentillesse, humour, poésie simple. L'apport du jazz (son rythme, sa fantaisie) est harmonieusement intégré à la meilleure tradition française. C'est le même tour de force que réussissent Charles et Johnny (le Petit Oiseau), et surtout C. Trenet* quand il chante seul à partir de 1937 (Je chante, Y'a d' la joie). Surnommé le « fou chantant », Trenet prend au jazz une exubérance, un entrain, un sens du rythme qui donnent un sang nouveau à la chanson et suscitent la réprobation des gens « sérieux », pour qui le jazz est une musique de sauvages. À sa première audition, le directeur d'un grand music-hall* déclare : « Ce n'est pas une scène qu'il lui faut, mais un asile d'aliénés. »
Pendant l'occupation allemande (1940-1944), la musique de jazz (« décadente » pour les nazis) apparaît bientôt comme un symbole. La chanson est marquée par le style swing, qui, dès 1938, a inspiré Je suis swing à J. Hess* et à A. Hornez*, puis Y'a du swing au village* (F. Blanche* - J. Solar, 1942). Pendant la guerre, Irène de Trébert est la meilleure interprète de chansons rythmées, qu'on retrouve dans le film Mademoiselle Swing, avec l'orchestre de R. Legrand* (son mari) : Mlle Swing, le Clou dans la chaussure (L. Poterat* - R. Legrand, 1942). Josette Daydé (« chanteuse swing ») passe à l'ABC* (1941). Bien des jeunes adoptent la mode zazou, ancêtre du yéyé* (pantalon étroit, veste et cheveux longs, chaussures à semelles épaisses, goût idolâtre des chansons swing), raillés par la chanson de J. Hess et M. Martelier Ils sont zazous (1943), tandis que J. Solar et H. Lemarchand écrivent Mam'zelle Zazou (1943), D. White*

et P. J. Laspeyres Zazous de mon cœur (1942), etc. Le jazz est mal vu. Pourtant, J. Tranchant fait représenter son opérette Feu du ciel, où le jazz chante la force du soleil. La radio diffuse le pianiste allemand Peter Kreuder, qui joue sagement au « piano jazz » des airs à la mode importés d'outre-Rhin (Bel-Ami).
On peut considérer cette période comme une transition. La Libération entraîne de nouveau un rapprochement du jazz et de la chanson. G. Ulmer* (qui débute à l'ABC* en mai 1944) traduit bientôt le renouveau de l'intérêt pour l'Amérique (Ma voiture contre une Jeep, 1945), comme le premier répertoire d'Y. Montand*, de style « cowboy » (ABC, mars 1944). Mais, accompagné avec bonheur par H. Crolla*, B. Castella*, il s'inspire ensuite d'un jazz sec, net, tendu, bien marqué, qui lui convient particulièrement (Battling Joe, J. Guigo-L. Gasté*), où les subtilités mélodiques du blues s'allient à la poésie française dans une remarquable unité de ton (Sanguine, J. Prévert* - H. Crolla). On redécouvre des styles traditionnels comme le boogie-woogie, et Y. Montand chante la Légende du boogie-woogie (Clément Cuesta - Henri Patterson, 1946). On adapte des paroles sur des succès de jazz comme In the mood (orchestre de Glenn Miller), qui devient Dans l'ambiance. Mais ni le bop ni le cool n'ont pratiquement d'influence sur la chanson française. On danse, par contre, sur des airs endiablés (jitterburg) ou lents, comme les classiques du slow, toujours à la mode (Nuages, de D. Reinhardt).
De son côté, Ch. Aznavour* s'était inspiré du jazz dès ses premières chansons (- P. Roche*, le Feutre taupé, écrit dès 1941). Sur son premier disque seul, il marque à la fois la tradition et un renouvellement qu'il demande au jazz : il interprète Couchés dans le foin (Mireille - J. Nohain, 1933) en jazz, syncopant, allongeant, raccourcissant les syllabes, accentuant le rythme, le déformant en toute liberté (1951). Après Y. Montand, il pousse beaucoup plus loin ce deuxième apport du jazz, qui devient un de ses thèmes favoris (C'est ça, Pour faire une jam, Prends le chorus). Il adapte aussi des œuvres de Gershwin (C'est pas nécessai-

rement ça, J'ai des millions de rien du tout).

L'apparition de Gilbert Bécaud* marque une nouvelle étape de l'influence du jazz sur la chanson française. Il emprunte au jazz une tension frénétique (on le surnomme « Monsieur 100 000 volts »), qu'il communique à la salle. On casse des fauteuils dans l'enthousiasme à l'Olympia* (1954). Il est allé aux États-Unis comme accompagnateur de Pills* et il greffe sur la chanson l'influence de Frankie Laine,

l'extrême par la sonorisation, aux instruments électriques, à une orchestration pauvre, mais lancinante et puissante, aux danses et au spectacle. Les paroles (parfois américaines), la mélodie comptent peu. En réaction, le folksong*, à partir de 1965, renoue avec une musique américaine d'avant le jazz.

L'influence du jazz sur la chanson française est donc permanente depuis les années 20, parfois combinée avec les rythmes afro-cubains. Elle se poursuit de

Un maître du jazz :
Django Reinhardt.
Doc. Pathé.

de Johnny Ray et sa propre personnalité, qui se révèle assez riche pour survivre à ce premier succès (et retrouver ensuite la verve savoureuse d'un jazz « revival » avec l'*Enterrement de Cornélius*, - P. Delanoë*).

C'est la même tendance, mais poussée à l'extrême, qui atteint la chanson avec les vagues du rock*, du twist*, symbolisées par la mode yéyé* et le succès de Johnny Hallyday*. C'est l'influence d'une branche du jazz issue du rythm and blues. Elle se révèle moins assimilable. La primauté est donnée à une voix poussée à

façons très diverses : Ricet-Barrier* réinvente le style 1925 en des chansons pleines d'humour (à partir de 1957); S. Gainsbourg* (à partir de 1959) ou C. Nougaro* (à partir de 1962) font appel à un jazz plus moderne (car l'histoire de la musique de jazz se poursuit par ailleurs), auquel ils empruntent un rythme rapide, bien marqué, des recherches de sonorités, de timbres, de tempo, etc., pliant la langue à la musique, tandis que C. Magny* chante le blues, dont elle s'inspire pour ses compositions en français. On retrouve cette influence dans le répertoire d'A. Sylvestre*, de Barbara* (*Parce que je t'aime*) ou de L. Ferré* (*Dieu est nègre*), et même dans les œuvres et dans certaines interprétations de G. Brassens*, qui a beaucoup écouté et admiré J. Tranchant, Mireille, Trenet. Des orchestrateurs accompagnant les enregistrements de chansons comme A. Goraguer*, M. Legrand*, A. Popp*, etc., rivalisent avec les orchestres américains de jazz. Grâce aux progrès techniques, les fluctuations des modes aux États-Unis ou en Grande-Bretagne (le *Mersey sound* des Beatles) sont immédiatement connues.

D'une façon plus générale, on constate sous des formes diverses la permanence de l'influence américaine sur la chanson. Les plus grands créateurs contemporains ont su faire une richesse de cet apport sans sacrifier la tradition française.

JOUANNEST (Gérard), compositeur (Vanves, Seine, 1933). Après des études musicales (premier prix de piano) au Conservatoire national, G. Jouannest mène une carrière de pianiste. Il accompagne Jacques Brel*, avec lequel il écrit de nombreuses chansons à partir de 1960 (*On n'oublie rien*). Ses compositions sont diverses. On trouve dans ses chansons les plus célèbres la marque d'un virtuose ; le thème musical, traité en piano-jazz, donne leur pleine saveur aux petites scènes imaginées et interprétées avec vigueur par J. Brel : *Madeleine, Bruxelles* (1962). Juliette Gréco* (*Je suis bien*, 1966), Isabelle Aubret (*Fils de*, 1966) interprètent aussi ses chansons.

JOUY (Jules Théodore Louis), chansonnier, journaliste et revuiste (Paris 1855-1897). Peintre sur porcelaines, il meublait ses loisirs en composant des chansons. Il porta l'une de ses œuvres à Paulus*, qui promit de la créer. C'était *Derrière l'omnibus*, qui fut l'un des « tubes* » les plus solides du café-concert*. Jouy avait débuté chez les Hydropathes* (il était secrétaire de rédaction du journal). Il suivit Goudeau* au Chat-Noir*, où il fonda une goguette*. Il quitta ce cabaret pour chanter aux

Décadents*, puis, en 1895, fonda le Chien-Noir*. Atteint de paralysie générale, il mourut fou.

Jouy a créé la chanson « au jour le jour » au *Cri du peuple*, puis au *Paris*, commentant en chansons l'actualité du moment. S'il a composé des succès populaires comme *Mad'moiselle, écoutez-moi donc* ou *la Digue digue don*, il a laissé des œuvres d'un niveau plus relevé : *la Terre*, que créa Thérésa*, *la Soularde*, créée par Y. Guilbert*, *le Tombeau des fusillés*, émouvant hommage aux martyrs de la Commune. Séverine le dépeint ainsi : « Louchon comme il l'était, il avait un œil sur le champ de navets et l'autre sur le champ de bataille. »

JUDIC (Anna Marie Louise **Damiens**, dite), interprète (Semur-en-Auxois 1849-Golfe-Juan 1911). « Un médaillon de Boucher peint par Raphaël », a dit d'elle l'un de ses biographes. Elle avait grandi dans les coulisses (sa mère était caissière du Gymnase), et, après avoir été apprentie lingère, il était naturel qu'elle fût attirée par le théâtre. À sa sortie du Conservatoire, elle joua la comédie au Gymnase, épousa Israël, dit Judic (1867) ; c'est avec ce nom qu'elle débuta à l'Eldorado* (1868), où son succès fut immédiat. Elle y chanta, entre autres chansons : *la Neige, c'est si fragile, les Vieux Papillons, Vénus infidèle, le Trou de la serrure*. Après la guerre de 1870, elle se partagea entre l'opérette et la comédie.

Judic a prouvé que le public du café-concert* pouvait être sensible au charme et à la délicatesse.

JULIEN (Aman **Maistre**, dit **A.-M.**), interprète (Toulon 1903). Metteur en scène (1929), cofondateur de la Compagnie des Quinze, il crée avec Gilles* un célèbre numéro de duettistes, Gilles et Julien* (1932-1938). Il se consacre ensuite à la radio (1942-1944), puis au théâtre (dir. de Sarah Bernhardt, 1947, où il organise le Théâtre des nations, 1958-1965 ; admin. des Théâtres lyriques nationaux, 1959-1962).

K

KAM-HILL (Camille **Périer**, dit), interprète (Paris 1856-1935). Fils d'un contrebassiste à l'Opéra-Comique et frère de Jean Périer, célèbre baryton créateur de *Pelléas et Mélisande*, il fut d'abord employé aux Chemins de fer du Nord, puis à la Confiance, compagnie d'assurances. Il débute en 1885 dans les salons. En 1890, Dorfeuil l'engage à la Gaîté-Montparnasse à la condition qu'il trouve une réplique aux gants noirs d'Yvette Guilbert*. Il se présente en habit rouge, culotte et bas de soie noirs, gants blancs et chapeau claque. Il lance *le Pendu* (de Xanrof*). Il devient du jour au lendemain une vedette et passe à l'Eldorado*, à la Scala*, aux Folies-Bergère*, aux Ambassadeurs*, au Cirque d'hiver, où il chantait à cheval. Ayant interprété chez les Gervais (inventeurs du « Petit Suisse ») une chanson du peintre Ziem intitulée *Fromage*, sa carrière dans les salons fut brisée. Comme il trouvait que les cafés-concerts* prenaient un genre trop leste, il se consacra aux affaires commerciales.

KERVAL (Serge), interprète (Brest 1939). Il met une voix particulièrement belle au service d'un répertoire choisi avec soin (*Si la pluie te mouille*, Anne Sylvestre*), comprenant de nombreuses œuvres folkloriques. Il a fait partie de l'ensemble vocal du Ballet national de danses françaises (1960-1963).

KOCK (Charles Paul **de**), auteur et romancier (Paris 1794-1871). Romancier populaire du XIXe s., il a publié un recueil de chansons, *Bulles de savon*, où, dans la préface, l'auteur se réclame d'Armand Gouffé*. Ce recueil contient des chansons tendres et charmantes (*l'Agenda*, *Ma Lisette, quittons-nous*), ou teintées d'humour gris, comme *les Cimetières*.

KOSMA (Jozsef), compositeur (Budapest, Hongrie, 1905). Après des études musicales, il écrit de la musique de film en

1932 (*Amour éternel*), vient à Berlin, puis à Paris (1933), où il mène une carrière de compositeur, écrivant des ballets (*Baptiste*, pour J.-L. Barrault), des musiques de scène et la musique de plus de cent films (*la Grande Illusion*, *la Marseillaise*, *les Enfants du paradis*, *les Portes de la nuit*, etc.), des morceaux classiques, des chansons dès les premières années de son séjour (*Dis-moi pourquoi*, - M. Vaucaire*, par Lys Gauty*, 1938).

Mais, surtout, il a mis en musique de nombreux poèmes de J. Prévert*, en faisant des chansons parmi les plus belles et les plus célèbres de notre temps. Il a su rester naturel et, sans jamais tomber dans la mélodie classique, plier ses mélodies et ses rythmes à la versification apparemment libre de Prévert, respectant la valeur des mots et des sonorités (*Barbara*, *l'Inventaire*, *En sortant de l'école*, *La fête continue*, etc.). Interprétées par J. Douai*, les Frères Jacques*, J. Gréco*, Y. Montand*, G. Montero*, C. Vaucaire*, etc., certaines de ses mélodies sont des succès mondiaux, comme *les Feuilles mortes*.

Il a mis aussi en chansons d'autres poètes dont les œuvres convenaient à son tempérament. On lui doit par exemple *Si tu t'imagines* (- R. Queneau*), popularisé par J. Gréco.

KRYSINSKA (Maria), chansonnière (Varsovie 1860 - Paris 1908). Fille d'un avocat de Varsovie, elle arriva à Paris en 1876 et suivit les cours d'écriture musicale du Conservatoire, qu'elle quitta, dit-elle, « pour n'avoir pas à se servir des bémols ». Elle débuta aux Hydropathes* et suivit ceux-ci au Chat-Noir*. Créatrice du vers libre dès 1882, elle a fait paraître plusieurs recueils de vers. Compositrice de genres très différents, elle a mis en musique Verlaine et Charles Cros, ainsi que ses camarades chatnoiresques, dont Maurice Donnay* (*Tes yeux*, amusant pastiche du style nouille).

LA BORDE (Jean Benjamin **de**), compositeur (Paris 1734-1794). Élève de Dauvergne (violon) et de J.-Ph. Rameau (composition), premier valet de chambre de Louis XV et fermier général, il est aussi le premier musicologue français en date par la publication, en 1780, de l'*Essai sur la musique ancienne et moderne*, où l'on trouve encore à glaner. Retiré en Normandie sous la Révolution, il fut découvert, arrêté, ramené à Paris et mis en prison. Il périt sur l'échafaud cinq jours avant la chute de Robespierre.

Il a fait représenter plusieurs opéras comiques et il a composé des chansons qui eurent du succès : *Vois-tu ces coteaux se noircir?, Jupiter un jour en fureur, L'amour me fait, belle brunette.* Dans l'*Essai sur la musique*, La Borde publie un *Choix de chansons mises en musique à quatre parties,* dans lesquelles il y a des œuvres de poètes et de musiciens des XVIe et XVIIe s., des chansons et des romances* de ses contemporains, des airs folkloriques ainsi que ses œuvres personnelles. La Borde est aussi l'auteur d'un privilège de librairie mis en musique, pour lequel il s'est servi de timbres* de chansons en vogue.

LACROIX (Jean), chansonnier (Versailles 1922). Il a commencé par être comédien amateur avant de débuter comme chansonnier professionnel avec *Sacrées vacances* au théâtre de Dix-Heures*. Il passe ensuite au Caveau de la République*, au Coucou* (1955-1959), revient au théâtre de Dix-Heures en 1959, où il chante toujours. Entre-temps, il participe pendant huit ans au *Club des chansonniers* (Radio-Luxembourg*) et, depuis treize ans, au *Grenier de Montmartre* (O. R. T. F.*). À Bobino*, à l'Olympia*, il a chanté des chansons inspi-

rées par l'actualité : *Khrouchtchev chez le pape, Tante Yvonne,* etc. Spécialiste du pastiche, il a fait un tour de chant sur des timbres* de chansons d'Aznavour* à l'occasion de la rencontre De Gaulle-Aznavour : *le Grand Charles et le petit.*

LADRÉ, chansonnier (XVIIIe s.). Ancien soldat, il s'était fait chanteur des rues et tenait principalement ses assises sur le Pont-Neuf*. Il se vante d'avoir composé — et chanté — plus de 100 chansons entre 1789 et 1794. En effet, on trouve de nombreuses chansons de Ladré dans les feuilles volantes imprimées à l'époque. Il est surtout l'auteur du *Ça ira*, qu'il avait improvisé au Champ-de-Mars lors de la fête de la Fédération, sur l'air d'une contredanse de Bécourt, *le Carillon national,* et qui fut immédiatement transformé par le public.

LAFFORGUE (René-Louis), auteur, compositeur, interprète (Saint-Sébastien, Espagne, 1928 - Albi 1967). Ses parents se réfugient en France, à Cachan, lors du soulèvement franquiste. Après avoir été apprenti boucher et menuisier, il devient machiniste, puis comédien avec Ch. Dullin (1948) et avec le mime Marceau (1949). Malgré ses succès dans la chanson, il n'a jamais abandonné le théâtre (Compagnie J. Fabbri, 1954) et il fait une carrière au cinéma et à la télévision, pour laquelle il tourne un feuilleton (*l'Éventail de Séville*) dans la région d'Albi, où il se tue dans un accident de voiture sur la R. N. 118.

Il écrit des chansons dès 1951 (*le Pavé de ma rue*, qu'il crée au Tabou*) et il connaît un grand succès avec *le Poseur de rails* (1953) et surtout avec *Julie la Rousse* (1957). Il a obtenu le prix du Disque en

1959. Sa gouaille, ses mélodies faciles à retenir (*La fête est là*), ses javas et la poésie bon enfant d'un répertoire populaire voisinaient avec des œuvres plus émouvantes (*le Grand Manitou*, 1961 ; *les Enfants d'Auschwitz*, 1966), et parfois engagées (*Made in U.S.A.*, 1964 ; *Et une liberté*, - *Coulonges**). Fondateur des Éditions du Tournesol, il a créé et animé depuis 1962 jusqu'à sa mort le cabaret de l'Ecole buissonnière*.

lai (du XIIᵉ au XVIᵉ s.), au début, chanson narrative, sans forme définie, appelée parfois *descort.* — Ce mot, d'origine celtique, désignait les compositions de jongleurs bretons, qui allaient par les pays en s'accompagnant de la harpe. Parmi les plus célèbres, citons *le Lai du chèvrefeuille*, de Marie de France [XIIIᵉ s.], *le Lai mortel*, de Guillaume de Machaut* [XIVᵉ s.].

A partir du XVIᵉ s., poème lyrique à forme fixe, de douze strophes, toutes différentes.

LANJEAN (Jean **Marcland,** dit **Marc**), auteur, compositeur (1903 - 1964). On lui doit de nombreux succès dont il écrivit la musique (*Mon cœur est au bal*, - *Charlotte Lysès*), les paroles (*Touchez pas au grisbi*, - J. *Wiener**) ou l'ensemble (*la Fête au village*).

LAPIN (abbé), chanteur qui, vers 1780, dans le jardin du Palais-Royal, débitait des chansons grivoises en les accompagnant de grimaces et de gestes burlesques. Il obtint une vogue semblable à celle des étoiles du caf' conc'* ou du music-hall*. Marie-Antoinette désira l'entendre et il vint chanter à Versailles son grand succès *Maman je veux Robin*.

Lapin à Gill (ou **Agile,** suivant les auteurs), cabaret montmartrois situé au coin de la rue des Saules et de la rue Saint-Vincent. Tout d'abord appelé cabaret des Assassins, parce qu'un panneau de fête foraine le décorait, représentant les crimes de Troppmann. Le propriétaire, Sals, aidé de Jules Jouy*, y organisait le déjeuner hebdomadaire de *la Soupe et le bœuf*, où se rendaient les chansonniers montmartrois, Salis en tête. Meusy* était l'hôte assidu du cabaret des Assassins ; il avait composé une chanson qui était le *God Save the Queen* de l'établissement. Vers 1880, Sals commanda au dessinateur André Gill une enseigne pour son cabaret ; le peintre représenta un lapin s'évadant d'une casserole. Le lapin à Gill devint, par un calembour, *Lapin Agile*.

En 1886, le cabaret fut repris par Adèle, qui le baptisa *Ma campagne*. En 1903, la maison étant menacée de démolition, Bruant* en fit l'acquisition et la donna en location, puis, à sa mort, le légua à Frédéric Gérard, dit Frédé, chanteur, potier d'art, guitariste, marchand de poissons..., dont Mac Orlan* a brossé le portrait : « Frédéric, le patron, coiffé d'un foulard rouge noué derrière la nuque à la manière des pêcheurs du Sud. Il était chaussé de bottes et marchait taciturne, agile, massif et courageux, le dos voûté, la tête basse, prêt à l'attaque et à la défense... » Frédé avait précédemment dirigé un cabaret libertaire, le Zut, situé pl. J.-B. Clément*. Au Lapin, n'ayant pas les moyens d'engager des vedettes, il chantait, le soir, des chansons traditionnelles ou des œuvres de P. Dupont*, Bruant, X. Privas*, J.-B. Clément. Des chansonniers venaient chanter certains soirs, et, parmi l'équipe de littérateurs et de peintres qui fréquentaient le Lapin, chacun y allait de son numéro : Mac Orlan chantait des refrains de la Légion, Carco* imitait Mayol*... La troupe fut dispersée en 1914.

LA RUE (Pierre **de**), compositeur (Tournai v. 1460 - Courtrai 1518). Il fut successivement au service de Maximilien d'Autriche (époux de Marie de Bourgogne), de Philippe le Beau, puis de Marguerite d'Autriche et de Charles Quint. Sa production chansonnière (37 titres) fut surtout composée au service de Marguerite d'Autriche (on trouve de nombreuses œuvres de Pierre de La Rue dans les albums poétiques de cette princesse). Son œuvre la plus célèbre est *Pourquoy non ne veuil-je morir*, à laquelle nous ajouterons *Autant en emporte le vent*.

LARUE (Marcel **Ageron**, dit **Jacques**), auteur (1906-1961). Il écrivit de très nombreux succès, dont le souvenir n'est pas oublié, comme *Mon village au clair de lune* (- J. Lutèce, 1939), *Ça sent si bon la France* (- Louiguy*, 1941), *Nuages* (- D. Reinhardt*, 1942), *Tout le long des rues* (- N. Glanzberg*, 1946), etc. Ses textes sont populaires sans vulgarité, et certains sont des classiques de la chanson contemporaine.

LASSUS (Roland **de**), compositeur (Mons, Hainaut, 1531/1532 - Munich 1594). Il fut aussi appelé par ses contemporains Orlando di Lasso, voire Orlande tout court.

Fleuron de cette école franco-flamande qui eut une influence considérable sur la chanson française, Lassus domine la musique européenne de son époque.

A l'âge de 13 ans, Ferdinand Gonzague de Sicile, charmé par la beauté de sa voix, l'enlève à sa famille dans le plus pur style des « hold-up ». Il suit son maître au siège de Saint-Dizier (1544), à Palerme (1545), puis à Milan (1556). Il passe au service du marquis de La Terza (Naples 1550) et obtient le poste de directeur du chœur de Saint-Jean-de-Latran (Rome v. 1553). Il voyage ensuite en Angleterre et en France, puis se fixe à Anvers (1554-1556). A partir de ce moment, il est chantre, puis maître de chapelle du duc de Bavière à Munich, poste qu'il conservera jusqu'à sa mort.

Dans l'œuvre de Lassus, qui est considérable, la chanson française tient une place importante : 140 titres, qui comptent parmi ses meilleures compositions. Leur genre en est extrêmement varié, allant de la gravité mélancolique à la fantaisie, aux effets comiques, et même à une franche gaillardise. Il a mis en musique Villon, Alain Chartier, Marot, Ronsard*, du Bellay, Baïf et Rémy Belleau. Ses compositions religieuses et les 52 messes qu'il a écrites sont généralement bâties sur des chansons profanes : *Dictes, maîtresse, le Bergier et la bergière, Douce Mémoire, Je ne menge poinct de porc, Entre vous, filles de quinze ans, La, la, maître Pierre*, etc.

LAUJON (Pierre), chansonnier et auteur dramatique (Paris 1727 - 1811). Secrétaire du comte de Clermont et du prince de Condé, il s'est souvent comparé à Benserade, écrivant des poèmes, des chansons, des impromptus, des parodies* d'opéras ou des pièces de théâtre pour les fêtes du château de Berny ou pour le théâtre des foires. Il a écrit aussi des divertissements, interprétés par Mme de Pompadour au théâtre des Petits Cabinets. Membre du Second Caveau*, fondateur des Dîners du Vaudeville*, président du Caveau moderne, il composa ses chansons, grivoises, épicuriennes et bachiques*, souvent pour les réunions de ces sociétés. Elu membre de l'Académie française (1807), il a réuni ses œuvres complètes en quatre volumes (1811). Dans le tome IV, consacré à ses chansons, il définit avec beaucoup de clarté et d'exactitude les formes différentes que peut prendre la chanson.

LAVALETTE (Bernard **de Fleury**, dit **Bernard**), chansonnier et comédien (Paris 1926). Il aurait dû être, pour le moins, ambassadeur, mais, alors qu'il terminait

Bernard Lavalette, vu par Sennep.
Phot. « le Figaro ».

ses études à Sciences po, il décida d'être l'ambassadeur de l'esprit montmartrois, qu'il a fait applaudir en Belgique, en Suisse, au Canada, au Proche-Orient et en Afrique du Nord. Il a débuté en 1949 aux Noctambules* avec *la Valse des lampions*. Il a chanté ensuite au théâtre de Dix-Heures*, aux Deux-Ânes*, au Caveau de la République*, au Coucou*, à Milord l'Arsouille*, à l'Echelle de Jacob*, à l'Écluse*, à la Galerie 55.

Il s'est spécialisé dans le pastiche (dont certains ont été écrits en collaboration avec Pierre Tchernia). Il poursuit parallèlement une brillante carrière de comédien, au théâtre (l'*Auberge du Cheval Blanc*, au Châtelet; *la Vie parisienne*, avec la compagnie Renaud-Barrault; *Quarante Carats*, au théâtre de la Madeleine), au cinéma (*la Belle Américaine*) et à la télévision (*les 7 de l'escalier 15*, *Signé alouette*).

LEBAS (Renée), interprète (Paris 1917). D'abord dactylo, professeur de danse, journaliste (l'*Echo du XIII*), Renée Lebas réussit un « crochet* » à Radio-Cité et se consacre à la chanson. Elle chante d'une voix prenante des œuvres de F. Carco*, J. Lemarchand (*Où es-tu mon amour?*), B. Vian*, J. Larue*, etc., et connaît un grand succès dans les années de l'après-guerre.

LEC (Fernand **Lecoublet, dit Jean**), chansonnier (Rennes 1899 - Paris 1964). Engagé volontaire dès 1915 (à seize ans), il est, après 1918, publiciste, affichiste, peintre. Ce n'est qu'en 1934 qu'il aborde la carrière de chansonnier aux Noctambules*. Il passe ensuite à la Vache-Enragée*, au théâtre de Dix-Heures*, à la Lune-Rousse*, aux Deux-Ânes*, au Caveau de la République*. En 1946, après un silence dû à l'Occupation, il réapparaît à la tête d'une équipe de chansonniers et produit avec Souplex* *Madame est servie* (Poste national), qui se transforme en *Grenier de Montmartre*. Il produit aussi une émission de télévision, *le Clin d'œil*, suspendue par la censure assez rapidement.

Jean Lec est l'auteur de plus de 500 chansons d'actualité, 200 sketches, une vingtaine de revues, dont il concevait et dessinait lui-même les décors.

Sa femme, Raya, lui a succédé à la production du *Grenier de Montmartre*, qui réunit chaque semaine les chansonniers montmartrois autour du micro d'Inter-Variétés (O. R. T. F.*).

LECLERC (Félix), auteur, compositeur, interprète (La Touque, Canada, 1914).

Félix Leclerc. Doc. Philips.

Sixième d'une famille de onze enfants, F. Leclerc garde de son enfance paysanne le goût du terroir, l'amour des choses et des êtres de la rude campagne du Québec, qu'il a si souvent chantée (*Tu te lèveras tôt*). Il suit des études universitaires à Ottawa, puis il est annonceur à la radio (1934-1937), fermier, bûcheron, écrivain, acteur; il cherche sa vocation, mais il est surtout poète. Sur les instances de Jacques Canetti, il débute à Paris le 22 décembre 1950, en s'accompagnant à la guitare. Il est l'un des premiers, avec S. Golmann*, quelques mois avant G. Brassens*, à faire entendre de nouveau la voix de la poésie dans la chanson contemporaine (*le P'tit Bonheur*). « La chanson, dit-il, c'est un endroit où j'étais sûr de passer par une porte qui n'était pas surveillée. » Il trouve dans la chanson la liberté de dire la poésie à sa façon, qui est la bonne. Dès lors, il partage son temps entre son Canada et la France (cabarets, music-halls*, tournées, en particulier dans les maisons de jeunes et de la culture). Ses chansons disent la terre que possède l'homme, mystérieux roi de la Création (le Roi heureux, le Roi chasseur), la nostalgie (Ailleurs), la tendresse de l'amour (Litanies du petit homme). On y décèle souvent la tristesse, comme une secrète fêlure (la Fête, la Vie, l'Amour, la Mort), et il atteint la plus haute poésie, celle du cœur, celle qui engendre chez l'auditeur une émotion qui ne trompe pas sur la qualité littéraire de cette œuvre (la Prière bohémienne).

Cet homme solide et vrai, qui parle en images, comme il chante, a rapporté ses souvenirs sous le titre de son plus grand succès : Moi, mes souliers (« J'ai traversé sur mes souliers ferrés le monde et la misère »). Sa venue a prélude à la découverte en France de la chanson canadienne d'expression française (J.-P. Ferland*, C. Léveillé*, R. Levesque*, G. Vigneault*).

LEGAY (Joseph Arthur Jacques, dit **Marcel**), chansonnier (Ruitz, près Béthune, 1851 - Paris 1915). L'un des précurseurs de Montmartre*. Il y chantait ses chansons dans la rue en s'accompagnant à l'harmonium, bien avant que le premier cabaret s'installât sur la Butte, et vendait ses œuvres 0,10 F à un public d'ouvriers. Il fut de la première équipe du Chat-Noir*, puis partit fonder son cabaret, la Franche Lippée, et se partagea entre Montmartre et le Quartier latin*. Legay, qui avait fait de bonnes études musicales au conservatoire de Lille, a mis en musique de nombreux poèmes de ses contemporains, en particulier les Chansons rouges, de M. Boukay*. Son chef-d'œuvre reste Écoute ô mon cœur, dont il a composé paroles et musique.

LEGRAND (Raymond), compositeur (Paris 1908). Après des études au Conservatoire national de musique, il est attiré par les variétés*; il compose pour l'orchestre de Fred Adison* (On va se faire sonner les cloches), puis mène ensuite une brillante carrière de chef d'orchestre de variétés et d'arrangeur. Dans la lignée des orchestres de R. Ventura* et F. Adison, les musiciens de R. Legrand jouent, chantent, interprètent des chansons-sketches avec beaucoup de brio. On retrouve ces qualités dans le film Mademoiselle Swing (1942). Irène de Trébert y chante les compositions de R. Legrand, Mademoiselle Swing, le Clou dans la chaussure (- L. Poterat*). Colette Renard* a chanté pendant quatre ans dans l'orchestre de R. Legrand avant de mener sa carrière d'interprète.

R. Legrand a écrit de la musique de film (Topaze), une comédie musicale (Jehanne Vérité, 1966), des traités de musique.

LEGRAND (Michel), compositeur (Paris 1932), fils du précédent. Il mène des études musicales au Conservatoire (prix d'harmonie, de fugue, de contrepoint, de piano). Il vient à la chanson en collaborant avec son père à des orchestrations*. Il écrit des ballets pour Roland Petit, Gene Kelly, séjourne aux Etats-Unis, où il compose des revues de music-hall* (à Las Vegas), orchestre de nombreux accompagnements (H. Salvador*, Jacqueline François, F. Lemarque*, etc.) et compose des chansons qu'il chante parfois lui-même (avec E. Marnay* : les Enfants qui pleurent, 1789, Elle a, elle a pas). Il cherche des effets orchestraux et sonores originaux à l'enregistrement. On lui doit la musique du célèbre film musical de Jacques Demy les Parapluies de Cherbourg, où sa sœur Christiane (v. ci-dessous) prête sa voix à Anne Vernon.

LEGRAND (Christiane), interprète, fille de Raymond Legrand et sœur de Michel Legrand. De sa voix très étendue de soprano, elle a interprété des chansons de B. Brecht*; elle fait partie de l'ensemble des Jazz Swingle Singers. Elle a « doublé » pour le chant Brigitte Bardot dans le film la Parisienne et Anne Vernon dans les Parapluies de Cherbourg.

LE HOUX (Jean), chansonnier et avocat (Vire fin XVIe s.). Il ressuscita le vau-de-vire en publiant en 1576 les œuvres de ses prédécesseurs en même temps que les siennes propres, ce qui crée encore actuellement une grande confusion dans la répartition du bien de chacun. Il a passé longtemps pour l'inventeur du vau-de-vire : Sonnet de Courval appelle Jean Le Houx, dans *Défense de la « Satire Ménippée » contre les femmes,* l' « autheur de nos vaudevires » et constate que les vaux-de-vire du manuscrit de Caen doivent lui être attribués.

Descendant d'une excellente famille viroise, il préférait boire et versifier qu'exercer son métier d'avocat. A la publication de ses vaux-de-vire, il eut des ennuis avec le clergé virois, qui lui refusait l'absolution. Il dut aller la chercher à Rome et prit le surnom de « Romain ».

LE JEUNE (Claude), compositeur (Valenciennes v. 1530 - Paris 1600). Il vint à Paris vers 1564 et fut au service de François d'Anjou, frère d'Henri III, puis à celui d'Odet de La Noue (fils du duc de Bouillon) et probablement à celui de Louise de Nassau. Gagné aux idées de la Réforme, il put s'échapper de Paris durant le siège de 1590 et se réfugia à La Rochelle. En 1594, il rentra à Paris et termina ses jours compositeur ordinaire de la chambre d'Henri IV.

La plupart des œuvres religieuses de Le Jeune furent publiées après sa mort, mais, dès 1554, l'éditeur Pierre Phalèse (de Louvain) fit paraître certaines de ses chansons, et, en 1594, Le Roy* et Ballard publièrent des airs à plusieurs voix, dont la popularité fut telle qu'ils faillirent éclipser la gloire de Lassus*. En 1603 paraissait l'œuvre maîtresse de Le Jeune, en ce qui concerne la chanson, le *Printemps,* recueil de trente-neuf pièces, dans lequel il rend hommage à Janequin* en lui empruntant deux de ses chansons, *l'Alouette* et *le Rossignol,* en les dotant d'une cinquième voix.

Le Jeune « ... a fait vraiment éclater le genre traditionnel de la chanson polyphonique tout en appliquant avec rigueur les principes de la musique mesurée » (F. Lesure).

LEKAIN (Esther **Nikel,** dite **Esther**), interprète (Nancy 1870 - Nice 1948). Elle débute à quinze ans à l'Alcazar de Marseille*, puis vient travailler à Paris avec Porel (mari de Réjane). À partir de 1900, elle chante à Parisiana*, où son succès est immédiat avec *la Dernière Gavotte* (Scotto* et Vargues). Pendant six ans, elle y créera de nombreuses chansons à succès, dont *la Petite Tonkinoise* (Scotto, Christiné* et Villard), et *C'est un petit béguin* (Christiné et Timmory), qui émut les âmes sensibles. Yvette Guilbert* la considérait comme la « reine des diseuses ». Interprète féminine particulièrement intelligente et distinguée, elle fut aussi surnommée la « Sarah Bernhardt de la chanson ». Elle s'est produite dans tous les music-halls* de Paris et de province, ainsi que dans les principales capitales européennes.

Esther Lekain a eu de nombreux élèves : son filleul Jean Lumière*, Odette Laure, André Pasdoc et Tino Rossi*.

LELIÈVRE (Léo), chansonnier et revuiste (Reims 1872 - Paris 1956). Ancien garçon coiffeur, ce qui lui valait le surnom de « merlan chanteur ». Il débute aux soirées de la Plume*, puis dirige l'auberge du Clou*, crée le groupement littéraire et anarchisant de la Vraie Bohème, puis anime le Caveau de la Bohème (1894) avant de fonder le Caveau du Cercle*. Il a chanté ses œuvres dans ces divers établissements : *Souvenirs de dèche, le Sommeil de Mominette, la Rue où il ne passe personne.* Il est l'auteur de complaintes* dans la grande tradition du XIXe s., inspirées par des faits divers : *les Petits Martyrs de la rue de l'Échaudé, l'Orphelin des neiges,* etc. Il a remporté aussi quelques succès au café-concert* dont *la Boiteuse* (- Briollet, par Fragson*). Léo Lelièvre a écrit de nombreuses revues pour Félix Mayol*, avant de devenir l'indispensable collaborateur d'Henri Varna. Il a été président de la S. A. C. E. M.*

LEMAIRE (Georgette), interprète (Paris, 1943). Elle débute en chantant des œuvres réalistes dans la tradition d'E. Piaf* (1965). Elle interprète des chansons de M. Emer*, J. Datin*, A. Popp*, P. Delanoë*, etc. « C'est l'éternel refrain d'une éternelle histoire » (A. Boudard) que chante « Georgette des Faubourgs » (A. Le Breton).

LEMARQUE (Nathan **Korb,** dit **Francis**), auteur, compositeur, interprète (Paris 1917). Il est d'origine balte, peut-être lettone. Son père est mort en 1933 ; sa mère, déportée par les Allemands, assassinée à Auschwitz, avait détruit toutes les pièces d'identité familiales.

« J'ai fait vingt métiers avant d'entrer dans la chanson, à trente et un ans, par la grande porte, sans en connaître les ficelles. » Il quitte l'école à onze ans et demi (C. E. P.) et travaille tout de suite : vendeur en bimbeloterie, ouvrier imprimeur, métallo, décapeur de métaux, dessinateur, garçon de course, figurant ; son adolescence est rude. Il fait aussi partie du groupe Mars, créé par l'Association des écrivains et artistes révolutionnaires (dont on connaît surtout le groupe Octobre). Avec S. Itkine, il joue dans les usines occupées par les ouvriers pendant le Front populaire (1936). Avec son frère Maurice, F. Lemarque monte un numéro de duettistes, les Frères Marc*, sans abandonner le travail.

Après la guerre, par l'intermédiaire de J. Prévert*, il présente ses premières chansons à Y. Montand* (1946), qui les retient toutes (*A Paris, Ma douce vallée, Mathilda*) et va bientôt en faire de grands succès. F. Lemarque est célèbre en quelques semaines. Il commence à chanter luimême, d'une voix gouailleuse et sympathique, et il enregistre (1949). Le succès

Francis Lemarque (1957). Doc. Philips. Phot. Claudette Robin.

devient considérable (A Paris, deux millions de disques en quinze ans). Malgré les music-halls*, les enregistrements, les tournées internationales, il continue à mener une vie simple et sage (sur les bords de la Marne, où il flânait déjà quand il était enfant), et à écrire des chansons dont les mélodies et les paroles sont de parfaits exemples de poésie populaire. Il chante Paris comme seuls V. Scotto* et ses paroliers avaient su le faire : l'Air de Paris (- M. Heyral*), Rendez-vous de Paname, À côté du canal, Écoutez la ballade, etc. Il s'est inspiré de la vie quotidienne (les Routiers, les Petits Riens) ou raconte de belles légendes (le Petit Cordonnier [- Révil], inscrit pendant trois mois dans les palmarès américains — un record). Il exalte l'amitié et la fraternité sans frontière (Mon copain d' Pékin), et démystifie la guerre (Quand un soldat). Il bénéficie d'un don mélodique peu commun (Marjolaine, - Révil). Il a en outre mis en chansons et interprété toute une série de poèmes de F. Carco*, Je me souviens de la bohème. On lui doit aussi une excellente adaptation française du Temps du muguet, de Soloviev et Sodoï. Accordé à la sensibilité populaire, il est l'un des plus grands créateurs de la chanson contemporaine.

LEMERCIER (Eugène), chansonnier et auteur dramatique (Paris 1862-1939). Son père l'ayant placé comme métreur-vérificateur, il trouva plus de charme à la métrique des vers et se produisit d'abord à la Lyre bienfaisante, puis au Quartier latin*, ensuite à Montmartre*. Il a fondé le cabaret des Éléphants*, qui n'eut que quelques mois d'activité. Lemercier, qui a composé plus de 700 chansons, a été présenté ainsi par Trimouillat* : « ... il a trouvé le secret de composer des chansons satiriques mordantes, vécues, mais toujours gaies, sans cynisme affecté, telles que Baisons-nous Lisette, l'Ex-Anarchiste, le Restaurant des jours de dèche », auxquelles nous ajouterons le Double suicide, dont la lecture est à recommander à tous ceux que hantent des idées noires. Vers 1912, il quitta presque complètement la chanson pour se consacrer au théâtre.

LENOIR (Jean **Neuburger,** dit **Jean**), auteur, compositeur (Paris 1891). On lui doit de nombreux succès (C'est une petite étoile, Voulez-vous danser grand-mère?). Il est l'auteur d'une des plus belles chansons françaises, Parlez-moi d'amour (1923), qui fut le plus grand succès de Lucienne Boyer* (1929).

LEONARDI (Charles), compositeur (Borgotaro, Italie, 1928). Musicien d'orchestre dès l'âge de douze ans, Ch. Leonardi poursuit des études musicales (école normale de musique, conservatoire, solfège et harmonie). Il met en musique un poème d'Aragon, Un jour j'ai cru te perdre, qu'interprète Monique Morelli (1960), et se consacre ensuite à la mise en chanson de poèmes de Mac Orlan*, F. Carco*, L. Bérimont* et, surtout, de L. Aragon* (Maintenant que la jeunesse, par J. Douai*).

LE ROY (Adrian), musicien et imprimeur (Montreuil-sur-Mer? - Paris 1598). Avec son cousin Robert Ballard, il fonda une importante maison d'éditions musicales, qui eut, jusqu'à la Révolution, le privilège de l'édition de la musique en France. Ils éditèrent régulièrement la production chansonnière française. Dans cette association, Le Roy faisait office de directeur artistique ; c'est donc à lui que nous devons le choix des chansons éditées. Excellent luthiste, il a composé pour son instrument, publié un Livre d'airs de cour mis sur le luth (1571) et, d'une veine plus populaire, un recueil de Pièces en forme de vau-de-ville (1573).

LEROY (Gustave), chansonnier (Paris 1818 - 1860). Ouvrier en brosserie, il fréquenta les principales goguettes*, où, d'une voix rauque et sentencieuse, il chantait des chansons d'un socialisme modéré. Il fut l'un des premiers à acclamer les journées de Février 1848 et à prendre le parti des insurgés de Juin. Baillet a pu écrire que, « dans les fusils plébéiens, dont les balles trouèrent les fenêtres des Tuileries, il y avait des bourres faites avec les chansons de Gustave Leroy ». Sous le second Empire, il chanta des chansons courageuses, dont *le Bal et la guillotine* (1849), qui lui valut six mois de prison aux Madelonnettes et 300 F d'amende. Une chanson de Leroy, *la Lionne*, connut un grand succès populaire.

LÉVEILLÉE (Claude), auteur, compositeur, interprète (Montréal, Canada, 1932). Il a fait des études supérieures (économie politique). Comme F. Leclerc* et J.-P. Ferland*, C. Léveillée est un créateur d'expression française, dont les œuvres nous parviennent du Québec. Il les interprète lui-même lors de ses séjours à Paris (*Frédérique*, 1962; *Arthur*, 1964, chantés aussi par J. Douai*). Depuis sa première chanson (*la Vie*, 1953), C. Léveillée écrit des œuvres fraternelles et fortes, où la poésie s'exprime en belles images (*Mon pays*, 1964).

lever le torchon, en argot du music-hall*, lever le rideau, c'est-à-dire assurer le premier numéro d'un spectacle de variétés*. (C'est en général un jeune chanteur débutant qui passe en premier numéro.)

LÉVESQUE (Raymond), auteur, compositeur, interprète (Montréal, Canada, 1928). D'abord comédien, il débute à Montréal en 1948, puis passe à la radio, à la télévision (clown dans des émissions pour enfants). Il séjourne à Paris de 1954 à 1959 et chante en cabarets (l'Écluse*, le Port du Salut*, l'Échelle de Jacob*, etc.), écrivant de nombreux succès : *les Trottoirs* (1954) et *Quand les hommes vivront d'amour* (1956), créés par Eddie Constantine, *les Voyages* (1958), par Jean Sablon*, etc. Il retourne au Canada en 1960 et il y poursuit sa carrière. Ses chansons séduisent par la simplicité de leur poésie et leurs sentiments fraternels.

Lice chansonnière, goguette* fondée en 1831 par Charles Lepage. De tendance républicaine, la Lice connut de nombreux déménagements durant une existence exceptionnellement longue, puisque les dernières réunions eurent lieu en 1967 sous la présidence de M. Lesecq. Tout d'abord hebdomadaires, les réunions de la Lice devinrent mensuelles, mais continuèrent avec régularité malgré la sollicitude de la police de Louis-Philippe et de Napoléon III. La tradition des chansons sur des mots donnés et l'emploi des timbres* s'est perpétuée pendant près d'un siècle et demi. Jusqu'en 1902, la Lice a publié les œuvres de ses membres. Quelques-uns ont laissé un nom dans l'histoire de la chanson : Ch. Gille*, G. Leroy*, L. Festeau*, Ch. Colmance*, A. Dalès*, P. Avenel*, E. Hachin*, E. Imbert*, A. Desrousseaux*, E. Baillet*, E. Chebroux*, Le Boullenger d'Yvetot, Lachambaudie, Justin Cabassol, Antoine Clesse, Ch. Vincent, Landragin, P. Henrion*, Darcier*, G. Nadaud*, Jules Jouy*, E. Lemercier*, E. Teulet*, Octave Pradels*, Jules Janin, Michel Herbert*, etc.

littéraire (chanson), se dit par opposition à la chanson populaire ou folklorique. — En général, elle est l'œuvre d'un poète mise en musique par un compositeur qui adapte d'une façon très étroite la phrase musicale à la structure du poème. C'est à partir du XVIe s., grâce à l'Académie de poésie et de musique*, fondée par Baïf et Courville, qu'un tel genre s'est développé avec les chansons dites « parisiennes* », où naissait « un véritable concept de l'union de la poésie avec la musique » (Fr. Lesure).
Le poète mis le plus souvent en musique fut incontestablement Pierre de Ronsard*. Ensuite, Clément Marot, A. de Baïf, Mellin de Saint-Gelais, François Ier, J. du Bellay, Bertaut, Maurice Scève, Ph. Desportes*, etc. Les musiciens sont Janequin*, Du Caurroy*, Costeley*, Cl. Le Jeune*, Lassus*, Crécquillon, N. de La Grotte, Goudimel*, Sweelinck, Ph. De Monte, Maletty, D. Phinot.
La Délie, de Maurice Scève, a particulièrement tenté les compositeurs (Jean Maillard, P. de Villiers, Certon*, D. Phinot, Boyvin), qui ont mis en musique des fragments de ce poème avant même sa publication (1544).
Au XVIIe s., la chanson littéraire triomphe avec l'air de cour*. « Si l'on met encore en chansons Baïf, Ronsard ou Desportes, la faveur des musiciens va à des contem-

Verlaine,
par lui-même
(1894).
Phot. Lauros.

porains. Certains s'improvisent aussi poètes comme Guédron* et Fr. de Chancy. » (Verchaly.) La fin du XVIIe s. est surtout occupée par l'opéra, la tragédie ou les grands motets. Il reste « une poussière de poètes dans les rayons du Roi-Soleil » (Paul Guth), comme La Fare, Chaulieu*, Colletet, l'abbé de Pure, Chapelle, etc., mis en musique par une poussière de musiciens : Du Parc, Pierre Berthet, Labbé, Cappus, Desfontaines, etc. Cette littérature mineure, reflétée par les éditions Ballard, va se continuer au début du XVIIIe s. Mais, en 1731, la chanson littéraire subit une profonde transformation. Elle émigre au Caveau* et retrouve une nouvelle vigueur grâce à Collé* et à Piron*. A ce moment, abandonnant le principe d'une musique originale, les paroliers choisissent eux-mêmes un timbre* s'adaptant à leur poème. Cette coutume se poursuivra d'une façon

constante jusqu'au milieu du XXe s. Au XVIIIe s., la musique de Rameau (lui aussi membre du Caveau) fut choisie assez fréquemment, contribuant à rendre populaires les airs des *Indes galantes*, très discutées lors de leur création par les tenants du style « lullyste ».

C'est avec la romance* que continuera l'union du poète et du musicien, la prédominance des salons orientant, dans la seconde moitié du XVIIIe s., la musique et la poésie.

Au XIXe s., tandis que la romance affirme son succès, un style prétendument populaire se développe à l'ombre des caveaux et des goguettes*, avec Béranger*, Désaugiers*, Piis* et Debraux*. Si beaucoup de goguettiers sont issus du peuple (Festeau*, Vinçard*, Leroy*, Ch. Gilles*, J.-B. Clément*, etc.), certains littérateurs fréquentent ces cénacles chansonniers : Gérard de Nerval, Henri

Murger, Jules Moineau, Armand Silvestre, Charles Nodier, André Theuriet.

Dans la seconde moitié du XIX° s., on assiste au renouveau de la chanson littéraire, avec le club des Hydropathes*, les soirées de la Plume* (auxquelles participèrent activement Moréas et Verlaine), le Chat-Noir* (où l'union des poètes et des musiciens fut aussi étroite qu'au temps de Baïf) et le Lapin* à Gill de la grande époque.

Mais, à l'époque contemporaine, jusqu'au milieu du XX° s., alors que les chansonniers montmartrois s'enferment dans un style bien précis, chanson et poésie vont constituer deux genres nettement séparés : les poètes écrivent pour le livre ; les « paroliers » sont des spécialistes de la chanson. La versification libre des poètes modernes se prête d'ailleurs mal, apparemment, à la chanson. Cependant, la tradition de la chanson littéraire se perpétue au music-hall et au cabaret grâce à quelques interprètes féminines : Damia* chante Verlaine ; M. Dubas* chante F. Carco*. Entre les deux guerres, M. Oswald* et A. Capri* empruntent leur répertoire à des poètes (Apollinaire, Aragon*, J. Cocteau, M. Jacob, J. Prévert*, etc.). D'autre part, la qualité littéraire de certaines chansons est évidente (J. Nohain*, C. Trenet*). Mais l'immense majorité des chansons reste séparée de la poésie des livres.

Pourtant, C. Trenet met en chanson et interprète (en jazz*) la Chanson d'automne sous le titre Verlaine (1941, - Séverin Luino), la Cigale et la Fourmi (- La Fontaine). Il amorce ainsi une nouvelle mise en chanson de poèmes du livre ; le mouvement va connaître une extension considérable, surtout après 1950. J. Ferrat* et M. Vandair confient à A. Claveau* les Yeux d'Elsa, de L. Aragon (1955) ; G. Brassens*, surtout, rend immensément populaires des poèmes du livre avec la Prière de Francis Jammes (1955) et Il n'y a pas d'amour heureux d'Aragon, sur le même timbre*, puis le Petit Cheval (- P. Fort) et des poèmes de Banville, Corneille (complété par Tristan Bernard), Hugo, Richepin, Verlaine, Villon, etc. De son côté, L. Ferré* met en chanson des poèmes de Baudelaire, Verlaine, Rimbaud et surtout d'Aragon (l'Affiche rouge, l'Étrangère, Est-ce ainsi que les hommes vivent?, etc.), avec un grand succès. Avec les poèmes de J. Prévert (le plus souvent mis en chanson par J. Kosma* dès l'avant-guerre) et de R. Queneau* (musique de Calvi*, Kosma, Popp*, etc.), les poèmes d'Aragon restent les plus sollicités par la chanson (Douai*, Ferrat*, Kosma, Leonardi*, H. Martin*, Philippe-Gérard*). Des interprètes comme J. Gréco* ont aussi participé à ce renouveau de la chanson littéraire ; dès l'époque du Tabou* (vers 1947), elle chante la Rue des Blancs-Manteaux (J.-P. Sartre - J. Kosma), la Fourmi (R. Desnos - J. Kosma), etc.

C'est une redécouverte. Bien des poètes du livre deviennent ainsi « populaires ». On emprunte des textes à toutes les époques : Apollinaire, Aragon, Baudelaire, Bérimont*, Cadou, Chaulot, Cocteau, Desnos, Eluard, Fombeure, Fort, Genet, Giono, Hugo, Jammes, Klingsor, La Fontaine, Laforgue*, L'Anselme, Marie-Noël, J. Prévert, Queneau, Richepin, Rimbaud, Ronsard, Seghers*, Supervielle, Valéry, Verlaine, Vildrac, Villon, etc. Certaines de ces chansons acquièrent une audience remarquable (par exemple, Si tu t'imagines, de Queneau et Kosma, par J. Gréco). La plupart des compositeurs contemporains s'intéressent à cette transformation, et notamment Béart*, Brassens, Crolla*, Douai, Ferrat, Ferré, Holmès*, Kosma, Lafforgue, Lemarque*, Colette Magny*, L. Médini*, Philippe-Gérard, Trenet, Wiener*, etc. Certains compositeurs ou interprètes ne chantent que les poètes du livre (Béatrice Arnac, M. Aubert*, Romain Blutnick, Jacques Marchais, H. Martin*, M. Ogeret*, J. Ollivier*).

Dans les meilleurs des cas, il s'agit bien de chansons et non pas d'œuvres « classiques » : la mélodie reste simple, franche, facile à retenir, suivant le texte sans l'écraser. Aragon a justement remarqué : « La mise en chanson d'un poème (...) est une critique créatrice, elle recrée le poème, elle y choisit, elle donne à un vers une importance, une valeur qu'il n'avait pas, le répète, en fait un refrain. » L'ensemble de la chanson française a bénéficié de cette mode, qui habitue l'auditeur à une plus grande exigence de qualité. Certains paroliers sont des poètes écrivant pour la chanson (ainsi A. Sylvestre* ou N. Louvier*). On a parfois critiqué la complication de la chanson littéraire contemporaine, empruntée ou non aux poètes du livre. Appelée parfois chanson de style « rive gauche* » (à partir de 1948 environ), elle constitue, quand elle est belle sans être prétentieuse, l'armature de répertoires de grande classe, comme ceux qu'interprètent ou ont interprétés M. Arnaud*, J. Douai, J. Gréco, G. Montero*, M. Ogeret*, C. Sauvage*, etc. Le grand nombre de réussites ne masque pas certains échecs (dans des styles différents, œuvres d'Eluard, traductions de N. Hikmet), qui s'éloignent de la chanson pour se rapprocher de la mélodie classique. Certaines mélopées incantatoires peuvent à la rigueur donner un ton nouveau à un poème; elles ne constituent pas des chansons. La poésie et la chanson restent malgré tout deux genres différents. Comme le remarque G. Brassens, « la chanson ne peut pas tout dire » ; mais leur alliance est certaine. Les jam-sessions chansonspoésie* le montrent à nouveau depuis 1963. Si la confusion des genres n'est pas souhaitable, la chanson a beaucoup gagné à fréquenter les poètes du livre.

LITTLETON (John), auteur, compositeur, interprète (Louisiane, États-Unis, 1930). Il se fixe en France (1950) et fait des études de chant classique au Conservatoire de Paris. Il interprète des spirituals traditionnels et les sermons chantés de son enfance (son père est pasteur baptiste). Il chante des Chansons bibliques (de Michel Prophette) qui sont parmi les meilleures réussites de la chanson religieuse française. Il est aussi l'auteur et le compositeur de chansons fraternelles (Donne-moi la main mon frère) et faisant souvent appel au jazz* (J'aime Suzy, - Georges Malé). Il a participé comme interprète aux essais d'introduction de rythmes modernes dans les messes en français (1967).

LOPEZ (Francisco, dit **Francis**), compositeur (1916). Il a écrit la musique de cinquante films, de cinquante opérettes, comme Andalousie, la Belle de Cadix, le Chanteur de Mexico, Méditerranée, le Secret de Marco Polo, le Temps des guitares, etc., jouées notamment par Georges Guétary et par Tino Rossi*. Il a composé de nombreuses chansons à succès, souvent avec Francis Llenas, comme la Chanson de nos beaux jours (par Irène de Trébert, 1943), Robin des bois (par G. Guétary, 1943), ou avec A. Hornez* (Avec son tralala, par Suzy Delair, 1947).

LOUIGUY (Louis **Guiglielmi,** dit), compositeur (Barcelone 1916). Lauréat du Conservatoire de musique de Paris, Louiguy compose sa première chanson en 1941, Ça sent si bon la France (- J. Larue*), créée par M. Chevalier* au Casino de Paris*. Par la suite, ses mélodies, charmantes et légères, deviennent très populaires, comme Mademoiselle Hortensia (1947), La danseuse est créole (1948), Cerisiers roses et pommiers blancs (1950). Il a composé la musique de la célèbre Vie en rose, écrite et chantée par E. Piaf* (1945), devenue un succès mondial.

Auteur d'œuvres classiques, il a aussi composé la musique de l'opérette la Quincaillière de Chicago (- Willemetz*), représentée à l'ABC* en 1958 (avec Maria Powers, Burnier, Lona Rita, M. Baquet).

LOUIS (Louis Antoine **Magdeleine,** dit **Antonin**), auteur, compositeur (Lyon 1845-Paris 1915). Auteur de scies* populaires telles que les Pioupious d'Auvergne, le Roi des pochards, dont les paroles, transformées par le public, devinrent une chanson boulangiste. Avec le parolier Burani, il a publié de nombreuses chansons, dont les Pompiers de Nanterre et le Sire de Fischton-kan, créé par Arnaud à l'Ambigu après la défaite de Sedan. Antonin Louis a fondé le cabaret de la Chanson et la Tribune de la chanson.

LOUKA (Paul), auteur, compositeur, interprète (Marcinelle, Belgique, 1936). Arts décoratifs à Mons, lauréat du prix de décoration murale de Bruxelles.

Après avoir créé Mon copain le nègre à la télévision bruxelloise (1958), il vient à

Paris, où ses débuts sont difficiles (*J'irai sucer les clous*, 1959).

Il enregistre bientôt des œuvres corrosives ou insolites (*le Bidule*, 1964), où il défend avec générosité une vision fraternelle du monde (*les Américains*, contre le racisme) et ne se prive pas d'attaquer les mœurs du petit monde de la chanson (*Pour des prunes*).

LOUKI (Pierre **Varenne**, dit **Pierre**), auteur, compositeur, interprète (Paris 1927). Toute une partie de ses chansons, tendres et pudiques, disent l'amour au moyen d'images poétiques (*Sur l'arbre mort*, - Colette Mansard, par Juliette Gréco*). Mais Pierre Louki fait aussi entendre une voix plus originale, celle d'un homme qui n'accepte ni l'injustice ni la guerre (*les Cimetières militaires*, - J. Bernard) et qui dénonce une société inhumaine, impitoyable pour les faibles (*Il ne faut pas cueillir l'orange*, - C. Mansard). Il interprète lui-même ses chansons, mettant en cause le régime franquiste (*Je n'irai pas en Espagne*, - Marc Heyral*). Sans violence apparente, mais avec poésie, il atteint souvent une émotion incontestable lorsqu'il évoque les otages assassinés pendant l'Occupation (*Ça fera vingt ans*) ou ceux qui participèrent à la Résistance ; *Mes deux voisins* (- M. Heyral) peut être considéré comme une réponse aux *Deux Oncles*, où G. Brassens* renvoie dos à dos le collaborateur et l'anglophile. Sous le nom de **Pierre Varenne**, il a écrit la célèbre *Môme aux boutons*, avec Jacques Lacôme, petit chef-d'œuvre d'humour farfelu.

LOUSSIER (Jacques), compositeur (Angers 1934). Pianiste, accompagnateur (C. Sauvage*), il joue des morceaux de J.-S. Bach en jazz* (*Play-Bach*) ; il a écrit la musique de nombreux films, ballets, feuilletons télévisés. Il a composé des chansons avec P. Frachet*, *le Briquet*, *la Salade* ; il a mis en musique *Adios amigos* de Pierre Seghers*.

LOUVIER (Nicole), auteur, compositeur, interprète (Paris 1933). Avec *Mon p'tit copain perdu*, créé à Biarritz, puis à la Rose-Rouge* (1953), N. Louvier fait entendre une voix poétique et pleine de charme au service d'une qualité du texte qui est saluée par la critique : « Le grand poète de sa génération » (F. Brigneau), « C'est le grand événement de la chanson » (*Paris-Match*). Ses qualités se confirment (*Qui me délivrera*, 1953 ; *Chanson pour la fin du monde*, 1961). Prix de la chanson (1953), elle chante dans tous les grands music-halls* et publie son troisième roman, *les Marchands* (éd. de la Table ronde, 1959), où elle met durement en cause les milieux de la chanson, « à la limite du reportage (...). C'est une exécution capitale » (*le Figaro*). Le portrait de l'imprésario* Alexandre est tracé d'une main féroce. Les initiés y reconnaissent un roman à clés, où elle dévoile les difficultés d'un métier qu'elle veut exercer sans concessions. L'O. R. T. F. * lui confie des émissions sur la chanson ; elle continue à écrire et, en 1964, elle reçoit le prix Paul-Gilson pour son œuvre et son action en faveur de la chanson.

LUCAS (Marcel **Pesral**, dit), chansonnier (Mâcon 1895). Il débute au Caveau de la République* (1933) avec *On dissimule*. En 1937, il prend la direction de l'établissement de ses débuts et fait connaître pendant dix ans toute la génération actuelle des chansonniers. Il avoue 200 chansons « valables », parmi lesquelles : *Trois Mots*, *le Marchand de ficelles*, *les Deux Millionnaires*, *Histoire des Durand*, *les Zéros*, *les « On »*.

LUMIÈRE (Jean **Anezin**, dit **Jean**), interprète (Marseille 1905). Après avoir étudié la comédie et le chant, il débute à l'Européen* (*Riri*, de G. Maquis, 1930) et le public découvre une voix tendre, parfaitement maîtrisée, qui respecte texte et mélodie. « On ne se lasse pas de l'écouter », dit Paul Reboux en 1937. Prix du Disque, sept fois lauréat de référendums sur « la voix la plus radiophonique », il obtient un succès considérable et il est l'un des premiers « chanteurs de charme ». Il interprète notamment *Faisons notre bonheur nous-mêmes* (Borel-Clerc* - Telly, 1936), *Visite à Ninon* (Maquis - Pothier,

**Jean Lumière,
par Van Caulaert
(1935).**
Phot. Lauros.

1936), *Dans les bois* (Lafarge - Pothier, 1939), *Chanson d'automne* (Rollinat*) et de nombreuses chansons de P. Delmet* (*la Petite Église*). Il enseigne le chant et il a compté parmi ses élèves M. Amont*, C. Legrand*, Mireille Mathieu*, etc.

Lune-Rousse (Logiz de la), cabaret artistique fondé en 1904 par Dominique Bonnaud*, 36, bd de Clichy, transporté en 1914 58, rue Pigalle.
La Lune-Rousse s'était tout d'abord installée dans le local du cabaret des Arts, fondé en 1898 par un groupe de dissidents des Quat'-z-Arts* : Sécot*, Privas*, Varney*, Baltha* et Numa Blès*, auxquels vint se joindre D. Bonnaud. Celui-ci, associé à Blès, reprit l'affaire et baptisa son cabaret Logiz de la Lune-Rousse, en souvenir d'un établissement fondé par Blès quelques années auparavant à Marseille. Les tours de chant alternaient avec des pièces d'ombres et de spirituelles revues, qui firent bientôt de la « Lune » le premier cabaret en vogue à Montmartre*.

À tel point qu'il y eut, quelque temps, une succursale de la Lune-Rousse au Quartier latin*, dans la salle des Noctambules*, et baptisée « Lune-Rousse seconde ».
En 1914, la salle du bd de Clichy se révélant trop petite, la Lune-Rousse déménagea et s'installa rue Pigalle (dans le local laissé libre par Fursy*) sous la direction de Bonnaud, Baltha et Léon Michel, qui en assura seul la direction à partir de 1934. En 1937, sous une nouvelle direction d'Alibert*, la Lune-Rousse monta une opérette marseillaise, *Du soleil dans la lune*, d'Alibert, Sarvil*, Vincy et Scotto*. Mais, dès l'année suivante, la chanson reprenait ses droits avec, de nouveau, Léon Michel comme directeur du cabaret. De 1941 à 1944, la Lune-Rousse fut dirigée par Augustin Martini*. Après une courte fermeture, elle rouvrit ses portes jusqu'en 1964 sous la direction de Jean Marsac* et Rémy Raynaud. La Lune-Rousse, placée sous le parrainage de Villon (sur son manteau d'arlequin s'inscrivait : « Il n'est bon bec que de Paris »), a conservé jusqu'à sa fermeture l'esprit classique du Chat-Noir*.
De nombreux chansonniers s'y sont fait entendre : P. Weil*, V. Tourtal*, R. P. Groffe*, V. Hyspa*, P. Dac*, Secrétan*, J. Bastia*, Pierre Ferrary*, Gabriello*, Goupil*, J. Breton*, R. Souplex*, René-Paul*, R. Bour*, Sarvil, J. Cathy*, Jamblan*, Roméo Carlès*, J. Rieux*, Mauricet*, Pierre Destailles*, Jacques Morel, V. Vallier, J. Rigaux, Bradlay, Geo Charley, Ch. Cluny, Henri Cor, Henri Bry, Pierre Jacob, etc.

LUYPAERTS (Guy), compositeur (Paris 1917). Il écrit la musique de *Près de toi mon amour*, créé en 1939 par l'auteur, C. Trenet*. Il écrit encore, en collaboration avec ce dernier, *Deux Mots à l'oreille* (1942), *la Folle complainte*, *la Chanson de l'ours*, *Liberté* (1945) et l'accompagne lors de divers enregistrements (ainsi que J. Sablon*, E. Piaf*, etc.). Parmi ses plus grands succès, on peut citer *Rêver*, *Libellule* (- R. Rouzaud*, 1945), *Monde*, *Métamorphose* (- R. Thoreau*, 1943). Ses chansons déroulent souvent de lentes et élégantes lignes mélodiques.

MACIAS (Gaston **Ghrenassia,** dit **Enrico**), auteur, compositeur, interprète (Constantine, Algérie, 1938). Après avoir été instituteur, il commence à chanter (1960) ; la guerre d'Algérie le conduit à venir en France, où il débute à l'émission télévisée *Cinq Colonnes à la une* (1962) en chantant *Adieu mon pays*. Il vit intensément le déchirement de ceux qui doivent abandonner une terre qu'ils aiment, et il traduit leur drame dans ses premières chansons, choisissant la fraternité contre la haine (*Enfants de tous pays*). Il élargit son public (*les Gens du nord*) et connaît un grand succès. Bien qu'il retrouve la veine populaire de la valse musette (*les Millionnaires du dimanche*, - Ayela et Demarny), son style reste en général d'inspiration méditerranéenne.

MAC-NAB (Maurice), chansonnier (Vierzon 1856 - Paris 1889). Créateur du genre « en bois », qui fut la manière du Chat-Noir* : l'allure, le geste, la voix, tout était en bois. Il avait débuté aux Hydropathes* en récitant des poèmes macabres, inspirés de Baudelaire et d'Edgar Poe. Au Chat-Noir, il fut prié d'adopter un genre moins sinistre ; pris de court, il ne put que dire des poèmes publicitaires, qu'il avait composés à des fins alimentaires, *Poêles mobiles* et *Pommade Galopeau*, qui provoquèrent l'hilarité.
Les chansons de Mac-Nab n'ont rien perdu de leur mordant ; on chante encore : *l'Expulsion*, *le Métingue du Métropolitain*, *le Bal à l'Hôtel de Ville* et *le Pendu*, qui fut créé par Kam Hill*.

MAC ORLAN (Pierre **Dumarchais,** dit **Pierre**), auteur (Péronne 1882). Sa carrière littéraire est importante. Il a beaucoup voyagé (Allemagne, Grande-Bretagne, Afrique du Nord [Légion étrangère]) ; ses romans, ses poèmes, ses chansons s'inspirent de ses expériences étrangères ou montmartroises (il a fréquenté assidûment le célèbre Lapin à Gill* de Frédé, avec Apollinaire, Léon-Paul Fargue, Max Jacob, Gaston Couté*, etc.), se teintent d'exotisme dans l'espace (terres lointaines, ports mystérieux, aventures, etc.) ou dans les couches sociales (mauvais garçons, filles « perdues », légionnaires, marins étranges, personnages pittoresques en tous genres). La musique de la plupart de ses chansons a été composée par l'accordéoniste Marceau* ; l'accord est parfait entre la mélodie, le rythme, l'instrument même et les thèmes des œuvres de P. Mac Orlan. C'est la même poésie un peu canaille et d'une nostalgie facile, servie par une versification habile et souvent rigoureuse, où les noms propres (villes ou filles) facilitent la magie du rêve par leur mystère évocateur : *la Fille de Londres*, *la Chanson de Margaret*, *Fanny de Lannion*, *Ç'a n'a pas d'importance*, *la Rue Saint-Jacques*, etc. D'autres compositeurs ont aussi mis en chanson des poèmes de P. Mac Orlan, souvent avec bonheur, comme Philippe-Gérard*. G. Montero*, J. Gréco*, C. Sauvage*, F. Solleville* sont parmi ses meilleures interprètes.

MAGNY (Colette), auteur, compositeur, interprète (Paris, 1926). Elle occupe une place très originale dans la chanson contemporaine. Assistante au service de traduction de l'O. C. D. E. (1948-1962), C. Magny chante des blues et compose des œuvres en français. A trente-six ans, elle abandonne une situation de fonctionnaire international et se consacre à la chanson (cabaret la Contrescarpe*, 1962). Mireille* la présente à la télévision* (*Petit Conser-*

vatoire de la chanson*), où elle chante Saint-James Infirmary. C'est le succès. Elle passe à l'Olympia* dans un spectacle yéyé* et conquiert un public bruyant venu pour C. François* et S. Vartan*. Elle enregistre et poursuit une carrière sans concession.

On peut distinguer dans son répertoire plusieurs courants, qui influencent la chanson contemporaine : 1° elle chante le blues comme aucune autre interprète européenne ; 2° elle interprète des poètes qu'elle met en musique (Aragon*, Hugo, Maïakovski, Essenine, Rimbaud, etc.) ; elle écrit elle-même et poursuit des expériences sur les rapports de la poésie et de la chanson (Bura-Bura) ; 3° avant la vogue du folksong*, elle a redonné vie à la chanson politique* en exprimant avec poésie et violence des faits quotidiens ou des prises de position générales sans sacrifier la qualité de l'expression (le Mal de vivre ou Viva Cuba, A Saint-Nazaire, Viêt-nam 67) ; 4° elle chante des suites de citations qu'elle emprunte à Tchékhov, Musset, l'Evangile, Dostoïevski, Lénine, Einstein (« Dieu est subtil mais pas malicieux »), et le résultat est étrangement poétique (Frappe ton cœur, Choisis ton opium).

MAILLET, chansonnier d'origine périgordine (début du XVIIe s.). Sa barbe en désordre, ses cheveux hérissés, sa mine hagarde, une longue et inoffensive rapière lui battant les flancs lui valurent le surnom de « poète crotté ». Jadis attaché à la maison de la reine Marguerite, il tâchait de vivre de ses chansons en les vendant sur le Pont-Neuf*.

MAQUIS (Gaston), auteur, compositeur (Montpellier 1860 - Hyères 1908). Roi de la mélodie facile et des valses de carrefour, il a composé de nombreuses chansons pour Mayol* : le Lancier de M. le préfet, Celle qu'on aime, la Neige, la Valse des bas noirs. Il a interprété ses chansons au Caveau de la Moderne des Girondins (bd de Strasbourg).

MARCABRU ou **Marcabrun**, troubadour* gascon (XIIe s.). Enfant trouvé, il a commencé par se nommer Pain-Perdu. Élève de Cercamon*, il voyagea en Espagne (1138-1142) et peut-être dans le nord de la France et en Angleterre.

Marcabru se distingue plus par son tempérament satirique, la rudesse, la vigueur et la violence de ses chansons que par la grâce et la délicatesse (Anglade). Il a laissé 44 pièces, dont 1 chanson de croisade, 2 chansons courtoises et 1 pastourelle* : L'autrier jost una sebissa, qui est la seule pastourelle provençale qui nous soit parvenue avec sa mélodie. Malgré un tempérament misogyne, qui transparaît chez Marcabru, la bergère de cette pastourelle se montre sous un jour beaucoup plus favorable que son interlocuteur.

MARCEAU (Marceau **Verschueren,** dit), compositeur (Liévin 1902). Il fait ses études musicales au conservatoire de Lille, où il débute comme chef d'orchestre en brasserie. A Paris en 1933, il travaille la composition musicale, écrit pour l'accordéon (plus de 800 morceaux comme la Marche des accordéonistes lyonnais).

En 1928, Bertal a créé à Radio P. T. T. Nord sa première chanson, Elle s'appelle Françoise (- Simons). Mais il est avant tout le compositeur qui a rendu célèbres comme chansons des poèmes de Mac Orlan*, mis en musique avec beaucoup de réussite : la Belle de mai, Fanny de Lannion, la Fille de Londres, la Chanson de Margaret, etc. ; elles ont été interprétées notamment par Juliette Gréco*, Germaine Montero*, Catherine Sauvage*, Francesca Solleville*, etc.

MARCY (Robert **Marx,** dit **Robert**), auteur, compositeur, interprète (Paris 1920). Après des études juridiques (licence de droit), R. Marcy est attiré par le théâtre. Il suit les cours de Charles Dullin au théâtre de l'Atelier et mène une carrière d'acteur et de metteur en scène (on lui doit notamment une École des femmes de Molière en costumes modernes, où il tint le rôle d'Arnolphe, et la Jeanne d'Arc de Péguy, interprétée par sa femme Denise Bosc).

Ses premières chansons connaissent tout de suite le succès : File la laine (1949, par

Jacques Douai*) est la nostalgique évocation de l'amour courtois d'un Moyen Age poétique ; *la Queue du chat* (1950, par les Frères Jacques*) est une joyeuse farce qui donne aux interprètes l'occasion d'exercer leurs talents de mimes et de chanteurs, comme ils le font à nouveau avec *les Faux-Monnayeurs* (1955). *Si tu partais pour la guerre*, créé par Renée Lebas*, obtient le grand prix de la R. T. F. (1951). Robert Marcy interprète aussi ses chansons (*Saint-Germain guitare* ou *Du Dôme à la Rotonde*, 1949 ; *les Gros Sous*, 1954).

Avec beaucoup d'aisance, mais aussi d'élégance jamais vulgaire — c'est difficile et rare — il est « meneur de jeu » (présentateur, animateur) à la station radiophonique périphérique Europe n° 1*.

MARINIER (Paul), auteur-compositeur (Rouen 1866 - Lyons-la-Forêt, Eure, 1953). Fournisseur attitré de Mayol* et de Fragson*, Marinier a composé, paroles et musique, de nombreux succès : *À présent qu' t' es vieux, Family House, Une noce à la cascade, la Cabane bambou, la Fifille à sa mémère*, et, avec Bessière, la musique de *Bonsoir Madame la Lune*. Il a fondé avec Ch. Fallot* le cabaret de la Pie-qui-chante*.

MARNAY (Edmond **Bacri,** dit **Eddy**), auteur, interprète (Alger 1920). Après avoir été journaliste, assistant metteur en scène, scénariste, dialoguiste (de 1946 à 1948), il devient auteur de chansons (dont la musique est souvent d'E. Stern* ou de M. Legrand*) : *Ballade irlandaise* (par Bourvil*), *Planter café* (par Y. Montand*), *Valse des lilas* (par M. Legrand*), etc. E. Piaf* a interprété *Exodus, les Amants de Paris*. Il a mené un moment une carrière d'interprète.

MARSAC (Henri Marius **Delanglade,** dit **Jean**), chansonnier (Paris 1894). Issu d'une vieille famille provençale, dès sa sortie du lycée Henri-IV, il chante, en 1912, *le Président Fallières* à l'Association générale des étudiants de Paris. Ses études de médecine sont interrompues en 1914 par la mobilisation. Médecin auxiliaire au

156° R. I., il est fait prisonnier en juin 1917. Rapatrié en novembre, il est engagé un mois avant sa démobilisation par René Devilliers ; il fait ses débuts aux Noctambules* en uniforme. Une nouvelle carrière commence dans les cabarets, qui va durer cinquante ans. En 1921, il fonde le Coucou*. Le succès est immédiat, et tous les jeunes chansonniers de l'époque qui sont devenus célèbres entre les deux guerres y ont fait leur tour de chant.

De 1938 à 1939, Jean Marsac chante à la Lune-Rousse*, dont il assumera la direction avec Rémy Raynaud, de 1944 à 1964. En 1949, il a repris la direction du Coucou, qu'il a quitté en 1966. Au cours de sa carrière, il a chanté aussi dans les music-halls* et les boîtes de nuit : Bobino*, ABC*, Olympia*, Européen*, Pacra*, Vie-Parisienne, Chez Suzy Solidor, au Bosphore, au Fiacre, etc. Renommé comme chansonnier « mordant », Jean Marsac a eu des démêlés retentissants avec Mistinguett*, Cécile Sorel et Tonia Navar, qui, par la suite, sont devenues ses amies. Il a acquis une maîtrise incontestée dans la chanson express*, dont le sujet et les rimes sont proposés par le public. Les principales chansons de Jean Marsac sont : *Lettre à Tommy* (1919), *les Voyages sur la lune* (1926), *Munich* (1938), *Saint-Tropez* (1957), *Prière pour Paris* (1960), *Adieux* (1964).

MARTIN (Hélène), auteur, compositeur, interprète (Paris 1928). Elle a suivi les cours des Arts décoratifs, et a fait du théâtre. Mais elle est avant tout compositeur et interprète. Elle met en chanson des poèmes qu'elle chante avec un art « fait de mesure et de finesse. C'est un art essentiellement français. Pas de cris, pas d'emphase ; rien de gonflé ni de boursouflé. L'émotion est obtenue avec une économie de moyens extrême » (Jean Giono). Elle débute en 1956 à l'Écluse* avec *la Fin de l'amour* de Paul Fort, puis met en chansons des œuvres de G. Apollinaire, L. Aragon*, L. Bérimont*, R.-G. Cadou*, D. Grandmont*, R.-M. Moulin, R. Queneau*, P. Seghers*, etc., et des textes qu'elle écrit elle-même (*la Nuit, les Statues*). Son plus grand succès est *le*

Hélène Martin, dessin de Marc Lackman.
Phot. Larousse.

Condamné à mort de Jean Genet : « Je l'ai entendu, lui écrit Genet. Grâce à vous, il est rayonnant. » Ses mélodies, souvent écrites en mineur, aux modulations caractéristiques, paraissent parfois intermédiaires entre la chanson et la mélodie classique. Elles servent la poésie pour le bénéfice de la chanson.

MARTIN (Jacques), chansonnier (Lyon 1933). Arrivé à Paris en 1949, il travaille la comédie avec Dullin et Escande. Après son service militaire, il exerce des professions variées : chauffeur de maître, secrétaire, acteur quelquefois ; il roule sa bosse en Europe et au Moyen-Orient, pour aboutir à Strasbourg, où il chante l'opérette et l'opéra, et débute au Barabli* comme chansonnier.
En 1961, il devient présentateur à Europe n° 1*, puis, en 1963, à Radio-Luxembourg*. Entre-temps, il est passé présentateur à l'Olympia* (1962), où, engagé pour trois semaines, il reste un an. En 1965, il

monte son premier spectacle à Bobino* avec Claude Nougaro*, et, en 1967, il crée dans ce music-hall une comédie musicale *Petit-Patapon*, dont il a composé le texte (avec Francis Weber), la musique, assuré la mise en scène, et dont il est l'interprète principal.

MARTINI (Augustin), chansonnier (Bastia 1882 - Paris 1965). Contrôleur de l'octroi à Versailles, il débuta après 1918, au sortir de clinique, où on l'avait soigné pour une grave blessure de guerre. Titulaire de 6 citations, il fut promu commandeur de la Légion d'honneur à titre militaire.
Il se produisit aux Deux-Ânes* au Coucou*, aux Noctambules*, avec une prédilection pour la Lune-Rousse* et le théâtre de Dix-Heures*. Il avait essayé de fonder un cabaret : le Coup de patte (place Pigalle, dans l'ancienne abbaye de Thélème), qui ne dura que quelques saisons. Son célèbre tour de chant était plutôt un tour d'horizon politique, plein d'esprit sans être agressif, où il chantait peu, susurrait, mimait, racontait des anecdotes, faisait des jeux de mots et surtout donnait des surnoms, de préférence aux hommes politiques. Ses plus grands succès furent *Si les idiots ne votaient pas* et quelques parodies, dont *Madrigal légumier*, d'après *Envoi de fleurs* (Delmet*). Malgré ses bons mots contre les occupants, ses attaques contre les institutions républicaines lui valurent de sérieux ennuis à la Libération. Il dut interrompre sa carrière après un dernier passage en public particulièrement houleux.

MARTINI (Jean Paul **Schwarzendorf**, dit), compositeur (Freistadt, Palatinat, 1741 - Paris 1816). Etabli à Nancy comme maître de musique (1760), il en profita pour italianiser son nom. A Paris en 1764, il fut maître de chapelle du prince de Condé, puis du comte d'Artois. Il se spécialisa tout d'abord dans la musique militaire, tout en faisant représenter plusieurs opéras-comiques qui contiennent des airs à succès : *l'Amoureux de quinze ans*, le *Droit du seigneur*, les *Accordées de village*, etc. On cite toujours de lui sa romance* la plus célèbre : *Plaisir d'amour*, dont le temps n'a pas altéré le succès. Il a cependant composé d'autres romances charmantes : *Loin du hameau, la jeune Adelle ; Jeunes Beautés, soyez plus simples ; les Adieux de Sapho à Phaéton ; Dans mon printemps, dans mes jours de folie ;* etc.

MASSOULIER (Jean-Claude), auteur, compositeur, interprète (Paris 1934). Il est surtout connu comme un interprète plein de verve et de fantaisie, dont la présence en scène est étonnante (*Bidjibi*, - Popp*). Il est aussi auteur-compositeur, auteur surtout : « Quand je trouve une musique, avoue-t-il, elle est mauvaise... ou déjà faite ! » Il collabore donc le plus souvent avec Popp et on leur doit des chansons amusantes, bien venues, aux thèmes populaires comme le rugby (*Quand on s'en va chez les Anglais*), la fin du service militaire (*la Quille*), la satire de la mode dans la chanson (*le Twist* agricole), etc. Mais il est aussi l'auteur de chansons de tonalités bien différentes, comme *le Bestiaire* (- Yvonne Schmitt*, chanté par Caroline Cler), comme *Un accordéon pour Paris* (- Philippe-Gérard*), qui exprime la fraternité avec les républicains espagnols. Ses œuvres sont aussi interprétées par Marcel Amont*, les Frères Jacques*, Philippe Clay*, etc., et Brigitte Bardot (*Je danse, donc je suis*).

MATHIEU (Mireille), interprète (Avignon 1947). Elle débute en chantant des œuvres réalistes dans la tradition d'E. Piaf* (1965). Son passage à l'Olympia* (déc. 1967) est marqué par un renouvellement partiel de son répertoire : *Quand fera-t-il jour, camarade?* (G. Bonheur - P. Mauriat) évoque la Révolution soviétique de 1917 ; *Chant olympique* (Barough - F. Lai) annonce les Jeux de Grenoble (1968).

MATIS (Georges) [a signé parfois **James D. Papke**], compositeur (Cosnes, 1894). Descendant d'une famille de musiciens établis à Vouziers (Ardennes), il commença par être instituteur, puis chef d'orchestre dans divers concerts. À partir de 1925, il est « derrière la commode », c'est-à-dire pianiste des cabarets de chansonniers :

Chaumière*, Noctambules*, Caveau de la République*, Deux-Ânes*, Perchoir*, Chapiteau et Coucou*. Il a participé à de nombreuses émissions radio. Parmi les 1 775 titres qui constituent la liste de ses chansons, citons : *Ah! les fraises et les framboises* (- S. Plaute), *la Biche au bois* (- R. Souplex*), *Nous deux* (- J. Lenoir*), *le Petit Garçon et le grand parapluie* (- F. Bergerac - R. Souplex).

matraquer (argot radiophonique, vers 1965 ; le terme est ensuite passé dans l'argot des métiers de la publicité), diffuser systématiquement la même chanson ou le même chanteur un grand nombre de fois chaque jour dans le but de les faire largement connaître. L'auditeur n'oppose plus alors aucune résistance.

MAURICET (Maurice **Renaut,** dit), chansonnier (Paris 1888-1968). Sorti de l'École centrale, il exerce pendant huit ans la profession d'ingénieur des Arts et Manufactures. Faisant du ciment armé pendant la journée, le soir il chante aux Noctambules*, puis au Grillon*. Il inaugure le Perchoir*, puis la Pie-qui-chante*. De 1923 à 1928, codirecteur du cabaret Chez Fursy et Mauricet (Moulin de la Chanson*). De 1946 à 1948, directeur des émissions de variétés à la R. T. F. Au cours d'une carrière de quarante-trois années, Mauricet a créé environ 800 chansons et écrit 80 revues d'actualité. *Les Anomalies de l'existence, les Jeunes et les vieux, l'Amour scientifique, Langage moderne, Veuillez nous excuser, les Maladies de l'époque, le Bateau « France », Quelle époque épique, Vive la liberté!* sont des titres de chansons d'un esprit très fin, où tout est dit en y mettant des formes. Maurice Donnay* l'appelait « mon double camarade », en tant que centralien et chansonnier.

MAX-DEARLY (Lucien Max **Rolland,** dit), interprète (Paris 1874 - Neuilly-sur-Seine 1943). Il débute au Vaudeville en faisant de la figuration et va se roder ensuite dans les cafés-concerts* de province : à Nancy, il se fait engager dans un café-concert ambulant. Sous le nom de Villary, il se fait entendre à Paris, au concert des

Ternes : costumé en ouvrier, armé d'une pioche, il chante un répertoire engagé, où il invective les patrons et les bourgeois devant un auditoire composé de ceux-ci. Il est mis en boîte. Son père exige alors qu'il entre comme commis comptable à la banque Lehideux. Il s'en échappe, part avec une troupe de mimes anglais, les Willy-Willy, où il prend la place d'un artiste décédé : Dearly. Max-Dearly connaît enfin le succès à Marseille, dans le répertoire de Paulus*, au Palais de Cristal, puis à l'Alcazar*, où il continue son tour de chant, en alternant avec des pièces de théâtre. Le chanteur Reschal le présente à Dorfeuil, qui l'engage au Concert parisien*. Il y connaît le très grand succès aux côtés de Dranem* et de Mayol*. Il passe ensuite à la Scala* (1899-1900), où il chante l'Anglais obstiné. Samuel, qui est venu le voir jouer dans une revue où il chante une chanson restée célèbre sur la guerre des boers, Dig digle dum, l'engage pour jouer aux Variétés une revue de Paul Gavault, dans laquelle il fait une imitation de Fursy* et chante le Jockey américain, qui obtient un triomphe. De 1900 à

Max-Dearly dans « le Jockey américain », dessin de Lieusou.
Phot. Lauros.

1904, il joue de nombreuses pièces et revues aux Variétés (il incarne Paulus dans la revue du Centenaire). En 1904, après une saison d'été aux Ambassadeurs*, il entre à l'Olympia*. En 1905, il joue au Châtelet, puis regagne les Variétés en 1906. Il y créera de nombreuses pièces jusqu'en 1912, qui font que l'on oublie la vedette de la chanson pour ne se souvenir que de l'interprète de De Flers et Caillavet. Cependant, durant la saison d'été, Max-Dearly profite du mois de relâche des Variétés pour aller faire son tour de chant aux Ambassadeurs, à Marigny ou au Moulin-Rouge* (en 1909, il y crée la Valse chaloupée avec Mistinguett*). Ses dernières apparitions furent, en 1912, les Arcadians (Olympia, direction Jacques-Charles*), et, en 1913, la Revue de la Cigale*.

MAYOL (Félix), interprète (Toulon 1872-1941). Son père était premier maître canonnier de la marine, sa mère modiste. Orphelin à treize ans, il est recueilli par un oncle, qui le met apprenti cuisinier, mais il passe ses jours de liberté à applaudir au Casino des vedettes qu'il imite ensuite devant les fourneaux.

Il débute dans des sociétés d'amateurs sous le nom de « Petit Ludovic ». À ses débuts professionnels à Marseille, au Palais de Cristal, pris de trac, il se fait emboîter. Après avoir suivi des musiciens ambulants, il se produit dans divers beuglants* du Languedoc jusqu'à son service militaire, qu'il effectue dans la marine. Puis, réformé, il débute sous son vrai nom, le 1er mai 1892, au Casino de Toulon. Après quelques engagements provinciaux, il auditionne au Concert parisien*, le 1er mai 1895, avec Petits Chagrins (Delmet*), Légende des trois soldats (A. Masson) et la Chanson du souffleur (G. Berr). Dorfeuil lui signe un contrat de trois ans, et il débute dans son établissement le 31 août 1895. Ce sera le commencement d'une carrière qui, des principaux concerts et music-halls* parisiens, entraînera Mayol dans des tournées en Europe et au Moyen-Orient.

Dans ses Mémoires, Mayol avoue avoir créé 495 chansons. Leur liste constitue un véritable palmarès. En 1896, il chante au Concert parisien et à la Gaîté-Montparnasse *la Paimpolaise* (Botrel*), qui fut son premier grand succès populaire, *Une noce à la cascade* (Marinier*), *le Lancier de M. le Préfet* (G. Maquis*). En 1897, à *Ba-ta-clan**, dirigé alors par le même Dorfeuil, il chante *le Petit Grégoire* (Botrel), *le Double Suicide* (Lemercier*), *la Polka des Englishs* (Christiné*, d'après *la Polka des clowns* d'Allier), *Cette petite femme-là* (Christiné) et, en 1898, *Family House* (Marinier). En 1900, il fait ses premiers adieux « définitifs », ce qui ne l'empêche pas de redébuter à l'Eldorado* et à la Scala*, sous la direction de Mme Marchand. 1901 : *Folichonnades, Embrasse-moi Ninette* (Christiné), *Ah! la jolie saison, la Cabane bambou* (Marinier)*; 1902 : *la Polka des trottins* (Trebitsch - Christiné), *Le printemps chante* (Marinier), *Viens Poupoule* (chanson adaptée par Christiné d'une scie allemande d'Adolph Spann : *Komm Karoline*). Cette chanson, créée à l'Eldo' le 18 novembre 1892, fit de Mayol la vedette populaire n° 1. En 1903, Mayol commence à enregistrer ses succès. En 1905, il chante et enregistre : *le Petit Panier, C'est une ingénue, la Fifille à sa mémère* (Marinier) et surtout *la Mattchiche*, adaptée par Borel-Clerc* de motifs espagnols, et qui devient la danse en vogue de l'année. Devant ce succès, Mayol crée une série de danses chantées : *Clématite*, polka japonaise, *la Malakoff*, polka russe, *la Tiziouzou, la Baltique, la Monténégrine*, etc. En 1907, après une longue tournée, il revient à la Scala, mais la nouvelle direction le fait paraître dans une opérette : *Cinderella*, qui n'eut aucun succès. Il tirera cependant son épingle du jeu en créant *les Mains de femmes* (Berniaux - Herbal). En 1908, il crée *Cousine* (Lucien Boyer* - Valsien) et *le Regret* (Gabaroche*). En 1910, ayant racheté le Concert parisien (oct. 1909), il lui donne son nom, et engage, pour le premier spectacle, Tramel, Raimu, Sardou et Andrée Turcy. Tout en dirigeant le Mayol, comme il était lié par des contrats antérieurs, il se partage entre son concert et les tournées. En 1913, il crée *les Poings fermés* (Botrel) et *Boudou-badabou*.

Ayant cédé le « Mayol » à Oscar Dufrenne en 1914, après quelques tournées dans les hôpitaux, avec le répertoire patriotique alors de rigueur, il reviendra « en représentations » dans son ancien concert à partir de 1915, puis passera à l'Olympia*, où il puise dans son ancien répertoire des refrains réclamés par le public, d'où émerge *Avec le sourire* (Myra - Heintz, 1917). Ce n'est qu'en 1938 que Mayol se retira définitivement à Toulon : il n'avait pas donné moins de sept représentations d'adieux ! Cependant, ayant aménagé un petit théâtre dans sa villa du « Clos Mayol », il y donnait encore des représentations, bien que paralysé des deux jambes. Quinze jours avant sa mort, il y chantait encore une fois *Cousine*, mais l'avait intitulée *Cuisine*, pour se mettre au goût du jour.

Mayol a créé un personnage que beaucoup ont essayé d'imiter : silhouette légèrement rondouillarde, toupet frisé, gestes éloquents des mains et, surtout, brin de muguet à la boutonnière (jusqu'à Mayol, les chanteurs de caf' conc' portaient invariablement un camélia). Mayol rompit cette tradition, en raison de ses débuts qui eurent lieu à Toulon et à Paris un 1er mai. Tout en chantant les refrains habituels au café-concert, Mayol a eu l'intelligence d'interpréter sur des scènes populaires des chansons satiriques des auteurs montmartrois. C'est ainsi qu'il a fait applaudir par un public qui n'y était pas préparé : *le Verger de Mme Humbert* et *les Parents de province* (D. Bonnaud*), *Silhouette présidentielle* (Fallières) [V. Hyspa*], *M. et Mme Denise* (mariage Pelletan) [Blès* et Boyer*], ainsi que la *Chanson d'un gâs qui a mal tourné* (Gaston Couté*).

Mayol (**Concert**), café-concert*, puis music-hall*, 10, rue de l'Échiquier. En 1739, sur un terrain ayant auparavant appartenu au couvent des Filles de Dieu, s'installa le café Guillon, 37, rue Saint-Denis. Celui-ci, doté d'une estrade, devint café chantant en 1867. On y applaudissait : Victorine Demay, Rosa Bordas*, Bourgès, Frédéric Doria. En 1881, il prit le nom de « Concert parisien », sous la direction de Régnier, dit Kosmydor, surnom que lui

**Félix Mayol,
affiche
de Barrère.**
Phot. Larousse-
Giraudon.

valait un vinaigre de toilette qu'il avait lancé. Paulus* en fut la vedette en 1882. En 1889, Musleck (ancien maître nageur) s'improvisa directeur. Il était sur le point de fermer son établissement quand, en 1892, Yvette Guilbert*, qui triomphait alors au Divan japonais*, lui proposa de le renflouer. En 1894, la vedette étant partie jouer une revue de Xanrof*, Musleck céda son concert à Saint-Yves Corrard, dit Dorfeuil, qui relança le Concert parisien en engageant Dranem*, puis un

161

débutant : Félix Mayol*. Celui-ci, devenu célèbre, racheta l'établissement en octobre 1909, lui donna son nom (qu'il a conservé) et fit aménager l'entrée principale, rue de l'Échiquier. En 1914, Mayol céda la salle à Oscar Dufrenne, qui, associé à Henri Varna, donna, malgré l'exiguïté de la salle, des revues à grand spectacle avec Marie Dubas*, Lucienne Boyer*, Jane Aubert, Fernandel*, etc. En 1933, Saint-Granier* essaya, après avoir transformé la salle, d'y monter des opérettes : il y connut des fortunes diverses ; aussi, en 1943, il vendit son « théâtre Mayol » à André Denis et Paul Lefèvre (dit Paul Ensia). Ceux-ci reprirent au Mayol !a formule de revues déshabillées, auxquelles ce théâtre est voué depuis lors, produites par Lucien Rimels.

MÉDINI (Élise **Midini,** dite **Lise**), compositeur, interprète (Alès 1938). Douée d'un sens mélodique très sûr, elle met en chanson et interprète, en s'accompagnant parfois à la guitare, des textes de Luc Bérimont* (*Numance*), E. Lubin (*le Soleil et la bataille*) et, fréquemment, de Sani (*Décembre*).

Ménagerie (la), goguette* fondée par Charles Gille* en 1841. La première séance eut lieu rue Saint-Germain-l'Auxerrois chez un marchand de vins nommé Bacquet. Mais, traquée par la police, cette goguette dut émigrer souvent. Chaque membre recevait le nom d'un animal différent. Gille était le moucheron ; G. Leroy*, le coq d'Inde ; Landragin, le chameau ; Fontelle, le loup ; Richard, le lézard... Les séances avaient lieu le vendredi, et l'on commençait à chanter aussitôt que douze animaux étaient réunis (un chat ou un chien récoltés dans la rue faisait au besoin le treizième). Pour donner le signal des applaudissements, le président s'écriait : « Animaux, à nous les pattes ! » Les visiteurs étaient des « rossignols » et les visiteuses des « fauvettes ». Lorsqu'un nouveau sociétaire était admis, le président proclamait (parodiant irrévérencieusement la déclaration du comte d'Artois) : « Il n'y a rien de changé en France, il n'y a qu'un animal de plus. »

Le répertoire de la Ménagerie comportait en majorité des chansons politiques*. Aussi, en 1846, alors que la goguette était réunie rue de la Grande-Truanderie, Charles Gille fut arrêté et incarcéré à Sainte-Pélagie, sous prétexte d'avoir fondé une société sans autorisation. Les animaux se dispersèrent ; cependant, en 1849, lors d'une soirée donnée au bénéfice d'un « animal », 300 répondirent à l'appel.

MERRI (Gilberte **Corbet,** dite **Martine**), auteur (Lyon 1927). Ses textes, pleins de générosité et de révolte, sont mis en musique et interprétés par son mari J. Arnulf* (*Point de vue*, 1965). Elle chante le charme de l'enfance perdue (*les Lilas de mon père*) ; ses chansons, aux paroles très soignées, sont souvent pleines d'émotion (*Chante une femme*, 1967).

MÉRY (Raymond **Meyer,** dit **Michel**), chansonnier (Paris 1916). Comédien dès l'âge de treize ans, il a joué dans *Topaze* (Pagnol), *l'Homme, la bête et la vertu* (Pirandello), *Prière pour les vivants* (J. Deval). Il débute comme chansonnier en 1941, au théâtre de Dix-Heures*, où une chanson intitulée *Pas de chance!* lui valut d'être matraqué en scène (1943). Il passe ensuite au Caveau de la République*, aux Deux-Ânes* et, de 1963 à 1966, au Coucou*.

Avant tout chansonnier d'actualité, plein de trouvailles, de fantaisie, à la diction impeccable, il a écrit seul ou en collaboration de nombreuses chansons. Citons : *Il est distrait* (1944), *les Bavards* (- Destailles, 1949), *Nativité* (- Grello*, 1949), *le Français moyen* (- Rocca*, 1950), *l'Homme du monde* (1957) et *Madame Desnoix* (- Martial Carré, 1960). Michel Méry a composé la musique de nombreuses chansons de ses collègues montmartrois, celle des spectacles de la Tomate*, des chansons (paroles et musique) pour des pièces de Labiche (*Si jamais j' te pince*, 1953 et *Doit-on le dire?*, 1956), ainsi que la musique de scène de *Pomme, pomme, pomme* (Audiberti, 1963). Auteur de dialogues de films, Michel Méry a produit, en collaboration avec Jacques Provins*, l'émission *Radio-Pastiche*, qui, de 1946 à

1963, passait toutes les semaines sur les antennes de l'O. R. T. F.*

MEUNIER (Edmond), chansonnier et revuiste (Paris 1916). Après des débuts au Caveau de la République*, il continue une carrière de chansonnier d'actualité, tout en composant quelques chansons à succès pour le music-hall* : *Allo mon cœur* (Petula Clark*), *Soixante-Quinze Berges, Oui au whisky* (Maurice Chevalier*).

MEUSY (Louis Eugène, dit **Victor**), chansonnier et revuiste (Paris 1856-1922). Employé dans une maison de tissus du Sentier, il s'occupait plutôt à satiriser ses collègues. Des amis l'ayant emmené aux Hydropathes*, il y est enrôlé et suit l'équipe au Chat-Noir*. Ses chansons connurent un succès populaire et immédiat ; aussi, pour mieux se consacrer à la chanson, Meusy entre aux Chemins de fer, ce qui lui assure le pain quotidien. Tout en se produisant dans les principaux cabarets, il fait représenter de nombreuses revues (40 environ). En 1897, il fonde *le Trianon*, café-concert consacré aux chansonniers, qui n'eut que quelques mois d'existence, malgré une affiche somptueuse. Président de la S. A. C. E. M.* (1912-1913).
Meusy a été l'hôte assidu du cabaret des Assassins*. Il avait écrit une chanson qui, de sa propre expression, était le *God Save the Queen* de l'établissement.
Dans la lignée de Désaugiers* (dont il s'est particulièrement inspiré dans *les Halles*), sa chanson est moins boulevardière que faubourienne. Elle est joviale, moqueuse, mais sans grossièreté.

MÉVISTO (Jules **Wisteaux**, dit), chansonnier (Paris 1857-1918). Employé à la Compagnie générale transatlantique, il la quitta pour suivre une troupe de comédiens, avec laquelle il parcourut le Moyen- et l'Extrême-Orient, en disant des vers, jouant la comédie et l'opérette. En 1891, il chante au concert de l'Horloge* des œuvres de chansonniers montmartrois, mais abandonne le café-concert* pour le cabaret. Il débute au Carillon* et passe ensuite dans tous les cabarets en vogue.

Tout en interprétant ses propres chansons, il continue à chanter les œuvres de ses confrères. Son grand succès était *le Testament de Pierrot* (X. Privas*), ce qui lui valait le surnom de « Pierrot », pour le différencier de son frère, Auguste, dit l' « Assassin », parce qu'il jouait les mauvais garçons au Théâtre libre.

MICHEYL (Paulette **Michey**, dite **Mick**), auteur, compositeur, interprète (Lyon 1922). Lauréate de l'école des beaux-arts de Lyon, elle est attirée par la chanson, écrit, compose et gagne le tournoi de la chanson au « Carrefour des vedettes » (1947), puis le premier prix de la « Chanson de charme » à l'ABC* ; elle enregistre, passe à la radio et en music-halls*, et reçoit le prix du Disque (1953). Ses œuvres sont vite populaires : on aime la gouaille simple d'*Un gamin de Paris* (- A. Marès), l'émotion des *Six Bourgeois de Calais*. On peut citer encore *J'ai repris mon petit chapeau* (1953), *Cano-Canoë* (1954). Elle abandonne le tour de chant pour une brillante carrière au Casino de Paris*.

MILLANDY (Maurice **Nouhaud**, dit **Georges**), auteur (Luçon 1870 - Meudon 1964). Sa famille avait décidé qu'il reprendrait la pharmacie paternelle, mais, ayant ressenti les atteintes d'une vocation littéraire durant son service militaire, il commença à écrire des vers destinés à être chantés et collabora à la revue *Fin de siècle*. Il débute à Paris dans la goguette* organisée par la Plume*, au Soleil d'or, puis ressuscite au Procope* les chansons à tableaux*. Sa première chanson, *Hâtez-vous d'aimer*, paraphrase avant Queneau* les vers de Ronsard* : *Mignonne, allons voir...* Elle fut créée par Dickson*, et tout Paris la fredonna bientôt. Mais ses plus grands succès restent *Quand l'amour meurt* (- Crémieux), que Marlène Dietrich chanta dans le film *Cœurs brisés*, et *Tu ne sauras jamais* (- Rico), interprété par Damia*. Ces chansons ont eu un succès populaire étourdissant et firent classer leur auteur comme « valselentier ». Pour échapper à cette épithète, Millandy essaya de composer des chansons légères : *la Prière*

d'une vierge (version profane), ou Pavane inattendue, sur le timbre* de Mon homme.
Il a fait de nombreuses conférences sur la chanson, fondé sous le patronage de Comœdia le Théâtre de la chanson, doté d'un prix annuel récompensant un chansonnier (Noël-Noël* en fut une année le bénéficiaire). Millandy a créé, en collaboration avec Henri Dickson, les « chansons du dessert », dîners chantants organisés au restaurant de la Coupole. En 1953, la S. A. C. E. M.* lui décerna le grand prix de la Chanson.

Milord l'Arsouille, cabaret fondé en 1951 au Palais-Royal (5, rue du Beaujolais, Paris-Ier) par Francis Claude*, après la fermeture du Quod libet*. On y retrouve les artistes qui avaient fait la renommée du Quod libet et de nouveaux venus à la chanson, dont Michèle Arnaud*, qui continuèrent à assurer la vitalité du style « rive gauche* » dans cet établissement situé rive droite, et, notamment, Jacques Douai*, Léo Ferré*, Serge Gainsbourg* (qui y fit ses débuts après y avoir accompagné Michèle Arnaud à la guitare), Stéphane Golmann*, Juliette Gréco*, Joël Holmès*, Francis Lemarque*, Hélène Martin*, Catherine Sauvage*, etc.
Milord l'Arsouille était le surnom populaire de lord Seymour (Paris, 1805-1859), dont les excentricités enchantaient les Parisiens. Il légua ses biens à l'Assistance publique.

MILTON (Georges Désiré **Michaux,** dit **Georges**), interprète (Puteaux 1888). Il eut des débuts difficiles : après avoir vainement auditionné dans divers cafés-concerts*, il décroche un engagement de huit jours au concert de la Grande-Roue, bâti à l'intérieur de l'Exposition de 1900. Il part ensuite en tournée en Amérique du Sud. À son retour, encouragé par Maurice Chevalier*, il chante au Casino Saint-Martin, et, dès lors, connaît le succès populaire : Casino Montparnasse ; Petit Casino, Kursaal, Gaîté-Rochechouart, la Cigale*, où il joue une revue.
Ensuite, Milton a délaissé le tour de chant pour l'opérette et le cinéma : le Roi des resquilleurs, l'un des premiers films par-

lants (Pière Colombier, 1930), contient deux chansons d'Oberfeld : J'ai ma combine, C'est pour mon papa, qui furent les tubes* de l'époque.

MIREILLE (Mireille **Hartuch,** dite), compositeur, interprète (Paris 1906). Après des études musicales (piano au Conservatoire), elle débute à l'Odéon (Chérubin du Mariage de Figaro, à quatorze ans) et devient vedette* d'une revue (1926), puis d'une autre (1927), où elle apparaît avec Wiener* et Doucet, qui jouent à deux pianos. « Entre eux, couchée sur les pianos, Mireille, débridée, en pleine fantaisie, joue avec ses pieds — oui, avec ses pieds ! — de façon si cocasse, si spirituelle que le lendemain les journaux la révèlent au grand public. » (Excelsior, 1936.) Claude Dauphin, décorateur à l'Odéon, lui présente son frère : Jean Nohain*. Ils commencent à écrire des chansons ensemble ; c'est le début d'une longue collaboration (plus de 500 chansons). Leurs œuvres n'ont aucun succès auprès des éditeurs pendant deux ans. Mireille joue alors à l'étranger : opérette à New York, cinéma à Hollywood. De retour en France, le quatuor Pills et Tabet*, Jean Sablon*, Mireille commence à enregistrer.
En 1934, elle interprète seule ses chansons à l'ABC*. Elle y reste plusieurs mois en vedette : la partie est gagnée. La chanson française prend un cours nouveau. Elle s'exporte. L'Amérique fredonne Lying in the Hay (Couchés dans le foin).
Les textes de Jean Nohain, la musique et la voix spirituelles de Mireille apportent fraîcheur, poésie, ironie dans une production où le réalisme larmoyant, le mélo et la vulgarité étaient alors très fréquents. Avant C. Trenet*, ils réinventent dans la chanson les fleurs, les oiseaux, l'amour (le Petit Chemin) avec une malice qui leur vaut quelques démêlés : ainsi la citation musicale de Carmen dans Couchés dans le foin. Cette légèreté, cet humour, qui enchantèrent les auditeurs dès 1934 et continuent de nous enchanter, font de leurs œuvres des classiques se plaçant naturellement dans la tradition de la chanson française : C'est un jardinier qui boite,

Et voilà les hommes, les Trois Gendarmes, Quand un vicomte (créé par M. Chevalier*), etc., font partie du patrimoine de la chanson de toutes les époques. De sa voix acide et fraîche, Mireille détaille des mélodies qui deviennent vite des rengaines sans jamais aucune vulgarité, comme *Papa n'a pas voulu.* Aucun sujet ne semble trop mince, qu'il s'agisse du *Bridge* ou de *la Rue des Acacias.* Avec beaucoup de finesse, la musique de Mireille a su intégrer à la fois une culture classique et l'apport du jazz*, qui était connu en France comme genre autonome, mais qui, jusqu'à ses compositions, restait d'un autre domaine que celui de la chanson française. De *Puisque vous partez en voyage* jusqu'au *Temps qu'une hirondelle,* Mireille a su prendre dans le jazz ce qui convenait à son inspiration. Si Jean Nohain est resté son parolier favori, elle a aussi composé quelques mélodies sur des textes d'A. Willemetz* (*Un p'tit air,* créé par M. Chevalier en 1938), de H. Contet* (*Quand on s' balade,* créé par Y. Montand*), etc.

Avec Olga Pouchine et Victor Viry, elle a écrit la plus délicieuse opérette pour enfants : *les Aventures de l'ours Collargol,* suite d'airs charmants, de chansons pleines de sensibilité, d'humour, de tendresse.

En 1955, Mireille a créé le Petit Conservatoire de la chanson*, où elle guide et conseille de jeunes artistes : « Ce qui compte pour moi, a-t-elle dit, c'est de découvrir cet accord existant entre le jeune créateur et ce qu'il raconte, c'est cette petite flamme dans le regard... »

Mireille au « Petit Conservatoire de la Chanson ». Phot. Jean Lenoir - Paris-Match.

La chanson française doit beaucoup à Mireille.

Mirliton (le), cabaret artistique, 84, bd Rochechouart, fondé en 1885 par Aristide Bruant*, à l'emplacement du premier Chat-Noir*. Bruant connut des débuts difficiles, jusqu'au jour où, dans un accès de mauvaise humeur, il invectiva l'unique client du Mirliton. Celui-ci trouva la plaisanterie tellement drôle qu'il amena des amis dans l'espoir que Bruant leur réserverait la même réception. Celle-ci devint une règle au Mirliton : les spectateurs étaient accueillis par des épithètes ordurières et des plaisanteries scabreuses, débitées par Bruant, qui remportèrent un vif succès auprès des snobs, accourus en foule au Mirliton. Il y avait aussi la forte personnalité de Bruant, qui, aidé seulement de deux comparses, faisait le spectacle à lui tout seul.

De 1885 à 1894, Bruant publia *le Mirliton*, journal bimensuel, puis hebdomadaire, illustré par Tréclau (Toulouse-Lautrec), Jean Caillou (Steinlen), Bob, Forain, Henri Pille, etc.; il comptait comme collaborateurs Alphonse Allais, Courteline, Louis Marsolleau, P. Roynard, Xanrof*, Oscar Méténier, etc., et, bien entendu, publiait les chansons de Bruant.

En 1895, Bruant céda la direction de son cabaret à son pianiste Marius Hervochon, en se réservant la moitié des bénéfices. Le Mirliton prit alors le titre de « cabaret Bruant » et vécut encore quelque temps sur sa lancée. Mais, peu à peu, l'insuffisance du spectacle et, surtout, un faux Bruant, qui n'avait de son prédécesseur que le costume, n'attirèrent plus que des provinciaux ou des prévenus ou des étrangers naïfs. Cette affaire, uniquement commerciale, périclita seulement vers 1958.

MISRAKI (Paul **Misrachi,** dit **Paul**), auteur, compositeur (Constantinople 1908). Études classiques. De 1930 à 1939, P. Misraki est principal arrangeur et second pianiste dans l'orchestre de Ray Ventura* et ses collégiens; il écrit toute une série de succès que la France entière va bientôt fredonner, en commençant par *Tout va très*

bien Madame la Marquise (1934), qui donne naissance à un film (1936), puis *Comme tout le monde* (- A. Hornez*, 1938), *Sur deux notes* (1938), etc. Les plus grandes vedettes* interprètent ses chansons : Lucienne Boyer* crée *Venez donc chez moi* (- J. Féline, 1935), D. Darrieux *Dans mon cœur* (- A. Hornez, 1938), J. Lumière* *le Bateau de pêche* (- A. Hornez, 1936), etc. Il compose la musique de l'opérette d'Henri Decoin *Normandie*, dont on fredonne bientôt les chansons : *Je voudrais en savoir davantage, Ça vaut mieux que d'attraper la scarlatine* (-A. Hornez, 1935). Compositeur fécond, ses mélodies, faciles à retenir, sont sur toutes les lèvres. Après l'exil dû à l'occupation allemande (Argentine, puis Hollywood), il reprend une brillante carrière en France à partir de 1945 (*Maria de Bahia*, - A. Hornez, 1947, créé par l'orchestre Ray Ventura). Toujours avec A. Hornez, il écrit l'opérette *le Chevalier Bayard*. Il a composé la musique de 145 films, écrit pour le théâtre, et mené aussi une carrière de romancier et d'essayiste attentif aux problèmes spirituels (*Pour comprendre Teilhard*, Lettres modernes, 1960).

MISTINGUETT (Jeanne **Bourgeois,** dite), interprète (Enghien-les-Bains 1873 - Bougival 1956). Ses parents lui font prendre, contre sa volonté, des leçons de violon avec Boussagol, de l'Opéra, qui lui enseigne le chant. Alice Ozy, actrice de vaudeville*, qui avait inspiré à Théophile Gautier des vers spirituels, la fait chanter et danser. Saint-Marcel, revuiste en vogue, avait l'habitude de prendre avec elle le train d'Enghien. Il la baptise d'abord « Miss Helyett », du nom d'une opérette à succès, puis, en rimant un couplet sur l'air en vogue *la Vertinguette*, lui suggère de s'appeler « Miss Tinguette », qu'elle transformera en « Mistinguette », puis « Mistinguett ». En 1895, elle débute au Trianon-Concert, mais c'est à l'Eldorado* qu'elle remporta son premier grand succès (1897). En 1908, aux Bouffes-Parisiens, dans une revue de Rip, Wilned et Fargue, elle réalise pour la première fois le type de « petite môme des faubourgs », qu'elle devait par la suite interpréter souvent.

Mistinguett, affiche de Leymarie.
Phot. Larousse.

Pour la première fois, la presse célèbre ses jambes! En 1909, elle crée au Moulin-Rouge*, avec Max-Dearly*, la valse chaloupée, qui lui vaut la célébrité, et inspire à Van Dongen un tableau connu. En 1911, elle trouve sa consécration de vedette aux Folies-Bergère* en même temps que son partenaire Maurice Chevalier*, qui joue avec elle la scène comique principale : la valse renversante. Sa physionomie, puissamment dentée, inspire les caricaturistes. Elle est la première à s'en réjouir et signe à Barrère, qui dessine son affiche : « Bon à tirer ma bouche. » Après la guerre 1914-1918, où elle se prodigue pour les soldats, la série de ses succès continue, innombrables comme ses créations. Mistinguett est inégalable dans son rôle d'animatrice de revues à grand spectacle, où elle tient plusieurs rôles : « Princesse de l'Eldorado, duchesse des Folies-Bergère*, reine du Casino de Paris*, elle avait le rythme dans le corps, la fantaisie dans le geste, la note pour émouvoir les cœurs. » (Albert Willemetz*.)

Vedette de music-hall* internationale, elle a fait le tour du monde. Les principales chansons à succès marquées de sa personnalité sont : Mon homme (1920), qu'elle a chanté pendant plus de trente-cinq ans, J'en ai marre (1921), En douce (1922), la Java (1922). Artiste complète, d'une conscience professionnelle exemplaire et d'une ardeur au travail exceptionnelle, elle obtint au théâtre de nombreux succès : l'Âne de Buridan (Flers et Caillavet, Gymnase, 1909, rôle de Viviane), la Vie parisienne (Offenbach, Variétés, 1911, rôle de Pauline); Madame Sans-Gêne (V. Sardou, Porte-Saint-Martin, 1921, rôle de la maréchale Lefèvre). Au cinéma, elle tourna dans un grand nombre de films : Fleur de pavé (1910), les Misérables (1913), Mistinguett détective (1917), la Glu (1926), Rigolboche (1936).

Mistinguett dansa et chanta jusqu'en 1951, où, terrassée par une crise cardiaque, elle fut astreinte au repos.

« Mistinguett n'était ni parfaitement belle, ni très bonne chanteuse, ni très bonne danseuse, mais sa présence en scène, son charme, son abattage étaient prodigieux. » (Paul Derval.) Colette a écrit : « Mistinguett, propriété nationale. »

Momus (le Petit Couvert de), société chantante fondée à Dunkerque vers 1825.

Momus (Soirées de) [1817-1820], société chantante, dont les séances avaient lieu au Palais-Royal. La devise en était : « Le soleil luit pour tout le monde. » La société a publié 4 volumes, où l'on relève les noms de Festeau* et Colau.

Momus (Soupers de) [1813-1828], société mangeante et chantante, fondée sous l'impulsion de Piis*. Elle comprenait de nombreux membres du Caveau* moderne, dont Debreaux* et Béranger*. La société publiait un volume par an.

MONCRIF (François Augustin **Paradis**, dit **de**), auteur (Paris 1688-1770). Son père, procureur au Châtelet, ayant dilapidé les fonds de sa clientèle, se réfugia au Temple, où il mourut. Sa mère, une Écossaise née Moncrëiff, se fit alors appeler « Moncrif », mena une vie légère, se procurant des revenus en écrivant des billets galants pour les dames de la Cour. Le jeune Moncrif, élevé avec soin, se révéla posséder mille talents : peintre, musicien, poète, chanteur, comédien, metteur en scène, boute-en-train, escrimeur de classe. N'ayant comme but que de se montrer agréable, il est bientôt protégé par les frères d'Argenson. Il devint un personnage officiel considérable : secrétaire du comte de Clermont, lecteur de Marie Leczinska, censeur royal, secrétaire général des Postes, historiographe de France. Moncrif rima force pastorales, divertissements, parades, opéras, ballets. L'*Histoire de chats* (1727) lui valut d'être appelé « minet » dans l'intimité et surnommé « historiogriffe ». Élu à l'unanimité à l'Académie française, Moncrif renonce pour un temps aux bamboches du Caveau*, écrit son *Essai sur les nécessités et les moyens de plaire;* il compose pour la reine des *Cantiques spirituels,* qui enchantent l'épouse de Louis XV. Pour se délasser de ces exercices pieux, il publie un recueil de romances* apocryphes, qu'il attribue à Thibaut de Champagne*, à Charles d'Orléans ou à Raoul de Soissons (*Ha belle blonde!*). Le succès de ces romances fut vif; elles plurent même au roi, et d'Alembert promit à Moncrif l'immortalité. Considéré comme le père de la romance, Moncrif la définit ainsi : « Il faut qu'il y ait une action touchante et que le style en soit naïf. » Ses poèmes ont été mis en musique par Albanèze et J.-J. Rousseau*.

Ayant satisfait le roi et la reine, Moncrif retourna à ses préférences littéraires : vers galants et petits opéras. En 1770, obligé de s'aliter, ayant réglé ses funérailles, il attendit la mort, en se faisant donner de la musique et de la danse.

MONNOT (Marguerite), compositeur (Decize 1903 - Paris 1961). Elle étudie l'harmonie et la composition avec son père (l'organiste et compositeur aveugle Marius Monnot), puis elle est élève de Cortot et N. Boulanger. Elle donne un récital de piano à onze ans et commence une carrière de soliste (Chopin, Liszt) qu'elle abandonne pour se consacrer à la chanson.

Elle compose un très grand nombre de chansons, la plupart des succès d'E. Piaf* : avec R. Asso*, *le Fanion de la légion, Mon légionnaire* (1935), *le Petit Monsieur triste* (1938), *Je n'en connais pas la fin* (1939); avec H. Contet*, *Y' a pas d' printemps* (1943) et, sur des paroles écrites par E. Piaf, *C'était un jour de fête, J'ai dansé avec l'amour, Un coin tout bleu,* etc. Ses mélodies appartiennent toujours franchement au domaine de la chanson ; elles sont aisées à retenir, toujours accordées aux paroles dans un style populaire et souvent très brillantes (*la Goualante du pauvre Jean,* - R. Rouzaud* ; *Milord,* - Moustaki*).

Elle a composé la musique des opérettes *la P'tite Lili* (- M. Achard), interprétée par E. Piaf et Eddie Constantine (ABC*), et *Irma la douce* (- A. Breffort), par Colette Renard* (théâtre Gramont, 1957).

MONTAND (Yvo **Livi**, dit **Yves**), interprète (Monsumano, Italie, 1921). Pour le faire rentrer à la maison, quand il était enfant, sa mère criait par la fenêtre, avec l'accent italien : « Yvo! Monta! » C'est de là, dit la légende, que vient son pseudonyme. C'était à Marseille, où s'était réfugiée sa famille, chassée de sa ferme par les fascistes. Ses parents sont naturalisés Français en 1926. Ils sont pauvres. Yves interrompt ses études et travaille (manœuvre, apprenti coiffeur). Il chante en amateur des succès de Trenet*, Chevalier*, Fernandel* (1938), puis à l'Alcazar de Marseille* il rencontre C. Humel, auteurcompositeur, dont il interprète *Dans les plaines du Far-West.* Pendant la guerre, Montand est « frappeur » aux Chantiers de la Méditerranée, où il découvre la fraternité ouvrière : « C'est dans la métallurgie que j'ai trouvé le plus de chaleur, le plus de sincérité, le plus de vérité. » Il vient à Paris, pour échapper au S.T.O. Il chante un peu en cabarets. L'ABC* le présente comme « la nouvelle recrue de la fantaisie » (février-mars 1944). En 1944,

E. Piaf* s'intéresse à lui ; sur ses conseils, il abandonne le répertoire « cow-boy », tourne un film avec elle (*Étoile sans lumière*, 1945), et, après le succès d'un récital de sept semaines à l'Étoile (1944-1945), commence une carrière prestigieuse au music-hall* et au cinéma*. Il devient une vedette* internationale.

Il n'est qu'interprète, mais, comme E. Piaf, il a su créer un style et infléchir le cours

Yves Montand, vu par Pol Ferjac.
Phot. Larousse- Giraudon.

de la chanson française : « Je propose aux auteurs et compositeurs ce que j'aimerais interpréter et souvent, dans 90 p. 100 des cas, je donne l'idée des chansons. » À son tour, après Mireille*, Trenet, avant Bécaud*, il emprunte au jazz* rythme et mélodies (*Battling Joe, Sanguine*). Sa voix, la perfection de sa présence scénique, ses interprétations sont au service d'un répertoire de qualité, où Lemarque* (*Quand un soldat*), Prévert* et Kosma* (*Barbara*) sont ses auteurs favoris. Avec son disque des *Chansons populaires de France*, il reprend la tradition folklorique.

MONTÉHUS (Gaston **Brunschwig,** dit), chansonnier (Paris 1872-1952). En 1908, un mouvement de grèves rurales affecte les vignerons du Midi. Le 18 juin, les soldats du 17ᵉ régiment d'infanterie refusent d'obéir aux ordres de leurs officiers et mettent la crosse en l'air. Montéhus écrit et chante *Gloire au Dix-Septième* (- Chantegrelet et Doubis). En 1909, il préconise la grève générale avec *Victoire sociale* (- Chantegrelet). Néo-malthusien, il chante *la Grève des mères*. Il se présentait devant son public avec une casquette et une ceinture rouge lui ceignant les reins. Pendant la guerre de 1914-1918, et loin du front, Montéhus chante *J'ai gagné ma croix à la guerre, pour l'avoir, j'ai donné mon sang*. Il est alors habillé en « marsouin », le front ceint d'un pansement taché de sang. Redevenu pacifiste après la guerre, il chante à l'Olympia* en 1920, devant un public bourgeois qui applaudit ses chansons engagées. À soixante-trois ans, Montéhus fit ses adieux au peuple de Paris, en jouant un drame : *Chair à souffrance*. Dans le programme, il se présentait lui-même : « Enfant du peuple, élevé dans la misère des travailleurs, sans instruction..., mais par la lecture des grands penseurs, je me suis fabriqué un cerveau. » Il voulait mourir la boutonnière vierge de toute décoration : en 1947, Montéhus fut décoré de la Légion d'honneur par le ministre de la Guerre Ramadier.

MONTERO (Germaine **Heygel**, dite **Germaine**), interprète (Paris 1909). D'abord comédienne, elle fait ses débuts sur scène à Madrid (F. Garcia Lorca), puis elle joue en France à partir de 1938 (*Font aux cabres*, de Lope de Vega ; *le Bal des voleurs*, de J. Anouilh ; puis de nombreuses pièces), campant notamment l'extraordinaire personnage de Mère Courage de B. Brecht au Théâtre national populaire, où elle interprète les chansons de Brecht-Dessau. Elle a joué dans plusieurs films De sa voix forte aux inflexions de diseuse, elle chante du folklore espagnol (1939, Chez Agnès Capri) et des chansons françaises qui composent un répertoire soigné regroupant des œuvres de Béranger*,

Bruant*, Ducreux*, Ferré*, Kosma*, Mac Orlan*, Marceau*, Philippe-Gérard*, Prévert*, Christiane Verger, Xanrof*, etc.

Montmartre, haut lieu de la chanson satirique française. Si l'esprit montmartrois a pris naissance au Quartier latin* avec les Hydropathes*, c'est sur la « Butte » qu'il s'est développé et qu'il a acquis une célébrité internationale.

À la suite du Chat-Noir*, installé, en 1881, 84, bd Rochechouart, et devant le succès remporté par cet établissement, de nombreux cabarets de même esprit s'ouvrirent, avec plus ou moins de bonheur, dans un périmètre restreint. Il est difficile de dater d'une façon précise l'ouverture de ces cabarets, en raison de leur vie souvent éphémère. La grande vogue qui les fit se multiplier dura jusqu'en 1939. Il ne reste à présent en activité, pour maintenir la tradition montmartroise, que les Deux-Ânes*, le théâtre de Dix-Heures* et le Caveau de la République*.

Parmi les principaux cabarets de Montmartre, citons : le Mirliton*; l'Âne-Rouge*; les Quat'-z-Arts*; le Lapin à Gill*; le Carillon*; la Morgue littéraire, puis les Éléphants, puis le Coup de Gueule, enfin, le Conservatoire de Montmartre*; le Tréteau de Tabarin, ensuite Boîte à Fursy*; le café de la Chanson, puis Divan japonais*.

La Roulotte*; le Petit théâtre, ensuite Moulin de la Chanson*; la Vache-Enragée*; le Coucou*; le Perchoir*; le cabaret des Arts (1898), puis Logiz de la Lune-Rousse*, puis Chaumière, enfin théâtre de Dix-Heures*; le Café chantant (Jean Bastia, 1935), ensuite les Trois-Baudets*; l'Araignée, les Truands, le Porc-Épic, l'Épatant, enfin les Deux-Ânes*.

L'auberge du Clou*; le concert des Décadents*; le Caveau des Roches-Noires (1888), place Saint-Georges, qui connut une heure de gloire avec les chansonniers Gasta, Locatelli, Friedlander, Jean Varney*, Baltha, Andhré Joyeux, Legay*, puis les directeurs firent sombrer leurs programmes dans une basse pornographie, qui amena la fermeture du cabaret (1892). Les Deux-Masques, rue Fontaine, primiti-

vement théâtre des Funambules, avec le mime Séverin; au sous-sol, des chansonniers se faisaient entendre : Dhervyl, Meudrot, Yon-Lug*, Couté*, Manescau, etc. Plus tard, ce sous-sol, baptisé « Champ de Foire », fut dirigé par Edmée Favart.

La Franche Lippée, rue des Abbesses, dirigée par Marcel Legay; le Grelot, place Blanche, au premier étage d'un café; le casino des Concierges, 73, rue Pigalle, fondé par Maxime Lisbonne, où fut donnée la première revue de cabaret : les Emmurés de Montmartre (1894), de Varney et Blédort (L. de Bercy), joués par des marionnettes; le Ministère des Contributions indirectes (Lisbonne), rue La Rochefoucauld; les Frites-Révolutionnaires (Lisbonne), bd de Clichy, avec, comme vedette, M. Legay (l'originalité de la maison consistait dans la livraison de frites chaudes dans tout Paris); Al' Tartaine (la Tartine), 88, bd Rochechouart, ouvert en 1895, qui donna des programmes chansonniers jusqu'en 1899. Gaston Couté y débuta, puis l'établissement prit le nom de « cabaret de l'Alouette », sous la direction artistique de Marcel Legay.

La Boîte à musique*; la Feuille-de-Vigne (angle des rues Frochot et Pigalle, 1896), dans l'ancien café de la Nouvelle-Athène; la Muse de Montmartre, rue Victor-Massé (1897), avec Goudesky et Marinier*; l'Élysée-Montmartre (1897); la Bohème, rue de Dunkerque, où Paul Daubry donna une Revue en douze chapeaux; le cabaret de la Purée, bd de Clichy, fondé en 1902 par Eugénie Buffet* et Léopold Stevens; le Grenier de Gringoire, rue des Abbesses, sous la direction artistique de Charles Davray*; le Diable-au-Corps, place Pigalle, avec Jean Bastia, Deyrmon, Battaille, Pierre Alin; le Coup de Patte, fondé par Augustin Martini* dans l'ancienne Abbaye de Thélème, qui devint la Fête foraine (Bordas*); le Chapiteau (Jean Richard); le Rapin-qui-chante*; la Tomate*. Géographiquement en dehors de Montmartre, de nombreux cabarets cultivèrent l'esprit montmartrois : le Chien-Noir* le Caveau des Négociants, rue de Palestro, dirigé par Friedlander (1887) et Mortreuil (1891); le Caveau de la Gauloise, bd Sébastopol (1888-1895), moitié cabaret, moitié caf' conc'; le cabaret du Courrier-de-Lyon, 2, passage d'Eupatoria (XXᵉ arrondissement); le cabaret de la Chanson, bd Bonne-Nouvelle, et la Tribune chansonnière, bd Poissonnière, dirigés par Antonin Louis*; le Caveau de la Presse, rue Montmartre, fondé en 1889 (Teulet* y organisa les soirées du Grillon); la Truie-qui-chante, bd Saint-Martin; l'Hostellerie du Lyon d'Or, rue du Helder (1891), dirigée par Trombert et Bourgeat; le Sans-Souci, dont le propriétaire était Oller (Jardin de Paris*, Olympia* et Moulin-Rouge*) et le directeur artistique G. Tiercy; l'Auberge des Adrets, bd Saint-Martin, avec G. Maquis*, L. de Bercy, Teulet. En 1895, G. de Nola y installa un concert d'amateurs sous l'égide du Manneken Pis.

Le Violon, bd des Italiens, fondé en 1897 par J. Varney, dans le sous-sol du café Riche; le théâtre Pompadour, passage de l'Opéra (1898) et le Carillon (seconde époque), bd Bonne-Nouvelle, fondé en 1908 par Martial Boyer, succursale des Noctambules*, avec des programmes à peu près semblables dans les deux cabarets; la Pie-qui-chante*, rue Montmartre, fondée par Fallot et Marinier (1907), qui vit débuter de nombreux chansonniers actuels; le théâtre de Dix-Francs, rue de l'Étoile, appelé ainsi parce que les places ne coûtaient que 10 F (la modicité de ses tarifs obligea ce cabaret à fermer). Après une conversion en cinéma, la chanson reprit ses droits avec l'Œil-de-Paris, qui n'eut, lui aussi, qu'une courte existence. Enfin, citons le Caveau du Château-d'Eau, café-concert, devenu Caveau de la République, 1, bd Saint-Martin.

MONTOYA (Gabriel), chansonnier (Alès 1868 - Dax 1914). Il fit sa médecine à Perpignan, puis à la faculté de Lyon, où il rencontra Boukay*, avec qui il se lia. Ils fréquentèrent ensemble le Caveau lyonnais* et écrivirent en collaboration le *Bréviaire de l'escholier lyonnais*. Ayant quitté Lyon pour Paris, l'association des étudiants le nomma « chansonnier en titre de l' « A », où il succédait à Xanrof*. En 1890, Salis l'engagea au Chat-Noir*; il y chantait tous les soirs tout en poursuivant

ses études. Surmené, il alla se soigner dans son Midi natal, mais se retrouva guéri avec un poumon en moins. Il passa sa thèse à Montpellier : *Des antitoxines et principalement de l'antitoxine tétanique*. Thèse dédiée à Jean Coquelin et comportant un sonnet inaugural. Il voyagea pendant trois ans comme médecin de la Compagnie transatlantique. Au bout de ce temps, il revint au Chat-Noir et retrouva son succès. Il se consacra définitivement à la chanson, chantant aux Noctambules*, au Tréteau de Tabarin, à la Boîte à Fursy*. En 1909, il prit avec Hyspa* la direction des Quat'-z-Arts*. En 1914, affecté dans un hôpital des Landes, il mourut dans un accident de bicyclette.

Montoya a été jugé sévèrement par Jules Lemaitre, qui s'exprime ainsi à son sujet : « Comme Loïsa Puget*, Montoya ne met guère dans ses chansons que des fleurs, des parfums, des brises, du bleu, des soupirs et des baisers, mais ses fleurs sont entêtantes et ses baisers sont ardents, même s'ils mordent. » Cependant, à ses débuts, Montoya avait publié une plaquette *Sur le Boul' Mich'* (1891), qui rend un tout autre son que les chansons visées par Lemaitre : chansons de morticole, amusantes sous leur humour noir, telles *la Lymphe de Koch*, *Amour et dissection*, *la Chanson du Macchabée*. Pourtant, c'est la *Berceuse bleue*, parodiée ensuite par Louise France, qui reste, pour la postérité, l'œuvre maîtresse de Montoya.

MOREAU (Pierre Jacques **Rouillot,** dit Hégésippe), chansonnier et littérateur (Paris 1810-1838). Après le mariage de ses parents, il prit le nom de son père, Claude François Moreau, et le prénom d'Hégésippe. Devenu orphelin, il est élevé par charité dans un séminaire; ensuite, il est ouvrier typographe, puis pion dans un collège. Essayant de ne vivre que de sa plume, il connut la misère, la faim et même l'état vagabond. Il fréquentait les goguettes*, en particulier celle des Infernaux*, où ses chansons devinrent populaires, sans lui rapporter de quoi subsister. Il mourut à l'hospice, au moment où sa réputation commençait à être établie : il avait trouvé un éditeur.

Moreau a composé des chansons républicaines : *Vive le roi!* (1828), *les 5 et 6 juin 1832*, *le Tocsin*, Béranger, *l'Ile des bossus*, mais son chef-d'œuvre reste une chanson d'un charme idyllique, *la Fermière*. Il a publié des poèmes, qui n'étaient pas forcément destinés à être chantés (*la Voulzie*), et plusieurs contes, pleins de fraîcheur, réunis à ses poésies sous le titre *le Myosotis*.

Morgue littéraire. V. *Conservatoire de Montmartre.*

MOULIN (Jean-Pierre), auteur, compositeur (Lausanne, Suisse, 1922). Carrière d'écrivain et de journaliste, au cours de laquelle il a notamment écrit *J'aime le music-hall* (Ed. Rencontre, 1961) et *l'Humour des Suisses* (Ed. Denoël, 1965). Il a aussi composé de nombreuses chansons. Renée Lebas* crée *Un taxi pour le ciel* à Genève en 1945, puis *Jojo de ma banlieue*. Par la suite, M. Chevalier*, Ph. Clay*, S. Distel*, F. Marten*, E. Piaf*, etc., interprètent des chansons brillantes (*le Danseur de charleston*), souvent pleines d'humour (*Sacré président*).

Moulin de la Chanson, cabaret artistique, 43, bd de Clichy, fondé en 1901, sous le nom de Petit Théâtre, par Georges Oble, où les chansons alternaient avec les poèmes classiques, de courtes pièces de théâtre ou d'ombres. On y entendit Y. Guilbert*, Delmet*, Hyspa*, Lucien Boyer*, D. Bonnaud*. En 1903, le Petit Théâtre, accablé par des frais trop lourds, céda la place au théâtre Rabelais, dont les programmes n'étaient pas orientés vers la chanson. En 1913, dans la salle du Petit Théâtre, complètement transformée, Roger Ferréol* et Émile Wolff inaugurèrent le Moulin de la Chanson, dont Wolff assuma seul la direction pendant la guerre. À la troupe « maison » venaient s'ajouter les chansonniers mobilisés, qui reprenaient contact avec le public au cours d'une « perme ». C'est ainsi que l'on put applaudir Bonnaud, Hyspa, Martini*, Marinier*, Baltha*, Deyrmon, Jack Cazol, Jean Bastia*, Dominus, Enthoven, etc. En 1918-1919, le Moulin de la Chanson fut transformé en dancing. Lucien Boyer* y ramena la chanson : il y fit entendre Noël-Noël* et Goupil*, puis passa la main à Meer, qui céda l'exploitation à Marsac*. En 1921, Eugène Héros prit la direction du Moulin et s'assura la collaboration de Fursy*, qui s'entoura de Marinier*, Dorin*, Balder. Jean Rieux* écrivit la revue du premier spectacle : *Va te faire moudre*. En 1923, nouvelle direction de Fursy et Mauricet*, qui essayèrent de baptiser le Moulin « Chez Fursy et Mauricet », malgré le propriétaire, qui s'entêtait à vouloir conserver l'ancien titre de la maison.

En 1929, Ferréol et Rip reprirent le Moulin de la Chanson, en y donnant des programmes de théâtre dans l'esprit qui avait régné aux Capucines, avant que le Moulin soit converti en cinéma.

MOULINIÉ (Étienne), compositeur et chanteur (Languedoc début du XVIIe s. - (?) après 1668). Attiré à la Cour par son frère, Antoine, qui était l'un des chanteurs vedettes de la maison du roi Louis XIII, Étienne, tout en participant en qualité de chanteur et de danseur aux ballets de cour, fut maître de musique de Gaston d'Orléans de 1628 à 1660. Il termina ses jours comme maître de musique des états du Languedoc.

Il a publié 5 livres d'airs avec tablature de luth (1624-1635) et 6 livres d'airs de cour à plusieurs parties (1625-1668) ; dans le dernier livre, il abandonne le style de l'air de cour au luth pour la nouvelle technique concertante avec basse chiffrée. On trouve aussi des œuvres de Moulinié dans l'anthologie de Ballard *Airs de cour de différents autheurs* (6e et 7e livre, 1624-1628).

Moulin-Rouge (bal du). Créé en 1889 par Zidler (un ancien boucher) et Joseph Oller (v. *Olympia*), ce bal de la place Blanche est alors une vaste kermesse avec des galeries aux attractions variées, un jardin, de petits ânes et une salle de bal décorée par Willette, où l'on applaudit en attraction le « quadrille ». Toulouse-Lautrec a dessiné quelques habitués aux noms pittoresques ; Grille d'Égout, Rayon d'Or, Sauterelle, Clair de Lune compo-

Programme
du
Moulin-Rouge
(1895)
Phot. Lauros

saient le premier quadrille; on y rencontre aussi la Goulue, Léa, Cha-tu-kon, la Môme Fromage, Mélinite, Valentin le Désossé, etc. On peut même y voir des « danses du ventre » dans un petit théâtre logé à l'intérieur d'un gigantesque éléphant, reste de l'Exposition universelle. En 1903, le bal est remplacé par des dîners-spectacles dans une nouvelle salle, qui est détruite par un incendie en 1915. Après un nouveau bal (1921), un music-hall* se consacre aux grandes revues de Jacques-Charles* (1926-1930), avec, notamment, Jeanne Auber, Damia*, Jean Gabin, Georgius*, Mistinguett*, etc. Pierre Lazareff est alors l'un des deux secrétaires généraux, et l'éditeur Francis Salabert vice-président de la société de gestion. Par la suite, le tour de chant y tient une grande place. Diverses vedettes s'y produisent jusqu'à l'après-guerre (C. Aznavour*, Jacqueline François, L. Renaud*), et le Moulin-Rouge continue la tradition des grandes revues et du french-cancan.

MOULOUDJI (Marcel), auteur, compositeur, interprète (Paris 1922). Il montre très tôt les dons les plus divers. À dix ans, il débute au théâtre, puis joue dans plusieurs films (la Guerre des gosses, les Disparus de Saint-Agil, etc.). Sa carrière se poursuit avec Nous sommes tous des assassins, la Tête des autres, etc. Il est acteur, peintre, écrivain. En 1945, son roman Enrico obtient le prix de la Pléiade; en 1947, on joue sa pièce Quatre Femmes à la Renaissance; il publie un recueil de poèmes, Chansons pour ma mélancolie. Il collectionne aussi les succès dans la chanson, comme auteur et comme interprète. En 1953, prix Charles-Cros (Comme un p'tit coquelicot, Valéry - Asso*); en 1956, prix de la Plus Jolie Chanson d'enfant. Tendre, âpre ou populaire, sa voix est originale; on lui doit une des plus belles chansons d'amour, Un jour, tu verras (- Van Parys*).

MOUSTAKI (Joseph **Mustacchi**, dit **Georges**), auteur, compositeur, interprète (Alexandrie, Égypte, 1934). Il fait ses études en français et vient en France à dix-sept ans : journaliste, guitariste, bar-

man. Brassens* l'encourage à écrire des chansons, ce qu'il fait pour R. Clary, qui crée Paris qui va (1953). G. Moustaki chante lui-même à Bruxelles (1955). H. Crolla* le présente à E. Piaf*, qui, en créant ses chansons, va le faire connaître au grand public (1958-1959) : Milord (- M. Monnot*), Eden Blues, l'Étranger, le Gitan et la fille, etc. Il enregistre (1960) et continue à écrire dans des styles très divers : jazz* (le Jugement dernier, - Evans), douceur (Mon île de France), verve (Dans mon hamac), toujours à la recherche de rythmes et de colorations des quatre coins du monde.

MOY (Jules **Moys**, dit **Jules**), chansonnier (Paris 1862 - Clichy 1938). Plumassier, il se fait engager par Salis au Chat-Noir*, en 1896, en qualité de pianiste et d'imitateur. Il fait ensuite le tour des cabarets avec des scènes d'imitation parfaites : le Concert tunisien, la Poule, le Piano mécanique, la Nourrice sèche, etc.

musée de la Chanson française. Il a été fondé par la station radiophonique Europe n° 1*, en 1965, pour « retrouver, conserver (les) richesses du passé et protéger pour l'avenir l'expression la plus populaire de la poésie ». En l'honneur de son dixième anniversaire, Europe n° 1 a organisé 26 « Musicoramas » (soirées de variétés), regroupant 227 vedettes, le 12 octobre 1965. Le bénéfice a été versé à l'Association du musée (siège social : 26, rue François-Ier, Paris VIIIe).

MUSET (Colin), trouvère* lorrain ou champenois (XIIIe s.). Il était aussi jongleur, ce qui le ferait ranger à présent dans la catégorie « auteur-interprète ». Joyeux drille, les sujets de ses chansons restent matérialistes. Dans Sire comte, j'ai viélé, il reproche à un seigneur de ne pas lui avoir acquitté ses gages; dans Quand je vois yver retorner, il s'inquiète de la mauvaise saison qui l'empêchera de trouver bon souper, bon gîte... et le reste. Il a chanté aussi des amours sans complexes : Sospris sui d'une amorette, En mai quant le rossignolet. Ses chansons nous apprennent qu'il jouait de la vièle à archet. Sa musique est simple et gaie.

music-hall (mot d'origine anglaise ; littér. *salle de musique*), établissement où sont présentés, sur une scène, des spectacles variés comprenant notamment des tours de chant, mais aussi divers numéros (acrobates, danseurs, jongleurs, clowns, dresseurs, etc.), accompagnés en général d'un orchestre. Par extension, genre de spectacles variés dont la chanson constitue un des éléments, d'importance variable. La diversité reste la caractéristique du music-hall. Les spectateurs ne consomment pas, par opposition au café-concert*, qui l'a précédé.

En 1840, au Winchester Hall de Londres, la représentation (chanteurs, numéros) a lieu dans une salle de mille places. Charles Morton met au point la formule au Canterbury Hall (1848) et crée le music-hall moderne, qui s'impose dans tous les pays. En France, le café-concert introduit peu à peu au cours du XIXe siècle des numéros empruntés au cirque, et le succès de cette formule conduit à la création d'établissements plus vastes et mieux aménagés, les premiers music-halls, notamment la Gaîté (1868), les Folies-Bergère* (1869), le Casino de Paris* (1890), le Moulin-Rouge*, où l'on supprime peu à peu les consommations. Le café-concert est ainsi remplacé par le music-hall, tandis que le cabaret continue.

Dans une première période, la chanson n'occupe pas forcément la place la plus importante dans les spectacles de music-hall. C'est ainsi que l'Olympia* (1893), jusque vers 1911, présente surtout des attractions, du théâtre, des opérettes, des ballets. De nombreux établissements développent des revues, spectacles à grande mise en scène (machines, lumières, habits somptueux, puis nus, ballets aquatiques, etc.), composées d'une succession de tableaux intégrant divers éléments de façon plus ou moins homogène : les Folies-Bergère dès 1886, puis Ba-ta-clan* (à partir de 1910), l'Olympia (à partir de 1911), le Concert Mayol* (à partir de 1914), le Casino de Paris (à partir de 1917), le Moulin-Rouge (à partir de 1926). Ces revues constituent un des styles du music-hall. L. Volterra, Jacques-Charles*, Dufrenne, P. Derval, L. Rimels sont les grands

animateurs de ce style luxueux, parfois érotique, qui continue de nos jours à connaître le succès et où se sont illustrés des interprètes comme Jeanne Aubert, J. Baker*, M. Chevalier*, Gaby Deslys, M. Dubas*, Fragson*, Mick Micheyl*, Mistinguett*, Polaire*, Yvonne Printemps, Line Renaud*, T. Rossi*, etc.

Durant ce qu'il est convenu d'appeler la « Belle Époque » (jusqu'à la guerre de 1914 environ, car elle n'interrompit pas les représentations), le music-hall, qui achève d'éliminer le café-concert, présente la même diversité de genres et les mêmes chanteurs (v. *café-concert*). Parmi les nombreux music-halls parisiens d'alors, en plus de ceux qui se spécialisent dans les revues, on peut citer l'Alhambra, les Ambassadeurs*, l'Apollo, Ba-ta-clan, Bobino*, l'Eldorado*, l'Empire*, la Gaîté-Rochechouart, l'Olympia, le Palace*, Parisiana*, la Scala*, etc. Après la Première Guerre mondiale, le music-hall continue, la chanson y prend de plus en plus de place, renouvelée bientôt par de jeunes créateurs, par des modes nouvelles (jazz*). On peut y entendre ou y retrouver Alibert*, J. Auber, J. Baker, Bordas*, Lucienne Boyer*, M. Chevalier, Damia*, M. Dubas, Fernandel*, Fréhel*, Lys Gauty*, Georgius*, J. Lumière*, Mireille*, Mistinguett, E. Piaf*, Pills et Tabet*, T. Rossi, G. et J. Sablon*, S. Solidor*, J. Tranchant*, C. Trenet*, etc.

Mais le music-hall est fortement concurrencé par le cinéma* puis par de nouveaux modes de loisir. Avec l'avènement du parlant (1930), des music-halls sont en difficulté. Comme les cafés-concerts, certains music-halls disparaissent, ainsi la Scala (1936). Beaucoup se transforment en cinémas, momentanément (l'Alhambra, en 1934 et 1936 ; Bobino, en 1929 ; le Palace, en 1931 ; l'Empire, en 1931 ; l'Olympia, en 1929), ou définitivement (Ba-ta-clan, en 1932 ; la Gaîté-Rochechouart) ; d'autres deviennent des théâtres (les Ambassadeurs, en 1929 ; l'Apollo, en 1929). Cependant, misant sur la qualité, Mitty Goldin ouvre l'ABC* en 1934, et certains music-halls réussissent à surmonter ces difficultés. La réouverture de l'Olympia comme music-hall en 1954 seulement montre bien la gravité et la longueur de cette crise, qui a été accentuée par la radio et le disque, puis par la télévision* : un artiste qui passe à la télévision rejoint directement en une seule soirée des millions de spectateurs ; en trois semaines de passage dans un music-hall, il ne peut espérer toucher au mieux que quarante mille à cinquante mille spectateurs. Des artistes contemporains comme Sheila* ont obtenu une grande audience par le disque, la radio, la télévision, avant même d'être montés sur une scène. Dans ces conditions, le passage dans un music-hall vient après le succès obtenu par le disque.

Pourtant, le music-hall reste une consécration pour les grands artistes de la chanson. Passer à l'Alhambra, à Bobino, à l'Olympia, à Pacra* assure un contact avec le public. Le music-hall continue donc, avec ses vedettes* qui attirent les spectateurs et permettent ainsi de présenter en « première partie » de jeunes chanteurs et les attractions traditionnelles ; mais la chanson occupe désormais la première place au music-hall avec M. Arnaud*, H. Aufray*, C. Aznavour*, Barbara*, G. Béart*, G. Bécaud*, G. Brassens*, J. Brel*, J.-P. Ferland*, L. Ferré*, J. Gréco*, F. Leclerc*, F. Lemarque*, Y. Montand*, Mouloudji*, E. Piaf*, H. Salvador*, C. Sauvage*, A. Sylvestre*, F. Solleville*, C. Trenet* et des vedettes du yéyé* : R. Anthony*, C. François*, J. Hallyday*, etc.

L'enregistrement moderne a donné aux voix et aux orchestres des caractéristiques artificielles auxquelles l'oreille s'est accoutumée (« relief », écho, mise en valeur d'un instrument, etc.). Certains music-halls, par toute une série d'appareils, redonnent à la voix du chanteur qui passe sur leur scène les caractéristiques du disque, y compris l'écho artificiel. Il n'est plus nécessaire d'avoir une voix puissante pour remplir la salle, comme au temps des

« chanteurs à voix ». Dès 1933, certains artistes (J. Sablon, par exemple) jouent à la perfection de ce nouvel instrument : le micro. Une trentaine d'années après, la sonorisation (dite « sono ») règne en maîtresse dans les music-halls, relais indispensable pour les grandes salles, discrètement utilisée par la plupart des artistes, certains même se servant d'émetteurs sans fil. Quelques music-halls, sous l'influence du yéyé, poussent leur sonorisation de façon outrancière, aux limites de l'écoute, plongeant les spectateurs dans un vacarme incohérent et douloureux, nuisible à la chanson.

Il reste que c'est la chanson qui assure aujourd'hui le succès du music-hall quand il n'est pas spécialisé dans les revues. Les attractions apparaissent anachroniques à beaucoup d'amateurs de chansons, qui préfèrent un spectacle entièrement consacré à des tours de chant, comme ceux que propose le Théâtre populaire de la chanson*. De la même façon s'explique la vogue des récitals (G. Béart, les Compagnons de la chanson*, G. Brassens, J. Douai*, L. Ferré, les Frères Jacques*, J. Gréco, Y. Montand, C. Sauvage, etc.), qui brisent les règles centenaires du music-hall. Mais les théâtres de chansons et les récitals appartiennent à un genre différent.

MUSSY (Raphaël **Lemoine,** dit **Daniel**), chansonnier (Rouen 1927). Chansonnier d'actualité, il dirige le Caveau de la République* tout en faisant son tour de chant au théâtre des Deux-Ânes*. Il a composé aussi des chansons pour le music-hall* : le Vieux Pianiste (André Pasdoc, 1947), Il n'est plus personne (le Trio des quatre, 1950), Souvenirs de jeunesse (Enrico Macias*, 1964), Existe-t-il ? (Jacques Istria, 1964), Le Ciel (Rosalie Dubois 1966). Daniel Mussy a fait représenter à Rouen les Marchands d'aventure.

NADAUD (Charles Gustave), chansonnier et écrivain (Roubaix 1820 - Paris 1893). « Un négociant qui a mal tourné » a dit de lui Charles Monselet, qui traite amicalement Nadaud « d'apostat de la tenue des livres » et de « déserteur des étoffes de Roubaix ».

Descendant des Nadault de Buffon, vieille famille limousine établie à Roubaix dans le commerce des tissus, il commença, après de brillantes études secondaires, par être employé à la comptabilité de la maison paternelle. En 1840, son père commit l'im-

Gustave Nadaud, vu par Eugène Giraud.
Phot. Larousse-Giraudon.

prudence de l'envoyer gérer sa succursale de Paris. Nadaud fréquenta quelques cénacles littéraires, et abandonna peu à peu les tissus pour la poésie et la chanson. À partir de 1849, il publiera régulièrement une production considérable (500 titres environ) qui se compose d'opéras de salon, romans, récits, solfège poétique et musical, souvenirs et notes de voyages.

Nadaud fut rapidement comblé d'honneurs officiels : il est chevalier de la Légion d'honneur (1861) ; la ville de Roubaix donne de son vivant son nom à l'une de ses rues (1863) ; engagé en 1870 dans le corps des infirmiers, il recevra, en 1886, la médaille d'or de la Société d'encouragement au bien pour sa conduite durant la guerre, pour avoir fondé la Petite Caisse des chansonniers, et, à Roubaix, le Choral Nadaud ; maître ès jeux Floraux (Toulouse, 1883) ; successeur de V. Hugo à la présidence d'honneur du Caveau stéphanois* (1884) ; membre d'honneur de l'Association des professeurs de français en Angleterre (1885). Nadaud a été lancé par les salons (il chantait parfois au cours de la même soirée dans six salons différents) ; protégé de la princesse Mathilde, il fut souvent invité à Compiègne par Napoléon III. Cependant, il garda toujours sa liberté d'esprit, comme en témoignent des chansons comme *le Roi boiteux*, satire de l'esprit courtisan, ou *les Deux Gendarmes*, chanson qui fut interdite pour crime de lèse-maréchaussée.

Esprit fin, ironique, jamais vulgaire, Nadaud, dans ses chansons, aborde des genres différents. Libertinage léger avec *les Reines de Mabille, Palinodie* (qui leur fait suite), *Adèle*. Sentimental : *la Valse des adieux*. Satire politique : *l'Osmanomanie, les Impôts, le Carnaval à l'Assemblée nationale*. Il rénove la chanson à boire avec le Docteur Grégoire. Nadaud a composé la musique de ses chansons. Musicien d'instinct, sa ligne mélodique est simple, élégante, elle s'adapte exactement aux paroles, elle est débarrassée des fioritures qui encombraient la musique de l'époque.

nègre, dans l'argot de la chanson (et de la littérature), auteur ou compositeur (pauvre en général) qui, ayant écrit une chanson, la vend à quelqu'un d'autre qui la signe, la dépose et la publie sous son nom. — C. Trénet*, quand il était décorateur aux Studios de Joinville (1933) : « On m'a demandé des chansons. J'ai fait un peu le « nègre » pour les autres, mais je n'étais pas exploité. »

NEUVILLE (Josée **de Neuville,** dite **Marie-Josée**), auteur, compositeur, interprète (Paris 1938). Tout en poursuivant des études générales, M.-J. Neuville est attirée par la danse classique et, de quatorze à seize ans, elle est une « danseuse semi-professionnelle ». Elle écrit des chansons. Poussée par des camarades, elle se présente au concours de la Kermesse aux étoiles et remporte le premier prix devant 800 candidats (1955). Engagée à l'Olympia* en supplément de programme (1956), elle ne chante que trois chansons et conquiert le public : à dix-huit ans, elle devient une « idole* » de la chanson, et elle passe son baccalauréat. Les jeunes sont séduits par son personnage — jeune fille moderne et romantique à la fois, longues nattes, sourire, guitare. Elle chante avec humour ou poésie les événements de sa vie quotidienne, ses rêves, ses espoirs, et les jeunes auditeurs s'y retrouvent : Une guitare, une vie, Johnny boy (1955), le Monsieur du métro (1956), J'aurais aimé être un garçon, les Petites Pestes (1956). Mais elle supporte difficilement les exigences du métier de vedette* de la chanson, qu'elle abandonne. Attirée par la comédie, elle tourne un film (la Grande Crevasse), tout en continuant à composer des chansons (et à les enregistrer) sans les présenter sur scène : le Garçon que j'attends, Comédia (1965). Elle estime qu'elle « écrira toujours des

chansons pour soulager son appétit de création » (1967).

NIBOR (Albert **Robin,** dit **Yann**), chansonnier (Saint-Malo 1857 - La Chapelle-sur-Erdre, Loire-Atlantique, 1947). Bibliothécaire du ministère de la Marine, il fut le poète des matelots. Ses œuvres, réunies en 4 volumes, sont tout entières consacrées à la vie maritime. Il chantait, costumé en marin : la Boîte de Chine, la Chanson de Gaud, l'Immersion, etc. Il composa la musique de la Berceuse bleue (- Montoya*), dont l'harmonisation fut confiée à Francis Chassaigne.

Noctambules, cabaret artistique, 7, rue Champollion, fondé en 1894 (dans un ancien café tenu par Chopinette) par Martial Boyer, assisté de X. Privas*, Marcel Legay* et G. Millandy*. Ils restaurèrent au Quartier latin* la tradition chansonnière, émigrée à Montmartre*. On y entendait Louise France, Mévisto*, Delmet*, Hyspa*, Jules Jouy*, E. Buffet*, etc.
Léo Lelièvre*, puis Andhré Joyeux, puis Henri Grégeois succédèrent à Marcel Legay à la codirection. Enfin, Martial Boyer resta seul directeur de l'affaire et continua à donner des programmes de haute tenue avec E. Lemercier*, Botrel*, Teulet*, Chepfer*, Ferny*, Marinier* et C. Fallot*, dont c'étaient les débuts. Après avoir abrité quelque temps la Lune-Rousse* seconde, Martial Boyer transforma la salle en un véritable théâtre et rouvrit les Noctambules en 1912, avec René Devilliers comme directeur artistique. Sous cette direction débutèrent Mauricet* et Jean Marsac*.
Le dimanche, la matinée était remplacée par une goguette*. Après la Première Guerre mondiale, une nouvelle équipe de chansonniers prit la relève des anciens : Martini*, Roméo Carlès*, Paul Colline*, les Bastia* père et fils, Victor Vallier, Eugène Wyl, Jean Varennes, Paul Clérouc, et, plus tard, Ferrary, Souplex*, Dorin*, Max Régnier, Henry Bry, Ded Rysel, Geo Charley, Henri Cor.
En 1928, Devilliers et l'équipe des Noctambules soutinrent la candidature aux élections législatives d'un marchand de

fleurs du Quartier latin, nommé providentiellement Duconnaud, qui obtint 400 voix et mit le député sortant en ballottage.

En 1934, Marianne Oswald* se produit aux Noctambules, présentée par Charles Fallot. En 1936, Francis Carco* y interprète ses œuvres. En 1937, Maurice Roget prend la direction du cabaret, qu'il baptise « Noctambules-37 ». On a pu y applaudir : Bradlay, Jean Granier, Pierre Dac*, Robert Rocca*, Raymond Bour*, Jamblan*, Gabriello*, ainsi que le poète Max Jacob.

Le cabaret ferme ses portes en 1939. La salle des Noctambules se consacre au théâtre. Cependant, en 1949, on a pu y entendre A.-M. Carrière*, Pierre Still*, Bernard Lavalette*, etc., dans des spectacles chansonniers, avant que les Noctambules se convertissent en cinéma.

noël de cour (XVIIe-XVIIIe s.). Il n'a de noël que l'air et le terme. En réalité, c'est une chanson satirique d'une verve souvent féroce, où tous les personnages de la cour défilent au long des couplets en recevant chacun leurs vérités premières. Le timbre* *Tous les bourgeois de Châtres* a servi le plus souvent de support aux noëls de cour.

NOËL-NOËL (Lucien **Noël,** dit), chansonnier (Paris 1897). Il prétend qu'il est plus dessinateur que chansonnier, qu'il n'a pas de voix, qu'il ne sait pas jouer de piano et qu'il a le trac. C'est pourquoi Noël-

Noël-Noël examinant la statuette de Vincent Hyspa (sculpture de Van Bever).
Phot. Lauros.

Noël, avant d'être accaparé par le cinéma*, a fait l'un des tours de chant les plus appréciés de l'entre-deux-guerres, s'accompagnant lui-même au piano, avec une aisance qui l'a fait passer pour un virtuose auprès des professionnels. Il a composé lui-même la musique de ses chansons.

De 1914 à 1916, il fut — comme son père — employé à la Banque de France. Il chantait, en amateur, des chansons de Fragson* en imitant le célèbre chanteur. Fin 1916, accompagnant un camarade qui auditionnait au Perchoir*, c'est lui qui fut engagé. Il jouera les utilités dans les revues, jusqu'à son départ pour la 236ᵉ escadrille de reconnaissance. C'est au front qu'il commence à écrire des chansons qui resteront longtemps à son répertoire : Somme toute, le Casque, Chanson industrielle, le Plateau de Malzéville et l'Avion, qui eut un succès durable. Démobilisé, il fait le tour des cabarets sans arriver à décrocher un engagement. Enfin, il débute aux Noctambules* et y remporte un succès immédiat, tant auprès du public que de la presse. Les auditeurs, légèrement fatigués des chansons politiques*, firent un triomphe au personnage du timide-crâneur que leur présentait le chansonnier. Ayant remporté un prix à un concours organisé par Comœdia, il est engagé par L. Boyer*, pour le Moulin de la Chanson*, dont il devient rapidement la vedette. Dès lors, et pendant dix ans, Noël-Noël fera une brillante carrière de chansonnier, s'attaquant plutôt aux ridicules de l'époque qu'aux personnages (une seule exception à cette règle, avec une chanson sur le ministre Loucheur). En 1926, il crée le personnage d'Adémaï, dans une revue de Colline* au théâtre de Dix-Heures*, et, en 1930, il prend, avec Colline et Bastia*, la direction du théâtre de l'Humour. C'est en 1930 qu'il débute au cinéma : il tournera dans de nombreux films (prix Delluc, 1949). Cependant, de 1934 à 1939, il fait tous les ans un tour de chant à l'ABC*, en reprenant ses anciens succès. En 1941, au théâtre de Dix-Heures*, à l'ABC et à l'Étoile, après de nombreux démêlés avec la censure, il brocarde l'occupant sous une forme faussement naïve dans des œuvres comme : les Polonais, Juin 40, le Livre des réclamations. Noël-Noël est actuellement président du syndicat des chansonniers.

NOHAIN (Jean **Legrand,** dit **Jaboune,** dit **Jean**), auteur, écrivain, scénariste (Paris 1900). Fils du poète Maurice Legrand, dit Franc-Nohain (né dans le Nivernais ; son pseudonyme est emprunté au Nohain, affluent de la Loire). D'abord avocat, puis journaliste (rédacteur en chef du journal de jeunes Benjamin), Jean Nohain est, avec Mireille*, un des responsables du renouvellement de la chanson française vers 1933. Il écrit des textes charmants, poétiques, pleins d'humour, que Mireille accompagne d'une musique tout aussi spirituelle : Couchés dans le foin, le Petit Chemin, la Partie de bridge, Quand un vicomte, etc. (v. **Mireille**).

Après la guerre, il produit et anime de nombreuses émissions de variétés* radiophoniques, puis télévisées, dans un style résolument optimiste (ainsi, Trente-Six Chandelles, de 1952 à 1958).

Avec C. Vebel* et C. Pingault*, on lui doit l'opérette Plume au vent. Il a aussi écrit des chansons sur des mélodies de R. Moretti, M. Emer*, P. Misraki*, G. Van Parys*, etc.

NOUGARO (Claude), auteur, compositeur, interprète (Toulouse 1932), fils du baryton d'opéra Pierre Nougaro (qu'il évoque dans la chanson O Toulouse, 1967). Claude est d'abord journaliste ; il écrit des poèmes et bientôt des chansons (premier disque en 1962). Malgré un grave accident de voiture (1963 ; Pauvre Nougaro), il reprend sa carrière (1964). Attiré par le jazz* moderne, il recherche des sonorités nouvelles avec M. Legrand* et J. Datin*, utilisant toutes les ressources techniques de l'enregistrement et du disque* : « Je dépense tout mon argent pour avoir un matériel impeccable et les meilleurs musiciens de jazz pour m'accompagner. » Il a le sens du rythme (la Clé, Une bouteille à la mer, le Jazz et la java) ; il est sensible aux mythes modernes (le Cinéma), à l'érotisme (les Don Juan), aux jeux de mots (Je suis sous, - Datin).

OCKEGHEM (Jean **de**), compositeur (né probablement en Hainaut v. 1430 - † v. 1496). Formé à la cathédrale d'Anvers (1443-1444), il fut ensuite chantre de Charles Ier, duc de Bourbon (1448), puis, à partir de 1452, il entre au service des rois de France Charles VII, Louis XI et Charles VIII. Homme d'église, la chanson profane n'occupe qu'une faible place dans son œuvre : 19 chansons polyphoniques. Mais celles-ci connurent une grande et durable vogue, en particulier la *Complainte pour déplorer son ami Gilles Binchois**.

Il est le premier (avec Dufay*) à avoir utilisé la mélodie de chansons populaires pour servir de thème à ses messes (*l'Homme armé, Fors seulement, Au travail suis, De plus en plus*). Cette pratique sera reprise par de nombreux compositeurs de son époque.

Œuf d'éléphant (l'), cabaret situé place du Montparnasse, au sous-sol du restaurant Lavenue (actuellement Dupont-Parnasse), fondé vers 1930 par René Devilliers*, alors directeur des Noctambules*, qui en fit la succursale de ce célèbre cabaret. A l'Œuf d'éléphant débutèrent Henry Bry, Lyne Clevers et Pierre Ferrary. Après deux ans de succès, les représentations furent interdites sous prétexte qu'il n'y avait pas de sortie de secours. La seule issue possible donnant sur les catacombes, Devilliers préféra fermer son établissement.

OGERET (Marc), interprète (Paris 1932). Après avoir été mouleur dans une fonderie, mécanographe, Marc Ogeret suit les cours du Centre d'art dramatique de la rue Blanche pendant deux ans, chante aux terrasses des cafés, débute vraiment dans la chanson en 1952 à Cassis, puis passe dans les cabarets parisiens (Fontaine des quatre saisons*, Chez Agnès Capri*), au music-hall*, et se consacre à des poèmes mis en musique (Aragon*, L. Bérimont*, P. Chaulot, L. Ferré*, J. Genet, P. Gilson, Jean L'Anselme, P. Seghers*), qu'il chante « d'une voix de velours » (Seghers). Il obtient le prix Charles-Cros en 1962.

OLIVE (Philippe), chansonnier (Pantin 1908). Destiné par ses parents à l'industrie cartonnière, il a préféré devenir comédien, danseur, clown de piste, puis chansonnier. Durant son service militaire, il compose une chanson sur la suppression des sous-préfets, qui lui donne l'idée de continuer dans cette voie. Il débute au Rapin-qui-chante*, et se produit ensuite dans tous les cabarets de Montmartre* et du Quartier latin* (sauf aux Deux-Ânes*). Chansonnier d'actualité, il a cependant composé, avec Henri Cor, *le Tango stupéfiant*, créé par Marie Dubas*.

OLLIVIER (James **Duchamp**, dit **James**), auteur, compositeur, interprète (Reims 1935). Il a été chimiste, vendeur d'automobiles, mais son « vrai métier », dit-il, a d'abord été le théâtre (études d'art dramatique au conservatoire de Reims). En 1963, il chante en cabaret *l'Ile lointaine*, dont il a écrit la musique sur un texte de Paule Le Métayer. Puis il met en musique de nombreux poèmes, obtient un prix du Disque (1964) et, de cabarets en music-halls*, on découvre un talent nouveau qui s'affirme peu à peu, au service de G. Apollinaire, L. Aragon*, L. Bérimont*, C. Roy, P. Seghers*, J. Supervielle, Verlaine, etc.

Il possède à la fois le sens du rythme propre à la poésie écrite et celui de la mélodie (*les Bacs du Rhin*, - Apollinaire). Il connaît l'art de fondre un poème et une musique au creuset de la chanson, en une alchimie réussie, ni mélodie classique, ni psalmodie, ni ritournelle, mais agréable et belle chanson. Il écrit aussi parfois les paroles de ses chansons (*la Plage*).

Olympia, music-hall* créé en 1893 par Joseph Oller (inventeur du « pari mutuel »). Il possédait d'autres établissements de spectacles, les Fantaisies Oller (27, bd des Italiens, 1875), le Nouveau Cirque (rue Saint-Honoré, 1886), l'attraction foraine des Montagnes russes (1888, bd des Italiens). La préfecture interdit cette attraction par crainte d'accidents. Oller la démolit en 1892, et, à la place, il fait construire l'Olympia, qui est probablement le premier établissement en France à prendre le nom de « music-hall » (28, bd des Capucines). Comme il est aussi directeur du bal du Moulin-Rouge*, Oller fait venir le célèbre quadrille pour l'inauguration de son nouvel établissement, où la chanson occupe peu de place (attractions, théâtre, opérettes, ballets). Oller possédait encore le cabaret le Sans-Souci et le Jardin de Paris*.
Jacques-Charles monte des revues (1911-1914) avec Fragson*, Mistinguett*, Polaire*, Yvonne Printemps. Après la guerre, la chanson y occupe une place encore plus importante (Alibert*, Lucienne Boyer*, Damia*, M. Dubas*, Fréhel*, Montéhus*, etc.). Après la direction de Paul Franck (1918-1928), le music-hall cède la place à un cinéma* (1929). L'Olympia est ressuscité en 1954 par le compositeur Bruno Coquatrix. Cette salle de 2 000 places devient l'un des plus célèbres établissements consacrés à la chanson — sans abandonner les attractions traditionnelles du music-hall —, et toutes les grandes vedettes* s'y sont fait entendre : M. Arnaud*, R. Anthony*, H. Aufray*, C. Aznavour*, J. Baker*, A. Barrière*, G. Bécaud*, G. Brassens*, J. Brel*, les Compagnons de la chanson*, J. Gréco*, E. Piaf*, F. Solleville*, A. Sylvestre*, et toutes les vedettes* du yéyé*

(J. Hallyday* notamment), qui ont bénéficié de sa puissante sonorisation.

orchestration. Avec le développement du disque*, l'orchestration d'une chanson a pris de plus en plus d'importance. En règle générale, un orchestrateur (on dit aussi un « arrangeur ») écrit les diverses parties de l'accompagnement d'orchestre en fonction du nombre de musiciens dont il disposera pour l'enregistrement (de trois ou quatre à une soixantaine), de la personnalité de l'artiste qu'il doit accompagner, de l'atmosphère de la chanson et souvent de la mode du moment. L'importance de l'orchestration est considérable : *la Mer*, écrite en 1938, chantée sans grand succès par l'auteur, C. Trenet*, vers 1942, est devenue un grand succès après l'orchestration de Jacques Lasry (1945). L'alliance du style de l'orchestration et du style du chanteur permet des réussites comme celles de F. Rauber* accompagnant J. Brel*, B. Castella* et Y. Montand*, C. Bolling* et Brigitte Bardot, Mickey Baker et C. Magny*, Raymond Bernard et G. Bécaud*, etc. Le style de l'orchestration a varié avec l'histoire de la chanson. C'est ainsi que l'orchestration de 1925-1940, sans abandonner des formes traditionnelles (musette), subit par ailleurs l'influence du jazz* et du renouvellement de la chanson, avec D. Reinhardt*, Stéphane Grapelly, M. Emer* (qui accompagnent notamment J. Tranchant*), Wal-Berg (Trenet), G. Luypaerts* (Trenet, E. Piaf*, J. Sablon*), Michel Warlop et ses cordes, Jacques Metehen et le swing de J. Hess*, etc. Dès avant guerre et jusqu'à nos jours, des orchestres permanents adoptent un style où le jazz s'unit à la fantaisie pour accompagner des chanteurs (F. Adison*, Aimé Barelli, Jo Bouillon, Jacques Hélian, R. Legrand*, R. Ventura*, etc.).
L'orchestration contemporaine se partage entre plusieurs tendances. Certains orchestrateurs brillants recherchent des sonorités nouvelles, appuyées sur l'art classique du contrepoint et la connaissance du jazz, utilisant savamment la dissonance à l'occasion (A. Goraguer*, M. Legrand, A. Popp*, F. Rauber) ; d'autres sont obnubilés par

la puissance des instruments électriques (yéyé*) ou les trucages, voire les trucs (tempo battu à la main sur chaise de molesquine, peigne raclé, etc.); d'autres encore préfèrent la sobre élégance d'un accompagnement discret, où la guitare classique, la flûte, le hautbois, le piano, etc., s'appuient sur le tempo marqué par une contrebasse (J.-M. Defaye, A. Gaël, L. Liébrard, F. Rabbath, B. Rosso). Certains artistes comme Catherine Sauvage* ont enregistré des disques avec le seul soutien d'un piano (J. Loussier*). Parmi les orchestrateurs contemporains, on peut, en outre, citer Oswald d'Andréa, P. Arvay, F. Aussmann, J. Baïtzouroff, J. Bouchety, G. Calvi*, L. Chauliac, R. Chauvigny, C. Chevallier, A. Grassi*, J. Leccia, M. Magne, A. Motta, L. Petit, Y. Prin, H. Rostaing, P. Spiers, E. Stern*, W. Swingle, M. Villard, etc.

O. R. T. F. (Office de radiodiffusion-télévision française.) V. *radiodiffusion* et *télévision*.

OSWALD (Marianne **Colin**, dite **Marianne**), interprète (Sarreguemines 1903). Elle a raconté dans une émouvante autobiographie, *Je n'ai pas appris à vivre* (Domat, 1948), son enfance, la disparition de ses parents, les années de guerre et la terrible maladie de Basedow qui la rendit muette. Les premières paroles qu'elle put prononcer, « Maman donne-moi le soleil », sont celles d'un personnage des *Revenants* d'Ibsen, Oswald, auquel elle emprunte son pseudonyme. Chanteuse dans un cabaret de Berlin (1925), elle vient à Paris et introduit dès 1934 (Bœuf sur le toit*, ABC*, Bobino*) un ton nouveau dans la chanson (œuvres de Prévert*, Kosma*, Cocteau, Brecht, Clouzot, M. Yvain*, etc.). En 1934, lors de son passage aux Noctambules, *Comœdia* la présente ainsi : « Regard scrutateur, cheveux rouges, masque tour à tour tendre et torturé. » Elle interprète *la Chasse à l'enfant*, *la Grasse Matinée*, *le Jeu de massacre* avec une force convaincante. « Figure de proue, gargouille douloureuse, Marianne Oswald continue de chanter la misère et les souffrances des êtres avec une intensité

d'expression, une véhémence que redoutent d'aucuns confortablement installés dans l'injustice présente. » (P. Barlatier, *Comœdia*, 1935.)

Marianne Oswald, par Jean Cocteau.
Phot. Lauros.

Par la suite, elle joue dans plusieurs films, écrit des scénarios et réalise de nombreuses émissions pour la télévision*.

OUVRARD (Eloi), auteur, compositeur et interprète (Bordeaux 1855 - Bergerac 1938). Il a débuté à Bordeaux à l'âge de onze ans, en pifferaro. Quelques années plus tard, il chante à Paris au concert du

XIXᵉ s. Après avoir exploité le genre paysan, il crée en 1877 le genre « comique troupier » avec une chanson intitulée l'*Invalide à la tête de bois*. Mais ce n'est qu'en 1891 qu'il obtint l'autorisation de paraître en militaire. Ouvrard ne s'est pas confiné dans le seul genre dont il reste le créateur. Il a joué dans une soixantaine d'opérettes. Il est l'auteur et le compositeur de plus de 800 chansons : *la Fille du rémouleur ; les Bidart ; la Machtagouine ; Je te suis ; l'Amant de la cantinière ; le Bi du bout du banc*, chanson qui a été enregistrée sur les boîtes à musique de l'époque ; *Frr-Mi*, dont le succès exigea en quelques jours un tirage de 70 000 exemplaires. Ouvrard quitta la scène en 1911 et devint rédacteur au *Journal de Bergerac*. Il a publié ses Mémoires : *Elle est toute nue...* (vérités sur la vie des coulisses, 1929). Maurice Chevalier* a débuté à l'âge de treize ans avec des chansons d'Ouvrard.

OUVRARD (Gaston), auteur, compositeur, interprète (Bergerac 1890), fils du précédent. Employé de banque, il quitta sa famille à dix-huit ans pour exercer la profession de chanteur, malgré l'opposition paternelle. Il débute en 1909, sous le nom d' « Ouvrard fils », au concert des Galeries (actuellement cinéma Concordia, rue du Faubourg-Saint-Martin). Sa première chanson est l'*Amant de la cantinière*, créé par son père. Après la Première Guerre mondiale, il a su habilement rajeunir le genre « comique troupier » sous l'uniforme bleu horizon. Mais, en 1928, il lâcha l'uniforme militaire pour un smocking gris, puis, en 1929, pour le smocking noir. Ce renoncement à l'une des silhouettes types du café-concert* était alors jugé par lui nécessaire, pour prendre une vraie place au music-hall*.

Ouvrard fils, servi par une diction impeccable, s'est rendu célèbre par des chants de volubilité. Citons : *Si j'avais des ailes* (Ouvrard, 1924), *C'est beau la nature* (Ouvrard, 1926), *Suzon la blanchisseuse* (L. Bousquet - Izoird, 1926), *le P'tit Tom*

Ouvrard Fils (1925).
Phot. Larousse.

Pouce (Ouvrard, 1930), *le Soldat sportif* (Koger - Ouvrard, 1935), *Mes tics* (Koger - Ouvrard, 1935), *Je n' suis pas bien portant* (Koger - Ouvrard, 1936).

PQ

PACRA (Jules), interprète (Paris 1833-1915). À treize ans, il est en apprentissage chez un sculpteur où il travaille pendant trois ans. Après 1848, il entre au *National,* comme employé de bureau. De 1854 à 1857, il joue au théâtre (il chante les « Trial » à l'Opéra-comique). Après des débuts au café du Géant, il se fait entendre en province (Lyon, Le Havre). En mai 1863, il remporte son premier succès à l'Eldorado* avec *Ça vous fait de l'effet,* qui resta deux ans à son répertoire. En 1866, il crée à l'Alcazar* : *Ce que c'est qu'un bonhomme, Mon Adèle.* Après un séjour à Bruxelles, il regagne Paris et l'Eldorado (1867), où le nombre de ses créations est considérable.

Surnommé le « roi de la chanson », il a un répertoire composé de chansonnettes de bon goût, « spirituelles, gauloises, dans la ligne de Désaugiers* et de Béranger* » (Ménetière).

Il est le fondateur de la mutuelle des artistes, devenue maison de retraite de Ris-Orangis.

PACRA (Ernest), interprète (Paris 1867-1925), fils du précédent. Tout d'abord typographe, il préféra suivre la voie paternelle. Il connut un rapide succès, qui ne se démentit pas durant vingt-cinq ans. Il a dirigé des scènes de quartier, où il continuait la tradition du vieux café-concert* : en 1894, la Fauvette (avenue des Gobelins) ; en 1901, la Mésange (rue d'Arras) ; en 1912, il rachète Fantasio (bd Barbès). Sous sa direction, le Grand Concert de l'Époque devient Chansonnia (1908). Après sa mort, sa veuve donna à cette salle le nom de Concert Pacra (v. art. suivant).

Pacra (Concert). En 1885, 10, bd Beaumarchais, le Grand Concert de l'Époque prend la place d'un relais d'omnibus. A. Bruant* dirige un moment ce nouveau café-concert* (1899), puis Ernest Pacra* (v. ci-dessus), le baptise Chansonnia (1908). Les spectacles sont composés de pièces en un acte et de tours de chant. Pacra étant mort (1925), la succession une fois liquidée, sa veuve prend la direction de Chansonnia, qu'elle baptise « Concert Pacra », en hommage à son mari. De 1933 à 1962, Mme Pacra a monté des spectacles de music-hall* où de nombreuses vedettes de la chanson se sont fait entendre : M. Aubert*, Barbara*, G. Brassens*, M. Altéry*, etc. Cédé à Pierre Guérin en 1962, le Concert Pacra a été transformé en théâtre du Marais.

Palace, music-hall* qui prit la suite de l'Eden-Concert (fondé en 1881), où s'étaient fait entendre notamment Y. Guilbert*, Paulus*, Polin*, etc., et où s'étaient déroulés les « Vendredis de la chanson » (v. **Chebroux**). Bd Sébastopol jusqu'en 1895, puis rue du Faubourg-Montmartre, M. Chevalier*, Dranem* y ont chanté et, par la suite, le boxeur Georges Carpentier y interpréta, entre autres, une chanson que V. Scotto* avait écrite pour lui. Cinéma de 1931 à 1933, il redevient music-hall sous la direction d'H. Varna (qui l'appelle un moment l'Alcazar). Parmi ses programmes, il présente un « music-hall des jeunes ». Charles et Johnny* devaient y passer un mois, mais n'y chantèrent que trois jours, mécontents de leur place dans le spectacle (déc. 1933). Le Palace redevient ensuite un cinéma.

Que mon
Flacon
Me semble bon!
Sans lui,
L'ennui
Me nuit,
Me suit;
Je sens
Mes sens
Mourans,
Pesans.
Quand je le tien,
Dieux! que je suis bien!
Que son aspect est agréable!
Que je fais cas de ses divins présens!
C'est de son sein fécond, c'est de ses heureux flancs
Que coule ce nectar si doux, si délectable,
Qui rend tous les esprits, tous les cœurs satisfaits.
Cher objet de mes vœux, tu fais toute ma gloire.
Tant que mon cœur vivra, de tes charmans bienfaits
Il saura conserver la fidelle mémoire.
Ma muse, à te louer, se consacre à jamais.
Tantôt dans un caveau, tantôt sous une treille,
Ma lyre, de ma voix accompagnant le son,
Répétera cent fois cette aimable chanson:
Règne sans fin, ma charmante bouteille;
Règne sans cesse, mon cher flacon.

Nous avons pris cette pièce et la suivante POUR
LA FORME.

Nous ne pouvons rien trouver sur la terre
Qui soit si bon ni si beau que le verre.
Du tendre amour berceau charmant,
C'est toi, champêtre fougère,
C'est toi qui sers à faire
L'heureux instrument
Où souvent pétille,
Mousse et brille
Le jus qui rend
Gai, riant,
Content.
Quelle douceur
Il porte au cœur!
Tôt,
Tôt,
Tôt,
Qu'on m'en donne,
Qu'on l'entonne;
Tôt,
Tôt,
Tôt,
Qu'on m'en donne
Vite et comme il faut:
L'on y voit sur ses flots chéris
Nager l'allégresse et les ris.

Panard : chanson en forme de bouteille.
Phot. Lauros.

chanson en forme de verre.

PANARD (Charles-François), chansonnier (Courville, près Chartres, 1691 - Paris 1765). Modeste bureaucrate, il écrivait ses chansons dans les moments de loisirs que lui laissait sa profession. La vie de ce chansonnier-philosophe s'est écoulée paisiblement, loin des intrigues de la Cour. Marmontel voit en lui le « père de la chanson morale ».
Sa chanson les Maximes semble être le reflet de sa règle de vie, tandis que les Étonnements et Dans ma jeunesse contiennent une critique mordante des mœurs du siècle. Il fut l'un des fondateurs du Caveau*.

Parisiana, café-concert*, 27, bd Poissonnière. Construit, en 1894, sur l'emplacement de la Splendide Taverne par Debasta*, alors directeur de l'Horloge*, qui inaugura à Paris la formule « entrée libre » (on ne payait que les consommations). Il aurait fait rapidement faillite si les frères Isola n'avaient racheté son établissement. Ils engagèrent Paulus* comme tête d'affiche (1897). Celles-ci, rédigées en termes ambigus, laissaient croire que le célèbre chanteur était le directeur de Parisiana. Ce café-concert occupait par son importance la troisième place, après la Scala* et l'Eldorado* (Jacques-Charles*). On put y applaudir : Fragson*, Bourgès, Ouvrard*, Boucot*, Bruant*, Mansuelle, Max-Dearly*, Gabin (père), Vilbert (comique troupier méridional qui eut son heure de succès), Mmes Anna Thibaud*, Mealy, Félicia Mallet, Paula Brébion, Tariol-Beaugé, Marcelle Yrven, Musidora, Odette Dulac, Esther Lekain*, Spinellly, etc. Les Isola cédèrent Parisiana à Ruez (1902), qui y monta des revues (avec Maurice Chevalier*).

En 1911, Parisiana devint un cinéma.

parisien (Concert). V. *Mayol (Concert).*

parisienne (chanson) [v. 1570], type de chansons, œuvres de musiciens parisiens (Sermisy*, Passereau*, Certon*, Janequin*, etc.), éditées par Pierre Attaingnant. — Auparavant la chanson avait été l'apanage de l'école franco-flamande (Willaert, Ockeghem*, Pierre de La Rue*, etc.).

Dans la chanson parisienne, la musique s'adapte parfaitement à la césure poétique. « Désormais, c'est le texte littéraire qui dicte ses lois à la forme musicale..., la musique commente le texte. » (Fr. Lesure.)

PARNY (Evariste, Désiré **de Forges de**), auteur, compositeur (Saint-Paul, île Bourbon, 1753 - Paris 1814). En 1773, au cours d'un congé, après avoir été reçu gendarme de la garde du roi, il noue une liaison avec Esther Lelièvre, créole de treize ans, qui, sous le nom d'Eleonore, lui inspire les plus marquantes des *Poésies érotiques* (1788) et qui valent à Parny d'être appelé « le Tibulle français ». En 1785, à Pondichéry, il écrit *Douze Chansons madécasses*, ses plus belles pages de prose. Les œuvres qui suivront ont perdu la grâce et le naturel. *L'Hymne pour la fête de la jeunesse* est parue avec une musique de Cherubini (1799). Au moment de sa mort, celui qui n'avait voulu que la gloire du poète n'avait plus comme revenus que les 1 000 F de l'Académie française, où il avait été élu en 1803. Béranger* lui a dédié une chanson : *Parny n'est plus* (- Wilhem*).

Des poèmes de Parny furent mis en musique, par lui-même, par Wilhem (16 pièces), par Zoé de La Rue, par Louis Durey (1920) ; enfin, Maurice Ravel a écrit la musique de *Trois Chansons madécasses* (1926).

parodie. À l'origine, la parodie n'était pas forcément de genre burlesque. Le poète choisissait un air déjà utilisé et composait sa chanson sur la césure musicale. Il pouvait, dans la parodie, se permettre certaines licences, élisions, etc.

Les chansons écrites sur des timbres* sont des parodies ; de même les messes du XVIe s. dont le thème est constitué par des chansons furent appelées « messes parodiées ». Les chansonniers satiriques de l'époque du Caveau* à celle de Montmartre* utilisèrent souvent des timbres. En 1725, les éditeurs Ballard publient *la Clé des chansonniers* ; en 1811, Capelle publie *la Clé du caveau*. Ces deux ouvrages mettent à la disposition des chansonniers les mélodies de nombreuses chansons pour leurs parodies.

Cette pratique est plus rare de nos jours, mais elle demeure, le plus souvent, dans un but satirique. En 1967, les parodies antigaullistes de Suzanne Gabriello suscitent une protestation indignée de François Mauriac lors de la « première » à l'Olympia*.

La parodie contemporaine plaque parfois des paroles sur une mélodie tirée d'une œuvre classique : *Tristesse* (d'après l'*Étude no 3* de Chopin) ou l'*Étranger au Paradis* (d'après *les Danses Polovtsiennes* de Borodine). Mais elle est presque toujours volontairement burlesque. Ainsi le groupe vocal* des Quatre Barbus* chante l'histoire de la *Pince à linge*, écrite par F. Blanche* sur les thèmes de la *Cinquième Symphonie* de Beethoven.

parolier. V. *auteur.*

pastiche (de l'italien *pasticcio*, pâté), ancêtre du pot-pourri* (il se confond actuellement avec la parodie*).

pastorale ou religieuse (chanson). Distincte du chant religieux, du cantique, de la musique liturgique, de la prière, la chanson pastorale utilise les formes de la chanson contemporaine (rythmes, mélodies, images, orchestration) et ses modes de diffusion (disques, récitals, galas, radio) pour exprimer une foi religieuse dans un langage quotidien. L'apparition du père Duval sur une scène en 1956 a donné naissance à une nouvelle catégorie de chansons, le plus souvent composées et interprétées par des prêtres ou des religieuses catholiques : RR. PP. Bernard, o.f.m., Cocagnac, o.p., Didier, o.f.m., Rimaud, s.j., abbé Colombier, Sœur Sourire (dominicaine), Jacqueline Lemay, o.m.m.i., etc. De même le pasteur protestant Decker. S'accompagnant le plus souvent à la guitare, chantant à l'occasion pour de vastes auditoires (le père Duval à l'ancien palais des Sports, au Gaumont, 1960), leur but a toujours été pastoral : « Je suis un missionnaire qui chante, je ne suis pas une vedette*. » (Père Duval.) Ils ont vu dans la chanson un moyen d'actualiser leur message. Leur succès a été considérable en milieu chrétien : plus de 600 000 disques du père Duval ont été vendus. Quelques laïcs ont également composé des chansons dans un but similaire (Michel Frenc, Marie-Claire Pichaud, John Littleton*, Michel Prophette, Pierre Selos, etc.). Leurs œuvres partent souvent de l'événement (Sur la colline, inspiré à Guy Thébaud par la guerre d'Algérie), de la vie des humbles (le père Duval, Rue des Longues-Haies) et traduisent la souffrance devant le mal (le père Duval, Le ciel est rouge) ou la beauté de la création (M.-C. Pichaud, Il y eut un soir). Mélodies et rythmes font parfois appel au jazz*, au blues, à la tradition française dans le style de C. Trenet*. À côté de quelques maladresses d'amateurs, certaines de ces chansons constituent d'intéressantes créations du point de vue esthétique (G. Thébaud, Hommes de Galilée), qui atteignent parfois poésie et pathétique (le père Rimaud ; le père Duval, Par la main).

pastourelle, chanson dialoguée dans laquelle un galant d'une classe élevée tente, avec ou sans succès, de séduire une bergère. La pastourelle remonte au XIIe s. De genre courtois et aristocratique, sa vulgarité apparente n'est que le jeu d'esprits cultivés qui traduisent assez bien le mépris du seigneur pour le serf (À la fontenelle...).
La pastourelle contient en elle-même les éléments d'un petit opéra-comique : le Jeu de Robin et Marion (Adam* de la Halle) ou le Devin du village (J.-J. Rousseau*) ne sont que des pastourelles mises à la scène.
Malgré ses origines aristocratiques, la pastourelle est la forme de chanson qui passe

le plus facilement et le plus rapidement au folklore*. Sous une même forme, ses thèmes sont nombreux, mais il est difficile d'en citer des exemples concrets, un même thème se retrouvant dans plusieurs provinces sous des titres différents.
Généralement, la bergère est vertueuse. Elle repousse les propositions du galant. Celui-ci peut être audacieux ou courtois, mais, tout en refusant les offres du seigneur, la bergère s'amuse à le berner. Elle est parfois cupide, souvent ambitieuse, toujours rusée. Parfois, le seigneur ne joue que le rôle d'un médiateur entre deux bergers. Quelques rares pastourelles montrent une bergère succombant à l'attrait (?) d'un barbon.

PATACHOU (Henriette **Ragon,** dite), interprète (Paris 1918). Dactylo, employée, commerçante, elle est, à partir de 1948, directrice d'un célèbre cabaret-restaurant, « Chez Patachou », où elle chante et fait débuter notamment G. Brassens* (1952). Elle enregistre Bal chez Temporel, dont le compositeur, G. Béart*, est encore peu connu ; elle a ainsi aidé le renouvellement de la chanson contemporaine. Elle a chanté aussi les œuvres de L. Ferré*, G. Van Parys*, C. Aznavour*, E. Stern*, E. Marnay*, etc.

PAULUS (Jean-Paul **Habans,** dit), interprète (Saint-Esprit, près Bayonne, 1845 - Saint-Mandé 1908). Il passe sa jeunesse à Bordeaux, où il est successivement clerc d'avoué, commis d'un négociant en vins, employé dans une agence de loterie. Il s'essaie dans de nombreuses sociétés d'amateurs sous le nom de « Paulin ». Lansade, comique régional réputé, le conseille, lui trouve son pseudonyme et le fait débuter dans un café chantant d'Oléron. Deux ans plus tard, Paulus part pour Paris, où, dans la journée, il travaille chez un marchand de lampes et, le soir, chante dans des goguettes*. En 1868, il débute à l'Eldorado* avec Buvons sec, le Vin d'Argenteuil, On n'en fait plus. Paralysé par le trac, il se fait emboîter. Son contrat est annulé séance tenante. Il retourne à Bordeaux, où il travaille et découvre le genre « gambilleur » qui sera le sien. Il décroche un engagement à Toulouse, au Jardin oriental. Il y chante *les Pompiers de Nanterre* (Burani - Louis), crée *les Cocardiers* (Mérigot - Boullard), chanson anodine dont il fait une satire du régime impérial. Après quelques saisons en province, il est engagé aux Ambassadeurs*, où il connaît, cette fois, le succès, avec des chansons dont toute littérature est absente, comme *J' suis chatouilleux* (Tourte et Robillard). À la fin de l'année, il rentre en vedette à l'Eldorado, où il remet à la mode la *Tour Saint-Jacques* de Darcier*. Il reste dans ce café-concert* jusqu'en 1878, date à laquelle son caractère violent le fit expulser *manu militari*, après une bagarre avec un musicien de l'orchestre. Il accepte alors un engagement à la Scala*, avec des appointements énormes pour l'époque : 80, puis 150 F par jour. Mais, là aussi, son mauvais caractère le fit condamner à 50 F d'amende, pour s'être colleté avec un auditeur, coupable d'avoir lu son journal pendant son tour de chant! En 1882-1883, il chante au Concert parisien*. Ses cachets augmentent : 175 F par soirée. Il mène la vie à grandes guides et achète un hôtel particulier à Neuilly. En 1885, alors qu'il avait signé un contrat de trois ans, il signifie à Régnier, directeur du Concert parisien, qu'il ne reprendrait pas son service.

Il est condamné à 30 000 F de dédit. M. Allemand, directeur de la Scala, s'offre à le payer à condition que Paulus revienne à la Scala. Il se partage alors entre ce café-concert et l'Alcazar* d'été.

Le 14 juillet 1886 devait sonner son heure de gloire : ayant entendu aux Folies-Bergère* un air de ballet de Désormes, particulièrement entraînant, il demande à ses auteurs favoris, Delormel et Garnier*, d'y adapter des paroles. Ce sera *En revenant de la revue*, énorme succès populaire, qu'Anatole France baptise « l'Hymne des braillards et la Marseillaise des mitrons et des calicots », qui sera bientôt suivi des *Piou-pious d'Auvergne* (Antonin Louis). Dès lors, Paulus devient une sorte d'idole* des foules aux cachets astronomiques (400 F par soirée). Pendant l'exposition de 1889, sa vogue était si grande que l'on devait fermer les portes de l'Alcazar

d'été dès 9 heures du soir, tant était nombreuse la foule qui se pressait pour l'entendre chanter son nouveau triomphe : *le Père la Victoire* (Delormel - Garnier - Ganne).

Il fonde avec ses paroliers la *Revue des concerts* et, en 1889, retourne au Concert parisien, sous la direction de Musleck. Il effectue ensuite une tournée en Europe centrale (1889 - 1890), puis en Amérique (1891).

Paulus avait placé son énorme fortune dans plusieurs affaires commerciales qui se trouvèrent désastreuses. En 1892, il prit la direction de l'Alhambra de Marseille et celle de Ba-ta-clan*, mais dut liquider rapidement ces deux établissements. Il chanta encore durant une dizaine d'années, mais son succès suivit le cours de sa fortune, et, en 1906, on dut donner une représentation à son bénéfice, qui rapporta 30 000 F. Il mourut d'artériosclérose, dans un petit rez-de-chaussée de Saint-Mandé. De nombreux artistes tentèrent d'imiter Paulus : Arnaudy, Ennery, Alibert*, Geo Pomel, qui essaya même de reprendre le pseudonyme en 1929. « Le talent de Paulus fut souple, large, il a créé un genre et a su donner à ce genre une forme attrayante et neuve. » (M. Bernheim.)

PAYSAN (Annie **Roulette**, dite **Catherine**), auteur (Aulaines, Sarthe, 1926). Enseignante, romancière de talent (*Nous les Sanchez*, 1961), C. Paysan a écrit des recueils de poèmes (*la Musique du feu*, 1967) et des chansons qui, souvent interprétées par Francesca Solleville*, font apparaître une forte personnalité, un poète robuste, connaissant la valeur des mots et des sons (*la Patronne de beuglant*, *Chanson pour Catherine Paysan*). Elle a enregistré elle-même quelques-unes de ses chansons (1967).

PEIRE d'Auvergne, troubadour (XIIᵉ s.). Fils d'un bourgeois de Clermont-Ferrand, beau et avenant de sa personne, il fut regardé comme l'un des meilleurs troubadours jusqu'à l'apparition de Guiraut* de Bornhel. Il se destinait tout d'abord à la carrière ecclésiastique et fut pourvu d'un canonicat. Pendant ses études, il écrit : « Jamais avant moi, ne furent écrits de vers parfaits. » Ce sentiment de supériorité se manifeste dans une curieuse composition : *Chanterai d'aquestz trobadors*, qui est une satire du milieu littéraire de son époque : il cite une douzaine de ses collègues et les gratifie à mesure d'épithètes peu flatteuses.

Il séjourna en Espagne, à la cour de Sanche III de Castille, puis à Narbonne, chez la comtesse Ermengarde, et à Toulouse, chez Raimond V. Il laisse 24 pièces, dont une chanson notée et une tenson avec Bernard de Ventadour.

PEIRE VIDAL, troubadour* (fin XIIe-début XIIIe s.). Le plus fantaisiste des troubadours. Il partit pour l'Orient et se maria avec une Grecque de l'île de Chypre, dont on lui raconta qu'elle était la nièce de l'empereur de Constantinople et qu'à cause d'elle il avait des droits à l'Empire. Aussi s'était-il fait faire des armoiries et se faisait-il appeler empereur. Amoureux de toutes les femmes qu'il rencontrait, et ne s'en tenant pas à l'amour platonique, il dut s'enfuir à Gênes, puis en Syrie, pour échapper à un mari outragé. Une autre fois, il se déguisa en loup et manqua d'être dévoré par des chiens. Cette aventure nous vaut l'une de ses plus jolies chansons : *De chantar m'era laissatz*. Il laisse 50 pièces lyriques, dont 12 notées.

Perchoir (le), cabaret, 43, rue du Faubourg-Montmartre, qui connut une grande vogue à la fin de la Première Guerre mondiale. Son directeur en était Jean Bastia*, assisté de Saint-Granier*, qui y effectua sa rentrée en 1917. Lors de l'inauguration, les ouvreuses remettaient 0,25 F de pourboire aux spectateurs. Au bar, Bastia et Saint-Granier trônaient, déguisés en barmen ; un écriteau indiquait : « Pour la coco, parlez bas au garçon. » La police s'émut et fit enlever l'écriteau.

Chantèrent au Perchoir : Noël-Noël*, Jean Rieux*, Paul Colline*, Mauricet*, Marie Dubas*, etc. D'excellentes revues y furent jouées. Roger Ferréol* en devint le directeur en 1929 et changea le titre en celui de « théâtre de la Caricature ». Des peintures marouflées, œuvres de Noël-Noël*, ornaient les murs : elles représentaient les chansonniers et leurs têtes de turc habituelles. Ferréol reprit ensuite le nom de « Perchoir » pour son cabaret, avant que celui-ci se transforme en cinéma.

PERDIGUIER (Agricol), dit **Avignonnais-la-Vertu,** chansonnier, éditeur et compagnon menuisier (Morières, près Avignon, 1805 - Paris 1875). Entré dans le compagnonnage en 1823, il mena la vie itinérante des compagnons jusqu'en 1848, où il fut élu représentant de la Seine à l'Assemblée législative. Incarcéré en 1851, expulsé de France, à son retour (en 1860) il ouvrit une librairie spécialisée dans les publications compagnonniques, où il a édité en particulier les chansons composées soit par lui, soit par les compagnons.

PERRET (Pierre), auteur, compositeur, interprète (Castelsarrasin 1934). Fantaisiste dont l'humour farfelu (*Ça va bien, ça va mal ; la Bérésina*) est parfois haut en couleur (*le Tord-boyaux*).

Petit Cheval noir (le), société épicurienne et chantante, fondée à Strasbourg en 1860 et se réunissant dans une brasserie du même nom, dirigée par M. Woltz.

Petit Théâtre (le) V. *Moulin de la chanson.*

PHILIPPE (Charles **Lephilipponat,** dit **Pierre**), compositeur (1909). Accompagnateur des Frères Jacques*, il a écrit la musique de chansons (*Général à vendre,* - F. Blanche*) et d'opérettes (*la Belle Arabelle,* - Marc Cab, G. Lafarge, F. Blanche, 1956).

PHILIPPE-GÉRARD (Philippe **Bloch,** dit), auteur, mais surtout compositeur (São Paulo, Brésil, 1924). Il a écrit la musique de nombreux succès, sachant accorder son inspiration à des textes de caractères divers, mais presque toujours d'une qualité littéraire marquée comme *C'est à l'aube* (- Flavien Monod, par Y. Montand*, 1950), *Octobre* (- J. Dréjac*, par C. Vinci*, 1966). Il a mis en musique de nombreux poèmes, de Mac Orlan*, Nazim Hikmet, P. Seghers*, F. Carco*, etc. L'une de ses meilleures réussites est la longue et forte mélodie d'*Un homme passe sous la fenêtre et chante* (- L. Aragon*, par F. Solleville*). Il réussit aussi dans la chanson plus fantaisiste (*le Chat de la voisine*, - René Lagary, par Y. Montand*, 1958) ou de caractère (*Harlem*, - François Moslay, 1946).

PIAF (Giovanna **Gassion,** dite **Edith**), auteur, compositeur, interprète, a créé un style qui a marqué la chanson (Paris 1915-1963).
Elle a connu la misère de la rue, qu'elle a chantée de toute son âme. Elle naquit sur un trottoir, devant le 72 de la rue de Belleville (l'ambulance était en retard). Ses parents étant séparés, elle est élevée par ses grand-mères et par une tante. Aveugle à quatre ans, elle recouvre la vue après un pèlerinage à Lisieux (1919). « Je suis croyante », dit-elle dans ses souvenirs (*Au bal de ma chance*, 1958). Après une adolescence difficile (elle chantait notamment dans les casernes), alors qu'elle chantait un jour de 1935 au coin de la rue Troyon et de l'avenue Mac-Mahon *Comme un moineau* (de J. Lenoir*), un passant, frappé par sa voix, lui propose de passer en cabaret. C'était Louis Leplée, directeur du Gerny's, 54, rue Pierre-Charron, où elle débute, baptisée « la Môme Piaf » par Leplée. Elle interprète des succès de Damia*, T. Rossi* et, bientôt, l'*Étranger*, qu'elle apprend en entendant A. Lajon répéter chez un éditeur. Un nouveau drame la marque profondément : L. Leplée est assassiné dans des conditions restées mystérieuses (1936). Elle est aidée par J. Canetti (Radio-Cité) ; elle chante en music-hall* (ABC*, 1937), rencontre R. Asso*, dont elle interprète des chansons bientôt célèbres (*le Fanion de la légion*, chanté aussi par M. Dubas*), puis *Paris-Méditerranée, C'est lui que mon cœur a choisi, le Petit Monsieur triste*, etc. Par la suite, M. Emer* (*l'Accordéoniste*, 1939), H. Contet* (*Y' a pas d' printemps*) seront ses auteurs favoris, M. Monnot* étant son compositeur préféré (*C'était un jour de fête*). Elle chante aussi les œuvres de C. Du-

mont*, F. Lai, Louiguy*, R. Rouzaud*, M. Rivegauche, Michel Vaucaire*, etc. E. Piaf poursuit une carrière bientôt triomphale en France et à l'étranger. Le public populaire trouve dans ses chansons l'expression des espoirs et des souffrances de la vie quotidienne, sans faire de partage entre son répertoire et sa vie personnelle, marquée par les succès et les drames. En 1945, elle s'intéresse à Y. Montand*, encore inconnu, puis elle chante avec les Compagnons de la chanson*, incitant leur chef, J.-C. Jaubert*, à choisir un répertoire

Edith Piaf, par Max Bouvet.
Doc. Pathé. Phot. Larousse.

moderne. Leur disque commun, les Trois Cloches (Gilles*) atteint 1 million d'exemplaires. Elle a fait connaître de nouveaux interprètes et auteurs (F. Marten, G. Moustaki*); elle a été parmi les premiers interprètes de G. Bécaud*, C. Aznavour*. Elle a été mariée à J. Pills* (1952-1956). Jusqu'à la fin de sa vie, elle a chanté la force de l'amour (À quoi ça sert l'amour?, avec Théo Sarapo, qu'elle venait d'épouser, 1962). Ses obsèques au Père-Lachaise sont suivies par une foule considérable.

Elle a joué la comédie (le Bel Indifférent, Cocteau, 1960), l'opérette (la Petite Lili, M. Monnot* - M. Achard, avec E. Constantine), tourné des films (Étoile sans lumière, 1945), écrit une trentaine de chansons (la Vie en rose, C'était un jour de fête, le Vagabond, les Yeux de ma mère). Mais elle a été surtout une voix tragique et puissante : « Et voilà qu'une voix qui sort des entrailles, une voix qui l'habite des pieds à la tête, déroule une haute vague de velours noir. » (J. Cocteau.) Cette voix aurait pu, disait B. Vian*, chanter l'annuaire du téléphone avec succès. Son répertoire exprimait la fatalité du destin (la Foule, C'est toujours la même histoire) et la croyance en l'amour malgré la souffrance qu'il apporte (D' l'autre côté d' la rue, les Amants d'un jour). On y trouve toute une mythologie populaire de légionnaires, marins, filles malheureuses, bals de quartier, départs dans des ports brumeux, petits hôtels. J. Prévert* et H. Crolla* lui ont écrit une chanson qui reste son image : Cri du cœur.

Pie-qui-chante (la), cabaret artistique, 159, rue Montmartre, fondé en 1907 par Charles Fallot* et Paul Marinier*. Après des débuts difficiles, qui occasionnèrent le départ de Marinier, Fallot trouva un commanditaire, et son cabaret connut une ère de succès et de prospérité. En 1921, on y entendait Y. George*, qui venait de remporter un succès à l'Olympia*, Noël-Noël*, Paul Colline*, Marc Hély. En 1931, après un spectacle qui réunissait les noms de Mauricet*, Léonce Paco, Goupil, Musidora, Pierre Dac*, France Martis et Perchicot, la Pie-qui-chante passa sous la direction de Simone Azibert, qui baptisa son cabaret

« Caricature », avant que celui-ci disparaisse, remplacé par une chemiserie en gros.

PIIS (Pierre-Augustin **de**), chansonnier et vaudevilliste (Paris 1755-1832). Son père étant le lieutenant-colonel baron de Piis, major du Cap-Français à Saint-Domingue, il se prévalut, à certaines périodes de son existence, du titre de chevalier.

En 1784, il est nommé secrétaire interprète du comte d'Artois. Il publie alors son premier recueil de chansons. Pendant la Révolution, il rentre prudemment titres et particules pour devenir le « citoyen Piis » et se fait remarquer par un jacobinisme intransigeant, ce qui ne l'empêche pas de fuir dans le Midi durant la Terreur. Il publie, l'an II de la République, des chansons patriotiques, parmi lesquelles une chanson est intitulée De l'inutilité des prêtres. Dix ans plus tard, notre girouette ayant tourné au vent de l'histoire, il composera une chanson en l'honneur de l'archevêque, des grands vicaires et des curés de Paris, une autre chanson chantant les bienfaits du Concordat. À cette époque, Piis était secrétaire général de la Préfecture de police (poste qu'il conserva jusqu'en 1814); aussi accorde-t-il sa lyre pour célébrer Napoléon. Ce qui ne l'empêche pas de composer le God save the King des Français, en l'honneur du retour de Louis XVIII. Pendant les Cent-Jours, il réintégra la Préfecture de police, en qualité d'archiviste, et, à la seconde Restauration, il obtiendra du comte d'Artois la restitution de la place qu'il avait avant la Révolution. Il mourut de l'épidémie de choléra de 1832. Il serait injuste de juger le chansonnier sur l'opportuniste. Piis a fait beaucoup pour la chanson. Il fonda avec Barré le théâtre du Vaudeville*, puis les Dîners du Vaudeville* et, enfin, le Caveau* moderne.

L'Académie refusa par trois fois de l'admettre dans sa compagnie. Cependant, Piis a composé d'excellentes chansons et en particulier : Sur les disputes musicales, satire mordante de la querelle des Bouffons; les Troubadours modernes; l'Huître; les « Mais ». Il est cependant le seul chansonnier à avoir écrit l'Éloge de la police.

PILLS (René **Ducos,** dit **Jacques**), interprète (Tulle 1910). Les duettistes Pills et Tabet* font une entrée fracassante dans la chanson au Casino de Paris* (1933) avec *Couchés dans le foin* (Mireille* - J. Nohain*). L'œuvre, les auteurs, les interprètes apportent un ton nouveau qui séduit par sa fraîcheur, la conjonction charmante du jazz* et de la tradition française, l'ironie légère des paroles et de la musique. C'est l'époque de Gilles et Julien*; ce sera bientôt celle de Charles et Johnny*. Prix du Disque, vedettes de tournées, Pills et Tabet interprètent jusqu'en 1940 des succès de P. Misraki* (*C'est une joie qui monte*), de J. Tranchant* (*Ici l'on pêche*), le plus souvent de Mireille et J. Nohain (*Pourquoi t'es-tu teinte, la Rue des Acacias*), des opérettes (*la Belle Saison*, avec Lucienne Boyer*), des films (*Prends la route*, 1937). Dès 1937, J. Pills a enregistré seul *À mon âge* (J. Boyer* - G. Van Parys*). Il entame une deuxième carrière, chantant seul *Dans un coin de mon pays* (B. Coquatrix* - J. Féline, 1940), *Chaque chose à sa place* (G. Van Parys - J. Boyer, 1940). Il joue *le Bel Indifférent* de J. Cocteau avec E. Piaf* (qu'il épouse, 1952-1956) et mène une carrière d'interprète de la chanson (*Ça gueule ça, madame*, E. Piaf - G. Bécaud*, 1952) et d'acteur de cinéma (*Seul dans la nuit*).

PILLS et TABET. V. *Pills (Jacques).*

PINGAULT (Claude), auteur, compositeur (Paris 1902). On lui doit de nombreuses chansons à succès comme *le Petit Train départemental* (- T. Richepin, 1935), *Johnny Palmer* (- Ch. Vebel*, par Damia*, 1936), *la Révolte des joujoux* (- Ch. Vebel, par Guy Berry, 1935), etc. Il a composé la musique de l'opérette *Plume au vent* (- J. Nohain*, Ch. Vebel, 1941).

PIRON (Charles Alexis), chansonnier et auteur dramatique (Dijon 1689 - Paris 1773). Fils d'Aimé Piron, apothicaire, qui rimait en patois bourguignon des chansons bachiques* et des noëls, il fut élève du célèbre collège des Godrans. À dix-huit ans, ses études terminées, il voulut se consacrer à la poésie, mais son père le

fit entrer chez un financier, où sa conduite le fit remercier au bout de trois mois. Il fit ainsi plusieurs places, et le désespoir de sa famille, jusqu'au jour où, décidé à travailler, il alla faire son droit à Besançon. Il revint à Dijon, dans le but d'exercer la profession d'avocat : pure velléité !... Après une équipée contre les Beaunois, son père l'expédia à Paris, où il fut quelque temps secrétaire du chevalier de Belle-Isle. En 1722, il réussit le tour de force de faire représenter, au théâtre de la Foire-Saint-Germain, un opéra-comique, *Arlequin Deucalion*, qui n'était en réalité qu'un monologue, qui eut un succès retentissant et qui classa Piron parmi les meilleurs auteurs dramatiques de son temps. Les nombreux opéras-comiques de Piron représentés aux théâtres des Foires contiennent de nombreuses chansons. Lui-même a écrit des chansons, que l'on suppose bien plus érotiques ou grivoises qu'elles ne le sont en réalité. Toute sa vie fut marquée par une œuvre, écrite à vingt-deux ans, l'*Ode à Priape*, qui fit se fermer devant lui les portes de l'Académie française. 3 odes sacrées, 1 hymne à la Vierge, 1 paraphrase des 7 Psaumes et de nombreuses chansons laudatives sur Louis XV n'effacent pas le souvenir de cette « ode ». Piron a été l'un des fondateurs du Caveau*.

PITOU (Ange Louis), chansonnier et journaliste (Valainville, près de Châteaudun, 1767 - Paris 1846). Il commença par garder les vaches familiales, mais, ayant perdu son père en 1776, il fut recueilli par une tante acariâtre, qui, après qu'il eut fait de bonnes études au collège de Châteaudun, le força à entrer au séminaire de Chartres. Au moment d'être ordonné, il s'enfuit et débarque à Paris en 1789, en pleine émeute. Il commence alors une carrière de journaliste dans des feuilles royalistes, et ne tarde pas à devenir suspect. Il est obligé de se cacher, mais continue cependant ses activités dans les journaux réactionnaires, si bien qu'il est arrêté le 1er octobre 1793, après avoir chanté en public une chanson séditieuse. Il est relâché après être passé devant le tribunal révolutionnaire. À la chute de Robespierre,

Ange Pitou chantant place Saint-Germain-l'Auxerrois. Phot. Lauros.

il reprend ses activités de journaliste contre-révolutionnaire, ce qui le conduit périodiquement en prison. Il décide alors de se consacrer exclusivement à la chanson. Il chante sur les places publiques devant un auditoire de plus en plus nombreux, et se fait de nouveau emprisonner à la Force, où il restera cinq mois. À sa libération, il recommence à chanter et se fait si souvent emprisonner qu'il laisse à la Force son bonnet de nuit. Le 18 fructidor an V de la République, le gouvernement décide de se débarrasser de ce trublion, l'incarcère à nouveau et le fait passer en jugement. Il est condamné pour avoir conspiré contre la République (ce

qui était vrai) et pour avoir, en public, fait des gestes indécents (ce qui était faux). Il est déporté à Cayenne, où il reste jusqu'en 1801. Mais, ayant dès son retour publié ses souvenirs de déportation, il est immédiatement incarcéré à Sainte-Pélagie. Au bout de dix-huit mois, Napoléon le fera relâcher en disant : « Plaise à Dieu que tous ceux qui me servent aient pour moi autant d'énergie qu'Ange Pitou en a montré pour la cause des Bourbons. »

Pitou s'assagit, se marie et s'établit libraire. Il essaie de publier ses anciens succès, mais, le vent ayant tourné, il est mis en faillite. Au retour des Bourbons, il vit d'une pension accordée par Louis XVIII. Au moment de l'assassinat du duc de Berry (1820), le journaliste réapparaît pour entamer une polémique d'un goût douteux sur l'authenticité du lit dans lequel était mort ce prince. Et Pitou termine ses jours en mendiant dans ces jardins du Palais-Royal témoins de ses succès. Malgré sa vie tumultueuse, Pitou n'est passé à la postérité que grâce à l'opéra-comique de Charles Lecocq *la Fille de M*[me] *Angot* (1872) et au roman d'A. Dumas. Ses chansons politiques sont loin d'être aussi virulentes que d'autres, chantées ou publiées dans le même temps contre la République. Certaines sont nettement pornographiques, telles que *les Collets noirs* ou le pamphlet chanté après la mort de Robespierre : *la Queue, la tête et le front de Robespierre*. Par contre, *la Merveilleuse à l'incroyable* et la *Réponse de l'incroyable* sont d'amusantes satires des snobs de l'époque; et *le Déporté*, écrit à Cayenne, est une émouvante romance*.

Plaisirs du Havre (Société des), goguette* fondée après la Révolution (vers 1798). Au cours des réunions mensuelles, les membres de cette Société composaient des chansons, en général sur des mots donnés, qui ont été réunies en un volume : *les Plaisirs du Havre, ou Recueil de diverses pièces dédiées aux dames.*

planh, déploration mise en musique. Il dérive du *planctus* latin, dont le manuscrit de Saint-Martial de Limoges nous restitue de nombreux exemples : *planctus Karoli* (sur la mort de Charlemagne). Les plus célèbres planhs sont l'œuvre des troubadours* : Daude de Prades, *Be dur esser solatz marritz*; Guiraut Riquier*, *Plès et tristor*; et surtout, le modèle du genre, Gaucelm Faidit*, *Gren chose es que tot la maior dan* (déploration sur la mort de Richard Cœur de Lion). La complainte* succéda au planh.

PLANQUETTE (Robert), compositeur (Paris 1848-1903). Après des études au Conservatoire, il fut lancé au café-concert* par des chansons revanchardes : *la Paysanne lorraine* (- Delormel), *le Régiment de*

Sambre et Meuse* (- Paul Cézanno), *la Première Leçon d'allemand* (- Delormel). Il devint l'un des meilleurs compositeurs de musique légère de son époque. Il a fait représenter des opérettes et des opéras-comiques dont le succès ne s'est pas atténué : *les Cloches de Corneville, Rip, la Cantinière, Panurge,* etc.

PLANTADE (Charles Henri), compositeur (Pontoise 1764 - Paris 1839). Après avoir publié 2 recueils de romances*, le troisième, « dédié aux amateurs », laissait deviner une peine secrète, avec l'*Éducation de l'amour, J'aime une ingrate beauté, l'Ingénue, Voici venir le doux printemps.* La pièce maîtresse, *Te bien aimer ô ma chère Zélie,* d'une vente extraordinaire pour l'époque (20 000 exemplaires), fit choisir son auteur comme maître de chapelle de Louis-Napoléon et maître de chant d'Hortense de Beauharnais. Plantade a publié 21 recueils de romances en plus de celles qu'il composa pour son œuvre dramatique, en particulier : *Je fus orpheline à quinze ans,* dans *Zoé ou la Pauvre Petite* (1800).
Il fut professeur de chant au Conservatoire, directeur de la scène à l'Opéra jusqu'en 1815, puis, jusqu'à la mort de Charles X, maître de musique de la Chapelle royale.

PLANTE (Jacques), auteur (Paris 1920). Il a écrit de nombreuses chansons à la fois populaires et d'une écriture soignée comme *les Grands Boulevards* (- N. Glanzberg*, par Y. Montand*), *l'Enfant prodigue* (- C. Aznavour*), *Maître Pierre* (- H. Betti), etc. Il dirige une firme d'édition de chansons.

play-back (mot anglais, *to ply-back,* rejouer), enregistrement réalisé en plusieurs fois. — Cette technique, souvent utilisée pour la chanson, dissocie le chant et l'orchestre (v. **re-recording**). On enregistre sur bande magnétique l'accompagnement d'orchestre seul; puis l'interprète enregistre le chant à loisir, en suivant l'orchestre grâce à des écouteurs. On « mixe » sur une nouvelle bande magnétique à la fois le chant et l'accompagnement. Ce procédé économise le temps de l'orchestre et permet à un jeune chanteur encore peu expérimenté de répéter jusqu'à un résultat satisfaisant.

À la télévision, dans les émissions de chansons, le play-back consiste à projeter l'image de l'interprète, mais à diffuser un disque (ou une bande) qu'il a précédemment enregistré. L'interprète fait alors semblant de chanter. Ce procédé, très discuté, permet de situer le chanteur dans des cadres différents, avec un montage d'images souvent rapides, sans que la continuité de l'enregistrement sonore ait à en souffrir.

Plume (la), société littéraire et chantante, fondée en 1889 au café de Fleurus (1, rue de Fleurus) par Léon Deschamps, qui venait de créer la revue du même nom. En raison de leur succès, les soirées de la Plume furent transférées assez rapidement dans le sous-sol du café du Soleil d'Or (place Saint-Michel) et, de bimensuelles, devinrent hebdomadaires. Elles eurent longtemps pour animateur le poète Jean Moréas. Continuant l'esprit qui avait présidé aux Hydropathes*, la Plume faisait alterner des poèmes et des chansons : poèmes de Verlaine, Le Cardonnel, Stuart Merrill, R. De La Tailhède, G. Fourest, etc.; chansons de A. Masson, Auriol, E. Héros, M. Legay*, Ponsard*, Lemercier*, Trimouillat*, Montoya*, Yann-Nibor*, etc. J. Ferny*, X. Privas*, G. Dumestre et Léo Lelièvre* y débutèrent.

En 1892, les soirées se complétèrent d'un dîner de la Plume, mensuel, puis d'un salon de la Plume. Ces manifestations moururent avec leur fondateur, aux alentours de 1900.

POLAIRE (Émilie Zouzé Marie **Bouchaud,** dite), interprète (Agha, près Alger, 1877-Champigny-sur-Marne 1939). Son père, fils d'un déporté de 1848, mourut lorsqu'elle avait cinq ans. Sa mère, originaire de Clamecy (Nièvre), qui avait onze enfants, rentre à Paris. À seize ans, elle débute à l'Européen*, où son frère chante sous le nom de « Dufleuve ». Elle a pour tout répertoire De la flûte au trombone. Après trois semaines, elle passe aux Ambassa-

Polaire, par Cappiello.
Le Rire (1900), Phot. Lauros.

deurs* et à l'Eldorado*, où elle restera trois ans, remportant un succès avec Thama-ra-boum-di-hé. En 1896, elle chante en « gommeuse » à la Scala* Je suis mam'zelle gambilleuse et crée un genre que la critique qualifie d' « épileptique ».

Elle n'était entrée au concert que dans l'intention de faire du théâtre. Willy avait remarqué sa taille « capable d'enjalouser une abeille ». Cependant, elle eut de la peine à obtenir le rôle de Claudine qu'elle créa aux Bouffes-Parisiens (1902) et où elle obtint un triomphe. Artiste douée, elle fut pendant une dizaine d'années la reine de Paris, lançant la mode, sortant avec Colette Willy, habillées en sœurs jumelles, pilotant l'une des premières voitures automobiles. En 1923, reprenant, après Mistinguett*, le rôle de Mme Sans-Gêne à la Porte-Saint-Martin, elle n'obtint qu'un succès de curiosité qui marqua son déclin. Elle a publié ses Mémoires : Polaire par elle-même (1933).

POLIN (Pierre Paul **Marsalés,** dit), interprète (Paris 1863 - La Frette - sur - Seine 1927). Après avoir été élève à la manufacture des Gobelins, il débute au concert de la Pépinière (1886), passe au concert du Point-du-jour, à l'Eden-Concert*, où il reste cinq ans, et à l'Alcazar d'été*. Aux Nouveautés, en 1892, il crée, dans *Champignol malgré lui,* le seul rôle civil de la pièce militaire de Georges Feydeau et Desvallières. Son succès est tel qu'il songe à abandonner le café-concert, mais il y revient au bout de six mois et chante à la Scala* l'hiver et à l'Alcazar l'été. Il triomphe dans le genre « troupier naïf », en culotte rouge en basane, avec une veste trop courte, un petit képi et un mouchoir à carreaux, qu'il tortille dans ses doigts pour mieux se donner l'air embarrassé. Il use d'un jargon pseudo-militaire. Après l'époque glorieuse d'Ouvrard* le père, « Polin, qui procède de lui, est passé à l'état de coqueluche », écrivait dès 1893

Polin à l'Alcazar d'été (1899), dessin de Léandre.
Phot. Larousse-Giraudon.

Georges Montorgueil dans l'*Écho de Paris.* Les chansons favorites de Polin étaient *Ma grosse Julie, Mademoiselle Rose, l'Anatomie du conscrit, la Petite Tonkinoise, Ça vous fait tout de même quelque chose, l'Ami Bidasse et la Caissière du Grand Café.* Cet excellent chanteur était un remarquable comédien. Il a joué dans *Chéri* au Palais-Royal (1898), *les Deux Visages* (1909), *la Bonne Maison* (1912), au théâtre Michel. Dans *le Grand Duc,* aux côtés de Jeanne Granier et de Lucien Guitry, il obtint un succès personnel à Edouard-VII (1921).

politique (chanson). La France est le seul pays à pouvoir écrire son histoire en chansons. À côté de chansons qui relatent les grands événements historiques, la chanson politique a pris naissance dès les croisades : propagande pour se croiser avec *Ahi! amors* (Conon de Béthune*), *Seigneurs sachiez* (Thibaut de Champagne*), pamphlet contre le « roi failli » Philippe Auguste, qui avait abandonné ses croisés en Terre sainte : *Maugré tous saints* (Huon d'Oisy). La guerre de Cent Ans est longuement commentée dans le manuscrit de Bayeux, tandis que les victoires de François Ier sont transformées en polyphonies* par Cl. Janequin* et que des chansonniers anonymes donnent un tour plus populaire aux événements : *Mort de La Palice* et *Quand le roi partit de France* (captivité de François Ier, 1525).

Les guerres de Religion fournirent aux partis antagonistes matière à des chansons, placardées sur les murs de Paris et dont les textes sont d'une virulence à peine soutenable : *Description et manière de dire la messe, O gras tondus, les Commandements d'Henri* (Henri IV) et la *Chanson du printemps retourné,* pastiche du poème de Ronsard* *Quand ce beau printemps je voy...* Saint-Amant célèbre en chanson la naissance de Louis XIV, mais les auteurs de mazarinades gardent un prudent anonymat, les textes de ces chansons étant injurieux envers Anne d'Autriche et son ministre : *Mazarin, ce bougeron..., la Chasse donnée à Mazarin,* etc. Cependant, Blot* prête sa muse aux harengères de Paris pour la *Chanson des barricades*

(1649). Si l'on trouve quelques chansons laudatives au début du règne de Louis XIV, dont une chanson signée Corneille et M. Lambert (*le Mariage de Louis XIV*), les scandales de la Cour, les impôts, les défaites, l'abus du pouvoir donnent matière à de nombreuses chansons satiriques. C'est à cette époque qu'apparaissent les noëls de cour*, dont la floraison continuera jusqu'à la Révolution. Une curieuse parenthèse s'ouvre, un peu en marge de l'histoire, avec des chansons sur les quiétistes, les jansénistes et la célèbre bulle *Unigenitus*, ainsi qu'avec des chansons concernant la politique des jésuites en Extrême-Orient. Œuvres de clercs, ces chansons furent un véhicule commode pour les vérités que s'assenaient les adversaires. Sous Louis XV, la satire va bon train, tout en prenant un ton libertin pour commenter les amours royales. Mme de Pompadour s'émut de *Poissonnades*, attribuées au comte de Maurepas, et exigea le renvoi de ce ministre (1749). Après quelques chansons célébrant le « bon roi Louis XVI », la Révolution est commentée au jour le jour, et la chanson prend un tour historique pour nous donner un bon reportage des événements : *la Prise de la Bastille* (1789), *Aux bons citoyens* (Déduit) et *Allons Français au Champ-de-Mars* (fête de la Fédération, 1790). Les chansons quittent le ton de la satire pour celui de la haine : *Carmagnole, Joie du peuple républicain, les Crimes de Marie-Antoinette*; mais l'on voit apparaître dans des chansons la notion de liberté : *le Nom de frère* (Florian), *la Liberté des Nègres* (Piis*) ; elles aboutissent aux nombreux hymnes composés sur ce thème à l'occasion des fêtes révolutionnaires et au *Réveil du peuple* (Gaveaux* - Souriquière, 1795). Malgré la rigueur des temps, certains sujets macabres sont traités avec ironie : ainsi *la Guillotine* se chante sur le *Menuet d'Exaudet*, et le *Raccourcissement du père Duchesne*, sur *Cadet Rousselle*, tandis qu'on avait chanté *les Adieux de Louis* (au moment de la mort du roi) sur le timbre* de *Comment goûter quelque repos*. Tandis que le versatile P. A. de Piis chante le *Vœu des citoyens paisibles*, une chanson au titre suggestif met un terme à la Révolution, *Remettez vos culottes*. L'Em-

pire n'admet guère de détracteurs : seuls, les exploits de Napoléon sont chantés sur le Pont-Neuf*. L'opposition publie ses chansons à Coblence, mais elles courent sous le manteau à Paris : *Carmagnole de Bonaparte, la Campagne de Russie*, etc. La confusion la plus totale régnera durant les Cent-Jours. Une chanson, *la Girouette*, dédiée à Benjamin Constant, reflète bien le climat de l'époque : Piis, après avoir lyriquement célébré l'entrevue de Napoléon et du tsar à Tilsitt sous le titre *Ils se sont embrassés!*, compose pour la rentrée de Louis XVIII à Paris le *God save the King des Français*. Sous la Restauration, les chansonniers furent traqués et emprisonnés à Sainte-Pélagie ou à la Force, ce qui ne les empêcha pas de chanter courageusement, à la suite de Béranger*, en dénonçant les exactions du pouvoir. En même temps, se crée, grâce à Debraux* (*Te souviens-tu?, la Colonne*) et à Béranger (*Souvenirs du peuple, Il n'est pas mort!*), la légende napoléonienne, qui dépasse les limites de la France avec *les Deux Grenadiers* (H. Heine - R. Schumann), mélodie qui ne fait que reprendre le thème d'une chanson de Béranger parue sous le même titre en 1814.

Après que Casimir Delavigne eut célébré les Trois Glorieuses dans une chanson assez plate, *la Parisienne*, écrite sur le timbre d'une chanson allemande, la monarchie de Juillet voit éclore une floraison amusante, mais anodine, de chansons prenant le roi pour cible, *le Père Lapoire, Gros, gras et bête* (Altaroche), tandis que les chansons sociales apparaissent sous la plume de P. Dupont*, L. Festeau* et G. Leroy*. Dès lors, la chanson politique connaît un prodigieux essor grâce aux goguettes*, où s'expriment librement proudhoniens, fouriéristes et saint-simoniens ; cet essor est bientôt arrêté par l'arrivée au pouvoir de Napoléon III, dont la censure est sévère. Des chansonniers auparavant républicains, A. Dalès*, P. Dupont, célèbrent les victoires impériales ; d'autres, comme H. Demanet*, pratiquent un double jeu ; par contre, P. Avenel*, J.-B. Clément*, E. Pottier* restent fidèles à leurs opinions. Avec la guerre de 1870 apparaissent des chansons de propagande

« Le Vendeur de chansons », par Bellenger.

chantées dans les cafés-concerts* : *Ces beaux Prussiens, le Mobile parisien* (Châtelin), rodomontades remplacées après Sedan par *le Sire de Fisch-ton-Kan* (Burani-Louis*), qui donne le départ à une ava-lanche de chansons brocardant Badinguet, Trochu ou fustigeant Bazaine. Seuls Pottier et J.-B. Clément à Paris, E. Grangé* à Versailles célèbrent, chacun à sa manière, la Commune. Et encore, *la Semaine*

199

sanglante (J.-B. Clément) ne sera éditée qu'en 1885, et Elle n'est pas morte (Pottier) ne sera composée qu'en 1886. Après la guerre, le café-concert s'emploie à entretenir l'esprit de revanche avec des chansons telles que le Maître d'école alsacien (Villemer - Delormel* - Benza), la Paysanne lorraine (Delormel - Planquette*), Dis-moi quel est ton pays? (Erckmann-Chatrian - Sellenick), l'Oiseau qui vient de France (Fr. Boissière), ou Alsace et Lorraine (Villemer - Nazet - Ben Tayoux), qui connut un regain d'actualité en 1940, sans qu'il fût besoin d'en adapter les paroles. La satire politique se transporte alors à Montmartre* dès l'ouverture des cabarets de chansonniers. Le café-concert lance bien encore deux grands succès populaires : En revenant de la revue (Delormel - Garnier - Désormes), créé par Paulus* à la gloire de Boulanger (1886), et, en 1887, Ah! quel malheur d'avoir un gendre (Carré - Pourny), après le scandale qui éclaboussa Grévy. La parole est à J. Jouy*, Mac-Nab*, Fursy*, Bruant*, Bonnaud*, P. Weil*, Varney*, Hyspa*, Ferny*, etc., qui commentent l'actualité politique, tout en gardant en réserve quelques têtes de Turc de valeur sûre, Loubet, Fallières, Edouard VII, et quelques vedettes de la scène.

Montéhus* « lance » au cours de meetings des chansons soi-disant engagées, pour chanter la « fleur au fusil », dès le début de la Première Guerre mondiale, avec Lettre d'un socialo. Il ne reste d'authentique, de cette époque farcie de chansons de propagande (Verdun, J. Mady; Au bois le Prêtre, L. Boyer; Ma mitrailleuse, Botrel) que la Chanson de Craonne, d'inspiration collective, recueillie sur le front par P. Vaillant-Couturier.

L'esprit montmartrois, qui n'avait pas dételé durant la guerre, retrouva toute son activité jusqu'en 1940, de nouveaux chansonniers prenant la relève des anciens : Marsac*, Martini*, Mauricet*, P. Dac*, R. Dorin*, J. Rieux*, R. Souplex*, R. Rocca*, etc.

Mais, phénomène nouveau dans la chanson moderne, la chanson politique n'est plus l'apanage des chansonniers depuis 1945 environ. La chanson « engagée », parfois interdite à la diffusion radiophonique, fait désormais partie de la production courante.

La Seconde Guerre mondiale a donné naissance à peu de chansons de qualité. On retient pourtant l'admirable Chant des partisans (Anna Marly, Maurice Druon, Joseph Kessel), l'émouvant et anonyme Chant des marais, créé par les premiers déportés du nazisme. P. Dac, à la radio de Londres, écrit et chante sur des airs très connus de savoureuses parodies* de propagande.

Il faut, cependant, signaler du côté de la « Collaboration » que le régime de Vichy suscite des chansons à la gloire de P. Pétain. « Jamais la chanson française n'a été aussi vulgaire ni si inepte », a dit Jean Guéhenno. Telle Complainte du temps présent « pue la bêtise, la fabrication, le mensonge, la flagornerie ». Les enfants des écoles, contraints de chanter Maréchal nous voilà (André Montagard - Charles Courtioux) y adaptent spontanément des paroles irrespectueuses et réinventent la parodie. Des chansons exaltent la Jeunesse de France, unie « derrière le Maréchal », affirme la couverture (V. Scotto* - J. Rodor* - Gitral, 1941).

Mais le souvenir de cette guerre et des atrocités nazies a inspiré, parfois vingt ans après, de nombreuses chansons célèbres comme Nuit et brouillard (J. Ferrat*), la Petite Juive (M. Fanon*), les Enfants d'Auschwitz (R.-L. Lafforgue*), Ça fera vingt ans (P. Louki*). L'Affiche rouge (Aragon* - Ferré*) évoque l'exécution d'un groupe d'Arméniens. Les Deux Oncles de Brassens*, paraissant renvoyer dos à dos collaborateurs et anglophiles, entraîne des controverses (1966), et P. Louki y répond avec Mes deux voisins. De même, c'est presque trente ans après que le drame espagnol de 1936 suscite de nombreuses chansons comme Un accordéon pour Paris (Massoulier* - Philippe-Gérard*), Je n'irai pas en Espagne (Louki), la Guitare espagnole (Lafforgue), Franco la muerte (Ferré), Federico Garcia Lorca (Ferrat), etc. L'évocation d'événements encore plus lointains se retrouve aussi (Octobre, Dréjac* - Philippe-Gérard; Potemkine, Coulonges* - Ferrat). Par contre, la guerre d'Indochine et celle d'Algérie, concernant directement la France, ont suscité peu de chansons (Guy Thébaud, *Sur la colline*). Mais, en 1968, L. Escudero* évoque la sanglante manifestation de Charonne (*Je t'attends à Charonne*). Issue du drame algérien, l'œuvre d'E. Macias* appelle à la fraternité (*Enfants de tous pays*), comme Barbara (*Göttingen*), H. Aufray* (*les Crayons de couleur*), refusant tout racisme, tandis que J. Ferrat (*Hourrah*), J. Holmès* (*Demain*) annoncent des temps meilleurs. La guerre menée au Viêt-nam par les U.S.A. est condamnée par des chansons en 1967 (L. Ferré, *Pacific-blues*; J. Arnulf*-M. Merri* *Chante une femme*) tandis que le socialisme de Cuba inspire H. Gougaud* et J. Ferrat (*Cuba si*, *les Guerilleros*, *Santiago*) et Y. Stéphane-J. Claudric (*Che Guevara*).

La condamnation de la guerre en termes généraux reste un des thèmes les plus fréquents de la chanson contemporaine, où s'exprime un courant pacifiste (J. Brel*, *la Colombe*; S. Golman*-Frédéric, *l'Art de la guerre*), qui prend une dimension nouvelle avec la dénonciation du danger atomique (G. Béart*, *les Temps étranges*, *le Grand Chambardement*, *l'Alphabet*; J. Franklin, *Et s'ils appuient sur le bouton?*; C. Nougaro*, *Il y avait une ville*; R.-L. Lafforgue, *les Temps modernes*), parfois sur le mode ironique (Ḡ. Vian*, *la Java des bombes atomiques*; P. Brafford, *le Petit Atome*). L'antimilitarisme traditionnel s'exprime dès 1946 (*Quand un soldat*, F. Lemarque*; *le Soudard*, J.-C. Darnal*; et toute une partie de l'œuvre de B. Vian (*les Joyeux Bouchers*, *le Petit Commerce*, etc.), qui culmine vers 1955 avec *le Déserteur*, chanson interdite pendant plusieurs années. La tendance subsiste (J. Arnulf, *le Twist du déserteur*; J. Ferrat, *le Sabre et le Goupillon*).

La mise en cause sociale peut être très virulente dans la chanson contemporaine (G. Béart, *Il a dit la vérité, il faut l'exécuter*; L. Ferré, *Ni Dieu ni maître*; J. Arnulf-C. Merri, *Pont de vue*; J. Ferrat, *Pauvre Boris, Pauvres Petits C...*). L'œuvre récente de L. Ferré accentue la satire, et il retrouve la grande veine de la chanson politique française (*Y' en a marre*, *les Temps difficiles* [avec ses trois versions], *la Marseillaise*, *la Gueuse*, *Ils ont voté*, etc.). Il met en cause le général de Gaulle (*Mon Général*, *Sans façon*), tandis que, au contraire, G. Bécaud* et P. Delanoë* lui rendent hommage (*Tu le regretteras*, 1965). N'hésitant pas à prendre parti, la chanson politique continue.

polyphonie (littéral. *chanson à plusieurs voix*). On a souvent considéré la polyphonie comme une musique savante, à cause de la forme contrapuntique que lui ont donnée les compositeurs des XVᵉ et XVIᵉ s., alors qu'elle a été depuis toujours un phénomène spontané. Adam de la Halle* a été le premier à écrire des chansons polyphoniques en langue vulgaire.

Pomme (Chez), cabaret montmartrois (86 *bis*, rue Lepic), dirigé et animé par Pomme de 1936 jusqu'à sa mort en 1966. Elle y chantait et racontait des histoires (lestes). Présenté par J.-R. Caussimon*, J. Douai*, encore inconnu, venu pour y chanter un soir de 1947, y resta deux ans et contribua à la renommée du cabaret, auquel il donna une tonalité poétique.

PONSARD (René), chansonnier (Arpajon 1826 - Paris 1894). V. Hugo a dit de lui : « C'est le matelot des deux tempêtes, de la tempête de l'Océan, et de la tempête de la vie, de sa poésie amère, vraie et forte. » Matelot dès l'âge de treize ans, il a commencé par publier des chansons inspirées de celles de la marine à voiles. Plus tard, il écrira quantité de petits poèmes argotiques et badins. Surnommé « le Père la Cayorne », il était au moment du Chat-Noir* doyen des chansonniers.

Pont-Neuf. Commencé sous Henri III, c'est avec Mazarin que le Pont-Neuf découvre sa vocation chansonnière. L'on y criait des libelles en même temps qu'on y chantait des chansons. Chaque niche du pont avait son poète attitré, qui chantait et vendait ses œuvres. Par extension, toute chanson écrite sur un timbre* fut appelée « Pont-Neuf ». Les premiers chansonniers du Pont-Neuf furent maître Guillaume, le fou d'Henri IV et de Louis XIII, et la folle

Mathurine. Cette dernière, ayant fait fortune, guérit de sa « folie » et fut la mère du célèbre luthiste Blanc-Rocher. À leur suite, Maillet*, le poète crotté, se fit entendre. C'est sur le Pont-Neuf que Saint-Amant célébra en chanson la naissance de Louis XIV. Après la Fronde, les chanteurs, qui avaient été pourchassés, reprirent possession du pont. Mais Louis XIV n'admettant pas que l'on critiquât son règne, toute chanson satirique était saisie, le poète et le libraire arrêtés; aussi, les auteurs gardaient-ils un prudent anonymat. Ce qui n'empêchait pas les chanteurs ambulants de chanter et de distribuer leur marchandise... à la sauvette. Le grand Condé, qui avait été chansonné après le siège de Lérida, s'inquiétait beaucoup de ce qui se chantait : « Gare les Ponts-Neufs, enfants », disait-il à ses soldats avant une bataille.

L'un des plus célèbres chansonniers de l'époque fut le Savoyard*. À côté des chansonniers et faiseurs de libelles, le Pont-Neuf accueillait aussi des chanteurs de complaintes*, qui, au XVIIe s. se chantaient généralement sur le timbre* des Pendus. Le spécialiste du genre était Étienne*, cocher de M. de Verthamond. Sous Louis XV, les vedettes du Pont-Neuf sont : Charles Minard, le Picard, qui vendait ses chansons dans des cahiers à couvertures bleues, d'où le nom de bluettes; Michel Leclerc, de Dourdan, qui chantait ses complaintes en s'accompagnant à la vielle à roue. C'est au Pont-Neuf que commença la Révolution. Les citoyens Déduit, Marchant et surtout Ladré* furent les principaux commentateurs des événements. À la même époque, Quatorze-Oignons-le-Cynique et Belle-Rose-l'Obscène se faisaient entendre dans un répertoire dont leur surnom garantissait la qualité. Sous l'Empire, Duverny, dit « l'Apollon du Pont-Neuf », célébra les victoires de Napoléon. Ensuite, le Pont-Neuf, transformé, ne servit plus que de liaison entre les deux rives de la Seine...

POPP (André), compositeur (Fontenay-le-Comte 1924). Études de piano dès cinq ans. Il joue des œuvres classiques (O. Messiaen) sur l'orgue de la chapelle dans l'école où il fait ses études. En 1944, Jean Broussolle (v. les Compagnons de la chanson) l'incite à venir à Paris. Ils écrivent ensemble des chansons, dont Grand-Papa laboureur, qui va être créé par Catherine Sauvage* (dont c'est la première chanson, 1948). Jean Tardieu demande à A. Popp d'illustrer des poèmes pour le Club d'essai de la radio française et il met en musique la Pendule (R. Queneau*, par les Frères Jacques*). Il poursuit depuis une brillante carrière de chef d'orchestre, arrangeur, compositeur, etc. On lui doit, en particulier, la série d'histoires musicales pour enfants Piccolo, Saxo et Compagnie. Il est le compositeur de nombreux succès à la mode, aux mélodies faciles à retenir : les Lavandières du Portugal (1955), Tom Pillibi (1960), le Chant de Mallory (1964), etc.

Port du salut (le), cabaret fondé en 1955 (le 14 juillet) par Jacques Massebeuf (animateur), Françoise Olivier, René Cozzano, dans une des plus vieilles maisons du Quartier latin (163 bis, rue Saint-Jacques, Ve) : elle surplombait, au XVIe s., la route qui menait vers le pèlerinage de Compostelle. Trois étages de caves aux voûtes admirables sont surmontés d'une salle où des « dîners-spectacles » d'un style « rive gauche* » ont donné l'occasion de faire entendre notamment : Paul Barrault, Guy Béart*, Pia Colombo*, Maurice Fanon*, Jean Ferrat, R.-L. Lafforgue*, Ricet-Barrier*, Francesca Solleville*, Anne Vanderlove*, etc.

pot-pourri, mélange de parodies* diverses réunies pour former une seule chanson.

POTERAT (Louis), auteur (Troyes, Aube, 1901). Après des études secondaires, L. Poterat devient l'un des principaux auteurs des chansons des films Pathé-Nathan. Il collabore avec Reynaldo Hahn, A. Honegger, D. Milhaud, M. Thiriet*, V. Scotto*, etc. Sa première chanson, Casanova (- Herman), est créée en 1927 par Vorelli. Depuis, il a écrit 1 500 chansons, dont beaucoup ont du succès comme J'attendrai (- Olivieri, par Rina Ketti, T. Rossi*), Sur les quais du vieux Paris (- Ralph Erwin, par

Lucienne Delyle), *Les fleurs sont des mots d'amour* (- M. Yvain*, par Danièle Darrieux), etc. Il est l'auteur de plusieurs opérettes et de films (*Premier Rendez-vous*, - René Sylviano-Michel Duran ; *Mademoiselle Swing*, - R. Legrand*, avec Irène de Trébert, 1942). Vice-président de la S. A. C. E. M.*, secrétaire général de la S. D. R. M.*.

POTTIER (Eugène Edme), auteur (Paris 1816-1887). Malgré une santé fragile, Pottier a mené de front une carrière de dessinateur sur tissus (il fonda même sa propre maison), une carrière politique (il participa de façon active aux journées de juin 1848 et à la Commune, ce qui l'obligea à s'expatrier), enfin une carrière de chansonnier engagé. Fils d'un artisan emballeur, il apprit seul les règles de la prosodie et débuta à quinze ans en publiant son premier recueil de chansons, *la Jeune Muse*, dédié à Béranger*. En

« *L'Insurgé* » *(Pottier-Degeyter)*.
Phot. Lauros.

1884, après qu'il eut remporté un concours de la Lice chansonnière*, G. Nadaud* fera éditer à ses frais *Quel est le fou ?*, et, en 1887, les amis de Pottier publieront en souscription ses *Chants révolutionnaires*. Mais l'œuvre abondante de Pottier fut surtout imprimée en feuilles volantes et en livraisons. L'ensemble des chansons de Pottier présente un mélange de l'esprit épicurien des Caveaux* (*le Rocher de Cancale, Filourette*), de doctrines fouriéristes (*Matière et Bible, la Mort d'un globe*) et d'âpres chansons de révolte (*l'Insurgé ; Elle n'est pas morte ;* et, bien sûr, *l'Internationale*, mise en musique par Pierre Degeyter* en 1888).

PRADEL (Pierre Marie Michel Eugène **Courtray de**), chansonnier (Toulouse 1784 - Wiesbaden 1857). Son père, qui n'avait pas eu à se féliciter de la période révolutionnaire, le fit partir, dès qu'il fut en âge de porter les armes, pour l'Espagne, dans le régiment de Bourbon. Mais, répugnant à servir un autre pays que le sien, Pradel revint rapidement en France et regagna Paris dans l'intention de se consacrer aux lettres.
Après un voyage en Italie, il prit du service sous Napoléon, quitta l'armée en 1814 et commença une carrière de chansonnier et d'improvisateur. Il improvisait avec une facilité déconcertante : il improvisa un poème de 100 vers sur la captivité de Christophe Colomb, et jusqu'à des tragédies ! En 1815, toute la France chanta sa célèbre chanson des *Lanciers polonais*. En 1822, ayant publié, dans un volume, *les Étincelles*, des chansons jugées séditieuses (*l'Immortel Laurier, l'Ile lointaine, le Vieux Drapeau, les Missionnaires en goguette, la Victime de l'Inquisition*), il fut condamné à six mois de prison et 1 000 F d'amende, l'ouvrage étant saisi et détruit. Il retrouva, à Sainte-Pélagie, de nombreux chansonniers, dont son modèle, Béranger*.
En 1832, il publia un volume de chansons sous le titre de *Chansons nationales*, dont les plus célèbres sont : *les Bâtons, les Barricades, la Bataille de Waterloo, l'Insurrection de 1830, la Truffe et la pomme de terre.*

PRADELS (Octave), auteur (Arques 1842 - Parmains 1930). Après avoir déambulé autour du monde, il revint à Paris, où il fut l'un des premiers à faire, à la Bodinière, des conférences avec auditions, qui inspirèrent à Ferny* *la Chanteuse et le conférencier*. Président de la S. A. C. E. M.* en 1895-98, 1900 et 1901, il a signé avec J. Jouy* les paroles de la *Marche lorraine*, musique de Louis Ganne.

PRÉVERT (Jacques), auteur (Neuilly 1900). Ex-surréaliste (jusqu'en 1930), J. Prévert n'attachait, paraît-il, pas grande importance à ses poèmes, écrits au hasard sur des papiers de rencontre, abandonnés

Jacques Prévert, vu par Maurice Henry.
Phot. Lauros.

et recueillis par des amis admirateurs. A. Capri* (qui interpréta les œuvres de J. Prévert dès 1936 au Bœuf sur le toit*) sauva ainsi bien des poèmes. Publiées en recueil après la guerre (*Paroles*, 1945), les œuvres de J. Prévert sont adoptées par la jeunesse. Le succès est foudroyant et durable. J. Kosma* met un grand nombre de ces poèmes en musique et, sous la métrique apparamment irrégulière, on découvre quelques-unes des plus belles chansons contemporaines (*les Feuilles mortes, Barbara, Chanson pour les enfants, l'hiver*), qui deviennent des succès mondiaux, interprétés par J. Douai*, les Frères Jacques*, J. Gréco*, Y. Montand*, G. Montero*, C. Vaucaire*, etc. La conjonction Prévert-Kosma a été extrêmement bénéfique à la chanson.

Le public aime la souple rigueur des mélodies de J. Kosma, la liberté anarchisante des textes de J. Prévert, où l'on prend sa revanche sur la vie, où l'on prend le temps de vivre (*La fête continue*), sa poésie loufoque (*la Pêche à la baleine, Inventaire, Deux Escargots à l'enterrement*), son antimilitarisme, sa tendresse pour l'enfance (*Page d'écriture*), son lyrisme, pudique ou non (*Sanguine,* - Crolla*, qui mit aussi en chanson le célèbre *Cireur de souliers de Broadway*). Parmi ses autres recueils poétiques : *Spectacles* (1951), *la Pluie et le beau temps* (1955).

PRIVAS (Antoine **Taravel,** dit **Xavier**), chansonnier (Lyon 1863 - Paris 1927). Élève assez turbulent (il s'évada du lycée dans le but d'aller conquérir le Maroc), Privas débute dans la vie comme gérant d'immeubles dans la maison paternelle. Aussi, il se distrait en collaborant à des feuilles lyonnaises, et se choisit un pseudonyme : Xavier (parce que c'était le jour de la Saint-Xavier) et Privas (parce que la première lettre reçue au courrier venait de cette ville). En 1888, il chante ses premières chansons à l'inauguration du Caveau lyonnais* (*Soldats de plomb; Hanneton vole, vole; Mon musée*). Encouragé par le succès, en 1892, il quitte Lyon pour Paris. Il fréquente les soirées de la Plume*, y chante *les Thuriféraires* avec un très grand succès et reçoit les encouragements de Verlaine. Cependant, ses débuts furent pénibles : il connut la dèche noire, se nourrissant d'une tartine de moutarde ! Trimouillat* le fait entrer au Chat-Noir* (1893) ; Privas chante ensuite dans divers cabarets montmartrois, mais, nostalgique du Quartier latin*, il tente, avec Trimouillat, de redorer le blason du Procope*, en y organisant des soirées artistiques, qui, malgré la présence de Verlaine, n'ont lieu que peu de temps, et

Privas regagne Montmartre*, au cabaret des Quat'-z-Arts*. Il fonda la Chanson pour tous, qui avait pour but d'enseigner — partition en main — les vieilles chansons de France au public. En 1899, il fut élu par ses confrères « prince des chansonniers ». Malgré ce titre, ses contemporains n'ont pas toujours été tendres pour lui. Jean Lorrain trouvait ses œuvres « ronronnantes » ; Eugène Ledrain l'a comparé à un « Baudelaire pasteurisé » ; Hugues Delorme prétendait qu'il avait « une âme de midinette dans le corps de Porthos » ; enfin, Laurent Tailhade critique le style souvent incorrect du chansonnier, ainsi que la recherche puérile de certains mots : « albe neige », « ultime lueur ». Malgré leurs défauts, les chansons de Xavier Privas exaltent les sentiments justes et droits, l'honnêteté, la femme, l'amour... Les plus célèbres restent : *le Testament de Pierrot, le Vieux Coffret, la Chanson du fil, la Chanson des heures* et *les Chimères*.

Beaucoup de chansons de Privas ont été mises en musique par sa femme, Francine Lorée-Privas, d'autres par Francisque Darcieux* ; cependant, Privas a composé aussi la musique de certaines de ses chansons. Musique simple, mais s'adaptant bien au texte et au sujet.

Procope. Dans ce café, sans doute le plus ancien de Paris, et qui fut au XVIII° s. le rendez-vous des beaux esprits, Pierre Trimouillat* organisa les soirées du

Les chansonniers désertent Montmartre après la fermeture du Chat-Noir et se dirigent vers le Procope. Dessin de Barrère (1897).
Phot. Lauros.

Gringoire (1893), auxquelles participèrent Delmet*, Lemercier*, Yan Nibor*, Legay*, Hyspa*, Lautrec, etc. Ensuite, avec X. Privas* et Gaston Dumestre, Trimouillat réorganisa ces soirées sous le nom de « Soirées Procope ». Elles se terminèrent en 1895. Millandy* prit ensuite la direction des soirées artistiques, où il présentait, selon la vieille tradition foraine, des chansons à tableau*. Cette formule eut beaucoup de succès. Au bout de sept ans, le cabaretier-artiste Théo Bellefond, qui était propriétaire du Procope et qui était loin d'avoir fait fortune, dut fermer boutique.

PROVINS (James **Polad**, dit **Jacques**), chansonnier et comédien (Plainpalais, Suisse, 1914). A débuté en 1945 au théâtre de Dix-Heures* et a fait son tour de chant à la Lune-Rousse*, au Caveau de la République*, au Coucou*, où son talent d'imitateur a été très applaudi. Il parodie des chanteurs italiens, russes, américains, anglais, ainsi que quelques vedettes. Il a produit avec Michel Méry* l'émission Radio Pastiche (O. R. T. F.*, 1945-1963) et a débuté à la scène dans Chérie noire. Jacques Provins est l'auteur de quelques chansons, dont Amour en 19 ponts (Frères Jacques*, 1962) et Idylle en confection (les Trois Ménestrels, 1963).

PUGET (Louise Françoise, dite **Loïsa**), compositeur (Paris 1810 - Pau 1889). Elle se spécialisa dans la composition de romances* et de chansonnettes, qu'elle présentait elle-même dans les salons, ce qui lui valut, de 1832 à 1842, une grande renommée. Elle avait épousé son parolier, Gustave Lemoine. Ensemble, ils ont composé de 300 à 400 chansons, dont quelques-unes furent arrangées en quadrilles par Philippe Musard et Johann Strauss. Certaines chansons de Loïsa Puget ne sont pas encore tout à fait oubliées : À la grâce de Dieu, la Retraite, la Dot d'Auvergne, la Demande en mariage.

Q

Quartier latin. C'est au Quartier latin qu'a pris naissance ce que l'on appelle l' « esprit montmartrois », avec le club des Hydropathes*, fondé par Emile Goudeau*. De nombreux établissements de la rive gauche s'illustrèrent dans la chanson : le café de Fleurus, où, dès 1889, eurent lieu les soirées organisées par la revue artistique la Plume*, transférées au Soleil d'Or, place Saint-Michel ; la Bosse, cercle littéraire et chansonnier fondé en 1892 par Gustave Amyot, Eugène Fournière et Auguste Blosserville, se réunissant à la brasserie des Vingt-Deux-Cantons ; le Procope*, le Caveau des Alpes dauphinoises*, Chez Brault (bd Saint-Germain) ; le Quartier-Latin et le cabaret de la Bohème (rue Saint-Jacques) ; le cabaret de Gringoire (rue Royer-Collard) ; les Escholiers et la Muse (rue Champollion) ; le café des Arts (rue Le Goff) ; le Grillon*, le Caveau du Cercle*, le Monôme (rue Champollion) ; l'Œuf d'éléphant* et, enfin, les Noctambules*.

QUATRE BARBUS (les), groupe vocal constitué en 1938 et composé de Jacques Tritsch (animateur, études de lettres,

Conservatoire), Marcel Quinton (Beaux-Arts, architecte), Pierre Jamet (photographe), Georges Thibaut (chanteur). Avant la guerre, ils constituent le quatuor vocal des Compagnons de route (cercle créé par

Pierre Barbier, Georges Lerminier, Jean-Marie Serreau). Ils chantent dans les rues, à la terrasse des bistrots, dans les

Les Quatre Barbus,

d'après la couverture

du programme

de leur récital.

Phot. Larousse.

auberges de la jeunesse et en cabaret, Chez Agnès Capri*, puis au théâtre des Quatre-Saisons. Ils jouent et chantent au Studio des Champs-Elysées, dans la première pièce montée à Paris après la Libé-

ration : *les Gueux au Paradis* (A. Obey, M. Fombeure et C. Roy). Ils y portent la barbe et y prennent leur nom, qui va susciter la célèbre parodie* du *Barbier de Séville* de Rossini par Francis Blanche* et Pierre Dac* : *J'ai de la barbe* (1950). Elle leur sert d' « indicatif » et, avec *la Pince à linge* sur les thèmes de la Ve *Symphonie* de Beethoven (F. Blanche - P. Dac), constitue leur plus grand succès.

Vedettes internationales, ils donnent de nombreux récitals en France et à l'étranger, et reçoivent cinq fois le grand prix du Disque. Leur répertoire fait la plus large place à l'humour. Outre leurs parodies de musique classique, ils ont enregistré 80 chansons enfantines, de nombreuses

chansons anciennes, regroupées en divers disques (*Chansons paillardes ; de la marine à voile ; à boire ; suisses ; de galères, bagnes et prisons*, etc.), et des créations modernes. Ils constituent un groupe de comédiens-chanteurs humoristes musicaux des plus sympathiques.

Quat'-z-Arts, cabaret de style gothique flamboyant, fondé par Trombert, 62, bd de Clichy (1893). Installé dans un local primitivement occupé par le Tambourin et la Butte, qui durèrent peu de temps, le nouveau cabaret fut baptisé du nom du célèbre bal où, en 1892, s'était produit un scandale, réprimé par le sénateur Bérenger. Les Quat'-z-Arts concurrencèrent sérieusement le Chat-Noir*. Gaston Sécot* et Fragson* furent de ses débuts. Yon-Lug*, frais émoulu de Lyon, y débuta, ainsi que Jehan Rictus*, dont les débuts en 1895 furent sensationnels. G. Tiercy* y créa son *Opéra-maboul*, Jean Varney* y fit entendre sa *Sérénade du pavé*, Botrel* y créa les *Chansons de la fleur de lys*, Hyspa* y chanta le *Toast du président*, et tous les chansonniers de Paris vinrent y faire leur tour de chant. Le peintre Guirand de Scévola, qui possédait une jolie voix de baryton, chanta souvent aux Quat'-z-Arts, en amateur. C'est aux Quat'-z-Arts que se donna la première revue de cabaret jouée par des chansonniers.

Le jeudi, une matinée consacrée à la poésie extra-montmartroise était organisée, ainsi que des conférences sur la chanson et des expositions d'affiches. Ce sont les Quat'-z-Arts qui organisèrent : les deux Vachalcades, présidées par Willette ; le couronnement de la Muse de Montmartre, imaginé par Gustave Charpentier ; le bal du Déficit ; une course de chansonniers, remportée par le journaliste G. de La Fouchardière. Trombert, malade, abandonna son cabaret à Martial Boyer en 1908 ; l'année suivante, Hyspa et Montoya* prirent la direction des Quat'-z-Arts, transformèrent complètement la maison, qui alla en déclinant.

Les Quat'-z-Arts ont publié un journal (à partir de 1897), dont le rédacteur en chef était Goudeau* (35 numéros parus).

QUENEAU (Raymond), auteur (Le Havre 1903). Licencié de philosophie. D'abord employé au Comptoir d'Escompte, puis représentant et lecteur aux Éditions Gallimard, il mène, à partir de 1933 (*le Chiendent*, prix des Deux-Magots), une brillante carrière de romancier, de poète, de directeur littéraire. En 1948, les Frères Jacques* interprètent ses *Exercices de style* à la Rose-Rouge*. En 1949, J. Gréco* crée *Si tu t'imagines*, un poème mis en musique par J. Kosma*, avec un tel succès que R. Que-

neau va rassembler sous ce titre une bonne partie d'une œuvre poétique où l'humour, l'ironie désinvolte, la tendresse et la fantaisie saugrenue s'expriment brillamment. Beaucoup de ces poèmes deviennent des chansons, une fois mis en musique par A. Popp* (*la Pendule*, 1952, interprétée par les Frères Jacques), par J.-M. Damase (*la Croqueuse de diamants*, Zizi Jeanmaire), par G. Auric* (*la Chanson de Gervaise*, 1955), par Arrimi (*Saint-Ouen's Blues*, les Garçons de la rue), par G. Calvi* (*Tuileries de mes peines*), par G. Béart*, etc. Avec J. Prévert* (et, dans une tonalité toute différente, avec C. Trenet*), il est de ceux qui ont fait connaître au grand public par la chanson l'apport du surréalisme (dont il fut l'un des acteurs). Il ne l'avait sans doute pas prémédité, la chanson est venue le chercher.

Quod libet (expression latine, ce *qui plaît*, ce *qu'on veut* ; question *discutée* ; puis *quolibet*, plaisanterie, à partir du XVIe s. Du XVIe au XVIIIe s., le *quolibet* est un genre de la chanson : œuvres amusantes, parfois légères, cabaret parisien, 3, rue du Pré-aux-clercs, dans les sous-sols de l'hôtel Saint-Thomas-d'Aquin. Il fut dirigé et animé par Francis Claude* de 1948 jusqu'à sa fermeture, en 1950, par décision du préfet de police : l'aération était défectueuse et la sortie de secours inexistante. Les spectateurs s'entassaient à quatre-vingts dans une cave aux voûtes magnifiques, dans laquelle on descendait par un escalier en colimaçon. Pendant les « attractions », on fermait les soupiraux. On y étouffait dans la fumée des cigarettes, mais la bonne chanson de style « rive gauche* » y était à l'honneur, notamment avec J. Douai* et L. Ferré*. Jacqueline Batell, Gaston Wiener (frère de Jean) y tenaient le piano, Jacques Doyen y récitait des poèmes, Pierre Repp et Roger Comte y tenaient le rôle de fantaisistes*. Après la fermeture du Quod libet, Francis Claude ouvrit le cabaret de Milord l'Arsouille*.

RADET et DESFONTAINES, chansonniers et vaudevillistes. Ces auteurs, inséparables, furent incarcérés en 1793 et n'obtinrent leur liberté qu'en composant un vaudeville* truffé de chansons patriotiques, dont *J'ons un curé patriote*, qui connut une vogue durable. En 1796, ils furent membres des Dîners du Vaudeville*.

radio. V. *Europe n° 1, Radiodiffusion, Radio-Luxembourg.*

radiodiffusion. L'émission radiophonique est en France un monopole d'État. Il est assuré par l'Office de radiodiffusion-télévision française (loi du 27 juin 1964), qui a succédé à la Radiodiffusion-Télévision française. Des postes périphériques, comme Europe n°1* et Radio-Luxembourg*, émettent en territoire étranger (studios à Paris).

Il est bien difficile de dresser actuellement une liste exhaustive des émissions que la radio d'État a consacrées à la chanson. Il faudrait, pour cela, que soit dépouillée l'énorme masse que représente la presse radiophonique. Le présent article n'est que le reflet d'un sondage de ces périodiques, qui, chaque semaine, informent et conseillent les auditeurs. Ce sondage ne peut que donner un aperçu des politiques diverses qui ont présidé à la diffusion, par la radio d'État, d'émissions consacrées à la chanson, ayant un caractère original. Si les premières émissions expérimentales eurent lieu dès 1921 (tour Eiffel), il faudra une dizaine d'années pour que des émissions structurées soient offertes aux auditeurs.

En 1931, trois postes d'Etat proposent des programmes : Radio-Paris, Tour-Eiffel, P. T. T., entourés de postes privés : Poste parisien, Radio-Toulouse, Radio-Vitus, Radio L. L., qui deviendra plus tard Radio-Cité, avec, en plus, des relais d'Etat provinciaux, jouissant d'une large autonomie. En 1931, Radio-colonial est créé ; P. T. T. et Radio-Paris diffusent souvent, à la place du concert qui suit les informations, des tours de chant de vedettes de la chanson, ou de chansonniers : Ouvrard*, Lemercier*, J. Cazoll, Souplex*, Dominus, Paul Weil*, Gabriello*, Ded Rysel, Ferrari*, Léo Daniderff*, Damia*, Berthe Sylva, Bach, Milton*, Mistinguett*, Chepfer*, Fragerolle*, etc.; René Devilliers présente une soirée de cabaret sous les auspices de la Commune libre du vieux Montmartre* (P. T. T.), et des galas sont retransmis depuis l'Empire* et l'Olympia*.

En juin 1931 apparaît sur P. T. T. le *Gala des vieux succès français*, organisé par la Chambre syndicale des éditeurs de chansons. Cette émission d'allure publicitaire (sur un poste d'État) se prolongera jusqu'à la fin de 1936, sous des titres différents. L'alternance vieux succès-interviews-tours de chant de vedettes - soirées de cabaret animées par P. Weil, R. P. Groffe ou P. Clérouc se poursuit jusqu'en 1938. À ce moment, la radio d'Etat s'oriente vers la musique dite « sérieuse », l'interprétation des émissions de variétés* étant confiée à des chanteurs d'opérettes. Une émission est à retenir : Mlle *Tant-mieux et M. Tant-pis*, animée par R. P. Groffe et Adrienne Gallon. La chanson prend alors son essor sur les postes privés, qui continuent la tradition montmartroise ou les présentations de vedettes. En 1939, *Radio 37* avait préparé un programme séduisant avec le concours de J. Tranchant*, G. Sablon*, Pills et Tabet*, L. Boyer*, E. Célis,

Jean Jac et Jo, Bordas*, etc.; mais, le 3 septembre 1939, l'autorité militaire autorise seuls, parmi les postes privés, à continuer leurs émissions le Poste parisien et Radio-Toulouse.

Après la Libération, seule subsiste la radio d'État. En novembre 1944 paraît *Radio 44*, hebdomadaire qui donne, sous toutes réserves, les programmes de la nouvelle radio. Ce sont *Chansons et pirouettes* (Kubnick), *Ce soir au music-hall* (Pauliac); Léo Lelièvre* reprend la tradition des émissions de cabaret sous le titre *Chansonniers oubliés*, mais en faisant interpréter les chansons par des chanteurs d'opérette; en décembre commence la *Parade des chansonniers*. En 1945, deux postes diffusent les programmes : le Poste national et le Poste parisien, ce dernier étant réservé aux variétés, dont la direction est confiée à A. Gillois; Kubnick commence la série *Chansons grises, chansons roses*; G. Gosset et F. Châtelard produisent *On chante dans mon quartier*, repris en 1947 à Radio-Luxembourg; Canteloube présente une série sur les chants populaires français. En 1946, Jacques-Charles* commence à produire des émissions consacrées au music-hall*, qui prendront, au cours des années, des titres divers, sans que le contexte en soit modifié; le Poste national diffuse une importante série, *Neuf garçons et une fille chantaient...*, avec E. Piaf* et les Compagnons de la chanson*.

En octobre 1946, Mauricet* prend la direction des variétés et annonce : « Avant mon accession au poste de directeur des variétés, il y avait à la radio trop d'amateurs, de sans-talent.

Mon premier souci a été de les évincer au profit de vedettes de talent. » Il oriente nettement les programmes vers la chanson satirique : *le Grenier de Montmartre* (J. Lec*) remplace *Madame est servie* (Souplex*-Lec); Jean Vilon produit *À Montmartre le soir*; Horowitz, *Cabarets d'autrefois*; Fernand Rouvray, *les Beaux Soirs du café-concert*; F. Carco*, *la Muse au cabaret*; J. Delettre, *la Parade des chansons*, consacrée aux œuvres ayant eu la plus forte vente chez les éditeurs, et où l'on entend aussi le « four » de la se-

maine; Pierre Cour et F. Blanche* lancent, en public, depuis la salle Washington, *Music-Hall de Paris*. En 1947, A. Charles Brun prend à son tour la direction des variétés et annonce : « Je veux supprimer le poncif des présentations. » Cependant, on note peu de changement parmi les présentateurs, à part Contet et Durand, qui produisent la *Kermesse aux chansons*. En 1948, un profond remaniement de la R.T.F. amène trois directeurs : Poste parisien, A. Charles Brun; Paris-Inter, Bréchignac; Poste national, Barraud; les deux premiers postes sont consacrés aux variétés. P. Brive, R. Beauvais et G. Parry présentent le *Central de la chanson* (Parisien), et Horowitz *la Bonne Chanson*, émission journalière présentant une ou deux chansons de qualité; Max Blot et A. Peters diffusent, depuis le cabaret le Tyrol, une émission publique : *Espoirs et vedettes*. L'entrée était gratuite, la consommation tarifée à 120 F et un exemplaire de *Radio 49* et à *tout cœur* distribués gratuitement aux auditeurs.

En 1949, L. Ducreux* fait paraître son *Journal officieux*, où la chanson tient une grande place; le Poste parisien consacre plusieurs séries à des vedettes de la chanson : T. Rossi*, Mistinguett, Damia, M. Chevalier*, J. Baker*, J. Sablon*; Paris-Inter présente *Interdit aux Béotiens* avec l'équipe de chansonniers qui avait créé le spectacle aux Noctambules*; la S.A.C.E.M.* organise sur le Poste parisien *Cent Ans de chansons françaises* à l'occasion du centenaire de la société (cette émission deviendra en 1950 : *100 p. 100 chantant*); Paul Arma commence la série de ses émissions de folklore* international (Parisien). En mai 1950, *Radio 50* et la Chambre syndicale des éditeurs de musique organisent le *Tournoi de la chanson*, remporté par *Cerisiers roses et pommiers blancs* (Louiguy*-Larue*, par Claveau*); sur Paris-Inter, on note *Plaintes et complaintes des carrefours* (A. Lanoux), *Chansons pour mes souvenirs* (Mac Orlan*) et le Poste parisien *Menestrels de tous les temps* (René Soria), supprimé en 1952 pour cause de « manque de crédits » et qui remet en vogue une reverdie du XVᵉ s., l'Amour de moi. En 1951, Kubnick produit (Parisien) Carnaval des chansons, qui n'est que la démarcation de la Mascarade des chansons, précédemment produite par le même sur Radio-Luxembourg; le tournoi organisé par le Syndicat des éditeurs de musique prend le titre de Chanson vole, et plusieurs prix sont distribués : À la française (Ledru-Fontenoy, par Rogers), Bonsoir Lily (Lanjean*, par Dassary), Une boucle blonde (Dutailly), le Cocher de fiacre (Lemarque*-Marnay*), le Loup, la biche et le chevalier (M. Pin-Salvador*, par L. Jambel), Ma maman (M. Micheyl*- B. Astor, par L. Jambel), Mon ami m'a donné (R. Asso* - Cl. Valery, par Renée Lebas*), Si tu partais pour la guerre (R. P. Dil - R. Marcy*, par J. François*), Y' avait toi (Grassi*- Conte, par C. Mars); Francis Carco présente une série consacrée à Bruant*. En 1952, les programmes comportent de nombreuses émissions à base de disques. C. Dufresne, Jacques-Charles, F. Claude* produisent, cependant, des émissions conçues pour la radio. Léo Campion* et R. Dinel* présentent le Cabaret du soir. En 1953-1954, « la radio fait peau neuve », annonce Mon programme. C'est-à-dire que les émissions changent de titres, mais gardent le même contexte et les mêmes producteurs : Kubnick, Loiselet, Brive et Jacques-Charles.

Parmi les nouveautés : Bouquet de chansons (J. Blanchon) est consacré aux œuvres d'un compositeur ou d'un parolier (Chaîne parisienne); Lafargue et Llenas proposent des « tubes* » sous le titre la Chanson éternelle; C. Amy (P.-I.) présente une émission de chansons littéraires dont les programmes sont séduisants, tandis que, sous le titre Variétés et Musique folklorique, Geo Charles ramasse des poncifs et du faux folklore; sur la Chaîne parisienne, René de Buxeuil raconte ses souvenirs; Yvain* et Poterat* commencent le Palmarès de la chanson inédite (Ch. p.). Dans les années 55-56, à noter une émission d'H. Poussigue : les Romancistes français (Chaîne parisienne). En 1957, Géville propose un folklore peu authentique, tandis que Janine et André Camp diffusent le style « rive gauche* » À l'enseigne du che-

val d'or (P.-I.); Songs of France, produit par G. May pour l'étranger, passe sur France I en raison de sa qualité. En 1958, M. Chavanon, prenant la direction de la R. T. F., annonce que la qualité des programmes de France II sera améliorée; elle reste la chaîne des variétés, tandis que France I augmente ses émissions à base de disques. B. Zimmer consacre une série au Chat-Noir*, et A. Gillois produit Prix de Beauté, dont une importante partie est consacrée aux chansons. En 1959, un nouveau plan d'émissions fait une plus grande place aux disques. Cependant, sur France II, on note Histoire de chanter (Mireille*), Chansons subversives et chansons à procès (M. Garçon); sur Paris-Inter, Si le cœur vous chante (C. Vaucaire*) et le Marathon de la chanson française; trois émissions de chansonniers : le Chansonnier de service, Auditeur lève-toi (E. Meunier*), Un mot en passant (Still*-Lavalette*). En 1960, T'en fais pas Bouboule, souvenirs de Milton, et les souvenirs de P. Derval (Fr. II); débuts de la Fine Fleur (P.-I.), produite d'abord par C. Corail, ensuite par L. Bérimont* (1962). En 1961, Marseille présente les Beaux Jours du music - hall marseillais (P. Cordelier); France IV, Un auteur à travers ses chansons (Ph. Moreuil); France III, Histoire de France par les chansons (Vernillat-Barbier, rediffusée en 1966); France II, le Tour de France des chansonniers. 1963 voit les débuts du Petit Conservatoire de la chanson* (Mireille*); Laure Diana et J. Dutailly présentent le Casino des deux époques (Fr. II).

En 1963, M. A. Peyrefitte constate qu'en treize ans la radio a perdu la moitié de ses auditeurs, surtout France II. M. Bordas, directeur de la R. T. F., décide de réagir « dans un esprit offensif et conquérant ». France-Inter transmet des chansons, des jeux, des informations 24 heures sur 24, dans le style « copains* »; le soir, l'antenne se dédouble, une partie du programme étant réservée à la radio « de papa ». Albert Raisner commence sa série Feux de joie. En 1964, Télérama constate la faillite de la politique des variétés et titre : « France-Inter repart à zéro. » Vestige d'émissions chansonnières, Inter-

Variétés diffuse *Chansons oubliées, ou presque* (J.-P. Hébrard) et *la Chanson française*, qui réunit un nombre imposant de producteurs : M. Auzepy, P. Havet*, J. Dréjac*, Philippe-Gérard*, R. Malah et M. Vaucaire*. En 1965, *Top 102* (*Music-hall de demain*, depuis le studio 102).

En 1967, les principales émissions de chansons ont été : *Feux de joie* et *Inter-têtes de bois* (Raisner), *la Chanson française*, *le Grenier de Montmartre* (Raya Lec), *la Fine Fleur* (Bérimont), *Ne les laissez pas échapper* (Hébrard).

Radio-Luxembourg. Créé en 1932, ce poste, dont l'audience est populaire, a son émetteur installé dans un pays voisin, mais ses studios de variétés sont situés à Paris, ce qui permet à de nombreuses vedettes de participer aux émissions. Radio-Luxembourg s'est plutôt spécialisé dans les récitals d'interprètes ou dans des émissions de souvenirs d'auteurs de chansons (exemple : *la Chanson de ma vie*, 1954). On note, parmi les principales émissions consacrées à la chanson : *On chante dans mon quartier* (Kubnick-Châtelard, 1947), animé par Saint-Granier* ; *Mascarade des chansons* (Kubnick - Saint-Granier, 1949) ; *le Million de la chanson* (1951), où étaient présentés des « espoirs » ; *Romance de Paris* et *Parade des succès* (1952-1953) ; *Mais qu'est-ce que c'est?*, animé par G. Bécaud* (1954) ; *la Bourse aux chansons* (Carlier-Salvet, 1957) et de nombreuses émissions d'esprit montmartrois (*le Tribunal des chansonniers*, Rocca*-Souplex*, 1949 ; *Radio Roméo*, R. Carlès*, 1951 ; *le Club des chansonniers*, 1952 ; *Journal pour rire*, Horgues*-Carlès, 1957). Depuis 1963, au moment de la réforme de l'O. R. T. F.*, Radio-Luxembourg diffuse des émissions de chansons destinées aux jeunes, mais à base de disques. Cependant, en 1966, J. Bardin a organisé la *Coupe d'Europe des chansons*, destinée à récompenser les artistes qui écrivent eux-mêmes leurs chansons (exemple : Perret*, Delpech, Dutronc*, etc.).

RAIMBAUT d'Orange, troubadour* provençal (XII° s.). L'un des premiers à écrire dans un style obscur et recherché. C'est plutôt un cérébral : ses artifices poétiques empêchent de croire à sa sincérité amoureuse, même quand il proteste de son amour et de sa fidélité : *Non chant per auzel ni per flo* (Je ne chante ni pour oiseau ni pour fleur). Les poésies de Raimbaut d'Orange sont en contraste avec celles de Béatrice de Die*, qui paraît avoir eu pour lui un amour profond.

Rapin-qui-chante (le), cabaret artistique, situé au coin de la rue des Saules et de la rue Saint-Vincent et fondé en 1928 par Juliette Bocquillon, qui avait tout d'abord appelé son cabaret « l'Écu-Terreux ». La Préfecture de police trouvant le terme équivoque, l'enseigne devint le Rapin-qui-chante, à cause des nombreux peintres qui fréquentaient l'établissement. Y débutèrent, ou s'y firent entendre : Berthe Sylva, Jean Vallauris, André Barnaud, Jean Bisson, le pianiste-chanteur André Chabro, le ténor Vals et les chansonniers Jamblan*, Philippe Olive*, Raymond Bour*, Roger Xel, etc.

Avant de disparaître, vers 1933, le Rapin s'était appelé « la Clef de saule ».

RAUBER (François), compositeur (Neufchâteau, Vosges, 1933). Études au Conservatoire national de musique (classe d'écriture). Brillante carrière d'arrangeur et de chef d'orchestre, notamment pour les enregistrements de Jacques Brel*, avec lequel il écrit *Dors ma mie, bonsoir* (1957), puis *Je t'aime, les Paumés du petit matin*, etc. Il a composé aussi des chansons sur des textes de M. Jourdan, P. Louki*, etc.

réalistes **(chansons),** genre de chansons dont le thème (presque toujours l'amour) est développé de façon dramatique (ou mélodramatique), s'appuyant sur les réalités les plus sombres d'une vie populaire plus ou moins réelle.

Ses héros favoris sont la fille au grand cœur, les mauvais garçons, les marins, les soldats (de préférence appartenant à la Légion étrangère, à la « coloniale ») ; ses lieux préférés sont les quartiers tristes ou inquiétants, les ports, le petit bal musette, les brumes de la nuit.

Le genre, très populaire dès la fin du

XIXe s., a suscité d'innombrables mélos; mais on y trouve aussi des chansons chargées d'une poésie incontestable, comme certaines œuvres de R. Asso* (*Elle fréquentait la rue Pigalle*), M. Emer* (*l'Accordéoniste*), H. Contet* (*C'est toujours la même histoire*), E. Piaf* (*C'était un jour de fête*), M. Vaucaire* (*Sans lendemain*), etc.

Le public est sensible à l'émotion que peuvent communiquer certaines chanteuses réalistes à la voix prenante, exprimant le pathétique de la misère. Les plus célèbres ont été E. Piaf, M. Dubas*, Damia*, Fréhel*, Berthe Sylva, Renée Lebas* (qui, pour la plupart, ne se cantonnaient pas dans ce style).

Parmi les interprètes contemporaines, on peut citer Mireille Mathieu*, Georgette Lemaire* et surtout Pia Colombo*, dont le répertoire, d'une grande qualité, est à la mesure de sa voix.

refrain, formule revenant à intervalles fixes s'intercaler entre les couplets*. — Le refrain se rencontre dans les plus anciennes formes lyriques qui nous soient parvenues. Dans la chanson profane, on trouve les premières chansons à refrain chez les troubadours* et les trouvères*. On rencontre, dès le XIIe s., certaines chansons de croisades à refrain (*Chanterai por mon corage*, Guiot de Dijon*), puis le rondeau*, le virelai*, la rotruenge*, la ballade*, certaines pastourelles*. La plupart des chansons populaires contiennent un refrain (brunettes*, romances*). Le refrain peut comporter un groupe de quelques vers, respectant la césure musicale et poétique (*les Deux Gendarmes*, Nadaud*) ou cassant celle-ci (*les Gueux*, Béranger*). Parfois, une simple exclamation tient lieu de refrain (« Eya » dans *À l'entrada del tens clar*) ou une onomatopée (« Et bon bon bon bon di dan di dan bon » dans le *Convoi du duc de Guise*, XVIe s.), ou une répétition (*les Bourgeois*, Jacques Brel*). Le refrain peut être seulement musical, les vers étant chaque fois différents (*la Paimpolaise*, Botrel*; *le Pendu*, Mac-Nab*).

REINHARDT (Jean, dit **Django**), compositeur (Liverchies, Belgique, 1910 - Fontai-

nebleau 1954). Manouche, il naît dans une roulotte. Malgré une main gauche mutilée (incendie de sa roulotte), il devient un extraordinaire virtuose à la guitare, fonde en 1934, notamment avec Stéphane Grapelly, le quintette du Hot Club de France. Il est considéré comme le meilleur guitariste de jazz du monde. Certaines de ses compositions sont devenues des chansons très populaires (*Crépuscule*, - F. Blanche*, 1943; *Je t'aime*, - S. Grapelly*, J. Larue*, enregistré par Irène de Trébert en 1943) et surtout le célèbre *Nuages* (- J. Larue, 1942).

religieuse (chanson). V. *pastorale ou religieuse (chanson).*

RENARD (Colette **Raget,** dite **Colette**), interprète (Ermont, Seine-et-Oise, 1924). Après avoir exercé divers métiers (vendeuse, fleuriste, employée, secrétaire), elle chante dans l'orchestre de R. Legrand* (qu'elle épouse) et mène une carrière de chanteuse à la fois réaliste* et fantaisiste*, interprétant notamment *Irma la douce*, comédie musicale de Breffort et M. Monnot* (1956, reprise en 1967), puis faisant carrière au music-hall*.

Elle est l'auteur de chansons de films (*Quai du point du jour*, - G. Van Parys*, 1960; *Business*, - R. Legrand, 1961).

RENAUD (Jacqueline **ENTÉ,** dite **Line**), interprète (Nieppe, Nord, 1928). Dans son livre *Bonsoir mes souvenirs* (Flammarion, 1963), L. Renaud raconte sa jeunesse à Armentières, ses débuts dans la chanson (sous le pseudonyme de **Jacqueline Ray** elle chante à Radio-Lille avec Michel Warlop en 1944), puis son engagement par R. Legrand*, qui vient la voir avec sa femme, Irène de Trébert, « Mademoiselle Swing », et qui la fait venir à Paris (1945). Puis c'est sa carrière avec L. Gasté* (qu'elle épouse en 1950). Il lui écrit de nombreux succès (*Ma cabane au Canada*, - Mireille Brocey, 1948). Elle chante à l'ABC* (1950), au Moulin-Rouge* (1954), tourne des films (*la Madelon*, J. Boyer*, 1955), et, à partir de 1959, devient une prestigieuse meneuse de revues au Casino de Paris* et à Las Vegas.

RENÉ-PAUL (René **Voloter,** dit), chansonnier (Brest 1899). Il débute à la Lune-Rousse* (1929) avec On évolue et fait ensuite une carrière classique de chansonnier montmartrois, chantant aux Deux-Ânes*, au Coucou*, au Caveau de la République*, au théâtre de Dix-Heures* et faisant quelques incursions au music-hall* : ABC*, Alhambra*, Bobino*, Européen*, etc. Il y a interprété des chansons satiriques telles que : Peuplier sur mesure, Financia, Pétroli-Pétrola, Congo... laid, la France à papa, etc. Jusqu'en 1939, il s'est beaucoup fait entendre à Radio-Cité et au Poste parisien, et, après la guerre, au Club des chansonniers (Radio - Luxembourg*). En 1944, il a dirigé à la R. T. F. la Parade des chansonniers, qu'il a préféré abandonner par horreur de la censure. « Soumettre mes textes à qui que ce soit, me hérisse, dit-il, car je crois avoir passé l'âge des examens. »

re-recording (mot anglais signif. réenregistrement), technique qui permet de superposer deux enregistrements sur la même bande magnétique et pourrait aussi bien être appelée surimpression. — En musique classique, un même pianiste peut ainsi enregistrer seul, en deux fois, des morceaux à quatre mains (ainsi, A. Cicolini joue les Morceaux en forme de poire d'E. Satie). Dans le domaine de la chanson, un même interprète peut chanter plusieurs parties vocales ou enregistrer plusieurs « voix » à l'unisson. Le procédé permet au chanteur d'enregistrer à loisir sur l'enregistrement de la partie orchestrale réalisé précédemment. (V. play-back.)

RICET-BARRIER (Maurice **Barrier,** dit), auteur, compositeur, interprète (Romilly-sur-Seine 1932). Ses parents étaient commerçants en bonneterie. Il est professeur de gymnastique pendant cinq ans, titulaire d'un diplôme de masseur kinésithérapeute. Il gratte des airs de Brassens* à la guitare, s'essaye au banjo dans un style Nouvelle-Orléans et écrit (le plus souvent avec B. Lelou) des chansons farfelues qu'il chante (gilet et nœud papillon) au cabaret du Cheval d'Or* en 1956, quand, soudain, le succès sourit à la Ser-

Ricet-Barrier. Doc. Philips.
Phot. Michel Brigaud.

vante du château et à la Java des Gaulois (1957). La France répète les proverbes paysans de la servante et chante la bonne vie de nos ancêtres. Par la suite, ses plus grandes réussites adopteront soit le style du pastiche 1925 (Dolly 25, 1957 ; Stanislas, 1959, par les Frères Jacques*), soit la robuste verve paysanne (la Marie, 1962 ; le Vieux, 1967). Il prête sa voix à Saturnin le Canard à la télévision* (1967).

RICTUS (Gabriel **Randon de Saint-Amand,** dit **Jehan**), auteur (Boulogne-sur-Mer 1867 - Paris 1933). D'ascendance franco-écossaise, il fut élevé à Londres, puis en Écosse, mais se fixa à Paris à partir de 1877. À dix-sept ans, il collabore à de jeunes revues : la Plume*, la Muse française, le Mercure de France, le Pierrot (de Willette), ainsi qu'à des journaux : le Figaro, l'Écho de Paris, le Matin, le Soir. Il débute en 1896 aux Quat'-z-Arts avec les *Soliloques du pauvre*, dans lesquels il a exprimé les rancœurs des miséreux dans une langue argotique aussi pittoresque qu'exacte.

Les poèmes de Jehan Rictus ont peu tenté les musiciens, parce qu'ils contiennent en eux-mêmes leur musique, et sont les descendants des cantillations prémédiévales. Ainsi : *Chanson de l'étrangleur, Complainte des petits termes, Farandole des pauv's tits fanfans morts* (qui s'intitule d'ailleurs « ronde parlée »), *Chanson des trois bons garçons de chevaux de l'omnibus de l'Odéon*.

RIEUX (Jean), chansonnier (Albi, Tarn, 1885 - Paris 1959). Après des débuts au Perchoir* à la fin de la Première Guerre mondiale, Jean Rieux a promené ses chansons satiriques et sentimentales dans tous

**Jean Rieux, illustration pour
« le Meunier en smoking » (1945).**
Phot. Lauros.

les cabarets de l'entre-deux-guerres. Il a aidé sa femme, **Flon-flon**, à fonder le Grillon* en 1919 et a succédé à Xavier Privas* et à Jacques Ferny* à la présidence de la Chanson de Paris (association pour la propagation de la chanson).

Bien qu'il ait fait une dernière apparition à la Tomate*, il reste le trait d'union entre l'avant et l'après-guerre de 1914 pour les chansonniers. Ses chansons ont été publiées sous le titre *le Meunier en smoking* (1945). La première partie, *Sous les lauriers*, fait un pendant teinté d'humour aux *Croix de bois* de Roland Dorgelès. Un poème s'intitule d'ailleurs *les Déracinés, à la manière de Sulphart*. Le tempérament profondément patriote de Jean Rieux s'exprime encore dans *les Deux Wagons*. La dernière partie du livre est consacrée à la période qui va de 1939 à 1945 : *le Cœur de Chopin* (invasion de la Pologne, 1939), *Discours à mon ventre* (commentaire désabusé sur les méfaits des restrictions), la Libération lui inspirant une chanson tendre et poétique : *Barricade au Quartier latin*. Le recueil se clôt sur *le Grand Quinquin*. Jean Rieux a — comme tous ses confrères — brocardé les têtes de pipes habituelles : précisément *Ma pipe* (dédié au président Herriot), *la Légende de sainte Cécilimène, Lettre à Sacha* (Guitry). Mais ses plus grands succès n'ont rien perdu de leur actualité : *C'est formidable... et c'est charmant, Village à vendre, Rêve d'habitations, les Deux Hymnes*.

RIFFARD (Roger), auteur, compositeur, interprète (Villefranche-de-Rouergue 1924). Son premier roman (*la Grande Descente*, Éd. Julliard) séduit R. Fallet, qui le présente à G. Brassens*. Ses chansons insolites (*Mon copain d'Espagne, les Petits Trains*, 1959, 1960) plaisent à G. Brassens, qui facilite ses débuts sur scène (tournées, Trois-Baudets*, Bobino*, Olympia*), où il compose un personnage sympathique de poète farfelu. Il a été cheminot, enseignant, il est aussi romancier et acteur. Avec *Timoléon le jardinier* (par Michèle Arnaud*, 1961), où l'humour se fait finesse, il connaît un grand succès. Mouloudji*, Suzanne Gabriello* interprètent aussi ses œuvres.

rive gauche (style). À partir de 1947, des cabarets parisiens situés sur la rive gauche de la Seine, à Saint-Germain-des-Prés ou au Quartier latin*, font entendre de jeunes auteurs, compositeurs, interprètes dont le répertoire se caractérise par un grand souci de qualité littéraire et souvent mélodique, refusant les pièges de la facilité. C'est une renaissance, à plus de cinquante ans d'intervalle, des établissements chantants du Quartier latin. Au Tabou*, à la Rose-Rouge*, au Quod libet*, à l'Échelle de Jacob*, à l'Écluse* (créés entre 1947 et 1949), puis à l'École buissonnière*, à la Colombe*, au Cheval d'Or*, à la Contrescarpe*, Chez Moineau*, au Port du salut*, etc., on peut entendre, entre autres, M. Arnaud*, M. Aubert*, Barbara*, P. Colombo*, J. Douai*, L. Ferré*, M. Fanon*, S. Gainsbourg*, S. Golmann*, J. Holmès*, F. Lemarque*, Marc et André, N. Louvier*, H. Martin*, C. Sauvage*, A. Sylvestre*, B. Vian*. Des interprètes, Caroline Cler, Christian Borel, les Frères Jacques*, J. Gréco*, Brigitte Sauvanne, F. Solleville*, C. Vaucaire*, etc., y chantent Prévert*, Queneau*, Kosma*, Aragon*, Bérimont*, etc. La chanson de style rive gauche, dont la résonance poétique a renoué avec les efforts d'A. Capri*, M. Oswald*, a débordé rapidement la rive gauche (Milord l'Arsouille*, Trois - Baudets* sont situés sur la rive droite). Elle a atteint certains établissements montmartrois (Chez Pomme*, dès 1947 avec J. Douai) et conquis l'audience du grand public par le music-hall*, le disque*, la radio* (notamment les émissions de Francis Claude* dès 1948). Considéré un moment par certains comme trop « intellectuel », ce style s'est harmonieusement intégré au courant de la chanson française. Mais la tradition des cabarets de chansons continue, servant plus ou moins de bancs d'essai pour de jeunes artistes.

RIVIÈRE (Jean Max), auteur, compositeur, interprète (Paris 1937). Après des études artistiques, il écrit *la Pierre*, en collaboration avec Joël Holmès*, et toute une série de chansons interprétées avec beaucoup d'esprit par Brigitte Bardot : *Sidonie*

(poème de Charles Cros), *les Amis de la musique, Noir et blanc, C'est rigolo* (à partir de 1962). Écrites en collaboration avec Gérard Bourgeois ou Yani Spanos*, ces chansons, alertes et spirituelles, ont été suivies par *Un petit poisson, un petit oiseau* (par Juliette Gréco*, 1960), *Ballade pour un sourire* (par Sylvie Vartan*, 1967), etc.

ROCCA (Robert **Canavèse,** dit **Robert**), chansonnier (Paris 1912). Ayant abandonné la coiffure pour dames en faveur de la chanson, il débute en 1932 à la Vache-Enragée* et au Caveau de la Répu-

Robert Rocca, vu par Pol Ferjac.
Phot. Lauros.

blique* avec *J'aime la femme tronc*. Son esprit caustique en fait bientôt l'un des chansonniers les plus représentatifs de l'esprit montmartrois contemporain. Il a fondé, en 1949, la Tomate*, qui connut sous sa direction des succès éclatants, puis, abandonnant ce théâtre au strip-tease, il est passé au théâtre Gramont, où il a fait représenter *Vive De...*, revue d'actualité politique, avec Grello* et Pierre Tchernia (1960), *Un certain M. Blot* (adaptation à la scène du roman de Pierre Daninos), puis *Vive la Libe...*

Il a produit (toujours avec Grello et Tchernia) *la Boîte à sel,* émission satirique bimensuelle à la télévision, supprimée pour cause de censure.

Robert Rocca, qui a obtenu le grand prix du Disque en 1954, a chanté dans tous les théâtres chansonniers de Paris. Ses chansons préférées sont : *l'Amour chez les fleurs, Vive Rocca!, Au cœur de l'H. L. M., le Client, le Ministre et le comédien, les Secrétaires d'Etat.*

ROCCA (Danielle), sœur du précédent, et non sa fille, comme on l'a souvent écrit, participe aux spectacles montés par son frère.

ROCHE (Pierre), compositeur, interprète (Beauvais 1919). V., ci-dessous, *Roche et Aznavour.*

ROCHE et AZNAVOUR, numéro de duettistes formé par Pierre Roche* et Charles Aznavour* en 1944. Ils se sont rencontrés dans une école de music-hall en 1941 et ils écrivent ensemble des chansons rythmées (*J'ai bu, le Feutre taupé, J'ai pris le premier train, Il y avait trois jeunes garçons, Poker, Ma main a besoin de ta main*) qu'ils interprètent à la Libération dans un style de jazz* rapide et bien balancé. Lors de leur passage dans une émission radiophonique publique, salle Washington à Paris, ils sont remarqués par Edith Piaf* et partent avec elle dans une tournée à laquelle participent aussi les Compagnons de la chanson* (1946). Ils connaissent un certain succès, et *J'ai bu* vaut un grand prix du Disque à son interprète Georges Ulmer* (1947). Leurs carrières divergent par la suite et ils se séparent en 1950.

rock and roll (parfois abrégé en **rock' n' roll**), rythme d'origine américaine (1955), dont le nom évoque la danse (certains y voient une signification érotique; littéral. : *to rock,* se balancer; *to roll,* rouler).

C'est une forme simplifiée du rythm and blues, qui, d'après Boris Vian*, servait à signaler aux États-Unis (comme le terme *race series*) des enregistrements « destinés au public noir et consistant surtout en blues chantés ». Ses caractéristiques, ajoute B. Vian, sont le premier et le quatrième temps battus, la basse jouant un boogie-woogie (cordes claquées sur le manche), la formule rythmique (riff) répétée sans arrêt formant la mélodie, les paroles ayant une double signification sexuelle. Le rock peut être considéré comme une réaction au jazz moderne, trop raffiné pour la danse. Si la tenue en scène de certains chanteurs de rocks français suggère l'érotisme, les paroles françaises sont rarement à double sens sexuel. Elles sont très simples et souvent émaillées d'onomatopées diverses.

En 1955, à Nashville (États-Unis), Elvis Presley (né en 1935) crée ce nouveau style, violent, très « scénique », quasi hystérique (il se roule par terre). Chantée par Bill Haley, la chanson du film *Rock around the Clock* (1955) est le plus grand triomphe mondial (13 millions de disques dans le monde).

Dès 1955-1956, Boris Vian écrit pour la France des rocks qui sont des parodies*, avec Alain Goraguer* (*Fais-moi mal, Johnny*), Michel Legrand*, Henri Salvador*. Il estime que la violence n'a aucune chance d'être prise au sérieux chez nous. Mais le canular laisse bientôt la place à l'engouement : 10 000 exemplaires du disque enregistré par H. Salvador, sous le pseudonyme de Henri Cording, sont vendus en quinze jours. Bill Haley vient en France (Olympia*, 1957), suivi par Paul Anka* (1958, *Diana,* 4 millions d'exemplaires dans le monde); le rock déferle sur l'Europe, accompagné de phénomènes de violences diverses, parfois raciales (Stockholm, Berlin, Afrique du Nord, Londres).

En France, J. Hallyday* entame une brillante carrière (1960, *T'aimer follement*), relancée par une nouvelle danse, le twist* (1961). Une série de violences accompagne les tournées des rockers (chanteurs de rock) en 1961. Mais, sous des influences diverses, les rockers français, les organisateurs, les animateurs refusent la violence des « blousons noirs », celle que chante l'Américain Vince Taylor (pseud. de Brian Maurice Holden, né en 1940). Le phénomène du yéyé* englobe de nombreux jeunes, qui ne chantent pas tous du rock.

Parmi les premiers chanteurs de rock en France, après Danyel Gérard (né en 1939, 1er disque en 1958), outre J. Hallyday, on peut citer Eddy Mitchell (Claude Moine, né en 1942), qui a enregistré au début avec le groupe des Chaussettes noires, Long Chris (Christian Blondeau), Rocky Volcano (né en 1941), Sylvie Vartan*, R. Anthony*, Dick Rivers (Hervé Fornéri, né en 1945), etc. Beaucoup ont été des habitués du Golf Drouot*. Leurs chansons ont été, surtout au début, des adaptations de succès américains.

RODOR (Jean), auteur, interprète (Sète 1881 - Paris 1967). Il écrivit des chansons parmi les plus populaires, dont le fameux *Sous les ponts de Paris*, en 1913. Il chantait alors dans un music-hall* londonien, et la nostalgie de la Seine le prit en longeant la Tamise. La musique de V. Scotto* contribua à faire de cette chanson un succès mondial. Parmi les œuvres de J. Rodor, souvent écrites en collaboration avec V. Scotto, on peut encore citer *Ma Miette*, *Celle que j'aime est parmi vous*, *Toi que mon cœur appelle*, *Réginella*, etc.

Il fut secrétaire général et vice-président de la S. A. C. E. M.*

ROLLAND (Roland **Cratelet**, dit **Claude**), compositeur (Champigneulles 1920). Il obtient un premier prix de piano au conservatoire de Nancy à quatorze ans ; élève d'Yves Nat, il donne des récitals. Blessé dans un bombardement (1944), il interrompt cette carrière et se consacre aux variétés*. Il a notamment composé *Tout ça parce qu'au bois de Chaville* (- P. Detaille, 1950), *Lettre à Véronique* (- F. Dorin*). Il accompagne au piano la plupart des chansonniers au théâtre de Dix-Heures*.

ROLLINAT (Maurice), chansonnier (Châteauroux 1846 - Ivry-sur-Seine 1903), fils d'un représentant du peuple (1848) ami de George Sand. Il fut à la fois influencé par sa province et par un tempérament morbide, que la mort tragique de sa femme, mordue par un chien enragé, ne contribua pas à améliorer. Par une ironie du sort, il était employé au bureau des décès de la préfecture de la Seine.

Il a collaboré au second Parnasse et fonda avec Goudeau* le journal l'*Hydropathe*. Il suivit cette compagnie au Chat-Noir*. Musicien et poète d'instinct, il composait lui-même la musique de ses chansons, qu'il chantait, en s'accompagnant au piano, d'une étrange voix de deux octaves, âpre, dure et profonde. Son faciès tourmenté impressionnait ses auditeurs, et Barbey d'Aurevilly écrivait en 1889 : « Il a inventé pour ses poésies une musique qui fait ouvrir des ailes de feu à ses vers, et qui enlève fougueusement, comme sur un hippogriffe, ses auditeurs fanatisés. »

Ses chansons appartiennent à deux genres distincts : inspiration rustique et souvenirs du Berry, telles *la Mort des fougères*, *Chanson d'automne*, *En regardant sauter les geais* ; compositions macabres, où il avoue chanter « les angoisses de la folie encore consciente », telles *la Morgue*, *Ballade du cadavre*, *Notre-Dame de la Mort*. Il a mis en musique plusieurs poèmes de Baudelaire.

romance, chanson divisée en stances, écrite en vers simples et faciles, sur un sujet « naïf et attendrissant » (Marmontel). La musique, qui se répète à chaque strophe, doit répondre au caractère des paroles. Cette forme de chanson existait déjà chez les trouvères* et les troubadours*, avec les chansons de toile*. « Certaines romances médiévales nous transportent dans un cadre de fleurs et de verdure, ou dans un monde féerique ; on les a nommées *reverdies*. Exemples : *Volez-vous que je vous chant* (anon., XIIIe s.) ; *Ce fut en mai* (Monniot d'Arras). » (Gérold.)

Si les chansons tendres et pastorales des XVIe et XVIIe s. peuvent être considérées comme des romances, celles-ci ne connaîtront le succès populaire qu'à la fin du XVIIIe s. pour trouver leur plein épanouissement sous l'Empire et la période romantique. Sous le règne de Louis-Philippe,

**Frontispice de Bénazech pour « les Consolations aux misères de ma vie »,
recueil de romances de J.-J. Rousseau (1781).** Phot. Lauros.

c'est un véritable débordement : le débit annuel des romances en 1845 est d'environ 250 000 exemplaires.

On distingue, à cette époque, trois genres de romances : narrative, le poète raconte une succession d'événements ; dramatique, elle met en scène un ou plusieurs personnages qui agissent et parlent ; lyrique, le poète parle pour son compte.

La romance touche à des styles variés : historique (*Adieux de Charles VII à Agnès Sorel*, Béranger* - Wilhem) ; pastoral (*le Retour des champs [Il pleut bergère]*, Fabre d'Églantine* - Victor Simon) ; sentimental (*le Montagnard émigré*, Chateaubriand - J. B. Bédard) ; troubadour (*Partant pour la Syrie*, A. de Laborde-Drouet* - Hortense de Beauharnais) ; élégiaque (*le Lac*, Lamartine - Niedermeyer) ; patriotique (*Romance sur la mort du jeune Bara*, le Citoyen Auguste - Devienne) ; tragique, et qui se confond parfois avec la complainte* (*Romance de Mlle de Sombreuil*, Coittant - Dalayrac, vaudeville de la *Soirée orageuse*). Si certaines romances furent écrites sur des timbres*, il fallut en général, pour composer une romance, la collaboration d'un poète et d'un musicien. Parmi les principaux auteurs, citons : Marmontel, Florian, Parny*, Berquin*, Moncrif*, Marceline Desbordes-Valmore*, Chateaubriand, H. Moreau*, Paul de Kock*, etc.

Les plus grands compositeurs ne dédaignèrent pas ce genre soi-disant mineur : Gossec, Grétry, Dalayrac, Devienne, Cherubini, Méhul, Boïeldieu, Nicolo, Auber, etc. D'autres compositeurs, de moindre renom, ont laissé des romances charmantes : Martini*, J.-J. Rousseau*, Beffroy de Reigny*, Beauvarlet-Charpentier*, Gervais-François Couperin, d'Alvimare, Naderman, Gatayes, Castil-Blaze, Camille Pleyel, Bochsa, Grisar, Doche, Bédard. Certains compositeurs se sont fait de la romance une spécialité : Gaveaux*, P. J. Garat*, Romagnési, Blangini*, Pradher, Monpou, Sophie Gail, Bérat*, Abadie*, Wilhem, Beauplan*, Marie Nodier, Pauline Duchambge*, Paul Henrion*, Étienne Arnaud* et Loïsa Pujet*. Au milieu du XIXe s., la romance cède la place à la mélodie, qui, à ses débuts, présente beaucoup d'analogie avec elle (Berlioz et Gounod). Certaines mélodies gardent toujours le caractère de la romance : les premières mélodies de Gabriel Fauré, certaines œuvres de Reynaldo Hahn (en particulier *Paysage*), le *Mariage des roses* (César Franck), *Si tu le veux* (Charles Kœcklin), *Ma poupée chérie* (Déodat de Séverac), *l'Anneau d'argent* (Cécile Chaminade), etc.

À la fin du XIXe s., la romance avait émigré au café-concert* et au cabaret artistique, avec des œuvres comme le *Temps des cerises* (J.-B. Clément - Renard), *la Tour Saint-Jacques* (Darcier* - Hachin*), *le Printemps chante* (Marinier*) et de nombreuses œuvres de Delmet* : *Vous êtes si jolie* (- Suès), *Une étoile d'amour* (- Fallot), *Envoi de fleurs* - H. Bernard), *Stances à Manon* (- Boukay*), etc.

Par la suite, on trouve parfois des chansons répondant aux caractères de la romance au music-hall* (l'appellation disparaissant peu à peu), dans le répertoire de Lucienne Boyer* (J. Lenoir*, *Parlez-moi d'amour*), Damia*, M. Dubas*, Fréhel*, Lys Gauty*, Lina Margy, Léo Marjane, Edith Piaf*, etc., mais la chanson réaliste* supplante la romance. Le premier film parlant français, *Sous les toits de Paris* (R. Clair*, 1930), popularise une romance de Moretti - R. Nazelles, de même *À Paris dans chaque faubourg* (Maurice Jaubert* - R. Clair). Les « chanteurs de charme » enregistrent parfois des chansons pouvant être considérées comme des romances : J. Lumière* (*Dans les bois*, Lafarge - Pothier), T. Rossi*, J. Tranchant* (*les Prénoms effacés*), A. Claveau* (*J'attendrai*), etc. De même, *la Chanson tendre* (Carco* - Larmanjat), fréquemment enregistrée (par C. Vaucaire*, par exemple). Le mot *romance* n'apparaît plus que rarement dans la chanson contemporaine (C. Trenet*, *la Romance de Paris*, 1941 ; D. R. White - P. J. Lapeyres, *la Romance du bord de l'eau*, 1943 ; J. Holmès*, *la Romance*, 1963) ; cependant, on peut estimer que se rattachent plus ou moins à ce genre, sans en respecter toujours toutes les caractéristiques, certaines chansons de C. Aznavour* (*Sa jeunesse*), Barbara* (*Au cœur* de la nuit), Brassens* (À l'ombre du cœur de ma mie), L. Ducreux* (l'Odeur des roses ou La rue s'allume), L. Escudero* (Ballade à Sylvie), L. Ferré* (l'Étang chimérique), F. Lemarque* (Écoutez la ballade), Mouloudji* (- Van Parys*, Un jour tu verras), Prévert* - Kosma* (les feuilles mortes), etc.

ROMANN (Roland **Froidevaux**, dit **Luc**), auteur, compositeur, interprète (Paris 1937). Il travaille dès l'âge de quatorze ans, mais les arts l'attirent. Il peint, il compose des chansons qui disent la vie populaire et l'inquiétude métaphysique avec force et sincérité (Plus loin).

rondeau, chanson d'origine chorégraphique, qui apparaît au nord de la Loire dans la première moitié du XIIIᵉ s. — Descendant de la carole (danse en chaîne fermée, ou ronde), le rondeau est caractérisé par l'alternance d'un refrain* avec des couplets différents. On cite comme célèbres les rondeaux d'Adam de la Halle* (XIIIᵉ s.), de Guillaume de Machaut (XIVᵉ s.), Binchois*, Dufay*, Busnois* (XVᵉ s.). Au XVIᵉ s., le rondeau est plutôt une forme littéraire que musicale (C. Marot). Il comprend alors 13 vers et suit des règles complexes.
Du XVIIᵉ s. au XIXᵉ s., l'air en rondeau subsiste dans les opéras et opéras-comiques, tandis qu'une forme instrumentale (rondo) s'installe dans la sonate et la symphonie.

RONSARD (Pierre **de**), auteur (château de la Possonnière [Val de Loir] 1524-Saint Cosmes-lez-Tours 1585). Il a été le premier poète à encourager les musiciens à mettre ses œuvres en chansons, destinant plus spécialement certaines à la musique. Les Amours furent publiés avec un supplément musical, œuvre de quatre musiciens (Certon*, Janequin*, Goudimel* et M. A. Muret), ce qui n'empêcha pas de très nombreux compositeurs de mettre ensuite les Amours en chansons. Certaines pièces de Ronsard furent mises en musique plusieurs fois : Amour, donne-moi paix ou trève (Bertaut, Caietain*, Janequin, Lassus*, Maletty, Montfort), Plus tu cognois

que je brusle pour toy (Castro, Goudimel, Caietain, Millot, Ph. de Monte, Sweelinck), Si je trespasse entre tes bras, madame (Boni, Castro, Leurart, Maletty, Millot, Regnard), etc.
Ronsard a été le premier poète dont des musiciens ont publié des recueils entiers de chansons : Pierre Clereau, Premier livre d'Odes de Ronsard (1566); Nicolas de La Grotte, Chansons de Pierre de Ronsard (1569).
La bibliographie des pièces de Ronsard mises en musique a été publiée par L. Perceau et G. Thibault.
Parmi les compositeurs contemporains, G. Béart*, L. Ferré*, R.-L. Lafforgue* ont mis en chanson des Stances de Ronsard.

Rosati d'Arras, société littéraire, chansonnière et bachique, fondée à Arras en 1778. Les assemblées commençaient au printemps pour se terminer à l'automne. Les sociétaires exerçaient leur culte sous un berceau de roses et couronnés de fleurs. Leur but principal était l'éloge de la beauté, de la rose, du vin, de l'amour. Maximilien Robespierre en fit partie et composa une chanson, démontrant avant Gilbert Bécaud* et Louis Amade* l'importance de la rose.

Rose-Rouge (la), l'un des plus célèbres cabarets « rive gauche* », animé par Niko Papatakis. D'abord situé rue de La Harpe (1948), ouvert en semaine (le samedi et le dimanche, Benga, ex-danseur des Folies-Bergère, y animait un bal), puis, après quelques mois d'interruption, 76, rue de Rennes (mai 1949-1958). Yves Robert y chanta et, avec sa compagnie, y joua des sketches devenus célèbres (Cinémassacre, le Goûter des généraux, de B. Vian*); Michel de Ré, les marionnettes d'Y. Joly s'y produisirent; les Frères Jacques* y interprétèrent l'Entrecôte, Barbara, etc. Henri Crolla* et ses musiciens jouaient à la première Rose-Rouge. Mais surtout le rôle de ce cabaret fut considérable en faveur de la chanson de qualité; on put y entendre Jacques Douai* et Francis Lemarque* dès la création, puis Juliette Gréco*, Nicole Louvier*, André Salvador (frère d'Henri), Jean Ferrat*, etc.

ROSSI (Constantin, dit **Tino**), interprète (Ajaccio 1907), d'une famille de huit enfants (père tailleur). Il est doué d'une voix d'or, veloutée, qui va lui permettre d'assurer une prodigieuse carrière de chanteur de charme. Elle commence à l'Alcazar de Marseille* (1927), continue à Paris, où il enregistre bientôt (1932), passe à la radio* (1931) et joue dans *Parade de France* de V. Scotto*, où il représente la Corse avant d'être vedette de grands spectacles. Son succès est extraordinaire : en 1934, il vend 450 000 disques, chiffre considérable à l'époque ; ce succès déborde la France : *Vieni Vieni* (V. Scotto) est classé un moment en tête des ventes aux États-Unis. T. Rossi chante en effet beaucoup de chansons dont V. Scotto écrit les mélodies : *O Corse, île d'amour ; Marinella ; Tchi-tchi ; Tant qu'il y aura des étoiles*, etc. ; il chante aussi du « classique » (*Sérénades* de Gounod, Mozart, *Ave Maria* de Schubert, etc.). Il a été l'un des premiers à venir sur scène avec une guitare. Il a joué des opérettes et tourné des films, où il interprète des succès (*Marinella* et *Naples au baiser de feu*, 1937 ; *Fièvres*, 1941 ; *le Chanteur inconnu*, 1946 ; etc.).

rotruenge, chanson courtoise à refrain* (XIIᵉ s.), sur l'étymologie de laquelle personne n'est d'accord. (Plutôt cultivée dans le Nord que dans le Midi.)

Roulotte (la), cabaret artistique (1896-1900), fondé par Georges Charton, 42, rue de Douai, où furent créées les *Chansons animées*, chansons anciennes interprétées par des acteurs et mises en scène dans des décors, sœurs aînées des *Cantomimes* de X. Privas*. Les vedettes de la Roulotte furent J. Rictus*, M. Legay*, Yong-Lug*, Louise France, Goudeau*, E. Lemercier* et J. Ferny*, qui publia ses œuvres sous le titre *Chansons de la roulotte*.

En 1900, après s'être transportée à l'Exposition universelle, la Roulotte effectua une grande tournée à travers le nord de la France, l'Allemagne et l'Autriche.

ROUSSEAU (Jean-Jacques), écrivain et compositeur (Genève 1712 - Ermenonville 1782). À ses nombreux écrits sur la musique, à son opéra pastoral, *le Devin du village* (1752), dont certains airs se transformèrent en chansons populaires, il faut ajouter la composition d'un recueil de romances* *Consolations aux misères de ma vie,* paru en 1781 et réédité en 1788.

Rousseau, grâce à ce recueil, remet à la mode les poètes du XVIᵉ s. : Marot (*Celui plus je ne suis que j'ai jadis été*), Desportes* (*O bienheureux qui peut passer sa vie*), Bertaut (*Quand je revis ce que j'ai tant aimé*), Belleau (*Avril, l'honneur et des bois et des mois*), Baïf (*Amour tout las de voler*), François Iᵉʳ (*Ores que l'ai sous ma loi*). Dans le même recueil, Rousseau met aussi ses contemporains en musique : Dufresny, La Bruère, Gresset, Moncrif*, Berquin*, Marmontel, La Motte, La Borde.

ROUZAUD (René), auteur (Paris 1905). Il a d'abord été journaliste (jusqu'en 1939) et il a travaillé notamment à l'Agence Havas. Attiré par la chanson, il écrit *Si tu passes par Suresnes* (1938, - Pierlas), créé par André Pasdoc, et de nombreuses œuvres chantées par Damia* (*Fouette postillon*). Ses textes, souvent poétiques, écrits avec soin, connaissent un grand succès : ainsi *Rêver, Libellule* (1945, - Guy Luypaerts*). Certaines de ses œuvres sont construites autour d'un symbole aisément déchiffrable (*Cherche la rose,* 1963, - H. Salvador*). Il a su traduire la joie populaire (*la fête à Loulou,* 1956, - Bob Castella*) et utiliser les ressources d'un savoureux argot dans *la Goualante du pauvre Jean* (1954, - Marguerite Monnot*), une chanson qui a fait le tour du monde. Ses œuvres ont été interprétées notamment par Edith Piaf*, Yves Montand*, Jean Sablon*, les Compagnons de la chanson*, etc. Il est producteur à l'O. R. T. F.*

S

SABLON (Adelmar, dit **Charles**), compositeur (Paris 1871-1928). Prix d'harmonie et de contrepoint du Conservatoire, il est l'auteur d'opéras-comiques (*la Ribaude*), de chansons sentimentales qui eurent du succès : *Bonsoir m'amour, Je ne veux pas que tu m'embrasses sur la bouche* (inspiré par sa fille, Germaine). Son fils aîné, **André Eugène** (Paris 1896-1946), qui a parfois signé **André Sab**, a composé des chansons de même style, ce qui fait que l'on confond souvent ces deux compositeurs (*Au long du canal Saint-Martin*, - Guillot de Saix, 1935; *Je voudrais connaître Hollywood*, - Marc Cab, Marcel Sablon, 1935). Ses autres enfants firent aussi carrière dans les métiers du spectacle : Germaine et Jean comme interprètes (v. ci-dessous), **Marcel** (1894-1968), qui a écrit quelques chansons, en tant que directeur de divers théâtres.

SABLON (Germaine), interprète (Le Perreux, Seine, 1899), fille d'Adelmar Sablon*. « C'est un cœur qui chante », a dit J. Cocteau. Elle fut, en effet, une interprète d'une finesse et d'une sensibilité remarquables.
Après des études musicales (piano, chant classique, harmonie), elle débute en cabaret (le Bosphore, 1932), puis au music-hall* (1933) avec *Ici l'on pêche* (J. Tranchant*). Dès lors, elle crée quelques-uns des grands succès des années 1930-1940 : *Un jeune homme chantait* (R. Asso* - Léo Poll), *Je rêve au fil de l'eau* (Chomette), *C'est lui que mon cœur a choisi* (R. Asso - M. Monnot*), etc. Engagée dans les services féminins de l'armée pendant la guerre (Légion d'honneur, croix de guerre, quatre citations), elle fait écrire et crée le célèbre *Chant des partisans* (Anna Marly-

Maurice Druon - Joseph Kessel) dans le film *Pourquoi nous combattons* (Londres, 1943).
Ambassadrice de la chanson française, elle a chanté dans le monde entier, reprenant aussi des chansons folkloriques comme *Aux marches du Palais, la Passion du doux Jésus*. De 1931 à 1940, elle a tourné quinze films.

SABLON (Jean), auteur, compositeur, interprète (Nogent-sur-Marne 1906), fils du compositeur Adelmar Sablon* et frère de Germaine. Après des études au lycée Charlemagne, il débute à dix-sept ans aux Bouffes-Parisiens avec Jean Gabin (dans *la Dame en décolleté*), puis au théâtre du Vieux-Colombier avec Gaston Baty. Il joue des opérettes, des revues de Rip, des comédies, puis s'oriente vers le music-hall*, passe au Casino de Paris* (partenaire de Mistinguett*) et joue dans l'opérette *Dix-Neuf Ans* (1 000 représentations). En 1930, il chante dans la *Revue Argentine* (Marc Cab - André Sab) et rencontre Mireille* et Jean Nohain*. Dès lors, il va se consacrer à la chanson et participe ainsi à la « nouvelle vague » de l'époque, qui va transformer la chanson française : par le répertoire tout d'abord. Il chante *Plus rien qu'un chien, le Petit Chemin* (Mireille* - J. Nohain*), *Un seul couvert, please, James* (M. Carr - J. Larue*, 1933), *Vous qui passez sans me voir* (C. Trenet* - J. Hess*), qui lui vaut un prix du Disque en 1937; par le style et l'accompagnement ensuite (un trio, dont fait partie Django Reinhardt*, unissant le jazz* et la chanson), tandis que Jean Cocteau présente son tour de chant à la presse; par l'utilisation, enfin, d'une technique nouvelle, le micro, qu'il est le premier chanteur à employer, entraînant des réactions diverses (1936). Les chansonniers blaguent ce « chanteur sans voix », qui, en fait, avait compris que le public voulait retrouver dans une salle de concert la sonorité de la voix enregistrée sur disque*. Il sait jouer de ce nouvel « instrument », qui met en valeur toutes les inflexions de sa belle voix grave et veloutée de « chanteur de charme », faite pour la confidence mélancolique (*Je tire ma révérence*, 1939, Pascal Bastia*), mais pouvant suivre aussi le rythme bien marqué du jazz (version « swing » du *Pont d'Avignon*). Il remporte un grand succès en France et aux États-Unis, où, engagé par le directeur de la NBC, il chante de 1937 à 1939, avec une émission tous les samedis soirs à la CBS. Après un séjour à Paris (ABC*), il repart en tournées à travers les Amériques, où il séjourne pendant la guerre. Vedette* internationale, il a chanté sur tous les continents. De retour en France, il continue à créer de nouvelles chansons, dont il écrit parfois les paroles (1946, *C'est le printemps*, - Rodgers), parfois la musique (1961, *Cigales*, - J. Larue).

S. A. C. E. M. V. *Société des auteurs, compositeurs et éditeurs de musique.*

SAINT-GRANIER (Jean Adolphe Alfred **Granier de Cassagnac**, dit), chansonnier et revuiste (Paris 1890), descendant de gentilshommes verriers établis près de Montauban depuis 1616. Ses ascendants directs ayant abandonné l'industrie pour la polémique et la politique, il continua dans cette voie, en devenant chansonnier satirique. En 1912, il débute au Porc-Épic* avec trois chansons : *le Remplacement des lettres par un chiffre sur les autobus, le Voyage d'André de Fouquières aux U. S. A., le Déménagement de Fallières*. En 1913, il écrit avec Maurice Mérall sa première revue pour le Little Palace. Il écrira environ 50 revues, dont beaucoup en collaboration avec Rip. Il chante simultanément au Grillon*, au Moulin de la Chanson*, au Caveau de la République*, puis passe en exclusivité à la Pie-qui-chante*. En même temps, il collabore à divers journaux : *Charivari, Indiscret, le Matin*, etc.

En 1917, Saint-Granier fait sa rentrée au Perchoir*. En 1918, il construit le théâtre de la Potinière, où il monte des revues et des comédies. À ce moment, il abandonne la chanson satirique pour la chanson sentimentale (*Ramona, Marqueta, Cheerie*) ou l'amusant *C'est jeune et ça n' sait pas*, qui furent des succès.

Il a exercé de nombreuses et diverses activités : directeur de production à la Paramount (1930-1931) ; producteur à Radio-Cité (1937-1940), où il organise le premier crochet radiophonique ; en 1945, à la Radio, où il produit *On chante dans mon quartier* (dont l'indicatif était le célèbre *Ploum ploum tra la la*, de F. Blanche* - Rolf Marbot). Saint-Granier a eu la sagesse de prendre sa retraite à soixante ans, en ne conservant, pour ne pas perdre le contact avec son public, que la *Minute du bon sens*, inaugurée à Radio-Cité, reprise à l'O. R. T. F.* et animée de son célèbre sourire.

salade (argot contemporain), chanson. *Vendre sa salade*, interpréter une chanson en public. Par extension, dans le domaine du spectacle, présenter un numéro. Plus largement, soumettre un projet, et, d'une façon générale, essayer de convaincre son interlocuteur.

SALVADOR (Henri), auteur, compositeur, interprète (1917, Cayenne, Guyane française), où son père était percepteur). Il est à Paris en 1924. Après avoir été batteur, il commence à composer à la guitare (1934), il improvise et chante avec l'orchestre (Jimmy's Bar). Membre du Trio du Négus (1935). Après avoir fait la guerre, il joue et chante à Nice, puis à Cannes (1941) dans l'orchestre de B. Hilda (chansons, sketches). Il part au Brésil avec l'orchestre Ray Ventura* et mène ensuite, seul, une carrière de fantaisiste en Amérique du Sud jusqu'en 1945. Il conquiert le public français (Bobino*, ABC*, etc.), puis l'Europe, et devient une vedette* internationale. Il crée sa propre maison de disques (1961).

Son répertoire comprend des chansons

douces (*Ma doudou*, - Michel; *Maladie d'amour*, folklore; *le Petit Indien*, - Pon), des refrains faciles à reprendre en chœur et parfois loufoques (*Le travail c'est la santé*), dont certains ont connu un succès considérable (*Zorro est arrivé*), devenant de véritables scies*. Sous le pseudonyme d'**Henri Cording,** il a enregistré des rocks* burlesques écrits avec B. Vian*.

SARVIL (René Ernest Antoine **Crescenzo,** dit **René**), chansonnier (Toulon 1901). Il oscille entre la comédie, l'opérette marseillaise, le music-hall* et le cabaret artistique (il a chanté à la Lune-Rousse* de 1931 à 1937). Sa première chanson, *Mousmé jolie*, remporta la médaille d'or à un concours organisé par le Capitole de Marseille. Depuis, il a composé plusieurs « tubes* » : *Ne frotte pas François* (Palais de Cristal de Marseille, par Perchicot), *Sous l'ombrelle* (Alcazar de Marseille*, Jane Marceau), *Je suis content d'avoir fait ça* (Olympia*, Fortugé), *le Miroir* (revue du Palace*, Rose Amy), *le Chapeau de Zozo* (Casino de Paris* et film *Avec le sourire*, Maurice Chevalier*). Il a aussi écrit pour Alibert* de nombreuses chansons qui sentent bon l'ail ou la lavande : *Miette, la Valse marseillaise, Zou, un peu d'aïoli, Canne, canebière, le Plus Beau Tango du monde, Adieu Venise provençale*, etc., ainsi que le *Noël des petits santons* (grand prix du Disque, 1937).
René Sarvil s'est partagé entre la scène et l'écran avec *Cyrano de Bergerac, Au pays du soleil, Trois de la marine, le Roi des galéjeurs*, etc. Il est l'un des interprètes favoris de Pagnol (*Manon des sources, Lettres de mon moulin, Marius*).

saucisson (argot), chanson de peu de qualité. — Avant 1930, au temps du cinéma* muet, pour accompagner un film, pot-pourri* interprété au piano en suivant le rythme des images.

SAUVAGE (Janine **Saunier,** dite **Catherine**), interprète (Nancy 1929). « Chanteuse d'amour, de révolte, de larmes, elle a une voix sauvage d'une redoutable exactitude qui frappe en plein cœur. » (Marguerite Duras.) Elle a aussi un réper-

Catherine Sauvage. Doc. Philips.
Phot. Michel Grésillon.

toire sans faiblesse : L. Ferré*, L. Aragon*, P. Seghers*, B. Brecht et K. Weill (nul ne les chante mieux qu'elle), G. Vigneault*, etc. En 1948, elle chante *Grand-Papa laboureur* (Broussolle - Popp*) au Bœuf sur le toit*, et bientôt, de cabarets en music-halls*, de disques* en récitals, elle impose un style, fait de gouaille ironique (*l'Homme*, de Ferré), d'émotion (*Il n'aurait fallu*, Aragon - Ferré), de puissance et de révolte (*la Fiancée du pirate*, Brecht - Weill), de légèreté (*Et je cousais, Marie Noël* - Y. Spanos*), de rythme (*Bilbao Song*) ou de nostalgie (*le Temps du tango*, Ferré - Caussimon*). Prix du Disque (1954, 1961), elle a mené aussi une carrière théâtrale.

SAVOYARD (Philippot, dit **l'Illustre**), chansonnier (Pont-Neuf* XVIIe s.). Il s'intitulait « l'Orphée du Pont-Neuf », et ses contemporains le comparaient à Homère. Il était installé près de la statue d'Henri IV; il chantait des chansons et des couplets licencieux, qu'il vendait aux curieux venus pour l'entendre. Aveugle, il empruntait le secours d'un invalide, ce qui contribuait à son succès. Après avoir célébré l'amour et le vin, il proclamait ses mérites personnels. Fort prudent, quand il chansonna des personnages en renom, ce fut pour leur décerner des éloges. D'Assoucy, qui le rencontra, a laissé, dans ses Aventures burlesques, un portrait fidèle de cet original. Boileau-Despréaux, dans sa Satire IX (À son esprit), raille le Savoyard. Vers 1670, le Savoyard quitta le Pont-Neuf pour promener sa muse par toute la France. Il avait fait paraître, en 1655, un recueil de ses chansons.

Scala, café-concert*, 13, bd de Strasbourg. Édifiée en 1878 sur l'emplacement du concert du Cheval-Blanc, la Scala était située en face de l'Eldorado*. Les deux établissements se livrèrent une guerre acharnée, avant de passer sous la même direction (1896). La Scala voulait s'adresser à un public « chic », alors que celui de l'Eldorado était populaire. En 1900, Mayol*, passant simultanément dans les deux établissements, dut changer son tour de chant pour le public de la Scala. Paulus* y chanta à partir de 1879; Bruant* y fit ses débuts, avant de créer le Mirliton*; Fragson* y chantait au moment de sa mort. Toutes les grandes vedettes du caf' conc' défilèrent à la Scala : Polin*, Max-Dearly*, Sulbac, Kam-Hill*, Ouvrard*, Libert, Marius Richard, Baldy, Sinoël, Boucot*, Mmes Polaire*, Paulette Darty, Anna Thibaud*, Anna Held (avant de partir pour l'Amérique, où elle fit une carrière triomphale), Esther Lekain*, Yvette Guilbert*, Jeanne Bloch*, Paula Brébion, Lanthenay, etc., ainsi que certaines « vedettes », pour lesquelles le caf' conc' servait de couverture à d'autres activités : Lyane de Pougy, Emilienne d'Alençon, etc.
En 1905, la Scala monta une revue, Paris fin de sexe, avec girls, décors et éclairages, dans le style du music-hall*; cette nouvelle orientation coïncida avec un changement de direction. En 1910, la direction artistique de la Scala fut confiée à Fursy*, qui fit alterner les tours de chant et les revues d'esprit montmartrois. En

1913, Mistinguett* incarnait dans la revue l'Académie française et Milord l'Arsouille*, « étincelante d'une fantaisie nourrie d'observation et de malice » (Louis Laloy). La Scala fut transformée par la suite en « théâtre du Vaudeville », puis se consacra à l'opérette, avant de revenir au théâtre chantant en 1934. Elle fut transformée en cinéma en 1936.

scie, chanson dont le refrain, d'une incohérence voulue, se répète de façon lancinante. Exemple : l'Amant d'Amanda (E. Carré - V. Robillard), Si t'as été à Tahiti (Guillaume - Pierret), le Téléfon (Nino Ferrer).

SCOTTO (Vincent), compositeur (Marseille 1876 - Paris 1952). Mélodiste incomparable, d'une prodigieuse fécondité, il composa plus de 4 000 chansons, dont un très grand nombre de succès fredonnés par la France entière, et souvent dans le monde entier : la Petite Tonkinoise, Rosalie est partie, J'ai rêvé d'une fleur, J'ai deux amours, À petits pas, la Java bleue, etc. Ce Marseillais a chanté Paris avec ferveur (« Ma plus belle chanson d'amour, c'est « Ah! qu'il était beau mon village! Mon Paris, mon beau Paris! »). Il a notamment composé la musique d'un texte écrit en 1913 à Londres par Jean Rodor*, qui avait la nostalgie de la Seine, Sous les ponts de Paris, une des plus célèbres chansons françaises, connue à travers le monde.
Vincent Scotto composait souvent à la guitare; il avait appris cet instrument à sept ans. Élève des maristes, il donne des leçons de solfège à seize ans, joue dans les noces et banquets de la région. Sa première œuvre plaît à Polin*, de passage à Marseille, où il chante. C'est le Navigatore, paroles de Villard. Polin, de retour à Paris, fait changer les paroles, et le Navigatore devient, sous la plume de Christiné*, la Petite Tonkinoise. Cette chanson est bientôt si célèbre que les journaux rapportent en 1906 que Casablanca est prise d'assaut aux accents de la Petite Tonkinoise, jouée par le trompette. Puis c'est Ah! si vous voulez de l'amour (créé par Mme Lanthenay), et toutes les vedettes*

« *La Petite Tonkinoise* », première chanson de Vincent Scotto,
créée par Polin. Couverture de Viollet. Phot. Lauros.

du music-hall chantent les airs de Vincent Scotto : Mistinguett*, Fréhel*, Lucienne Boyer*, Damia*, etc. Il écrit même une chanson pour le boxeur Carpentier, qui passe au Palace*. Car il travaille sur commande ; vedettes, directeurs de music-halls, de casinos et de théâtres lui demandent sans cesse des mélodies, qui seront des succès. Il compose avec une facilité étonnante dont il donne plusieurs exemples dans ses *Souvenirs de Paris* (Ed. Stael, 1947), « écrivant » partout, composant dans la rue la chanson qu'il va présenter à la vedette qui l'attend à la répétition. C'est ainsi qu'il apporte à Joséphine Baker*, qui passe au Casino de Paris* après le succès de la *Revue nègre* aux Champs-Elysées, *J'ai deux amours*. Il compose des mélodies pour Alibert* (*J'ai rêvé d'une fleur*), pour Maurice Chevalier* (*Prosper*), pour Tino Rossi* (*Laissez-moi vous aimer, Marinella, Le plus beau de tous les tangos du monde, Tant qu'il y aura des étoiles*, etc.). Il écrit la musique de nombreuses opérettes, parfois portées à l'écran, dont les livrets sont d'Alibert, R. Sarvil*, R. Pujol : *Au pays du soleil* (1933) ; *Arènes joyeuses* (1935) ; *Un de la Canebière* (1938), etc. Il écrit aussi de la musique de films (*Marinella, Naples au baiser de feu*, etc.). Parmi les auteurs des paroles de ses chansons, on peut citer C. Audifred, Lucien Boyer*, Christiné, A. Hornez*, G. Koger, Y. Mirande, R. Pujol, J. Rodor*, Sarvil, H. Varna.

S. D. R. M. V. *Société pour l'administration du droit de reproduction mécanique des auteurs, compositeurs et éditeurs.*

SÉCOT (Jules Gaston **Costé**, dit **Gaston**), chansonnier (Paris 1857-1901). Fonctionnaire, il passait son temps au ministère à rimer des chansons antigouvernementales, qu'il chantait le soir à Montmartre sous son pseudonyme. Ayant chansonné son ministre, celui-ci lui fit interdire de se produire en public. Le député Antide Boyer fit lever l'interdiction, et Sécot put continuer à réjouir le public de ses petites satires : *Enquête sur la marine, Monsieur Bérenger, Chansons tintamarresques sur l'histoire de France.*

SEGHERS (Pierre), auteur (Paris 1906). Poète, P. Seghers s'est fait éditeur pendant la guerre, et il a créé une maison d'édition dont l'action en faveur de la poésie contemporaine fut déterminante. La collection « Poètes d'aujourd'hui » a initié toutes les générations depuis la Libération à la connaissance des poètes contemporains. Dans le même format, la collection « Poésie et chansons » s'est consacrée aux créateurs importants de la chanson contemporaine. Attiré par la chanson, P. Seghers fait cependant nettement la distinction entre chanson et poésie du titre : « La chanson est, je crois, plus naturellement partagée. Elle est une activité de l'homme plus directement sensuelle où la parole, le chant, le mouvement sont intimement liés. » Il rend hommage à E. Piaf*, C. Trenet*, L. Ferré*, G. Brassens*, G. Ulmer*, C. Aznavour*, L. Amade*, F. Lemarque*, qui « maintiennent vivace la fleur qui s'ouvrira toujours dans le cœur de tous les hommes, ils entretiennent en chacun le feu secret de poésie. Par leurs chansons et leur présence, ils sont la voix même de la poésie collective. » Et il écrit des *Chansons et complaintes* dont la première, *les Beaux Enfants* (- Philippe-Gérard*), est créée par Germaine Montero* à l'Olympia* (1958). Depuis, il est l'un des auteurs les plus chantés, notamment par J. Douai*, L. Ferré*, H. Martin*, M. Ogeret*, C. Sauvage*, etc. Mises en musique par de nombreux compositeurs, parmi lesquels F. Alberti, J. Douai*, L. Ferré*, A. Grassi*, J. Loussier*, H. Martin*, Philippe-Gérard, Y. Spanos*, certaines de ses chansons connaissent un grand succès, comme le célèbre *Merde à Vauban* (- L. Ferré).

SÉGUR (Louis-Philippe, comte **de**), chansonnier et vaudevilliste (Paris 1753-1830), fils d'un maréchal de France. Colonel, ambassadeur, historien, grand maître des cérémonies de Napoléon, membre de l'Académie française, sénateur, puis pair de France, il est l'auteur de jolies chansons à la gaieté sans prétention, où se trouvent réunies la pureté et l'élégance de style. La plus connue est *le Voyage de l'Amour et du Temps*, dont on cite souvent le dernier vers : « Le temps fait passer l'amour. » Membre assidu des Dîners du Vaudeville*, auxquels participèrent aussi son frère et son fils.

SERGE-PAUL (Marcel **Boullet,** dit), chansonnier (Dreux 1906). Après avoir oscillé entre les beaux-arts et les arts et métiers, il décide de se consacrer au théâtre et à la chanson. Il débute en 1937 au Petit Casino, et, depuis, il interprète des chansons satiriques dans les principaux cabarets de Paris et de province. Il a composé également des chansons pour le music-hall* : *Rumba Cocktail* (G. Marcyl); *Bientôt peut-être* (A. Pasdoc); *Roman gothique* (M. Dubas*); *Printemps, printemps* (orchestre Météhen); *l'Equipage du ciel* (M. Dorlan).

SERMISY (Claudin **de**), compositeur (avant 1490 - Paris 1562). Il fit sa carrière entre la Sainte Chapelle et la Chapelle royale. Si la musique religieuse a tenu la plus grande place dans son œuvre, il n'en a pas moins laissé 150 chansons polyphoniques*, dont l'écriture est savante, et l'inspiration recherchée *(Fy, fy amours; Dictes sans peur),* tandis que quelques chansons sont de style plus populaire : *Elle a bien ce ris gracieux, En entrant dans un jardin, Martin menoit.*

SHEILA (Annie **Chancel,** dite), interprète (Créteil, Seine-et-Oise, 1946). Elle chante avec succès (1963) des chansons simples et crée un personnage d'adolescente, puis de jeune fille moderne et sagement dynamique *(Sheila, L'école est finie).*

show (mot anglais signif. *spectacle*). Ce mot est utilisé en France, sans être vraiment nécessaire, pour désigner soit un spectacle de revue à grande mise en scène, soit un spectacle de variétés* présenté et animé par une vedette* à la télévision*, soit le récital d'une grande vedette de la chanson assurant seule un spectacle dans un music-hall* ou un théâtre.

sirventès (dans le Midi), **sirventois** (dans le Nord), chanson satirique médié-

vale, blâmant un personnage ou une action. — Le sujet du sirventès est politique ou moral, le texte en était essentiel et n'exigeait pas toujours une mélodie originale. L'un des plus célèbres sirventois, *Maugré tous saints,* est l'œuvre d'Hugues d'Oisy, qui clame son mépris pour son disciple Conon de Béthune* et pour le roi Philippe Auguste, coupables d'avoir abandonné la croisade.

On classe aussi, parmi les sirventois, des chansons de propagande comme *Seigneurs sachiez* (Thibaut de Champagne*), qui avaient pour but d'engager les seigneurs à se croiser.

SIVRY (Charles Erhardt **de**), musicien (Paris 1848-1899). Comptable dans une compagnie d'assurances, puis chez un agent de change, ce dernier, un jour de « krach », s'étant brûlé la cervelle, Sivry abandonna les chiffres pour la musique. Il prit la succession de Métra comme chef d'orchestre au bal Robert, puis dirigea une troupe de musiciens hongrois à la brasserie Fanta (1867). Il passa ensuite aux Délassements comiques, à la Nouvelle Bastille, à la Vieille Amérique, et fit de nombreuses tournées avec Salis et Botrel*, dont il était l'accompagnateur attitré. Après avoir succédé à Tinchant au Chat-Noir*, il fut, jusqu'à sa mort, l'accompagnateur des Quat'-z-Arts*. Il a collaboré, pour la musique, avec tous les chansonniers de Montmartre*.

Société des auteurs, compositeurs et éditeurs de musique (S. A. C. E. M.). Si le droit d'auteur* fut reconnu par un décret de l'Assemblée nationale (1791), puis par deux lois (1791 et 1793), les auteurs, compositeurs et éditeurs de chansons ne percevaient pas de droits sur les exécutions publiques. En 1850, un auteur, Ernest Bourget, et deux compositeurs, Paul Henrion* et Victor Parizot, assistant à un « spectacle chantant » aux Ambassadeurs*, refusèrent de régler leurs consommations puisque certaines de leurs œuvres étaient exécutées sans rétribution. A la suite d'un procès qui leur donna gain de cause, ils fondèrent le « Syndicat des auteurs, compositeurs et éditeurs de musique »

SOC

(1850), qui fut transformé en « Société »
(1851).

La S. A. C. E. M. se charge de délivrer les
autorisations préalables à l'usage public
des œuvres protégées constituant son
répertoire, comme le prévoit la loi du
11 mars 1957 ; elle se charge de percevoir
et de répartir les droits d'audition
publique (après retenues pour charges
administratives de gestion). Son action
s'exerce dans les music-halls*, théâtres*,
cinémas, casinos, salles de concerts, radiodiffusion* et télévision*, bals, brasseries,
cafés, hôtels, restaurants, etc. Le répertoire est constitué par toutes les œuvres
musicales avec ou sans paroles, de la
chanson aux œuvres symphoniques en
passant par la musique de films, à l'exception des œuvres dramatiques ou drama-
tico-musicales. La S. A. C. E. M. gère ainsi
28 000 comptes (dont 15 000 comptes de
sociétaires vivants), regroupant 2 500 000
titres. On dépose 40 000 œuvres nouvelles
chaque année, dont 30 000 chansons. La
S. A. C. E. M. (10, rue Chaptal, Paris-IXᵉ)
comprend 14 directions régionales et
140 délégations pour toute la France.

**Société pour l'administration du
droit de reproduction mécanique des
auteurs, compositeurs et éditeurs**
(S. D. R. M., 28, rue Ballu, Paris-IXᵉ).
L'invention du phonographe (v. *disque*)
incita les éditeurs, les auteurs et les
compositeurs à se préoccuper d'un nouveau droit d'auteur*, celui de la reproduction mécanique. Une agence de per-
ception fut créée à Paris par M. Vivès en
1908, remplacée par la *Société générale
de l'édition phonographique et cinématographique* (EDIFO, 1909). Elle prit de
l'extension après la guerre avec le développement de l'industrie phonographique ;
mais elle gardait une forme commerciale et fut dissoute pour laisser la place
à la S. D. R. M. (30 juillet 1935).
La S. D. R. M. est une société civile dont
les associés sont les autres sociétés
d'auteurs (la Société des auteurs,
compositeurs et éditeurs de musique*,
S. A. C. E. M. ; la Société des auteurs et
compositeurs dramatiques, S. A. C. D. ; la
Société des gens de lettres ; le Bureau

international de l'édition musicale,
B. I. E. M.). Elle a pour but de gérer le
droit de reproduction mécanique et de
défendre les intérêts pécuniaires des
auteurs. Elle perçoit, auprès des producteurs phonographiques, radiophoniques
et autres usagers, des redevances qu'elle
répartit aux ayants droit sur la base des
contrats intervenus entre eux ou d'un
barème statutaire. Elle tient ses droits
d'administration soit directement des
auteurs, compositeurs et éditeurs, soit
indirectement des sociétés qui la constituent. Son répertoire comprend de nombreuses chansons. Au 31 décembre 1966,
la S. D. R. M. comportait 13 691 comptes.
Environ 80 p. 100 des disques pressés en
France reproduisent des œuvres faisant
partie du répertoire de la S. D. R. M. Les
disques de « variétés* » constituent environ 85 p. 100 de cette production.

SOLIDOR (Suzanne **Rocher,** dite **Suzy**),
interprète (Saint-Servan-sur-Mer 1906).
Elle débute (1934, Européen*) avec une
chanson de J. Batell et Mᵐᵉ Pleven : *les
Filles de Saint-Malo.* Elle avait été antiquaire jusque-là ; désormais, elle va
chanter, d'une voix forte et mystérieuse,
la mer, les marins, l'aventure et les ports
qui s'ouvrent sur le large (*Escale*, 1935 ;
Johnny Palmer, 1935 ; *la Danseuse créole*,
1937). Elle joue dans l'*Opéra de quat'
sous*, tourne des films (*la Garçonne*, 1935 ;
J'étais une aventurière, 1938), écrit un
roman (*Térésine*), des chansons (*J'écrirai*,
-C. Pingault*, 1940 ; *Dans un port*,-Delau-
nay), interprète et chante des poètes
(M. Magre, H. Heine, J. Cocteau), passe
dans tous les grands music-halls* et anime
pendant trente ans des cabarets (le Club
de l'Opéra, Chez Suzy Solidor jusqu'en
1965). Elle s'est retirée au bord de la mer
(Méditerranée), où, tout en dirigeant un
restaurant, elle est redevenue antiquaire.

SOLLEVILLE (Francesca), interprète (Périgueux 1935). Etudes supérieures (trois
certificats de licence de lettres). Elle
chante des mélodies classiques (Debussy,
Schubert ; 1957, tournée en Italie, le pays
de ses ascendants maternels) ; puis elle se
consacre à la chanson en cabaret

Suzy Solidor, vue par Pol Ferjac.
Phot. X.

il a débuté dans la basoche, avec l'intention d'en sortir... et il en sort en 1927, pour entrer à la Vache-Enragée*, où il chante *Restrictions patriotiques,* inspirées par la chute du franc. Il passe ensuite au Caveau de la République*, au Coucou*, au Perchoir*, aux Deux-Anes*, à la Lune-Rousse*, et participe aux émissions « Quart d'heure Cinzano » (*Quintette des chansonniers*) et *Sur le banc.* En 1942, il fait représenter aux Deux-Anes *l'Etrange rêve de M. Belette,* satire amère des restrictions, qu'il blague dans le même spec-

**Raymond
Souplex,
vu par
Pol Ferjac.**
Phot.
Larousse-
Giraudon.

(l'Écluse*, la Contrescarpe*, la Colombe*), à l'Olympia* (1959) et enregistre un disque. Carrière méthodique et sûre, qui la mène au prix Charles-Cros (1964), au cinéma (*Dragées au poivre,* où elle joue et chante notamment *la Joueuse de gong,* de Bassiak* et Swingle, 1965). Elle participe à des tournées à l'étranger et en France (Bobino*, 1966). Elle interprète tout d'abord des poèmes mis en musique (*Un homme passe sous la fenêtre et chante,* L. Aragon* - Philippe-Gérard*, qui est sa plus belle chanson), élargit peu à peu son répertoire, qui reste d'une haute qualité : chansons violentes et fortes (*Nuit et brouillard,* de J. Ferrat*; *Je n'irai pas en Espagne,* de P. Louki* - M. Heyral*; *la Petite Juive,* de M. Fanon*), qu'elle interprète d'une voix puissante, vibrante d'émotion, avec une présence scénique peu commune (*Amsterdam,* de J. Brel*).

SOUPLEX (Raymond **Guillermain,** dit **Raymond**), chansonnier, acteur et revuiste (Paris 1901). Licencié en droit,

tacle avec 200 *grammes de cuivre pour 1 litre de vin.* Après vingt-cinq ans de chansons, dont la plus célèbre reste *la Biche au bois* (- Matis*), Souplex se dirige vers le théâtre, le cinéma et la télévision*, où, depuis 1958, il est devenu l'inspecteur Bourrel pour tous les Français.

SPANOS (Jean, dit **Yani**), compositeur (Kiaton, Grèce, 1934). Etudes de droit, de langues, Conservatoire (piano). Chef d'orchestre, dessinateur humoristique, il jouit d'une grande popularité en Grèce. Ses premières chansons en France sont écrites en collaboration avec J.-M. Rivière* et sont interprétées par Brigitte Bardot (*les Amis de la musique*, 1964). Doué d'invention mélodique et du sens du rythme (*Paris-Cayenne*, - M. Fanon*), il a mis en chanson les poèmes de Marie Noël (*Et je cousais*, par Catherine Sauvage*), de Roger Vitrac (*Chambre 33*), de Robert Desnos (*Rêveuse et fragile*, par Juliette Gréco*), etc.

STERN (Émil), compositeur (Paris 1913). Parents d'origine roumaine. Études musicales classiques (Conservatoire, classe de Marguerite Long, premier prix de piano). Se tourne vers le jazz. En 1938, il accompagne M. Chevalier*, puis devient « comique chanteur » dans l'orchestre de R. Ventura*. Après la guerre, il accompagne aussi Renée Lebas*, J. Sablon* et enregistre des disques de piano. Il compose dès 1937 (*Assez*, - J. Tranchant*, par Marlène Dietrich). Ses mélodies plaisent à un large public (*Où es-tu mon amour?*, - Henry Lemarchand, 1946) et s'accordent bien avec les textes souriants d'Eddy Marnay* (*Qu'elle est belle*, 1954) ou discrètement mélancoliques (*la Ballade irlandaise*, 1958).

STILL (Pierre **Letévé**, dit **Pierre**), chansonnier et revuiste (Paris 1914). « Très brillant mauvais élève », il abandonne les études commerciales pour la chanson. Débuts au Chat-Noir* (Chagot) et à la Vache-Enragée* (1945), puis au Caveau de la République* (1946) ; il a interprété des chansons d'actualité (environ 500) à la Tomate*, aux Deux-Anes*, au *Club des chansonniers* (Radio-Luxembourg*) et au Grenier de Montmartre (O. R. T. F. *). Pensionnaire depuis 1955 des Deux-Anes et du Caveau de la République, il a composé également des chansons pour le music-hall* : *C'est la vie*, *l'Été* (- G. Claret), *Pyjamise* (- G. Wagenheim), etc. Il a écrit plusieurs revues : *Interdit aux Béo-*

tiens (avec A.-M. Carrière*, aux Noctambules*, 1949), qui produisit quelques remous ; *Ah! quelle histoire*, aux Deux-Anes, en collaboration avec Pierre Gilbert*. Producteur d'émissions à la radio : *A Montmartre le soir* et *Elle court la légende* (avec B. Lavalette*). Journaliste humoristique, il a collaboré au *Hérisson* et à *l'Os à moelle*. Traducteur de films anglais et américains, il a présenté en anglais et en italien des spectacles chansonniers à Londres (*Poor Millionnaire*) et à Milan (*Derby Club*).

SYLVESTRE (Anne **Beugras,** dite **Anne**), auteur, compositeur, interprète (Lyon 1934). Après des études supérieures de lettres, interrompues pour interpréter ses chansons, elle débute au cabaret la Colombe* en 1957, puis elle passe aux Trois-Baudets*, au Port du salut* et en music-hall* (Bobino,* l'Olympia*). Dans la chanson contemporaine, A. Sylvestre fait entendre une voix féminine originale, « douce-amère », suivant le titre d'une de ses chansons. Elle évoque la condition féminine (*Mon mari est parti*) et présente toute une série de portraits de femmes aux prénoms pittoresques parfois : Eléonore, Benoîte, Cécile, Philomène, Maryvonne, etc. Ses héroïnes sont diverses, et certaines refusent de subir la loi du monde. Poète, A. Sylvestre puise son inspiration dans les éléments, l'eau, le vent, la terre, dès ses premières œuvres :

> La terre colle à mes sabots,
> Ne saurai m'en défaire.
> *(Porteuse d'eau.)*

Elle a le sens de la formule, le don des images (*Tiens-toi droit*). Elle sait faire preuve d'humour (*les Punaises*) et chante avec émotion l'amitié et l'amour. Elle a aussi composé et enregistré de délicieuses chansons pour les enfants (*les Fabulettes*). Ses œuvres sont écrites avec un soin assez rare dans la production courante ; ses textes sont souvent de facture classique ; ses mélodies sont toujours élégantes.

TABET (Georges), compositeur, interprète (Alger 1905). Pianiste, puis chef d'orchestre de jazz (1927), G. Tabet dirige la musique du Trichter de Hambourg (1930), passe au Casino de Paris* (1931), et c'est le numéro célèbre des duettistes Pills et Tabet* de 1932 à 1939 (v. *Pills*). G. Tabet interrompt sa carrière de chanteur en 1939. A partir de 1950, il est auteur de films en collaboration avec son frère, André Tabet (cinquante films dont *le Corniaud, la Grande Vadrouille*).

tableau (chanson à). Presque toujours sur un sujet d'actualité. — Un tableau sur lequel était placée une imagerie populaire représentait les événements relatifs à la chanson, que le chanteur indiquait au fur et à mesure à l'aide d'un bâton. C'est de cette façon que l'on chanta au XVIIIe et au XIXe s. les plus célèbres complaintes*.

Tabou (le). L'histoire de ce cabaret (33, rue Dauphine, Paris-VIe) est liée, après la Libération, à l'histoire de la chanson, du jazz*, de la littérature, de la philosophie même et à celle du quartier de Saint-Germain-des-Prés, qui devient le symbole d'une façon de vivre. En 1945, les Messageries de presse s'installent près d'un petit bistrot, qui obtient l'autorisatoin de rester ouvert la nuit; dès 1946, R. Queneau*, J.-P. Sartre, A. Camus s'y retrouvent avec d'autres écrivains. En 1947, on inaugure la « cave », où est installé un électrophone. Frédéric Chauvelot prend la direction du Club du Tabou, où l'on peut entendre l'orchestre Claude Abadie (B. Vian* en fait partie). Anne-Marie Cazalis et J. Gréco* (surnommée « la Muse de Saint-Germain-des-Prés ») sont, avec Astruc, B. Vian, les animateurs de cette cave, où l'on écoute des chansons, du jazz, où l'on se retrouve entre amis. Le Tabou devient à la mode, reçoit des visiteurs célèbres (dont M. Chevalier*), fait l'objet de débats (Club du Faubourg), de retransmissions à la radio, et la doctrine philosophique de J.-P. Sartre et Simone de Beauvoir, l'existentialisme, paraît liée au cabaret pour l'admiration enthousiaste des uns et la réprobation véhémente des autres. Le groupe d'amis « fondateurs » s'éclipse du Tabou (1948) pour se retrouver dans une autre cave (Club Saint-Germain-des-Prés, rue Saint-Benoît). La mode des caves est lancée, la chanson de style « rive gauche* » va triompher, le Tabou continue.

télévision. Plus encore qu'à la radio* le passage à la télévision est recherché par les vedettes de la chanson. On estime, du point de vue publicitaire, qu'un passage à la télévision équivaut à dix passages à la radio, l'œil étant sollicité en même temps que l'oreille. Malgré *Music-Hall Parade*, de Margaritis (1945), la télévision cherche longtemps son style en matière de variétés. À la fin de 1948, après avoir retransmis un gala Maurice Chevalier*, une émission de chansons littéraires* est confiée à Agnès Capri* : *le Cabaret de la plume d'autruche* (également retransmis sur Paris-Inter). En 1951, Max de Rieux entreprend (pour un soir heureusement) une reconstitution fantaisiste du Chat-Noir*. Dans *Plaque tournante*, de Barma, réalisée avec le concours de firmes de disques, une part importante est réservée à la chanson, ainsi que dans *Trente-Six Chandelles* (J. Nohain*, 1952) et *la Joie de vivre* (Spade, 1952). Jacqueline Joubert, dans

Rendez-vous avec..., présente de nombreuses vedettes de la chanson. En 1955, Mireille* crée le *Petit Conservatoire de la chanson** (retransmis sur France-Inter), où elle a présenté jusqu'à maintenant des élèves qui ont fait leur chemin : Françoise Hardy*, Ricet-Barrier*, Jacqueline Danno, etc. En 1959, Emmanuel Robert, André Salvet et Pierre Brive produisent le *Magazine de la chanson*, qui devient, en 1963, *Toute la chanson*, puis, de 1964 à 1967, *Douce France*, produite par André Salvet. Depuis 1959, Raymond Marcillac fait appel à des vedettes de la chanson pour animer *Télé-Dimanche*, tout en organisant le *Jeu de la chance*, concours dont le but est de découvrir de nouveaux talents (Mireille Mathieu* y a pris son essor en 1965). En 1959, Denise Glaser lance *Discorama ;* elle y interviewe des auteurs et des interprètes, et les chansons présentées sont toujours de qualité.

Albert Raisner produit, avec *Age tendre et tête de bois* (1961), qui devient *Têtes de bois et tendres années* (1963), la première série d'émissions consacrée à la nouvelle vague yé-yé*, destinée plus spécialement aux *teen-agers*, et Jean-Christophe Averty renouvelle le style des variétés avec les *Raisins verts* (1963-1964), qui deviennent *Douches écossaises* (1965-1966) et *Au risque de vous plaire* (1966). On lui doit également *Happy New Yves* (1963-1964), *Show Yves Montand**, tandis que, depuis 1963, le tandem Gilbert et Maritie Carpentier produit plusieurs shows*, consacrés à Sacha Distel*, Gilbert Bécaud*, Henri Salvador*. Michèle Arnaud*, productrice des *Raisins verts*, produit, depuis 1964, *Music-Hall de France* et, en 1966, *Tilt Magazine*. Enfin, citons le *Palmarès des chansons*, émission populaire de Guy Lux, Jacques Antoine et Jacques Solness (1965), réalisée en public, où les téléspectateurs sont priés de choisir entre trois groupes de chansons, établissant ainsi un intéressant référendum.

TEULET (Edmond), chansonnier (Paris 1862 - Asnières 1934). Commis de librairie, typographe, chanteur, acteur, critique dramatique, courriériste, il fut à la fin de sa vie secrétaire général de la Société des poètes français. Il a fondé deux feuilles littéraires : le *Farfadet* et le *Grillon* (bulletin de la chanson française). Au journal *la Paix*, il a écrit la chanson de la semaine durant trois ans. C'est lui qui fit élire X. Privas* «prince des chansonniers». On a souvent reproché à Teulet un style 1830 un peu désuet. Il a fait son tour de chant dans tous les cabarets artistiques. Ses chansons *l'Amour à Séville* et *la Meunière du joli moulin* furent très populaires.

Théâtre (Petit). V. *Moulin de la Chanson.*

Théâtre populaire de la chanson. Créé en 1966 par Jacques Douai* au théâtre de l'Alliance française, le T. P. C. veut permettre à la chanson de qualité de rejoindre un public populaire, par l'intermédiaire notamment des «relais naturels» (associations culturelles, comités d'entreprise, maisons des jeunes, etc.). Catherine Sauvage*, Mouloudji*, Jacques Douai*, Jean-Pierre Ferland*, membres fondateurs, et Lise Médini*, Henri Gougaud*, James Ollivier*, Hélène Martin*, etc., ont été présentés par le T. P. C., qui est un exemple intéressant de gestion directe d'un théâtre de chansons par des artistes, d'une part, et de contacts avec le public, d'autre part, grâce à des débats et discussions avec les «usagers» sur la chanson, grâce à l'association des *Amis du T. P. C.* Le T. P. C. a organisé chaque mardi le concours de la *Fine fleur de la chanson française*, qui, avec Luc Bérimont*, a donné à de nombreux jeunes auteurs, compositeurs et interprètes l'occasion de rencontrer le public (en vedettes : G. Brassens*, G. Béart*, J. Ferrat*, F. Leclerc*, A. Sylvestre*, etc.).

THÉRÉSA (Emma **Valadon,** dite), interprète (La Bazoche-Gouet, Eure-et-Loir, 1837 - Neufchâtel - en - Saosnois, Sarthe, 1913). Son père jouait du violon dans les bals et lui enseignait des airs à la mode, qu'elle chantait dès l'âge de trois ans. Cependant, à douze ans, elle est mise en apprentissage chez une modiste, d'où elle

Thérésa, vue par André Gill.
Phot. Larousse-Giraudon.

par représentation, somme considérable à l'époque, à la condition qu'elle change de genre et devienne chanteuse comique. Elle triomphe alors avec des œuvres comme les *Canards tiroliens*, *C'est dans l' nez qu' ça m' chatouille*, et surtout *la Femme à barbe* et *Rien n'est sacré pour un sapeur*. « Elle a été la chanteuse adulée d'un public idolâtre. » (Maurice Allem.) Elle est appelée « la Patti de la chope », « la Rigolboche de la chansonnette ».

La princesse Pauline de Metternich va l'entendre à l'Alcazar, puis l'imite en privé et aux soirées de Compiègne, avec l'esprit gavroche dont cette grande dame savait faire preuve, sans perdre pour autant sa dignité aristocratique. Thérésa est invitée à chanter dans les salons. Elle eut moins de succès au théâtre, où elle parut en 1867 dans des féeries à la Gaîté, au Châtelet, à la Renaissance. En 1869, au cours d'une tournée où elle présentait ses chansons en province, il semble que les journaux locaux furent loin d'être élogieux. À Marseille, où l'échec fut retentissant, elle est traitée de « diva forte en gueule ». La fin du second Empire resta la période de gloire de Thérésa, qui, plus tard, interpréta un répertoire très différent : *la Glu* (Richepin), *le Bon Gîte* (Déroulède*), *la Terre* (Jules Jouy*). Elle empoignait le public jusqu'aux larmes avec des chansons traditionnelles comme *la Chanson du déserteur*. La dernière scène sur laquelle elle passa fut le Concert parisien* (du temps de Musleck).

En 1893, elle donna sa représentation d'adieux, après avoir tenu la scène pendant près de quarante ans avec un répertoire tour à tour gouailleur, canaille, tendre ou sublime. Elle a dirigé un cabaret, la Guinguette fleurie (rue Buffault), durant une saison ou deux et a publié des Mémoires, où elle se raconte complaisamment.

THIBAUD (Marie Louise **Thibaudot**, dite **Anna**), interprète (Saint-Aubin, Jura, 1891 - Paris 1936). À quatorze ans, elle est engagée, à l'insu de sa famille, au théâtre Montparnasse. À Metz, elle se fait remarquer dans l'opérette. Après une tournée en Roumanie, elle débute au

se fait renvoyer, comme elle se fera renvoyer dix-huit fois d'autres ateliers en moins de deux ans. Elle est danseuse, puis caissière dans un café. En 1856, elle joue un rôle de bohémienne dans le *Fils de la nuit*, au théâtre de la Porte-Saint-Martin. En 1857, elle débute au café du Géant, passe à l'Alcazar*, va chanter en province, revient à Paris au café Moka. En 1864, elle est à l'Eldorado*, où elle chante des romances*. Le soir du réveillon, elle interprète l'une d'elles, *Fleur des Alpes*, d'une façon si drôle que le directeur de l'Alcazar, qui était dans la salle, l'engage à 233 F

Anna Thibaud, dessin d'Ibels.
Phot. Lauros.

Concert parisien*, où elle obtient tout de suite le succès. Emule d'Y. Guilbert*, elle se fait applaudir dans les principaux cafés-concerts*. Son répertoire est grivois : le Petit Rigolo, Cinq Ministères, le Voyage circulaire, Si les hommes savaient... « J'aime, disait-elle, la distinction à la scène, la nuance, une affectation d'innocence et de correction, qui me permette des témérités, de grosses horreurs. » Mais son nom reste attaché aux romances sentimentales : le Cœur de ma mie (Dalcroze*), Quand les lilas refleuriront (Dihau), Une étoile d'amour (Fallot* - Delmet*), Vous êtes si jolie (Suès - Delmet). Elle fut aussi une excellente commère de revue.

THIBAUT IV de Champagne (roi de Navarre), trouvère* (Troyes 1201 - Pampelune 1253). Il fut à la fois le mécène et le roi des trouvères. Il fit « les plus belles chansons et les plus délitables et mélodieuses qui onques fussent oïes... » Les 75 chansons qui sont connues de lui vont de l'élégante chanson d'amour (Por mau tens ne por gelée, les Douces Dolors) aux simples pastourelles (J'aloie l'autrier errant, l'Autrier par la matinée) et aux vibrantes chansons de croisades (Seigneurs sachiez qui ors ne s'en ira, Au tens plein de félonie). On lui a prêté, sans raison valable, des sentiments amoureux envers Blanche de Castille, qui aurait été l'inspiratrice de ses poèmes.

THIRIET (Maurice), compositeur (Meulan 1906). Études secondaires, puis Conservatoire national (Ch. Kœchlin, R. Manuel) et carrière de musicien classique (Suite française, 1933). Dès 1934, il écrit pour la chanson (Oh! la belle bleue, créée par Guy Berry à l'Européen*). Il connaît un grand succès en ce domaine avec ses Ballades du film les Visiteurs du soir, paroles de Jacques Prévert* (1942), qu'interprètent Jacques Jansen, Jacques Douai*, etc. Puis il compose sur des textes de Raymond Queneau* (1952, Ballade en proverbes du vieux temps), de Jean Tardieu (1955, Place de la Concorde, par les Frères Jacques*), de Michel Vaucaire* (1956, Grégory, par Cora Vaucaire*), etc. Il a écrit la musique de nombreux films.

THOREAU (Rachel), auteur (Port-d'Envaux, Charente-Maritime, 1912). En 1943, Jacques Jansen crée Métamorphose et sa voix pure met en valeur la subtile mélodie de G. Luypaerts* et la poésie symbolique de Rachel Thoreau. Par la suite, ses qualités d'écriture se confirment, alliant à la fois émotion poétique et expression vigoureuse (On m'a donné une âme, - F. Véran*, 1953, par Mouloudji*).

TIERCY (Georges Léon Stiers, dit), chansonnier, comédien et revuiste (Lille 1861 - ? 1903). Il abandonna des études de pharmacie pour le théâtre et ne connut le succès qu'en 1888, à ses débuts de chansonnier au concert des Décadents*, avec une chanson qui a souvent servi de timbre* à ses confrères : Ah! mes enfants! Autant comédien que chansonnier, il a créé le sketch à personnages multiples. Dans son Opéra-Maboul, il chantait tout à la fois les barytons, les basses, les soprani et les ténors.

timbre, air d'une chanson, qui sert à un autre chansonnier, lequel adapte ses vers à la césure musicale de la chanson précédente. — La chanson ainsi parodiée* prend alors le nom de « timbre ». Au cours des siècles, un même timbre subit des transformations, dues à son succès, et réapparaît modifié par la tradition orale sous des incipits différents. C'est ce que l'on appelle un « faux timbre ». Exemple : *les Rochellois* (Louis XIII), ayant servi de timbre à *Monsieur le Prévôt des marchands* (Louis XIV), continuèrent à servir de support aux parodies sous ce nouveau titre.

toile (chanson de) [XIIᵉ-XIIIᵉ s.], ancêtre de la romance*, destinée à accompagner les ouvrages de dames. Chanson à refrain exposant dans un bref récit une aventure amoureuse.

Tomate (la), théâtre d'actualité artistique, 46, rue Notre-Dame-de-Lorette, fondé en 1949 par Robert Rocca* et Romain Galant. Ce théâtre, qui se voulait « pas comme les autres », connut le succès pendant cinq ans et demi. Il ouvrit avec un spectacle sans titre, qui fut joué quatre cents fois. La Tomate connut ensuite le gros succès avec l'adaptation du *Journal de Jules Renard*, par Rocca, musique de M. Méry*, dans une habile mise en scène de René Dupuy. On y représenta ensuite *la Grande Parade des journaux de Paris, les Belles Parades républicaines*. Une adaptation de l'esprit d'Alphonse Allais connut l'échec. Vers 1956, Cora Vaucaire* y organisa des spectacles entièrement consacrés à la chanson (Christian Borel y chanta). Romain Galant resta seul directeur et transforma la Tomate en cabaret de strip-tease.
À sa belle époque, la Tomate a vu défiler sur sa scène : Poiret et Serrault, Louis de Funès, Jean Carmet, Jacques Grello*, Raymond Souplex*, Jacques Cathy*, Michel Méry*, René Berthier, Catherine Gay, Danielle Rocca, etc. Pierre Philippe* accompagna le spectacle pendant longtemps, avant d'aller rejoindre les Frères Jacques* à la Rose-Rouge*.

TOURTAL (Lucien **Tourtat**, dit **Victor**), chansonnier (Nantes 1862 - ? 1917). Orphelin, il fut confié à Tours à un chanoine qui rêvait de le voir entrer dans les ordres. Journaliste sous le nom de Méridan, il débute en 1901 au cabaret de la Côte-d'Azur (au sous-sol des Funambules), passe ensuite au Grillon*, où il est à demi assommé par des membres de la Ligue des patriotes, pour une chanson : *l'Enlèvement de Mᵐᵉ Gyp, raconté par elle-même* (la romancière Gyp, *alias* la comtesse de Martel). Il chante ensuite au cabaret de la Purée, que venait d'ouvrir Eugénie Buffet*, puis, avec Paul Weil*, fonde le cabaret de la Chaumière*. Tourtal débitait les pires rosseries avec un sourire béat, qui faisait que ses victimes lui pardonnaient facilement. Pour ses chansons, il se servait beaucoup d'histoires recueillies au cours de la conversation. Parti se reposer en Bretagne, il fut atteint d'une jaunisse dont on ne put le sauver.

TOZINY (Roger-Pierre **Tauzin,** dit), chansonnier (Blaye, Gironde, 1883 - Paris 1939). Ouvrier typographe, révélé comme chansonnier au Caveau du Chat-Noir*, il fonda à Marseille le cabaret Pupuce, puis, en 1919, avec le dessinateur Gassier, la Commune libre de Marseille, qui donna l'idée de la Commune libre de Montmartre*. En 1921, revenu à Paris, associé à Maurice Hallé, il ouvrit le cabaret de la Vache-Enragée*.

TRANCHANT (Jean), auteur, compositeur, interprète (Paris 1904). Artiste aux dons multiples, il est l'un de ceux qui, vers 1933, ont renouvelé la chanson française. Pour plaire à son père (il est avocat et signera par la suite des chansons avec son fils) [Saint-Étienne 1869 - Saint-Servan-sur-Mer 1948], J. Tranchant étudie le droit (licence); pour son goût personnel, il est élève des beaux-arts. Il devient modéliste chez le couturier P. Poiret, où un collègue, R. Dufy, lui donne de précieux conseils. J. Tranchant ouvre une boutique de décoration aux Champs-Elysées : pendules, lampes, meubles; il expose, dirige des galeries d'art, fait des affiches et, dessinant le portrait de toutes les vedettes*, il rencontre Lucienne Boyer*, qui va créer sa première chanson, *la Barque d'Yves* (1930). La décoration vient de le conduire à

Jean Tranchant, par lui-même.
Phot. Larousse.

la chanson. L. Boyer chante aussi *les Prénoms effacés*; G. et J. Sablon*, *Ici l'on pêche* (1933); puis Lys Gauty*, M. Oswald*, M. Dietrich, Florelle, etc., interprètent ses chansons. Avec D. Reinhardt* et S. Grapelly, il enregistre son premier disque*. En 1935, alors qu'il ne s'est jamais présenté au public, il donne un récital à la salle Pleyel. Pour payer la location des studios de répétition, il chante dans les rues avec D. Reinhardt (gros succès). Le récital de Pleyel le place au premier rang des créateurs et, dès lors, il compose et interprète une série de succès : *la Ballade du cordonnier* (1936), *Les jardins nous attendent* (1937), *le Petit Hôtel* (1938). Il présente aux Ambassadeurs* l'émission du *Music-Hall des jeunes*, dont les premiers lauréats sont Lina Margy, R. Nicolas et C. Trenet*. Pendant la guerre, il joue son opérette *Feu du ciel* (théâtre Pigalle, avec E. Popesco), où rythmes et mélodies se complètent. À la Libération, il part pour l'Amérique du Sud. Il y reste dix-huit ans, dans un ranch près de São Paulo. Il peint, écrit, compose, ouvre un cabaret, chante à la radio et à

la télévision, décore l'aérodrome de São Paulo... Il rentre en France en 1964 et reparaît exceptionnellement sur scène (Cannes). Il se consacre à la peinture.
Il a été un précurseur; ses chansons, d'une charme élégant et poétique, ont su marier l'apport du jazz* et la tradition française (*Il existe encore des bergères, Voulez-vous danser madame?*), en utilisant parfois des formules plus courantes (*J'aime tes grands yeux*). « Sans Tranchant, il n'y aurait eu ni Brel* ni Brassens* » (G. Brassens.)

TRENET (Charles), auteur, compositeur, interprète (Narbonne 1913). C. Trenet a toujours gardé le souvenir de sa ville natale (*Narbonne mon amie*) et de la maison de son enfance (*Maman ne vend pas la maison*, - J. Hess*). Il fait ses études à Béziers, puis à Perpignan, où son père est notaire, et publie ses premiers vers à quinze ans dans un journal local, *le Coq catalan* : « Je suis un petit garçon qui rit et chante dès le matin. » Après un séjour dans une école d'art à Berlin (1928), il vient à Paris, où il se destine aux arts décoratifs (1930). Il peint, il expose. Assistant de Baroncelli, décorateur aux studios de Joinville, il écrit des romans (refusés), rencontre Max Jacob, écrit des chansons (dont *Fleur bleue* et *la Polka du roi*) et les paroles de cinq chansons (- Jane Boss) pour un film de Benno Vigny, *Bariole*. Il fait la rencontre de J. Hess, avec lequel il monte un numéro de duettistes : Charles et Johnny. Ils chantent ensemble jusqu'en 1936 (v. ***Charles et Johnny***). Trenet part pour le service militaire à Istres, puis à Villacoublay, où il écrit *Y' a d' la joie*, que M. Chevalier* accepte de créer sur les instances de l'éditeur R. Breton, des amis de Trenet, M. Jacob, J. Cocteau. M. Chevalier présente l'auteur au public du Casino de Paris*. C'est la gloire. C. Trenet chante seul désormais (Marseille, 1937, *Je chante*). Il obtient le prix du Disque (*Boum*, 1938).
Avec Mireille* et J. Nohain*, il conduit la chanson française sur *la Route enchantée* de la poésie, du rêve, de la *Fleur bleue*, avec un sens du rythme, une fougue juvénile qui le font surnommer « le Fou chantant » (on avait présenté à Paris sous ce

Charles Trénet, par Jean Cocteau. Phot. X.

titre le film d'Al Jolson, *The singing fool,* 1928). Trenet répond parfaitement aux aspirations populaires d'une époque où les travailleurs viennent de découvrir la nature, les plages, les forêts, la vie au grand air, grâce aux lois sociales du Front populaire (1936). C. Trenet a accordé à ce grand élan qui donne une vigueur nouvelle aux Auberges de la jeunesse : « J'aime la terre, les fleurs, la vie, le ciel bleu. » Les jeunes voient en lui un artiste qui les exprime : *Je chante* est presque un manifeste a-t-on dit. « Il chante avec un enthousiasme et une joie qui sont la jeunesse même et ses élans », écrit *le Temps* après son passage à l'ABC* (1938). Dès lors, il mène une carrière internationale, marquée par plus de 500 chansons. Il tourne de nombreux films, dont certains s'inspirent du personnage qu'il a créé, et où il chante ses œuvres (*la Route enchantée,* 1938 ; *Je chante,* 1938 ; *la Romance de Paris,* 1941 ; *Frédérica,* 1942 ; *Adieu Léonard,* 1943).

Le succès de C. Trenet est celui d'un poète aux images fraîches et simples, d'une verve peu commune (*les Coupeurs de bois, la Tarentelle de Caruso*), qui joue avec les mots et les allitérations, habile à manier la langue (*Paie tes dettes, Débit de lait, Pigeon vole*), mais capable aussi de délicatesse et de tendresse (*Rachel dans ta maison, l'Âme des poètes*). Tout un aspect de son œuvre est franchement surréaliste : il n'a jamais oublié les leçons de Max Jacob. *La Folle Complainte, Une noix, le Chinois, Pauvre Georges André* « popularisent » une vision surréaliste du monde. Le « Fou chantant » a su allier poésie et loufoquerie (*Quand un facteur s'envole*) et créer de petites scènes cocasses (*le Grand Café, l'Âne et le gendarme*). Les fantômes (*Je chante, Mam'zelle Clio, En quittant une ville*) occupent une large place dans une œuvre où la mort semble comme apprivoisée. Mais il existe un Trenet un peu inquiétant (*Les gendarmes s'endorment sous la pluie,* 1947).

Doué d'un sens mélodique peu commun (*Bonsoir, jolie madame, Jardins du mois de mai*), il puise dans le jazz* un rythme effréné, où les onomatopées et les mots rebondissent avec un entrain qu'on croyait réservé à la langue anglaise (*Fleur bleue*). Il assimile aussi les rythmes exotiques (*Biguine à Bango, Gala Poté*). Il est le symbole de la jeunesse et de la vitalité (*Dis-moi quel est ton nom ?* : « Je suis le printemps, l'amour, la vie »). Sa *Marche des jeunes* (1942) reste une excellente chanson de route.

Avec le temps, le thème du regret se fait plus précis (*C'était,* 1946 ; *Mes jeunes années,* 1949 ; *Coin de rue,* 1954), exprimant plus vivement une mélancolie présente cependant depuis longtemps dans son œuvre multiple.

La plupart de ses chansons ont été d'extraordinaires succès. Ainsi *la Mer* (composée en 1938, connue en 1945, orchestrée par J. Lasry), célèbre dans le monde entier, servit d'indicatif à Radio-Tokyo. Il fut l'un des premiers compositeurs contemporains à mettre la poésie en chanson avec Verlaine (*Chanson d'automne*). Il a écrit trois romans : *Dodo manière* (Albin-Michel, 1939), *la Bonne Planète, Un noir éblouissant* (Grasset, 1965).

Tréteau de Tabarin. V. *Boîte à Fursy.*

TRIMOUILLAT (Pierre), chansonnier (Moulins 1858 - Paris 1929). Il avait débuté dans les goguettes*, puis à la Plume*, enfin au Chat-Noir*, avant de fonder avec X. Privas* les Soirées du Procope*. Il était, à ses moments perdus, employé à la Préfecture de la Seine. Il a collaboré à quantité de journaux : *Art social, Fin de siècle, Mascarille, Paris-Chanson, Echo de la semaine, la Plume, Gil Blas illustré, Soleil du dimanche, Courrier français,* etc. En 1893, il fonda le journal *le Gringoire.* Satiriste bienveillant, plus poète que chansonnier, il composa cependant la musique de ses chansons, qu'il interprétait lui-même. X. Privas donne ces détails sur sa voix : « Le jour, à son bureau : une flûte ; le soir, au cabaret : un écho ; la nuit, dans la rue : un ouragan. » Trimouillat eut des interprètes de choix : Anna Thibaud*, Mévisto*, Coquelin Cadet (dont le talent de comédien se doublait d'un chanteur fort agréable à entendre) et Y. Guilbert*, qui lui doit deux grands succès : *À la brasserie*

Pierre Trimouillat. Phot. Lauros.

chevêché (1944). D'abord nommé les Trois-Ânes, il devient les Trois-Baudets en s'installant à Paris, 2, rue Coustou, sur l'emplacement de l'ancien Café chantant de Jean Bastia* (1935), auquel avait succédé le Cœur de Montmartre. Les Trois-Baudets parisiens sont d'abord un cabaret de chansonniers (F. Blanche*, P. Dac* et les créateurs), mais les débuts sont difficiles. Les fondateurs repartent un moment à Alger (la salle algérienne fonctionnera encore cinq ou six ans). Le cabaret-théâtre parisien des Trois-Baudets se consacre alors à la chanson. On peut y applaudir des vedettes déjà confirmées : H. Salvador*, J. Gréco*, P. Dudan*, les Quatre Barbus*. Mais on peut aussi y entendre des artistes débutants qui vont devenir de grandes vedettes : F. Leclerc* (1950), Mouloudji* (1951), G. Brassens* (1952), C. Sauvage*, P. Clay* (1953), J. Brel* (1954), B. Vian* (1955), G. Béart* (1956), S. Gainsbourg*, Ricet-Barrier*, P. Colombo* (1958), A. Sylvestre* (1959), L. Escudero* (1960), etc. C'est là que débutèrent aussi des pianistes accompagnateurs qui devinrent par la suite des compositeurs et des chefs d'orchestre renommés, comme A. Goraguer*, M. Legrand*, A. Popp*.

À partir de 1961, les Trois-Baudets firent la plus large place au théâtre.

et *À mon septième*. Les parodies* étaient la passion de Trimouillat. Les meilleures restent : *Stances de Périer, Alleluia de Faure (Félix)* et *Quand le critique dort*, dédié à F. Sarcey* parodie, de *Quand l'oiseau chante*, de Tagliafico.

Trois-Baudets (théâtre des), cabaret-théâtre parisien, fondé en 1947 par Jacques Canetti, qui en assure la programmation jusqu'en 1960. Ses origines sont plus lointaines : en novembre 1942, les chansonniers P.-J. Vaillard*, C. Vebel* et G. Bernardet*, en tournée en Afrique du Nord, se trouvent bloqués à Alger par le débarquement allié. Ils produisent une émission à Radio-Alger (*Salamalec*, 1943-1947), avec J. Canetti, ouvrent un cabaret d'esprit montmartrois dans la salle Saint-Augustin, appartenant à l'ar-

troubadours (de *trobador*, proprem. « le trouveur »), poètes lyriques de langue d'oc (fin XIe - début XIVe s.), originaires de la moitié sud de la France. — Bien qu'ils aient appartenu à des niveaux divers de la société féodale, leur poésie est essentiellement aristocratique et savante. Leur musique dérive des *versus* religieux de la célèbre école Saint-Martial de Limoges. Ils ont été les premiers à écrire des chansons profanes et ont mis en honneur la poésie courtoise. On remarque plusieurs sources d'inspiration dans leurs productions : 1° l'actualité : chansons de croisades, planhs*, sirventès* ; 2° le cycle saisonnier, et surtout le retour du printemps, l'amour champêtre ; 3° chansons d'amour courtois (ancêtres de l'air de cour)*, où s'emmêlent des chansons de même style dédiées à Notre-Dame, l'aube*, les légendes. On a recensé plus de 400 troubadours, qui ont laissé 2 650 chansons, dont seulement 262 notées musicalement. Le premier troubadour en date fut Guillaume* IX, comte de Poitiers, duc d'Aquitaine. À sa suite, les plus célèbres furent : Peire d'Auvergne, Bertran de Born, Guiraud de Bornhel, Cercamon, Gaucelm Faidit, Marcabru, Arnaud de Mareuil, Folquet de Marseille, Rimbaut d'Orange, Guiraud Riquier, Joffroi Rudel, les d'Ussel (Gui, Ebles, Peire, Elie), Bernard de Ventadour, Peire Vidal (v. ces noms), auxquels il faut ajouter : Rigaux de Barbezieux, Arnaud Daniel, Gui Folquès, Pistoletta, Rimbaut de Vaqueiras, etc. On compte quelques « troubadouresses », les plus connues étant Béatrice* de Die et Marie de Ventadour.

La poésie des troubadours se répandit tout d'abord dans le nord de la France (trouvères*), puis en Allemagne (Minnesängers), Espagne, Portugal, Italie et Angleterre (minstrels).

Troubadours de Marseille, société fondée en 1809. Les réunions avaient lieu le premier mercredi de chaque mois chez le traiteur Sibelleau. La société était régie par un roi, qui changeait tous les trois mois. Les Troubadours ont publié, en 1811, un volume de chansons : *Année lyrique des Troubadours de Marseille.*

Troubadours (société lyrique des), goguette*, rue Saint-Honoré, au-dessus du Bal des chiens, décrite par Gérard de Nerval dans *les Nuits d'octobre.* Lacenaire, qui fréquentait le Bal des chiens, ne manquait pas de se faufiler dans la salle de cette goguette quand quelque chanteur en renom devait s'y faire entendre.

trouvères, poètes lyriques de langue d'oïl (fin XIIᵉ-XIIIᵉ s.). — Installés au nord de la Loire, ils continuèrent et rénovèrent le style des troubadours*, conduisant la chanson vers la polyphonie*. On compte environ 210 trouvères, ayant composé plus de 2 000 chansons. Parmi les principaux : Adam de la Halle, Blondel de Nesles, le châtelain de Coucy, Chrétien de Troyes, Conon de Béthune, Gace Brulé, Gautier de Coincy, Guiot de Dijon, Thibaut de

Champagne, Colin Muset (v. ces noms), auxquels il faut ajouter : Audefroid le Bastard, Gautier de Dargies, Gautier d'Epinal, Guillebert de Berneville, Guillaume le Vinier, Jehan Erars, Moniot d'Arras, Perrin d'Angecourt, etc.

tube (terme d'argot des métiers de la chanson contemporaine), chanson à la mode, qui rencontre un grand succès et bénéficie d'une large diffusion (radio*, télévision*, bals, disques*) — Parfois employé péjorativement, le terme aurait été créé par Boris Vian*.

Quelques-uns des grands succès de la chanson française contemporaine.

1945 *Fleur de Paris* (M. Vandair - H. Bourtayre).
La Vie en rose (E. Piaf - Louiguy).
Y' a pas d' printemps (H. Contet - M. Monnot).

1946 *Mademoiselle Hortensia* (J. Plante - Louiguy).
Le Régiment des mandolines (M. Vandair - H. Betti).
La Mer (C. Trenet).
La Belle de Cadix (M. Vandair - F. Lopez).

1947 *Maria de Bahia* (Hornez - Misraki).
Ma cabane au Canada (M. Brocey - L. Gasté).
Le Petit Rat (H. Kubnick - G. Lafarge).
C'est si bon (A. Hornez - H. Betti).

1948 *La Seine* (F. Monod - G. Lafarge).
Boléro (H. Contet - P. Durand).
Maître Pierre (J. Plante - H. Betti).
Mademoiselle de Paris (H. Contet - P. Durand).
À Paris (F. Lemarque).

1949 *Mes jeunes années* (C. Trenet - M. Herrand).
Y' a tant d'amour (R. Asso - C. Valéry).

1950 *L'Hymne à l'amour* (E. Piaf - M. Monnot).

Les Feuilles mortes (J. Prévert -
J. Kosma).
Domino (J. Plante - L. Ferrari).
Si tu viens danser dans mon vil-
lage (H. Contet - A. Barelli).
Une demoiselle sur une balançoire
(J. Nohain - Mireille).

1951 L'Âme des poètes (C. Trenet).
Cerisier rose et pommier blanc
(J. Larue - Louiguy).
Bella Musica (G. Koger - M. Fonte-
noy).
Les Grands Boulevards (J. Plante
N. Glanzberg).

1952 Un gamin de Paris (M. Micheyl).
La Complainte des infidèles (C. Rim-
G. Van Parys).
Ni toi ni moi (M. Micheyl).
Paris-Canaille (L. Ferré).
Padam-Padam (H. Contet -
N. Glanzberg).

1953 Viens (C. Aznavour - G. Bécaud).
Comme un p' tit coquelicot (R. Asso
- C. Valéry).
Paris-Canaille (L. Ferré).
Mes Mains (P. Delanoë - G. Bé-
caud).
Moulin-Rouge (J. Larue - G. Auric).
La Chasse aux papillons (G. Bras-
sens).

1954 Je veux (G. Koger - L. Gasté).
La Goualante du pauvre Jean
(R. Rouzaud - M. Monnot).
Heureuse (R. Rouzaud - M. Monnot).

1955 Les Lavandières du Portugal (R. Luc-
chesi - A. Popp).
La Chanson pour l'Auvergnat
(G. Brassens).
Sur ma vie (C. Aznavour).
La prière (F. Jammes - G. Bras-
sens).
C'est à Hambourg (Delécluze - Sen-
lis - M. Monnot).
Marie-Vison (M. Heyral - Varney).

1956 Alors, raconte (J. Broussolle -
G. Bécaud).
Les Amants d'un jour (C. Delé-
cluze - M. Monnot).

Le Facteur de Santa Cruz (F. Bon-
nifay - F. Barcellini).

1957 Marjolaine (Revil - F. Lemarque).
Julie la Rousse (R.-L. Lafforgue).
Ay! Mourir pour toi (C. Azna-
vour).

1958 L'Eau vive (G. Béart).
Les Gitans (P. Cour - H. Giraud).
La Ballade irlandaise (E. Marnay -
E. Stern).
Viens (C. Aznavour - G. Bécaud).
Mon manège à moi (J. Constan-
tin - N. Glanzberg).
Le Jour où la pluie viendra (P. De-
lanoë - G. Bécaud).
Milord (G. Moustaki - M. Monnot).

1959 Petite Fleur (F. Bonifay - S. Bechet).
Le Marchand de bonheur (J. Brous-
solle - J.-P. Calvet).
Je te tendrai les bras (A. Giraud -
Dorsey).

1960 L'Absent (L. Amade - G. Bécaud).
Non, je ne regrette rien (M. Vau-
caire - C. Dumont).
Jolie Môme (L. Ferré).
Paname (L. Ferré).

1961 La Marche des anges (C. Aznavour - G. Garvarentz).
La Chansonnette (J. Dréjac - Philippe-Gérard).
Il faut savoir (C. Aznavour).

1962 Le Clair de lune à Maubeuge
(Pierre Perrin).
Et maintenant (P. Delanoë - G. Bé-
caud).
Mon beau chapeau (M. Tézé -
S. Distel).
Nous les amoureux (Datin - Vida-
lin).

1963 Dimanche à Orly (P. Delanoë -
G. Bécaud).
Les Fiancés d'Auvergne (Favereau -
Verschuren).

1964 Les Comédiens (J. Plante - C. Aznavour).

Tous les garçons et les filles
(F. Hardy - Samyn).
L'école est finie (C. Carrère-A. Salvet - J. Hourdeaux).
Elle était si jolie (A. Barrière).

1965 La Mamma (R. Gall - C. Aznavour).
Marie-Joconde (A. Barrière).
Enfants de tous pays (E. Macias).
Paris, tu m'as pris dans tes bras
(E. Macias).

1966 Ma vie (A. Barrière).
Que c'est triste Venise (C. Aznavour).

C'est beau la vie (Senlis - Delécluze - Ferrat).

twist (mot anglais; littéral. to twist, tordre), rythme et danse d'origine américaine, créés en 1961 par Chubby Checker (Peppermint lounge, New York) et pratiqués à Paris dans certains cabarets, comme celui de Régine (3, rue du Four). — Adapté en France par J. Hallyday*, R. Anthony*, etc. (Viens danser le twist, 1 200 000 exemplaires), le twist a pris la suite du rock and roll* et fait partie de la mode yéyé*.
Etiemble écrit touiste par dérision contre le « franglais ».

Georges Ulmer, vers 1945.
Doc. Columbia. Phot. Pathé.

ULMER (Georges), auteur, compositeur, interprète (Copenhague 1919). Son père était sculpteur († 1921). Pour raisons de santé, sa mère, écrivain, l'emmène à Palma de Majorque (1931). Après des études en espagnol (Barcelone), il est en France en 1938 (Perpignan). Il fait divers métiers, puis débute dans le tour de chant à Nice (Marie, 1942). L'ABC* le présente au public parisien en mai 1944; dans la mode américanophile qui suit la Libération, les Français découvrent G. Ulmer par la radio* : Quand allons-nous nous marier, pastiche des films de cow-boys, et J'ai changé ma voiture contre une jeep, chanson inspirée par la libération de Paris et que G. Ulmer interprète avec un accent indéfinissable et beaucoup de succès.
Il chante aussi J'ai bu (Roche - Aznavour*) et passe dans tous les grands music-halls* de France et d'Amérique, atteignant l'apogée de sa carrière avec Pigalle (1946), une chanson qui a fait le tour du monde.

Vache-Enragée (la), cabaret artistique fondé par Maurice Hallé, du nom d'une revue qu'il publiait depuis 1917. Il abrita tout d'abord sa « Vache » 37, rue Lamartine (1919), puis, en 1921, associé à Roger Toziny*, il la transporta 6, place Constantin-Pecqueur. On entendit à la Vache-Enragée Souplex*, Pierre Dac*, Gabriello*, R. P. Groffe, Henri Cor, P. Simon-Mérop, Michel Herbert*, etc.

En liaison avec la Commune libre de Montmartre (dont le maire était alors Jules Dépaquit), la Vache patronna de nombreuses — et joyeuses — fêtes montmartroises, dont l'une a survécu, la Foire aux croûtes, fondée par Emile Tap et Germain Delatousche.

En 1922, Toziny abandonna la codirection du cabaret, et, à la suite d'un procès intenté par le propriétaire du local, Maurice Hallé dut fermer son établissement. Toziny rouvrit le cabaret de la Vache-Enragée 58, rue Custine, avec de nouveaux chansonniers : Grello*, Jacques Cathy*, Marcel Lucas*, Jean Lec*, Robert Rocca*, Georges Quey, etc. Toziny étant mort en 1939, Maurice Hallé essaya sans succès de faire revivre les veillées de la Vache-Enragée, mais l'atmosphère était peu propice. Après avoir erré de la rue de la Glacière à la porte d'Orléans, la Vache disparut définitivement.

VADÉ (Jean-Joseph), chansonnier et auteur dramatique (Ham 1720 - Paris 1757). [Qu'il ne faut pas confondre avec *Guillaume Vadé,* qui fut l'un des pseudonymes de Voltaire.]

Contrôleur de l'administration des Finances à Soissons, Laon et Rouen de 1739 à 1744, il fut ensuite secrétaire du duc d'Agenois, puis revint à Paris dans l'Administration vers 1746, ce qui lui permit de s'adonner en toute tranquillité à sa vocation littéraire. Il mourut prématurément des suites d'une opération à la vessie.

On a souvent fait passer — à tort — Vadé pour un chansonnier ordurier. En réalité, il est un précurseur du réalisme, et a dû presque uniquement son succès au style poissard, qu'il introduisit dans la littérature française, et qui, grâce à lui, fut mis à la mode et parlé dans les salons. Ses œuvres, de genres variés (opéras-comiques, fables, romans, épîtres), sont presque toutes écrites en argot des halles et mettent en scène des personnages de tous les jours : Jérosme Dubois, « pêcheu » de Seine au Gros-Caillou ; Nanette Dubut, blanchisseuse de linge fin ; Manon Giroux, la couturière ; ce qui lui valut la sympathie du grand public. Les *Lettres de la guernouillère,* roman naïf par épîtres entremêlées de chansons, restent son chef-d'œuvre.

VAILLARD (Pierre - Jean), chansonnier, journaliste (Sète 1918). Il débute aux Noctambules* avec *Il y a des choses qui ne s'expliquent pas* (1938) et fonde à Alger, pendant la guerre, le cabaret des Trois-Baudets*, avec Bernardet* et Vebel*. En 1959, Radio-Luxembourg* lui confie une émission journalière : *Je vous salue, Mesdames.* Il est passé dans les divers cabarets et night-clubs de la capitale. Actuellement pensionnaire des Deux-Ânes*, il collabore à divers journaux satiriques, en particulier à *Minute.*

« Élégant, discret, enrobant ses malices dans un gracieux écheveau de vers libres, et détaché dans la façon de laisser tomber chacun d'eux, il eût su flatter le roi d'une rime inattendue, et le faire rire sous cape d'un trait décoché en demi-teinte à quelque courtisan. » (A. Roussin.)

Jamais bas, jamais vulgaire, il a su faire du neuf sans rompre la tradition montmar-

Pierre-Jean Vaillard, vu par Pol Ferjac. Phot. Lauros.

troise dans des chansons et monologues comme : *Mon fils est un Indien, le Cousin Jules, le Petit Bruit, Marivaudage printanier, Tournées de province* et *24 décembre de Paris,* dédié en 1950 à ses amis d'Alger et qui prend à présent une autre actualité. Il a réuni ses œuvres en deux volumes : *Je vous salue, Mesdames* (1963), *Guirlandes et sourires* (1966).

VANDERLOVE (Anne **Van der Leeuwe,** dite **Anne**), auteur, compositeur, interprète (La Haye, Hollande, 1943). Elle est élevée en Bretagne à partir de sept ans. Après des études supérieures (licence), elle est professeur de lettres, puis voyage (Espagne). Elle chante ses chansons à Paris, en cabaret (1966, Chez Georges, Port du salut*, Contrescarpe*), après des débuts difficiles. Elle enregistre et reçoit le prix du Disque 1967. Ses chansons baignent dans le climat poétique et mélancolique de la Bretagne de son enfance (*Ballade en novembre*).

VAN PARYS (Georges), compositeur (Paris, 1902). Licencié en droit, il est le compositeur de la musique de plus de 140 films (*le Million,* 1937 ; *Le silence est d'or,* 1947, de R. Clair*), de musique pour le théâtre (*Lulu,* 1927) et de nombreuses chansons à succès à partir de 1931, quand Albert Préjan crée *Si l'on ne s'était pas connus* (- Ph. Parès) dans le film *Un soir de rafle.* Ses refrains sont entraînants, ses mélodies se retiennent facilement, ses rythmes sont agréables — et le grand public fredonne ses chansons. Avec J. Boyer*, il écrit *C'est un mauvais garçon* (1936, par H. Garat), *À mon âge* (1937, par J. Pills*), *Y' a toujours un passage à niveau* (1937, par G. Tabet*) et toute une série de chansons pour M. Chevalier* (*Mimile, Appelez ça comme vous voulez, Ça fait d'excellents Français,* etc.). Avec M. Vaucaire*, il écrit *Sans lendemain, la Der des der, la Chanson des fortifs* (1938, par Fréhel*), *Retour à Montmartre* (1957, par C. Vaucaire*). Il collabore aussi avec R. Clair, C. Rim, J. Renoir, etc., composant des chansons qui ont toujours autant de succès (*Un jour tu verras,* - Mouloudji*, 1954).

variétés, terme général désignant un spectacle de music-hall* composé de numéros variés sans lien entre eux (tours de chant, acrobates, dresseurs, danseurs, etc.). À la télévision*, ce terme désigne une émission distrayante apparentée au music-hall*.

Dans le domaine du disque* et de la radio*, les variétés désignent les chansons, la musique de danse, le jazz*, les sketches comiques, certains enregistrements folkloriques, etc., par opposition à la musique classique.

VARNEY (Jean), chansonnier et revuiste (Bordeaux 1868 - Paris 1904), fils du compositeur Louis Varney. Il débuta à Montmartre* sous le pseudonyme de **Max Myso.** Il aborda à peu près tous les genres : satire, romance, grivoiserie, chansons politiques*. Son plus grand succès, *la Sérénade du pavé,* fut chantée dans les cours par Eugénie Buffet* au profit des blessés de Madagascar (1895).

VAU

VARTAN (Sylvie), interprète (Fokretz, Bulgarie, 1944). Sœur du chef d'orchestre Eddie Vartan, elle interprète *la Panne d'essence* avec Frankie Jordan (1960). Elle a été la première jeune fille à chanter dans le genre rock and roll*, et elle fait partie de la vague yéyé*, interprétant des chansons de style varié (*la Plus Belle pour aller danser*). Elle a épousé Johnny Hallyday*.

VASSELIN (Olivier). V. *Basselin*.

VASSILIU (Pierre), auteur, compositeur, interprète (Villecresnes 1937), d'origine roumaine. Bachelier (bien qu'il ait été « renvoyé de tous les lycées et collèges de France », affirme-t-il), il fait ses études de droit, tout en montant à cheval régulièrement depuis l'âge de neuf ans, ce qui lui permet de mener une carrière de jockey (six fois vainqueur au Tremblay, 1960). Vainqueur aussi au cabaret et au music-hall* (l'Olympia*) grâce aux chansons qu'il écrit, parfois en collaboration avec son frère Michel : *Armand, Charlotte, Ma cousine*, etc. Sa savoureuse et peu respectueuse *Femme du sergent* (« J'étais dans les rizières »), créée en 1963, suscite quelques remous. Il a écrit la musique de plusieurs films (dont *Une fille et des fusils*, de Lelouch).

VAUCAIRE (Maurice), chansonnier et auteur dramatique (Versailles 1863 - Neuilly-sur-Seine 1918). Secrétaire des Chemins de fer du Sud, il débute au Chat-Noir* vers 1890 et rencontre Delmet*, avec qui il écrit quelques chansons : *Petit chagrin, À la belle étoile, Chanson de rien, Mirlitaine et Mirliton, Avril*, et surtout *les Petits Pavés*, qui « malgré certaines cocasseries et incohérences, obtinrent la consécration des chefs-d'œuvre indiscutés » (H. Delorme).
M. Vaucaire a écrit également *la Chanson du cœur brisé* (- Moya), qui, depuis cinquante ans, est un « best-seller » aux États-Unis sous le titre : *Songs of Songs*. Il a fait paraître (avec H. Busser) un recueil de mélodies destinées aux jeunes, *Maman chante avec nous*.
Auteur fécond, il a publié 8 recueils de poèmes, 18 romans, fait représenter 18 pièces de théâtre et 10 opéras ou opérettes, dont *Hans le joueur de flûte* (- L. Ganne), *Manon Lescaut* et *la Fille du Far West* (- Puccini).

VAUCAIRE (Michel), auteur (Brissago, Suisse, 1904), fils du précédent. Études à l'École des langues orientales de Paris. M. Vaucaire a publié de nombreux livres de poèmes, d'histoire, de voyage ; sa première chanson fut créée en 1935 par A. Capri* (*J'ai préféré devenir chanteuse* (- Rudolf Goehr). Parmi ses chansons à succès, on peut citer *Sammy de la Jamaïque* (- R. Goehr, par Lys Gauty*, 1936), *Aimez-vous les moules marinières?* (- Révil, par Damia*, 1936), *Sans lendemain* (- G. Van Parys*, par Fréhel*, 1938), *Il a fallu* (- P. Arvay, par Y. Montand*, 1953), *San Miguel* (- Jane Brown, par H. Aufray*, 1960), etc. La qualité de ses textes est souvent mise au service d'une émotion discrète, comme dans *Frédé* (- Daniel White*, par C. Vaucaire*, 1946), où il évoque le souvenir du Lapin à Gill* et de son patron Frédéric Gérard.

VAUCAIRE (Cora), interprète (née Geneviève Collin, Marseille), épouse de Michel Vaucaire. Elle est d'abord comédienne, puis, en 1939, elle gagne un concours d'amateurs (Poste parisien), chante à l'ABC* en 1941, où elle remporte un autre concours sous le pseudonyme de **Michèle Dax**. Puis elle suit une brillante carrière d'interprète : avec finesse et sensibilité, elle détaille un répertoire « montmartrois » (*Chanson tendre*, F. Carco* - Larmanjat ; *Frédé*, M. Vaucaire* - Daniel White* ; *la Complainte de la Butte*, Jean Renoir - G. Van Parys*), ou sans autre caractéristique que la qualité littéraire et mélodique de chansons comme *les Feuilles mortes* (J. Prévert* - J. Kosma*), *Dis, quand reviendras-tu?* (Barbara*), etc. C. Vaucaire a reçu trois fois le prix Charles-Cros, en particulier avec la mention *In honorem* pour ses enregistrements des œuvres de J. Prévert. Dans les années 50, elle a animé le cabaret-théâtre de la Tomate*, consacré à la chanson, où elle utilisait la formule originale des

à Cora Vaucaire
Paul Charlot
56

Cora Vaucaire, dessin de Paul Charlot. Phot. Larousse.

« chansons à la carte » : les spectateurs choisissaient dans son vaste répertoire les œuvres qu'ils souhaitaient entendre.

vaudeville, chanson populaire dont les différents couplets se chantaient sur la même mélodie.

L'étymologie donnée par Dauzat serait « un composé de deux radicaux verbaux *vauder* (aller) et *virer* (tourner) ». Une autre origine, étayée par des documents précis, est cependant admise : le terme remonterait à la première école chansonnière populaire fondée au XVe s. par les Compagnons du Val-de-Vire, dont les œuvres, appelées *vaux-de-vire,* sont contenues dans le manuscrit de Bayeux. Le terme se transforme au siècle suivant en *voix-de-*

ville, puis en *vaudeville.* Cette nouvelle transformation apparaît pour la première fois dans la *Condamnation de bancquet* (1507), tandis que Chardavoine* fait encore usage de l'expression ancienne (1576), mais désigne toujours une même forme de chanson. Au XVIIIe s., le vaudeville sert à désigner les couplets finals d'une comédie. Il est soumis à des règles strictes, définies par Laujon* : « Le vaudeville doit exposer son sujet dans le premier couplet, mais chacun des autres couplets doit contenir autant d'épigrammes détachées. Tous les couplets concourent à ramener le (ou les) refrain(s) indiqué(s) dans le premier couplet. » Boileau voit dans le vaudeville l'expression même de l'esprit satirique français :

D'un trait de ce poème, en bons
[mots si fertile,
Le Français, né malin, forma
[le vaudeville.

Beaumarchais crée le modèle du genre dans la scène finale du *Mariage de Figaro.* Sous la Révolution, le terme perd sa signification propre et désigne des parodies*, voire des pots-pourris*. En 1792, les chansonniers Piis* et Barré consacrèrent une scène spéciale aux comédies à couplets, qu'ils baptisèrent théâtre du Vaudeville*. Depuis, le terme *vaudeville* ne sert plus à désigner que cette forme de l'art théâtral.

Vaudeville (Dîners du), société issue du Caveau* (1796-1801). Sous l'impulsion de Laujon* elle réunissait des chansonniers et des vaudevillistes qui avaient obtenu des succès au théâtre, ce qui constitua une société assez importante, dont les principaux membres furent : P. A. de Piis*, Barré, Radet* et Desfontaines, les trois Ségur*, A. Gouffé*, Philippon de La Madelaine, Le Prévost d'Yray, etc. Ces dîners mensuels à frais communs eurent lieu le 2 de chaque mois, tout d'abord chez Méot, puis chez l'acteur-restaurateur Juliet. Le règlement de la société fut rédigé en vers. Les chansons, composées sur un sujet donné, d'où la politique et la religion étaient sagement exclues, furent les premières à être publiées parmi les chansons chantées aux banquets. Les autres sociétés n'ont fait que continuer cette tradition. L'édition des « Chansonniers » des Dîners du Vaudeville comporte 52 fascicules.

VEBEL (Christian **Schwaebel,** dit **Christian**), chansonnier, revuiste et journaliste (El-Kseur, Algérie, 1915). Il a toujours désiré écrire : il fonde à treize ans un journal au lycée Buffon et interviewe Courteline. Licencié ès lettres, il collabore à plusieurs journaux de Paris. Il écrit 3 romans policiers. À partir de 1935, il publie avec Claude Pingault* une série de chansons qui furent des succès : *la Révolte des joujoux* (par Guy Berry, 1935), *Johnny Palmer* (par Damia*, 1936), *Katoutcha* (par Nadia Dauty, 1937), etc.

En 1941, il collabore avec Jean Nohain* et Claude Pingault* à l'opérette *Plume au vent.* En 1944, avec les chansonniers P.-J. Vaillard* et Georges Bernardet*, il fonde à Alger le théâtre des Trois-Baudets*. Revenu à Paris, il écrit des chansons et des revues, qu'il interprète aux Deux-Ânes* et au Caveau de la République*.

vedette, artiste de grande réputation. Dans les spectacles de music-hall* contemporain autres que les revues, la vedette assure entièrement la deuxième partie de la représentation (après l'entracte) et c'est son renom qui fait venir le public. Elle est toujours une vedette de la chanson.
On appelle *vedette américaine* l'artiste qui termine la première partie du spectacle (avant l'entracte) et *vedette anglaise* l'artiste qui précède la vedette américaine. La place et l'importance typographique des noms des vedettes sur les affiches dépendent de leur place dans le spectacle. Le terme anglais de *star* (étoile, un peu vieilli) désigne une vedette de cinéma*; l'*idole** est une vedette du yéyé*.
La vedette d'une revue de music-hall est appelée une *meneuse de revue.*

Veine (la). V. *Conservatoire de Montmartre.*

VENTURA (Ray), chef d'orchestre (Paris 1908). Après ses études secondaires, attiré par le jazz*, R. Ventura crée un orchestre amateur qui passe à la radio, puis est engagé par le Casino de Deauville.
En 1929, la Compagnie générale transatlantique offre aux musiciens un voyage sur l'*Ile-de-France* à l'aller et le *Paris* au retour, pendant lequel ils jouent pour les passagers. M. de Valmalète organise en 1930 une tournée; l'orchestre joue salle Gaveau à Paris (1931), puis à l'Empire*, à Bobino* (1932), et, bientôt célèbre, part en tournée à travers l'Europe (Londres, 1932), avec grand succès. « Ray Ventura et ses Collégiens » ont créé un style, celui de l'orchestre à sketches, interprétant des chansons de P. Misraki*, A. Hornez*, etc. (*Tout va très bien, Madame la marquise,* 1934 ; *les Chemises de l'archiduchesse,* 1937 ; *Comme tout le*

Ray Ventura et ses Collégiens. *Doc. Pathé.*

monde, 1938). L'orchestre a joué dans des films (*Feu de joie*, 1938; *Tourbillon de Paris*, 1939). Il est en Amérique du Sud pendant l'occupation allemande (tournée à laquelle participe entre autres H. Salvador*).

Après la guerre, Ray Ventura et son orchestre reprennent leurs activités en France; ils créent notamment *Maria de Bahia* (1945, P. Misraki* - A. Hornez) et *À la mi-août* (1949, id.), et jouent au cinéma (*Mademoiselle s'amuse, Nous irons à Paris, Nous irons à Monte-Carlo*).

Ray Ventura dirige une société d'édition de chansons.

VÉRAN (Eliane **Meyer,** dite **Florence**), compositeur, interprète (Paris 1922). Elle écrit la musique de *Je hais les dimanches* (- C. Aznavour*, 1950), qui est créé par J. Gréco*, après avoir été refusé par E. Piaf* (qui le chante cependant par la suite). On lui doit de nombreuses mélodies aux dessins variés, dont le célèbre *On m'a donné une âme* (- R. Thoreau*), créé par Mouloudji* (1953). Elle a chanté sur scène et elle a enregistré plusieurs disques* de ses principaux succès (*Mon ami le Brésilien*, - Billy Nencioli, 1961). Ses mélodies

sont agréables, variées, à la fois spirituelles et populaires (*Rendez-vous au Pam-Pam*, - Jacques Mareuil, 1952; *Margot cœur gros*, - Michèle Vendome, 1963).

VIAN (Boris), auteur, compositeur, interprète (Ville-d'Avray 1920 - Paris 1959). Il n'est pas d'origine russe. Une des plus fortes personnalités du roman, de la poésie, du théâtre, de la chanson, créateur aux activités multiples. Bac (latin-grec, philo, puis math élém); comme M. Donnay*, comme Mauricet*, il est sorti de l'École centrale (1939). Ingénieur à l'AFNOR (1942), puis à l'Office du papier (une maladie de cœur lui a évité la mobilisation). Il joue de la trompette en amateur dès 1942, puis en semi-professionnel à la Libération (avec Abadie, Luter), dans un style Nouvelle-Orléans. Ses chroniques de jazz (1947- *Combat, Jazz-hot, Temps modernes*) sont passionnantes. Il est chargé par la suite (à partir de 1955) d'établir le catalogue de jazz de la firme Philips, et sa compétence en ce domaine difficile est unanimement reconnue. Certaines de ses chansons font écho à cet amour du jazz (*Poker's Blues*). Car il écrit des chansons (plus de quatre cents). Il les interprète, en

1955, au théâtre des Trois-Baudets*, et à la Fontaine* des quatre saisons (où il est passé habillé en clergyman), et les enregistre sous le titre *Chansons possibles et impossibles*. On sait qu' « impossible n'est pas français ». On le lui fit bien voir. Tout comme le scandale qui avait suivi son premier roman publié sous le pseudonyme de **Vernon Sullivan** (*J'irai cracher sur vos tombes*, 1946), le scandale se répand comme une traînée de poudre au long de la « tournée » où il chante *le Déserteur*. Des défenseurs bénévoles de l'ordre l'interpellent dans les casinos; il répond : « Ma chanson n'est nullement antimilitariste, mais, je le reconnais, violemment procivile. » Interdite à la radio, elle est cependant fredonnée par toute une partie de la jeunesse d'alors, qui aime l'ironie féroce de B. Vian (*le Petit Commerce*, - A. Goraguer*), sa satire des milieux mondains (*J' suis snob*, - J. Walter), de la société du gadget (*Complainte du progrès*, A. Goraguer), des militaires (*les Joyeux Bouchers*, - J. Walter), et, surtout, son humour froid très corrosif (*Java des bombes atomiques*, - A. Goraguer). Ces chansons ont créé un style dont l'influence se fait sentir bien après la mort de B. Vian. Son œuvre littéraire et poétique, ses chansons sont adoptées par une nouvelle génération à partir de 1966.

Par ailleurs, directeur artistique des disques Fontana-Philips (1957-1959), il a notamment fait enregistrer H. Salvador*, les Trois Horace, F. Lemarque*, etc. Il est, avec A. Goraguer (*Fais-moi mal, Johnny!*, 1955) et H. Salvador, l'introducteur goguenard en France du rock and roll*. B. Vian et H. Salvador ont composé plus de 80 rocks burlesques, bonnes blagues sans intérêt esthétique, et des chansons de tous genres : « Je me rappelle, dit H. Salvador, qu'un jour nous avons composé quatre « calypsos » en vingt minutes. » (*Blouse du dentiste, Ça pince*, etc.) B. Vian est aussi l'auteur de quelques chansons du style *Pan, pan, pan, poireaux, pommes de terre* (- A. Goraguer, par M. Chevalier*), de quatre opéras (avec G. Delerue et D. Milhaud) et d'un des meilleurs ouvrages sur la chanson, dont le titre est tout un programme : *En avant la zizique... et par ici les gros sous* (1958).

Boris Vian. Doc. Philips.
Phot. Henri Guilbaud.

VIDALIN (Maurice), auteur (Paris 1924). Il a écrit des chansons en collaboration avec G. Bécaud* (le Mur), le plus souvent avec le compositeur J. Datin* (Tais-toi Marseille). Parmi ses plus grands succès écrits avec ce dernier, on peut citer Zon, zon, zon (1956, par C. Renard*) et l'humoristique Julie, qui fut l'une des meilleures chansons du répertoire de M. Amont* (1957).

VIGNEAULT (Gilles), auteur, compositeur, interprète (Natasquan, Canada, 1928). L'un des poètes les plus doués du Québec, dont l'œuvre est bien connue en France, en particulier grâce à Catherine Sauvage*, qui lui a consacré tout un disque (1966). Études à l'université Laval, 1950-1953 (licence de lettres). Tour à tour débardeur, homme de canot, professeur d'algèbre et de français, commis libraire, il écrit des contes et des poèmes; Jacques Labrecque crée sa première chanson en 1959, Jos Monferrand. Ses chansons parlent des gens et des terres du Canada avec une discrétion poétique, une pudeur, un humour aussi qui dépassent le régionalisme pour atteindre l'universel, comme en témoigne le succès qu'elles ont rencontré en France (Jack Monoloy, 1961; Mon pays, 1965; Fer et titane, 1966). Comme Félix Leclerc*, Jean-Pierre Ferland*, Claude Léveillée*, Vigneault prouve la vitalité de la chanson d'expression française hors de France.

VILLEMER. V. Delormel.

VINÇARD, chansonnier (Paris 1796-187 ?). Fils d'artisan, lui-même apprenti menuisier, puis imprimeur lithographe, il commença à fréquenter les goguettes* à partir de 1818. Il appartint à la famille saint-simonienne depuis la fondation et, toute sa vie, resta fidèle au socialisme pacifique de la célèbre confrérie. Vinçard a été le premier à donner à la chanson une mission vraiment sociale; à chaque ligne, on le sent pénétré de son apostolat. S'étant essayé sans succès au journalisme, il fut le principal fondateur de la Ruche populaire, journal d'économie sociale ouvert aux poètes chansonniers. Il a pu-blié, en 1869, les Chants du travailleur, anthologie des chansonniers saint-simoniens.

VINCENT (Charles), chansonnier et journaliste (Fontainebleau 1828 - ?). La révolution de 1848 lui donna l'occasion de révéler ses talents de chansonnier, qui le font apparaître aux yeux de ses contemporains comme le rival de Pierre Dupont* : Jean Blé mûr, les Fils du soleil, l'Arbre de la liberté, qui fut traduit en plusieurs langues et chanté dans les capitales d'Europe, où Février 1848 avait trouvé un écho. Il collabore à certaines œuvres dramatiques, en y intercalant des couplets; la ronde de la Marchande du Temple, interprétée au cours d'un drame populaire de Luchet et Desbuards, avait un tel succès qu'une affiche annonçait l'heure où elle était chantée. En 1854, Charles Vincent a réuni ses chansons (et celles de son ami E. Plouvier) dans un volume : les Refrains du dimanche. Après avoir écrit dans le Siècle des articles, moitié prose, moitié couplets, il dut, pour vivre, se consacrer à un journalisme spécialisé : rédacteur en chef de l'Innovateur, il créa le Moniteur de la cordonnerie (qui payait sa rédaction en chaussures!) et la Halle aux cuirs. En 1870, il revint à la chanson avec l'Invasion, chantée par Julia Hisson à la salle Valentino, pendant le bombardement de la capitale. Paris-Journal, rendant compte de l'enthousiasme provoqué par cette chanson, la baptisa la Marseillaise de l'invasion.

VINCI (Claude **Caillaut**, dit **Claude**), auteur, interprète (Frédille, Indre, 1932). Études secondaires. De la chimie, il va vers les arts décoratifs et, de la décoration, il vient à la chanson, interprétant tout d'abord des poèmes de Paul Eluard, mis en musique par Yvonne Schmitt (Liberté, 1961). Il compose alors un répertoire très soigné de chansons « engagées », qui, avant la mode du folksong*, rend un son nouveau à la fin de la période yéyé*. Il regroupe en deux enregistrements des chansons contemporaines de qualité : Vingt Ans déjà évoque la dernière guerre et la Résistance; Chansons pour vivre marque nettement ses choix politiques. Il interprète notamment *Nuit et brouillard* (J. Ferrat*), *l'Affiche rouge* (L. Aragon* - L. Ferré*), *Ça fera vingt ans* (P. Louki*), *Octobre* (J. Dréjac* - Philippe-Gérard*). Il écrit aussi. Dans *Ma route* (- S. Franklin), chanson autobiographique, il évoque son grand-père paysan et son père maquisard.

virelai (XIIIe-XIVe s.), chanson, soit monodique, soit polyphonique*, avec accompagnement instrumental, voisine de la chanson balladée* et du rondeau*. Probablement dansée à l'origine, cette forme s'est éteinte en France au cours du XVe s.

vocal. V. *groupe vocal.*

W - X

WECKERLIN (Jean-Baptiste), compositeur et musicologue (Guebwiller 1821 - 1910). Bibliothécaire du Conservatoire national (1876-1909), il a remis à la mode les vieilles chansons françaises, qu'il a transcrites et publiées dans de nombreux recueils où les chanteurs continuent à puiser : *Echos du temps passé* (1853-1858), *Souvenirs du temps passé* (1863), *Album de grand-maman* (s.d.), *Bergerettes* (s.d.), *Pastourelles, romances et chansons du XVIIIe s.* (s.d.). *Les poètes français mis en musique* (1868) sont d'adroits pastiches de chansons du XIIe au XVIIIe s. Weckerlin a composé aussi de nombreuses romances* : *Je chante* (- A. Dumas), *les Roses de Saadi* (- Desbordes-Valmore*), *le Grillon* (- Lamartine), etc.

WEIL (Paul), chansonnier et revuiste (Paris 1865 - Herblay 1939). Il travailla durant trente-cinq ans chez un joaillier, ce qui ne l'empêcha pas de faire une belle carrière de chansonnier. Il avait commencé à paraître sous le nom de **Paul Briand.** Au moment de l'affaire Dreyfus, alors que l'homonyme du capitaine devenait Fursy*, Paul Briand reprist courageusement sa véritable identité. Après des débuts au Procope*, il passe dans un cabaret de Plaisance, le Chat-Rouge, puis aux Noctambules*, au Caveau de la République*, etc. En 1915, il quitte définitivement la joaillerie pour fonder, avec Tourtal*, le cabaret de la Chaumière*. Humoriste impassible, il a chanté les *Gaîtés du bal de l'Opéra* sur le timbre* de *l'Enterrement* (Jouy* - Bruant*), ce qui déclenchait automatiquement l'hilarité des auditeurs. Satiriste bienveillant, il a (toujours dans le

même style) composé de petites pochades sur la circulation de Paris : *la Grève des taxi-autos, Métromanie, Ballade en tramway, le Paveur du métro* (sur l'air du *Biniou de Botrel**) et *les Lanciers du carrefour* (sur le quadrille des lanciers), chanson toujours d'actualité. Les quelques chansons politiques* de Paul Weil, sous leur fausse bonhomie, sont assez cruelles : *le Congrès de Stuttgart* révèle combien étaient fragiles les convictions de Gustave Hervé.

Paul Weil a succédé à Fursy et à Ferny*, à la présidence de l'Amicale des chansonniers.

WHITE (Daniel), compositeur (Paris 1912). C'est E. Piaf* qui crée sa première chanson, *C'est toujours la même histoire*, sur des paroles d'Henri Contet*. On lui doit de nombreuses mélodies à succès, dont le nostalgique et poétique *Frédé* (- Michel Vaucaire*), qui évoque le célèbre patron du Lapin à Gill*. M. Amont*, J. Douai*, les Frères Jacques*, Mouloudji*, C. Vaucaire*, etc., sont parmi ses interprètes. Il a composé la musique de plusieurs films et de feuilletons télévisés (*Belle et Sébastien*).

WIENER (Jean), compositeur (Paris 1896). Études musicales au Conservatoire. Il participe à l'équipe qui crée le cabaret du Bœuf sur le toit* ; c'est lui qui amena les amis réunis autour de J. Cocteau dans le nouveau cabaret animé par Moysès (1921). Il y joua du piano (J. Cocteau à la batterie), avant de laisser la place à Clément Doucet. Wiener et Doucet présentèrent un numéro à deux pianos, qui eut beaucoup de succès, alternant musique classique (J.-S. Bach) et jazz* (Armstrong, Ellington), vers 1922. C'est avec eux que Mireille*, en tant qu'interprète, s'impose lors d'une revue à l'Odéon en 1927.

J. Wiener a mené une brillante carrière de compositeur. Il a écrit la musique de 250 films, en particulier *Touchez pas au grisbi* (J. Becker, 1953), dont la célèbre mélodie, interprétée à l'harmonica ou chantée (- M. Lanjean*), a connu une immense popularité. Il a composé des chansons (*Tant mieux, tant pis*, - L. Poterat*, 1934 ; *Quand même*, - J. Mario - L. Poterat, par E. Piaf* ; *Au coin des rues*, - M. Vaucaire*, 1947), mis en musique les *Chantefables* (1955) et les *Chantefleurs* de Robert Desnos (enregistrées par les Quatre Jeudis).

WILHEM (Guillaume Louis **Bocquillon,** dit), compositeur (Paris 1781-1842). Fils d'un officier, il suivit son père à l'armée du Nord et dans l'invasion de la Hollande (1793). Enrégimenté malgré son jeune âge, il continua à suivre les vicissitudes de la vie militaire jusqu'en 1795. En 1801, il entre au Conservatoire de Paris. Il terminait ses études musicales, quand il fut rappelé à la vie militaire pour être professeur de mathématiques (puis de musique) à Saint-Cyr. Ensuite, il fut fonctionnaire au ministère de l'Intérieur, puis professeur de musique au lycée Napoléon (1810). Lié avec Béranger*, dont il mit les premières chansons en musique (*la Vivandière, la Bonne Vieille* et *Brennus* eurent une grande vogue), il était surtout romanciste : *Dina, Bala, le Plaisir des rois, Angéline* (- Parny*) et *Marie Stuart, Adieux de Charles VII, Si j'étais petit oiseau, Parny n'est plus* (- Béranger).

Il a terminé ses jours en se consacrant à l'enseignement musical. Il fut l'un des fondateurs de l'école mutuelle.

WILLEMETZ (Albert), auteur (Paris 1887 - Marnes-la-Coquette 1964). Licencié en droit, fonctionnaire au ministère de l'Intérieur, il fut secrétaire de Clemenceau. Il publia son premier recueil de poèmes, *Au pays d'amour*, sous le pseudonyme de **Metzvil.**

Attiré par la chanson, créateur fécond, il écrit les paroles de nombreux succès (dont la musique est souvent due à M. Yvain*), avec un sens de la formule qu'on retient (*J'en ai marre*), une verve, un entrain (*Quand on est deux, Valentine*), qui n'excluaient pas l'émotion populaire (*En douce*) ou la vigueur réaliste (*Mon homme*). Mistinguett* et M. Chevalier* furent parmi les plus célèbres interprètes. On lui doit 150 revues, 102 opérettes comme *Phi-Phi, Dédé, Ta bouche, Nina Rosa, la Quincaillière de Chicago*, etc. Il fut président de la S. A. C. E. M.* à plusieurs reprises.

« Parmi les auteurs que j'ai chantés, le plus complet, celui dont le style, la grâce, la légèreté savaient le plus affiner ma gouaille faubourienne, a été Albert Willemetz. » (M. Chevalier.)

XANROF (Léon **Fourneau,** dit), chansonnier (Paris 1867-1953). Xanrof prit ce pseudonyme, anagramme latin de son nom véritable, à la demande de ses parents, qui craignaient de le voir compromettre sa situation en signant des chansons. Avocat à la cour d'appel, il appartint pendant deux ans au cabinet du ministre de l'Agriculture. Dès sa première année de droit, il avait commencé à composer des chansons pour l'Association des étudiants, dont il était le fondateur et le chansonnier officiel. Il fit également une carrière de journaliste assez variée : chansons au jour le jour au *National* ; chroniqueur judiciaire à *la Lanterne* ; courriériste théâtral au *Gil-Blas* ; soiriste au *Quotidien illustré*, etc. Sa fantaisie incisive, son parisianisme, aigre et délicat firent le succès de ses chansons : *Mon enterrement, l'Hôtel du n° 3, le Fiacre*, créé par Félicia Mallet et repris par Yvette Guilbert*, qui interprétait presque exclusivement les chansons de Xanrof et en fixa le succès. Xanrof composait la musique de ses chansons sans savoir l'écrire. H. Valbel publie un curieux tableau où les notes sont écrites en toutes lettres par Xanrof, avec des indications de longues et de brèves, comme pour les vers latins. À la fin de sa vie, Xanrof, retiré de la chanson, s'est consacré au théâtre. Il a écrit l'adaptation de *Rêve de valse* et l'opérette *Madame Putiphar*.

YZ

yéyé (vient de *yes* [oui] par l'intermédiaire de *yeah, argot* américain), exclamation traditionnelle accompagnant certaines chansons (le *blues* en particulier). Le mot désigne en France, à partir de 1961, de façon péjorative pour certains, une mode qui, née du rock* et du twist*, a porté à la notoriété de jeunes auteurs, compositeurs ou interprètes influencés par les rythmes américains populaires. Plus largement, désigne tout un état d'esprit. Historiquement, le yéyé marque l'entrée de la chanson française dans le circuit de la société de consommation.

Primitivement confondue avec le rock* et le twist*, une première période est liée à des violences accompagnant les tournées de chanteurs en 1961, devenant parfois de véritables émeutes de jeunes (premier festival du rock, palais des Sports de Paris; boulons à Luchon). Mais le yéyé (symbolisé par Johnny Hallyday*) se démarque peu à peu des violences des « blousons noirs », tout en continuant de rassembler de grandes foules : son rythme fortement marqué correspond à un besoin biologique des jeunes qui communient en de véritables mythes : ils se retrouvent dans l'extrême jeunesse de l'interprète qui les « exprime » et dans leurs « idoles »*; ils prennent conscience de leur nombre (en 1963, il y a 6 millions de jeunes de treize à dix-neuf ans, qu'on nomme, à l'américaine, des *teen agers*); ils se sentent mal à l'aise dans une société de consommation où ils étouffent. On a pu dire qu'ils étaient des « rebelles sans cause »; ils reconnaissent des valeurs positives, dont l'amitié des « copains* ». Mais les thèmes de leurs chansons restent conformistes. Le phénomène culmine le 22 juin 1963, à 21 h, place de la Nation à Paris, où la station radiophonique

Europe n° 1* réunit de 150 000 à 200 000 jeunes autour de J. Hallyday, S. Vartan*, R. Anthony*, à l'occasion du départ du Tour de France, dans une ambiance délirante. Il y a quelques incidents, relativement peu nombreux. Les réactions sont très diverses : « À la fête de la Nation, il y avait 1 000 voyous et 149 000 copains. » (*France-Soir*.) « Des blousons noirs ont violenté une jeune fille au milieu de 200 000 fans* déchaînés. » (*l'Aurore*.) D'après *Candide*, le général de Gaulle aurait déclaré : « Ces jeunes sont pleins de vitalité, profitez-en, envoyez-les construire des routes. » Des sociologues étudient ce phénomène de masse : la jeunesse formerait une « nouvelle classe ». Mais le yéyé entre dans une deuxième période, plus rassurante : il devient un spectacle de « variétés ».

Ce phénomène a été lié à l'industrialisation de la diffusion de la chanson (radio*, disques*). Les stations radiophoniques ont joué un rôle considérable, notamment Europe n° 1 (Daniel Filipacchi, Frank Tenot). Elles ont su répondre à un besoin, l'entretenir, le canaliser, l'accorder à la société de consommation. L'émission célèbre *Salut les copains* donne naissance au journal mensuel du même nom (1962), bientôt suivi par le renouvellement de la presse de jeunes (*Nous les garçons et les filles, Mademoiselle âge tendre, Bonjour les amis, Hello, Disco-revue*), qui accorde une grande place à la chanson, aux vedettes. C'est l'un des sujets privilégiés de *Salut les copains* (avec le cinéma, la mode, l'automobile), à l'exclusion des sujets qui divisent (politique, religion, par exemple). La clientèle des jeunes est importante pour la chanson (on estime que 75 p. 100 des disques sont achetés par des clients ayant moins de quarante ans). Cet engouement a été utilisé par la publicité des produits les plus divers.

Le style yéyé est très diversifié, car le répertoire des idoles du rock contient aussi des chansons « douces », et des artistes comme Françoise Hardy*, Sheila*, France Gall* font partie d'un genre où la jeunesse des interprètes, la simplicité des chansons et l'orchestration caractéristique sont les seuls critères communs d'un engouement de masse.

Parmi les vedettes du yéyé, on peut citer Frank Alamo, R. Anthony, Lucky Blondo, C. François*, F. Gall, J. Hallyday, F. Hardy, Eddie Mitchell, Monty, Dick Rivers, Sheila, S. Vartan, etc. Les principaux cabarets-dancings du yéyé ont été le Golf Drouot*, la Locomotive (place Pigalle, sous-sol du Moulin-Rouge) et le Bus Palladium (6, rue Fontaine), qui devient ensuite le James Palladium (77, rue Pigalle); il a inspiré une chanson à L. Ferré*.

Le succès du folksong* à partir de 1965 traduit un retour à la mélodie et à des textes plus poétiques ou plus engagés.

YON-LUG (Constant **Jacquet,** dit), chansonnier (Oullins 1864 - Paris 1921). Il abandonne ses études à seize ans pour entrer à la Compagnie du gaz, à Lyon, emploi qu'il quitte rapidement pour devenir commis d'architecte. À ce moment, il débute à Lyon comme chansonnier dans une goguette*, l'Alliance lyrique, puis chante aux Baculots et au Caveau lyonnais*. Trombert, directeur des Quat'-z-Arts*, étant venu en tournée à Lyon, l'engage pour son cabaret, où sa notoriété fut établie d'un seul coup par la *Ballade des agents.* Il partit pour une longue tournée qui, de l'Algérie, le Moyen-Orient, l'amena jusqu'en Chine. À son retour, il se partagea entre les Quat'-z-Arts et les Noctambules*, Cigale imprévoyante, il fut recueilli à la fin de sa vie à l'hospice de Brévannes. Lors de ses jours de sortie, il revenait se faire entendre au cabaret de la Vache-Enragée* et aux Noctambules, où Martial Boyer lui avait conservé une petite place.

Il avait adopté le pseudonyme de Yon-Lug en hommage à sa ville d'adoption Yon (Lyon, prononcé à la façon lyonnaise) et

Lug (première syllabe du latin *Lugdunum :* Lyon).

À part la *Ballade des agents,* Yon-Lug a écrit des chansons qui eurent du succès : *Idioties, les Lanternes, les Tonneaux.* La musique de ces chansons, composée par lui-même, est généralement imitative et double l'effet de ce qu'il exprime en vers.

YVAIN (Maurice), compositeur (Paris 1891 - Suresnes 1965). Élève de Diémer (piano) et Xavier Leroux (composition) au Conservatoire, il débute comme pianiste aux Quat'-z-Arts*, puis part pour Monte-Carlo.

Après 1918, il se consacre à l'opérette et en rénove le genre, en y introduisant les rythmes du jazz*. Beaucoup de ses opérettes contiennent des chansons à succès : *Ta bouche* (- Mirande - Willemetz*), *Au soleil du Mexique* (- Mouèzy - Eon - Willemetz), *Pas sur la bouche* et *Kadubec* (- André Barde), *Là-haut* (- Mirande - Quinson*; mais il a composé de nombreuses chansons, en particulier pour Mistinguett* : *Mon homme* (- Willemetz - Jacques-Charles*), *J'en ai marre* et *En douce* (- Willemetz). Yvain a composé aussi la musique de plusieurs films, dont celle de *L'assassin habite au 21,* et deux ballets, *Vent* (pour l'exposition de 1937) et *Blanche-Neige* (1951).

ZIWÈS (Armand Fernand), chansonnier (Paris 1887-1962). Chansonnier montmartrois, il a fait revivre ses souvenirs dans un volume, *À Montmartre le soir...* (en collaboration avec Anne de Bercy). En plus des chansons d'actualité, il a composé, pour sa fille, des chansons enfantines, qui sont encore chantées dans les écoles : *la Chanson des petits, la Ronde des métiers, les Mains amies.* Parallèlement à sa vocation chansonnière, Armand Ziwès a fait une belle carrière administrative : préfet du Gers en 1945, secrétaire général de la Préfecture de police de Paris, préfet de Seine-et-Oise et, enfin, directeur de la S. O. F. I. R. A. D. Il a écrit de nombreux romans policiers et publié *le Jargon de maître François Villon* (en collaboration avec Anne de Bercy).

Imprimerie LAROUSSE, 1 à 9, rue d'Arcueil, 92 - Montrouge. — Octobre 1968. — Dépôt légal 1968-4e. No 4304. — No de série Editeur 4497. — IMPRIMÉ EN FRANCE (*Printed in France*). — 75.451-10-68.